ROZBITE OKNO

POLECAMY:

JEFFERY
DEAVER

JEFFERY
DEAVER
ROZBITE OKNO

Przełożył Łukasz Praski

Prószyński i S-ka

Tytuł oryginału
The Broken Window

Copyright © 2008 by Jeffery Deaver
All rights reserved.

Projekt okładki
Cover photograph © Michael Cevoli/Veer/Corbis

Redaktor serii
Renata Smolińska

Redakcja
Magdalena Koziej

Korekta
Mariola Będkowska

Łamanie
Ewa Wójcik

ISBN 978-83-7648-131-9

Warszawa 2009

Wydawca
Prószyński Media Sp. z o.o.
02-651 Warszawa, ul. Garażowa 7
www.proszynski.pl

Druk i oprawa
ABEDIK S.A.
ul. Ługańska 1, 61-311 Poznań

Dla drogiego przyjaciela,
pisanego słowa

I

COŚ WSPÓLNEGO

CZWARTEK, 12 MAJA

Przyczyną naruszenia prywatności nie jest na ogół odkrywanie wielkich tajemnic osobistych, lecz ujawnianie wielu drobnych faktów... Podobnie jak z pszczołami afrykańskimi – jedna jest zaledwie utrapieniem, ale rój może stanowić śmiertelne zagrożenie.

ROBERT O'HARROW JUNIOR, „No Place to Hide"

Rozdział 1

Coś ją dręczyło, nie potrafiła jednak odgadnąć, co to jest. Jak lekki, uporczywy ból pulsujący gdzieś w głębi ciała. Albo jakiś człowiek idący za tobą, gdy zbliżasz się do domu... Czy to ten sam typ, który zerkał na ciebie w metrze? Albo ciemna kropka przesuwająca się w kierunku łóżka, która nagle znika. Pająk czarna wdowa?

W tym momencie jej gość siedzący na kanapie w salonie spojrzał na nią i uśmiechnął się, a Alice Sanderson zapomniała o swoim niepokoju – jeśli to w ogóle był niepokój. Owszem, Arthur był inteligentny i dobrze zbudowany, ale przede wszystkim miał wspaniały uśmiech, który znaczył o wiele więcej.

– Może wina? – spytała, idąc do małej kuchni.

– No pewnie. Wszystko jedno, jakie masz.

– Całkiem przyjemne takie wagary w środku tygodnia. Dwoje dorosłych – fajnie.

– Szaleństwo mam we krwi – zażartował.

Okno wychodziło na rząd fasad z naturalnego i malowanego piaskowca po drugiej stronie ulicy. Widać stąd było także zarys dachów Manhattanu, tego dnia zasnuty mgiełką na wiosennym niebie. Do pokoju wpadało świeże jak na Nowy Jork powietrze, niosąc woń czosnku i oregano z pobliskiej włoskiej restauracji. To była ulubiona kuchnia ich obojga – jedno ze wspólnych upodobań, jakie zdążyli odkryć już na pierwszym spotkaniu na degustacji wina w SoHo przed kilkoma tygodniami, pod koniec kwietnia. W trakcie wykładu somelJera na temat europejskich win, którego Alice słuchała wraz z grupą około czterdziestu osób, jakiś męski głos spytał o pewien rodzaj hiszpańskiego czerwonego wina.

Zaśmiała się cicho. Tak się składało, że miała skrzynkę właśnie tej marki (ściślej mówiąc, już niecałą skrzynkę). Wino pochodziło z mało znanej winnicy. Może nie była to najlepsza rioja na świecie, lecz jej bukiet krył miłe wspomnienia. Alice wypiła jej mnóstwo ze swoim francuskim kochankiem podczas tygodnia spędzonego w Hiszpanii – cudownej przygody, idealnej dla kobiety tuż przed trzydziestką, która niedawno zerwała ze swoim chłopakiem. Wakacyjny romans, namiętny i intensywny, był oczywiście z góry skazany na klęskę, co jeszcze dodawało mu powabu.

Alice wychyliła się wtedy, chcąc zobaczyć, kto pyta o wino: ujrzała nijakiego mężczyznę w garniturze. Po kilku kieliszkach degustowanych gatunków nabrała odwagi i z talerzem przekąsek w ręku, lawirując wśród gości, podeszła do niego i spytała, dlaczego interesuje go akurat to wino.

Odrzekł, że przed kilkoma laty pojechał do Hiszpanii ze swoją byłą dziewczyną i rioja bardzo przypadła mu do gustu. Usiedli przy stoliku, rozmawiając jeszcze przez chwilę. Okazało się, że Arthur ma takie same upodobania kulinarne i sportowe jak ona. Oboje uprawiali jogging i codziennie rano spędzali godzinę w klubach fitness, które kazały sobie słono płacić.

– Ale zwykle ubieram się w najtańsze szorty i T-shirty z JCPenney – dodał. – Nie przepadam za markowymi ciuchami… – Nagle zarumienił się, uświadamiając sobie, że być może ją obraził.

Ale odpowiedziała śmiechem. Ubiór do ćwiczeń traktowała podobnie (rzeczy kupowała w Target, odwiedzając rodzinę w Jersey). Ugryzła się jednak w język i nie powiedziała mu o tym w obawie, by nie pomyślał, że chce mu się narzucać. Zaczęli popularną miejską grę randkową: co mamy ze sobą wspólnego. Oceniali restauracje, porównywali odcinki serialu „Pohamuj entuzjazm" i narzekali na swoich psychoanalityków.

Umówili się raz, potem drugi. Art był zabawny i uprzejmy. Chwilami wydawał się nieco sztywny, sprawiając wrażenie nieśmiałego odludka, lecz Alice przypisywała to przeżyciom po – jak to określił – „koszmarnym rozpadzie" długiego związku z dziewczyną pracującą w świecie mody. Poza tym napięty rozkład dnia – biznesmena z Manhattanu – nie pozostawiał mu zbyt dużo wolnego czasu. Czy coś z tego wyjdzie?

Jeszcze nie został oficjalnie jej chłopakiem. Ale mogła trafić znacznie gorzej. A gdy na ostatniej randce doszło do pocałunku, poczuła lekkie ukłucie, które oznaczało jedno: chemię. Dziś być może będzie miała okazję się przekonać, w jakim stopniu ona zadziała. Zauważyła, że Arthur ukradkiem – jak mu się zdawało – zerka na obcisły różowy ciuszek, który Alice kupiła w Bergdorfie specjalnie na tę randkę. Przygotowała też sypialnię na wypadek, gdyby pocałunek miał mieć ciąg dalszy.

Nagle powrócił tamten cień niepokoju, lęk przed pająkiem.

Czego się obawiała?

Alice sądziła, że to tylko echo nieprzyjemnego spotkania z kurierem, który przywiózł jej przesyłkę. Mężczyzna miał ogoloną głowę i krzaczaste brwi, cuchnął papierosami i mówił z silnym akcentem ze wschodniej Europy. Kiedy podpisywała dokumenty, zmierzył ją wyraźnie pożądliwym spojrzeniem i poprosił o szklankę wody. Niechętnie skierowała się do kuchni, a chwilę później zobaczyła go stojącego pośrodku salonu i oglądającego jej wieżę audio.

Poinformowała go, że na kogoś czeka, więc wyszedł, krzywiąc się ze złości, jak gdyby spotkał go afront. Patrząc przez okno, Alice zauważyła, że zanim wsiadł do swojej furgonetki, którą zablokował zaparkowane przed domem samochody, minęło prawie dziesięć minut.

Co robił przez ten czas w budynku? Czyżby sprawdzał…

– Halo, Ziemia do Alice…

– Przepraszam. – Zaśmiała się, podeszła w końcu do kanapy i usiadła obok Arthura. Musnęli się kolanami. Myśli o kurierze ulotniły się w jednej chwili. Stuknęli się kieliszkami – dwoje ludzi, którzy zgadzali się ze sobą co do najważniejszych spraw: polityki (wpłacali prawie taką samą kwotę na fundusz Demokratów i odpowiadali na cykliczne apele radia publicznego o składki słuchaczy), filmów, jedzenia, podróży. Oboje byli niepraktykującymi protestantami.

Gdy ich kolana ponownie się zetknęły, Arthur uwodzicielsko otarł się nogą o jej nogę, po czym spytał:

– Ach, co z tym Prescottem, którego miałaś kupić? Udało ci się go zdobyć?

Rozpromieniła się i skinęła głową.

– Tak. Jestem już właścicielką Harveya Prescotta.

11

Alice Sanderson nie była bogatą osobą według standardów manhattańskich, ale dzięki dobrym inwestycjom mogła się oddawać swojej prawdziwej pasji. Od dawna śledziła karierę Prescotta, malarza z Oregonu, specjalizującego się w hiperrealistycznych portretach rodzin – nie rzeczywistych, lecz wymyślonych. Malował rodziny tradycyjne i nieco mniej – takie, w których byli samotni rodzice, mieszane rasowo pary albo osoby homoseksualne. Na rynku nie było prawie żadnego obrazu Prescotta, którego cena mieściłaby się w jej możliwościach, lecz mimo to Alice wpisała się na listę potencjalnych kupców w kilku galeriach, które od czasu do czasu sprzedawały jego dzieła. W zeszłym miesiącu dostała wiadomość od jednej z galerii na zachodzie, że być może pojawi się okazja kupna jednego z wczesnych płócien Prescotta za sto pięćdziesiąt tysięcy dolarów. Rzeczywiście, właściciel postanowił je sprzedać, więc Alice sięgnęła do swojego rachunku inwestycyjnego.

Właśnie tę przesyłkę dziś otrzymała. Jednak powracająca myśl o kurierze zakłóciła przyjemność z posiadania obrazu. Alice przypomniała sobie zapach mężczyzny, jego lubieżny wzrok. Wstała i udając, że chce szerzej odsłonić zasłony, wyjrzała na ulicę. Nie zauważyła żadnej furgonetki, żadnego skinheada stojącego na rogu i obserwującego jej mieszkanie. Miała ochotę zamknąć okno, ale uznała, że byłby to przejaw paranoi, poza tym musiałaby się tłumaczyć przed Arthurem.

Wróciła do niego i obrzucając wzrokiem ściany pokoju, powiedziała mu, że nie wie jeszcze, gdzie powiesić obraz w swoim małym mieszkaniu. W wyobraźni przemknęła scena: pewnej soboty Arthur zostaje na noc, a w niedzielę, po późnym śniadaniu, pomaga jej znaleźć idealne miejsce dla płótna Prescotta.

Z nutą radości i dumy w głosie spytała:

– Chcesz zobaczyć?

– Pewnie.

Wstali i Alice ruszyła w stronę sypialni. Zdawało się jej, że słyszy kroki w korytarzu. O tej porze wszyscy pozostali lokatorzy powinni być w pracy.

Czyżby to był ten kurier?

Przynajmniej nie była sama.

Dotarli do drzwi sypialni.

I w tym momencie czarny pająk zaatakował.

Alice nagle uświadomiła sobie, że to, co ją niepokoiło, nie miało nic wspólnego z kurierem. Nie – tu chodziło o Arthura. W trakcie wczorajszej rozmowy spytał ją, kiedy przywiozą jej Prescotta. Mówiła mu, że czeka na obraz, lecz ani razu nie wspomniała nazwiska malarza. Przed drzwiami sypialni zwolniła kroku. Miała wilgotne ręce. Skoro dowiedział się o obrazie, mimo że nic mu nie powiedziała, być może poznał inne fakty z jej życia. A jeżeli wszystko, co rzekomo mieli ze sobą wspólnego, to same kłamstwa? Jeśli wcześniej dowiedział się o jej zamiłowaniu do hiszpańskiego wina? Jeśli zjawił się na degustacji tylko po to, żeby znaleźć się blisko niej? Wszystkie restauracje, jakie znali, pasja do podróży, ulubione seriale…

Boże, prowadziła do sypialni mężczyznę, którego znała zaledwie od kilku tygodni. Zupełnie bezbronna…

Miała przyspieszony oddech… Zadygotała.

– Och, obraz – szepnął Arthur, spoglądając ponad jej ramieniem. – Piękny.

Słysząc jego spokojny, miły głos, Alice zaśmiała się w duchu. Oszalałaś? Na pewno wspomniała Arthurowi nazwisko Prescotta. Stłumiła obawy. Uspokój się. Za długo mieszkasz sama. Przypomnij sobie jego uśmiech, jego żarty. Arthur odbiera na tych samych falach.

Odpręż się.

Cichy śmiech. Alice patrzyła na płótno o wymiarach pół na pół metra, na utrzymaną w zgaszonej tonacji scenę przedstawiającą sześcioro ludzi spoglądających zza stołu – niektórzy mieli rozbawione miny, inni zamyślone lub zatroskane.

– Niewiarygodne – powiedział Arthur.

– Wspaniała kompozycja, ale przede wszystkim doskonale oddaje ich uczucia. Nie sądzisz? – Alice odwróciła się do niego.

Uśmiech zamarł na jej twarzy.

– Arthur, o co chodzi? Co ty robisz?

Nałożył beżowe płócienne rękawiczki i sięgał do kieszeni. Patrząc mu w oczy, w ciemne, nieruchome punkciki pod zmarszczonymi brwiami, Alice zobaczyła zupełnie obcą twarz.

II

TRANSAKCJE

NIEDZIELA, 22 MAJA

Często powtarza się mit, że nasze ciało rozebrane na części jest warte cztery i pół dolara. Nasza cyfrowa tożsamość jest warta znacznie więcej.

ROBERT O'HARROW JUNIOR, „No Place to Hide"

Rozdział 2

Trop prowadził ze Scottsdale przez San Antonio i ruchliwy parking przy autostradzie międzystanowej 95 w Delaware, pełen kierowców ciężarówek i podróżujących rodzin, aż do zupełnie nieprawdopodobnego miejsca – Londynu.

Tak wyglądała droga ucieczki zawodowego mordercy, którego od pewnego czasu ścigał Lincoln Rhyme i choć zdołał go powstrzymać przed popełnieniem strasznej zbrodni, bandycie w ostatniej chwili udało się umknąć policji i „spokojnie, jak gdyby nigdy nic ulotnić się z miasta jak jakiemuś cholernemu turyście, który w poniedziałek rano musi wrócić do pracy" – z goryczą podsumował jego wyczyn Rhyme.

Trop urywał się nagle i ani policja, ani FBI nie potrafiły ustalić kryjówki zbiega ani przewidzieć jego następnego kroku. Ale kilka tygodni wcześniej Rhyme dowiedział się od znajomych z Arizony, że właśnie ten człowiek jest podejrzany o zamordowanie żołnierza armii amerykańskiej w Scottsdale. Zebrane informacje wskazywały, że skierował się na wschód – do Teksasu, a potem do Delaware.

Imię i nazwisko sprawcy – prawdziwe albo fałszywe – brzmiało Richard Logan. Najprawdopodobniej pochodził z zachodniej części Stanów Zjednoczonych albo z Kanady. W wyniku intensywnych poszukiwań odnaleziono wielu Richardów Loganów, lecz żaden z nich nie pasował do profilu mordercy.

Dzięki nadzwyczajnemu zbiegowi okoliczności (sam nigdy nie użyłby słowa „szczęście") Lincoln Rhyme dowiedział się od Interpolu, europejskiego banku informacji kryminalnych, że w Anglii ktoś wynajął płatnego zabójcę z Ameryki. Człowiek ten dokonał zabójstwa w Arizonie, by uzyskać dostęp do jakichś

17

wojskowych tajemnic i zdobyć fałszywą tożsamość, spotkał się ze wspólnikami w Teksasie, a potem otrzymał zaliczkę na parkingu dla ciężarówek gdzieś na Wschodnim Wybrzeżu. Odleciał na Heathrow i teraz ukrywał się na terenie Wielkiej Brytanii, w niewiadomym miejscu.

Richard Logan był motorem „suto opłaconego spisku, zawiązanego na wysokich szczeblach" – czytając finezyjne sformułowanie Interpolu, Rhyme nie mógł się powstrzymać od uśmiechu – myśląc o pewnym protestanckim duchownym z Afryki. Pastor prowadził obóz dla uchodźców i przypadkowo odkrył gigantyczny przekręt, którego organizatorzy kradli leki dla chorych na AIDS i sprzedawali je, a za uzyskane pieniądze kupowali broń. Zanim służby bezpieczeństwa ewakuowały go do Londynu, przeżył trzy zamachy na swoje życie: w Nigerii i Liberii oraz w hali tranzytowej lotniska Malpensa w Mediolanie, gdzie niewiele umykało uwagi Polizii di Stato, uzbrojonej w krótką broń maszynową.

Wielebny Samuel G. Goodlight (Rhyme nie potrafiłby sobie wyobrazić lepszego nazwiska dla przedstawiciela duchowieństwa[*]) przebywał obecnie w chronionym domu pod czujnym okiem funkcjonariuszy ze Scotland Yardu, siedziby londyńskiej policji metropolitalnej, gdzie pomagał brytyjskim i zagranicznym wywiadowcom rozwiązać łamigłówkę afery „broń za leki".

Za pośrednictwem szyfrowanych rozmów i e-maili przesyłanych między kilkoma kontynentami Rhyme i niejaka inspektor Longhurst z policji stołecznej zastawili na przestępcę pułapkę. Ich plan, dorównujący wyrafinowaniem spiskom Logana, przewidywał udział sobowtórów i w dużej mierze opierał się na pomocy wpływowego byłego handlarza broni z RPA, który oddał im do dyspozycji sieć doświadczonych informatorów. Danny Krueger dorobił się setek tysięcy dolarów na obrocie bronią, którą sprzedawał z równą sprawnością i obojętnością, z jaką inni biznesmeni sprzedawali klimatyzatory i syrop na kaszel. Ale gdy w zeszłym roku pojechał do Darfuru, wstrząsnął nim widok rzezi dokonanej za pomocą jego zabawek. Bez namysłu porzucił handel bronią i osiedlił się w Anglii. W skład grupy specjalnej weszli funkcjonariusze MI5, a także personel londyńskiego

[*] *Good light* – dobre światło (przyp. tłum.).

biura FBI oraz agent francuskiego odpowiednika CIA, La Direction Générale de la Sécurité Extérieure.

Planując akcję, nie mieli pojęcia nawet o tym, w jakiej części Wielkiej Brytanii ukrywa się Logan, lecz Krueger dowiedział się, że morderca da o sobie znać w ciągu kilku najbliższych dni. Energiczny Południowoafrykańczyk, nadal utrzymujący wiele kontaktów w międzynarodowym podziemiu, rozpuścił swoimi kanałami pogłoski o „tajnym" punkcie, w którym miało dojść do spotkania Goodlighta z przedstawicielami władzy. Był to budynek z otwartym dziedzińcem, wymarzonym miejscem dla zabójcy do dokonania zamachu na pastora.

Nie było też lepszego miejsca, by namierzyć i zatrzymać Logana. Rozpoczęto obserwację obiektu, a uzbrojeni policjanci i agenci MI5 i FBI byli w pogotowiu dwadzieścia cztery godziny na dobę.

Rhyme siedział na swoim wózku akumulatorowym na parterze domu przy Central Park West – w pokoju, który dawno przestał pełnić funkcję staroświeckiego wiktoriańskiego salonu, zmieniając się w świetnie wyposażone laboratorium kryminalistyczne, większe od wielu podobnych pracowni w średniej wielkości miastach. Robił to, co w ciągu ostatnich kilku dni często zajmowało mu czas: wpatrywał się w telefon, pod którego klawiszem szybkiego wybierania z dwójką zapisano pewien numer w Anglii.

– Telefon chyba działa, co? – spytał Rhyme.

– Są powody, żeby nie działał? – Thom, jego opiekun, zadał pytanie opanowanym tonem, który w uszach Rhyme'a zabrzmiał jak znużone westchnienie.

– Nie wiem. Czasem dochodzi do przeciążenia obwodów. Albo piorun trafia w linie telefoniczne. Może się zdarzyć mnóstwo rzeczy.

– No to sprawdź. Żeby mieć pewność.

– Polecenie – rzekł Rhyme, uruchamiając system rozpoznawania głosu podłączony do USO – elektronicznego układu sterowania otoczeniem, który pod wieloma względami zastępował mu funkcjonowanie fizyczne. Lincoln Rhyme był tetraplegikiem; nie potrafił poruszać prawie żadną częścią ciała poniżej miejsca, w którym przed laty złamał kręgosłup w wypadku podczas oględzin miejsca zbrodni – poniżej czwartego kręgu szyjnego, blisko podstawy czaszki. – Zadzwoń do informacji – rozkazał.

W głośnikach rozległ się sygnał wybierania numeru, po którym nastąpiło *pip, pip, pip*. Ten dźwięk zirytował Rhyme'a bardziej, niż gdyby się okazało, że telefon nie działa. Dlaczego inspektor Longhurst nie dzwoniła?

– Polecenie – rzucił ze złością. – Rozłącz.

– Wygląda na to, że wszystko w porządku. – Thom umieścił kubek w uchwycie przy wózku Rhyme'a, a kryminalistyk pociągnął przez słomkę łyk mocnej kawy. Spojrzał na stojącą na półce butelkę Glenmorangie, osiemnastoletniej jednosłodowej whisky – była niedaleko, ale naturalnie zawsze poza zasięgiem Rhyme'a.

– Jest rano – zauważył Thom.

– Jasne, że jest rano. Przecież widzę. Wcale nie chcę... tylko po prostu... – Czekał na okazję, żeby dokuczyć młodemu człowiekowi z tego powodu. – Przypominam sobie, że wczoraj dość wcześnie odstawiłeś mi whisky. Wypiłem dwie szklaneczki. Tyle co nic.

– Trzy.

– Gdyby zliczyć całą zawartość, to znaczy tych parę nędznych centymetrów sześciennych, wyszłyby dwie małe. – Małostkowość sama w sobie mogła być równie odurzająca jak trunek.

– W każdym razie rano nie ma mowy o szkockiej.

– Pomaga mi jaśniej myśleć.

– Wcale nie.

– Ależ tak. Przychodzi mi do głowy więcej pomysłów.

– Też nie.

Thom miał na sobie nieskazitelnie wyprasowaną koszulę, krawat i spodnie. Jego ubranie gniotło się mniej niż kiedyś. Znaczna część obowiązków opiekuna tetraplegika polega na pracy fizycznej. Nowy, „rajdowy" wózek Rhyme'a Invacare TDX można było rozłożyć jak łóżko, co znacznie ułatwiało Thomowi pracę. Wózek potrafił nawet pokonywać niewysokie stopnie i rozwijać prędkość porównywalną z prędkością biegnącego mężczyzny w średnim wieku.

– Mówię, że chcę się napić szkockiej. Słyszałeś. Wyraziłem pragnienie. Co ty na to?

– Nie.

Rhyme prychnął drwiąco i ponownie utkwił wzrok w telefonie.

– Jeżeli ucieknie... – Głos mu zamarł. – No, nie zamierzasz mi powiedzieć tego co wszyscy?

20

– Co masz na myśli, Lincoln? – Szczupły młody człowiek od wielu lat pracował u Rhyme'a. Od czasu do czasu pryncypał go zwalniał, czasem Thom sam składał wymówienie. Mimo to nadal opiekował się Rhyme'em, co stanowiło świadectwo wytrwałości albo przekory obydwu.

– Gdy mówię „Jeżeli ucieknie", powinieneś powiedzieć „Och, na pewno nie ucieknie. Nie martw się". Masz mi dodać otuchy. Tak robią ludzie: kiedy nie mają pojęcia, o czym mówią, dodają sobie nawzajem otuchy.

– Niczego takiego nie powiedziałem. Będziemy się kłócić o coś, co mogłem powiedzieć, ale nie powiedziałem? Nie sądzisz, że zachowujesz się jak żona, która wkurza się na męża, bo zobaczyła na ulicy ładną dziewczynę i pomyślała, że gapiłby się na nią, gdyby tam był?

– Nie wiem, jak się zachowuję – odrzekł w roztargnieniu Rhyme; jego uwagę niemal bez reszty pochłaniał plan schwytania Logana w Wielkiej Brytanii. Przecież nie było w nim żadnych dziur? Czy dobrze się zabezpieczyli? Czy mógł ufać, że nie nastąpi żaden przeciek od informatorów i morderca niczego się nie domyśli?

Zadzwonił telefon, a monitor obok Rhyme'a wyświetlił numer. Kryminalistyk z rozczarowaniem skonstatował, że to nie Londyn, lecz ktoś z okolicy – z Centrali, jak nowojorscy gliniarze nazywali komendę główną na dolnym Manhattanie.

– Polecenie, odbierz. – *Klik.* – Co jest?

Głos osoby znajdującej się dziesięć kilometrów od niego mruknął:

– Mamy kiepski nastrój?

– Nie odezwał się jeszcze nikt z Anglii.

– A ty co, dyżurujesz pod telefonem? – zapytał detektyw Lon Sellitto.

– Logan zniknął. W każdej chwili może wykonać jakiś ruch.

– Z tobą jak z dzieckiem – odparł Sellitto.

– Może. Czego chcesz? Lepiej nie blokuj mi linii.

– Przy tej furze elektroniki nie masz funkcji rozmowy oczekującej?

– Lon.

– W porządku. Powinieneś o czymś wiedzieć. W zeszły czwartek doszło do morderstwa i kradzieży. Ofiarą była kobieta z Village. Alice Sanderson. Gość zakłuł ją nożem i ukradł jakiś obraz. Już go zgarnęliśmy.

Po co dzwonił? Zwykłe przestępstwo, sprawca pod kluczem.

– Problemy z dowodami?

– Nie.

– No więc dlaczego ma mnie to interesować?

– Pół godziny temu ktoś zadzwonił do detektywa prowadzącego sprawę.

– Pościg, Lon. Prowadzę pościg. – Rhyme patrzył na tablicę ze szczegółami akcji schwytania mordercy w Londynie. Był to misterny plan.

I oparty na bardzo kruchych podstawach.

Sellitto przerwał mu rozmyślania.

– Słuchaj, przykro mi, Linc, ale muszę ci powiedzieć, że sprawcą jest twój kuzyn, Arthur Rhyme. Chodzi o morderstwo pierwszego stopnia. Grozi mu dwadzieścia pięć lat, a prokurator twierdzi, że ma niezbite dowody.

Rozdział 3

Dawno się nie widzieliśmy.

W laboratorium siedziała Judy Rhyme. Miała poszarzałą twarz, splecione dłonie i z uporem unikała wzroku Lincolna.

Rhyme'a doprowadzały do szału dwa rodzaje reakcji na jego stan fizyczny: gdy goście rozpaczliwie usiłowali udawać, że nie zauważają jego niepełnosprawności albo gdy uznawali ją za powód, by odgrywać jego najlepszych przyjaciół, sypiąc żartami i nie przebierając w słowach, jak gdyby razem przeżyli wojnę. Judy należała do pierwszej kategorii – zanim ośmieliła się odezwać, ostrożnie ważyła każde słowo. Bądź co bądź była w pewnym sensie jego rodziną, Rhyme starał się więc zachować cierpliwość i nie spoglądać co chwilę na telefon.

– Rzeczywiście dość dawno – przytaknął.

O formy towarzyskie, na które Rhyme nigdy nie zważał, dbał Thom. Podał Judy kawę, która jak rekwizyt stała nietknięta na stoliku. Rhyme jeszcze raz tęsknie zerknął w kierunku whisky, co Thom bez trudu zignorował.

Atrakcyjna, ciemnowłosa kobieta wyglądała bardziej zdrowo i wydawało się, że jest w lepszej formie, niż gdy Rhyme widział ją po raz ostatni – dwa lata przed wypadkiem. Judy zdobyła się na odwagę i spojrzała mu w oczy.

– Przykro mi, że nie zaglądaliśmy do ciebie. Naprawdę. Chciałam tu przyjść.

Nie miała na myśli odwiedzin, kiedy jeszcze był sprawny, ale wizytę z litości po tragedii. Ludzie, którzy ocaleli z katastrofy, potrafią czytać między wierszami.

– Dostałeś kwiaty?

Tuż po wypadku Rhyme był niemal nieprzytomny – oszołomiony lekami, cierpieniem fizycznym i psychiczną walką z niewyobrażalną per-

23

spektywą, że już nigdy nie będzie chodził. Nie pamiętał, by dostał wtedy od nich kwiaty, lecz był pewien, że przysłano je od rodziny. Od wielu osób. Wysłanie bukietu to prosta rzecz, wizyty są trudniejsze.

– Tak, dziękuję.

Cisza. Mimowolny rzut oka na jego nogi. Ludzie zwykle przypuszczają, że jeśli nie możesz chodzić, coś jest nie tak z twoimi nogami. Nie, nogi są w porządku. Problem polega na tym, że nie można ich zmusić do funkcjonowania.

– Dobrze wyglądasz – powiedziała Judy.

Rhyme nie wiedział, jak wygląda. Właściwie nigdy się nad tym nie zastanawiał.

– No i słyszałam, że się rozwiodłeś.

– Zgadza się.

– Przykro mi.

Ciekawe dlaczego? Ale była to cyniczna myśl, więc podziękował za współczucie skinieniem głowy.

– Co porabia Blaine?

– Mieszka na Long Island. Wyszła drugi raz za mąż. Niezbyt często kontaktujemy się ze sobą. Tak to zwykle jest, kiedy się nie ma dzieci.

– Pamiętam, jak fajnie było w Bostonie, kiedy przyjechaliście na długi weekend. – Uśmiechnęła się, ale w istocie to nie był uśmiech tylko namalowana maska.

– Tak, było miło.

Weekend w Nowej Anglii. Zakupy, podróż na Cape Cod, piknik nad wodą. Rhyme przypomniał sobie, jak tam było pięknie. Widząc zielone skały na brzegu, doznał olśnienia i postanowił rozpocząć zbieranie glonów w okolicy Nowego Jorku do bazy danych laboratorium kryminalistycznego nowojorskiej policji. Przez cały tydzień jeździł wokół miasta w poszukiwaniu próbek.

Poza tym podczas wyjazdu na spotkanie z Arthurem i Judy ani razu nie pokłócił się z Blaine. Nawet droga powrotna z noclegiem w hoteliku w Connecticut upłynęła sympatycznie. Przypomniał sobie, jak się kochali na tarasie swojego pokoju, oszołomieni zapachem kapryfolium.

Podczas tamtej wizyty ostatni raz widział kuzyna. Później tylko raz odbyli krótką rozmowę telefoniczną. A potem zdarzył się wypadek i nastąpiła cisza.

– Arthur jakby zapadł się pod ziemię. – Zaśmiała się z zakłopotaniem. – Wiesz, że przeprowadziliśmy się do New Jersey?

– Naprawdę?

– Uczył na Princeton. Ale go zwolnili.

– Co się stało?

– Był adiunktem i pracownikiem naukowym. Postanowili nie proponować mu kontraktu profesorskiego. Art twierdzi, że stała za tym polityka. Wiesz, jak to jest w college'ach.

Henry Rhyme, ojciec Arta, był renomowanym profesorem fizyki na Uniwersytecie Chicago; w tej gałęzi rodziny Rhyme'ów niezwykle ceniono karierę uniwersytecką. W szkole średniej Arthur i Lincoln często dyskutowali nad zaletami zawodu badacza i wykładowcy, porównując ją z pracą w sektorze prywatnym. „Na uczelni robisz coś ważnego dla społeczeństwa", powiedział pewnego razu Art, gdy jeszcze niezbyt legalnie popijali piwo. I udało mu się zachować powagę, kiedy Lincoln dorzucił jeszcze jeden niezbity argument: „Fakt, no i nie zapominaj o fajnych asystentkach".

Rhyme nie dziwił się, że Art wybrał pracę na uniwersytecie.

– Mógł dalej być adiunktem, ale zrezygnował. Był bardzo zły. Przypuszczał, że od razu znajdzie nową pracę, ale tak się nie stało. Przez jakiś czas nic nie robił. W końcu trafił do prywatnej firmy. Producenta sprzętu medycznego. – Znów machinalnie spojrzała – tym razem na skomplikowany wózek. Zarumieniła się, jak gdyby właśnie palnęła rasistowski dowcip. – To nie była jego wymarzona praca i nie bardzo się cieszył. Jestem pewna, że chciał cię odwiedzić. Ale pewnie się wstydził, że tak mu się nie poszczęściło, a ty stałeś się taki sławny.

Wreszcie spróbowała kawy.

– Mieliście ze sobą tyle wspólnego. Jak bracia. Pamiętam te wszystkie historie, które opowiadałeś w Bostonie. Śmialiśmy się przez pół nocy. Dowiedziałam się o nim tylu nowych rzeczy. A mój teść, Henry – kiedy żył, ciągle o tobie mówił.

– Naprawdę? Często pisaliśmy do siebie. Ostatni list dostałem parę dni przed jego śmiercią.

Rhyme miał dziesiątki niezatartych wspomnień o wuju, lecz szczególnie zachował w pamięci jeden obraz. Wysoki, łysiejący mężczyzna o rumianej twarzy odchyla się od stołu i zaśmiewa się do rozpuku,

25

wprawiając w zakłopotanie wszystkich gości siedzących przy wigilijnej kolacji – wszystkich z wyjątkiem samego siebie, swojej cierpliwej żony i małego Lincolna, który wtóruje mu serdecznym śmiechem.

Rhyme bardzo lubił wuja i często jeździł do Arta i jego rodziny, którzy mieszkali w odległości pięćdziesięciu kilometrów, nad jeziorem Michigan w Evanston w stanie Illinois.

Dziś Rhyme nie był jednak w sentymentalnym nastroju, więc z ulgą powitał odgłos otwieranych drzwi i siedmiu energicznych kroków na dywanie w korytarzu. Poznał je. Po chwili do salonu wkroczyła wysoka i szczupła kobieta o rudych włosach, w dżinsach, czarnym T-shircie i luźnej bordowej bluzce, spod której wystawał lśniący złowrogo glock.

Gdy Amelia Sachs z uśmiechem pocałowała Rhyme'a w usta, Lincoln kątem oka dostrzegł niemą reakcję Judy. Mowa jej ciała była czytelna. Rhyme zastanawiał się tylko, co wprawiło ją w konsternację: fakt, że popełniła gafę, nie pytając go, czy z kimś się spotyka, czy założenie, że kaleka nie może partnerki – przynajmniej nie tak zniewalająco atrakcyjnej jak Sachs, która przed wstąpieniem na akademię policyjną pracowała jako modelka.

Przedstawił je sobie. Sachs z zainteresowaniem wysłuchała opowieści o aresztowaniu Arthura Rhyme'a, po czym zapytała Judy, jak sobie radzi z tą sytuacją. A potem:

– Macie dzieci?

Rhyme uświadomił sobie, że choć zwrócił uwagę na nietakt Judy, sam popełnił faux pas, nie pytając o ich syna, którego imienia nawet nie pamiętał. Okazało się, że rodzina się powiększyła. Poza Arthurem juniorem, który chodził do szkoły średniej, kuzyn miał jeszcze dwoje dzieci.

– Henry ma dziewięć lat. Mamy też córkę, Meadow. Sześcioletnią.

– Meadow? – powtórzyła Sachs ze zdziwieniem, którego przyczyn Rhyme nie rozumiał.

Judy zaśmiała się zakłopotana.

– Na dodatek mieszkamy w Jersey. Ale to nie ma nic wspólnego z tym serialem*. Urodziła się, zanim zdążyłam obejrzeć pierwszy odcinek.

---

* Meadow to imię córki Tony'ego Soprano, bohatera serialu „Rodzina Soprano" (przyp. tłum.).

Jakim serialem?

Judy przerwała chwilę ciszy.

– Na pewno się zastanawiasz, dlaczego zadzwoniłam do tego policjanta i poprosiłam o twój numer. Najpierw muszę ci powiedzieć, że Art nie wie, że tu jestem.

– Nie wie?

– Prawdę mówiąc, sama nie wpadłam na to, żeby się zwrócić do ciebie. Byłam taka roztrzęsiona, nie mogłam spać, nie mogłam normalnie myśleć. Ale kilka dni temu rozmawiałam z Artem w areszcie i powiedział: „Wiem, o czym myślisz, ale nie dzwoń do Lincolna. Na pewno mnie z kimś pomylili. Wyjaśnimy to. Obiecaj mi, że nie będziesz mu zawracać głowy". Nie chciał cię martwić... Wiesz, jaki jest Art. Taki dobry, zawsze myśli o innych.

Rhyme skinął głową.

– Ale im dłużej nad tym myślałam, tym bardziej wydawało mi się to sensowne. Nie chciałam cię prosić, żebyś użył swoich wpływów ani robił niczego nielegalnego, ale może mógłbyś do kogoś zadzwonić i powiedzieć, co o tym sądzisz.

Rhyme wyobrażał sobie, jak przyjęłaby to Centrala. Jego obowiązkiem jako konsultanta kryminalistycznego nowojorskiej policji było dążenie do prawdy, bez względu na to, jaka mogła się okazać, lecz szefostwo departamentu zdecydowanie wolało, aby zamiast uniewinniać, pomagał skazywać oskarżonego.

– Przejrzałam niektóre wycinki...

– Wycinki?

– Art ma albumy rodzinne. Przechowuje w nich wycinki z gazet z artykułami o twoich sprawach. Dziesiątki. Dokonałeś naprawdę niewiarygodnych rzeczy.

– Och, jestem tylko cywilnym konsultantem – odrzekł Rhyme.

Judy w końcu ujawniła autentyczne uczucie: spojrzała mu w oczy, a na jej ustach pojawił się szczery uśmiech.

– Art mówił, że nawet przez moment nie wierzył w twoją skromność.

– Doprawdy?

– Ale tylko dlatego, że ty też w nią nie wierzysz.

Sachs zachichotała.

Rhyme parsknął śmiechem, który jak sądził, zabrzmiał naturalnie. Po chwili spoważniał.

– Nie wiem, co będę mógł zrobić. Opowiedz mi, co się właściwie stało.

– To było w zeszły czwartek, dwunastego. Art w czwartki kończy wcześniej. W drodze do domu idzie do parku pobiegać. Uwielbia jogging.

Rhyme przypomniał sobie, jak dziesiątki razy urządzali sobie wyścigi: chłopcy, których dzieliła różnica wieku zaledwie kilku miesięcy, pędzili po chodnikach albo przez zielonożółte pola Środkowego Zachodu, płosząc pasikoniki i odganiając komary, które lepiły się do ich spoconej skóry, gdy przystawali dla zaczerpnięcia oddechu. Art zawsze był w lepszej formie, lecz to Lincoln dostał się do szkolnej reprezentacji lekkoatletycznej; kuzyn nie miał ochoty przystępować do testów sprawnościowych.

Rhyme odsunął na bok wspomnienia, skupiając się na słowach Judy.

– Wyszedł z pracy około wpół do czwartej, potem poszedł pobiegać i wrócił do domu mniej więcej o siódmej, może wpół do ósmej. Wydawał się taki jak zawsze, nie zachowywał się dziwnie. Wziął prysznic. Zjedliśmy kolację. Ale na drugi dzień przyszli do nas policjanci, dwóch z Nowego Jorku i jeden z New Jersey. Zadawali mu pytania i zajrzeli do samochodu. Znaleźli jakieś ślady krwi, nie wiem… – W jej głosie dała się słyszeć nuta szoku, jaki musiała przeżyć tamtego trudnego poranka. – Przeszukali dom, zabrali parę rzeczy. Potem wrócili i aresztowali Arta. Za morderstwo. – Ostatnie słowo wymówiła z wyraźnym trudem.

– O co dokładnie go podejrzewają? – spytała Sachs.

– Twierdzili, że zabił jakąś kobietę i skradł jej cenny obraz. – Prychnęła z goryczą. – Skradł obraz? Po co u licha? Morderstwo? Przecież Arthur nigdy w życiu nie skrzywdził nawet muchy. Nie jest do tego zdolny.

– A ta krew? Przeprowadzono test DNA?

– No tak, przeprowadzono. I zdaje się, że to krew ofiary. Ale takie testy mogą dać błędne wyniki, prawda?

– Czasami – odparł Rhyme, myśląc: bardzo, bardzo rzadko.

– Albo krew podrzucił prawdziwy morderca.

– Wróćmy do tego obrazu – odezwała się Sachs. – Czy Arthur mógł się szczególnie nim interesować?

Judy bawiła się grubymi, czarno-białymi bransoletkami na przegubie lewej ręki.

– Chodzi o to, że tak, miał kiedyś obraz tego samego malarza. Bardzo mu się podobał. Ale kiedy stracił pracę, musiał go sprzedać.

– Gdzie znaleziono obraz?

– Nie znaleziono.

– No to skąd wiedzą, że zniknął?

– Jakiś świadek mówił, że mniej więcej w czasie, gdy popełniono morderstwo, widział mężczyznę wynoszącego płótno z mieszkania tej kobiety do samochodu. Och, to naprawdę okropne nieporozumienie. Zbieg okoliczności... Nic innego tylko straszna seria zbiegów okoliczności. – Głos zaczął się jej łamać.

– Arthur ją znał?

– Na początku twierdził, że nie, ale potem pomyślał, że gdzieś mógł ją spotkać. Na przykład w którejś galerii sztuki. Powiedział jednak, że nie pamięta, żeby kiedykolwiek z nią rozmawiał. – Jej wzrok spoczął na białej tablicy, gdzie spisano plan ujęcia Logana w Anglii.

Rhyme wrócił pamięcią do zabaw z Arthurem w dzieciństwie.

Ścigamy się do tamtego drzewa... Nie, ofiaro... do klonu, tam. Kto pierwszy dotknie pnia! Na trzy. Jeden... dwa... start!

Nie powiedziałeś trzy!

– Chodzi o coś więcej, prawda, Judy? Powiedz. – Rhyme domyślił się, że Sachs dostrzegła coś w jej oczach.

– Po prostu się martwię. O dzieci też. To dla nich koszmar. Sąsiedzi traktują nas jak terrorystów.

– Przykro mi, naprawdę nie chcę cię naciskać, ale musimy znać wszystkie fakty. Proszę.

Na twarz Judy wrócił rumieniec, zacisnęła dłonie na kolanach. Rhyme i Sachs mieli przyjaciółkę, Kathryn Dance, agentkę Biura Śledczego Kalifornii. Kathryn była specjalistką w dziedzinie kinetyki, czyli języka ciała. Rhyme uważał jej dziedzinę za drugorzędną w stosunku do kryminalistyki, ale z czasem nabrał szacunku do Dance i czegoś się od niej nauczył. Bez trudu zauważył, że Judy Rhyme jest kłębkiem nerwów.

– Słuchamy – dodała jej odwagi Sachs.

– Chodzi o to, że policja znalazła inne dowody – no, właściwie to nie były dowody. Żaden trop. Ale... zaczęli przypuszczać, że Art być może spotykał się z tą kobietą.

– A ty co o tym sądzisz? – zapytała Sachs.

– Nie wydaje mi się, żeby się spotykali.

Rhyme zwrócił uwagę na nieostrość zaprzeczenia. Nie protestowała tak stanowczo jak w wypadku morderstwa i kradzieży. Rozpaczliwie pragnęła, by odpowiedź okazała się negatywna, choć zapewne doszła do tego samego wniosku co Rhyme: gdyby byli kochankami, działałoby to na korzyść Arthura. Słuszniej było zakładać, że człowiek okrada raczej kogoś obcego niż osobę, z którą sypia. Mimo to Judy, jako żona i matka, domagała się tylko jednej jednoznacznej odpowiedzi.

Uniosła wzrok, nie starając się już odwracać oczu od Rhyme'a, skomplikowanego urządzenia, w którym siedział, i innych aparatów stanowiących nieodłączne elementy jego życia.

– Bez względu na to, co ich mogło łączyć, Arthur na pewno nie zabił tej kobiety. Nie byłby do tego zdolny. Wiem o tym w głębi serca... Możesz coś zrobić?

Rhyme i Sachs wymienili spojrzenia.

– Przykro mi, Judy – rzekł Rhyme. – Właśnie tkwimy po uszy w dużej sprawie. Jesteśmy o krok od złapania bardzo niebezpiecznego mordercy. Nie mogę tego zostawić.

– Nie chcę, żebyś wszystko rzucał. Ale proszę o cokolwiek. Ja już nie wiem, co robić. – Drżały jej usta.

– Zadzwonimy do paru osób, dowiemy się, ile się da – powiedział.

– Nie potrafię zdobyć więcej informacji niż jego adwokat, ale spróbuję ci szczerze powiedzieć, jakie szanse wygranej ma oskarżenie.

– Och, dziękuję, Lincoln.

– Kto jest jego adwokatem?

Judy podała im nazwisko i numer telefonu. Rhyme znał tego cenionego i wysoko wyceniającego swoje usługi obrońcę. Był to jednak bardzo zapracowany człowiek, który miał większe doświadczenie w przestępstwach finansowych niż w sprawach morderstw i kradzieży.

Sachs zapytała o prokuratora.

– Bernhard Grossman. Mogę wam dać jego numer.

– Nie trzeba – odparła Sachs. – Mam. Już z nim pracowałam. To rozsądny człowiek. Przypuszczam, że zaproponował twojemu mężowi ugodę?

– Tak, a nasz adwokat chciał przyjąć jego warunki. Ale Art odmówił. Ciągle powtarza, że to pomyłka, że wszystko się wyjaśni. Ale nie zawsze tak jest, prawda? Czasami do więzienia idą niewinni ludzie.

Owszem, pomyślał Rhyme, po czym głośno powtórzył:

– Zadzwonimy tu i tam.

Wstała.

– Nie potrafię wyrazić, jak mi przykro, że dopuściliśmy do czegoś takiego. To niewybaczalne. – Niespodziewanie dla Rhyme'a Judy podeszła do wózka, pochyliła się i musnęła policzkiem jego twarz. Rhyme poczuł lekką woń potu świadczącą o zdenerwowaniu i dwa wyraźne zapachy, chyba dezodorantu i lakieru do włosów. Żadnych perfum. Nie sprawiała wrażenia kobiety zlewającej się perfumami. – Dziękuję, Lincoln. – Ruszyła do drzwi, ale przystanęła. Zwracając się do obojga, powiedziała: – Nieważne, czego się dowiecie o Arthurze i tej kobiecie. Zależy mi tylko na tym, żeby nie poszedł do więzienia.

– Zrobimy, co będziemy mogli. Jeżeli ustalimy coś konkretnego, damy ci znać.

Sachs odprowadziła Judy do wyjścia.

Gdy wróciła, Rhyme rzekł:

– Najpierw powinniśmy się zwrócić do prawników.

– Przykro mi, Rhyme. – Kiedy pytająco zmarszczył brwi, dodała: – Musi ci być teraz ciężko.

– Co masz na myśli?

– No, kiedy twój bliski krewny trafił do pudła za morderstwo.

Rhyme wzruszył ramionami – był to jeden z niewielu gestów, jakie potrafił wykonać.

– Ted Bundy był czyimś synem. Być może też kuzynem.

– Mimo wszystko. – Sachs podniosła słuchawkę. Kiedy się w końcu dodzwoniła do adwokata, telefon odebrał wirtualny sekretariat, więc zostawiła mu wiadomość. Rhyme zastanawiał się, na jakim polu golfowym i przy którym dołku jest w tej chwili prawnik.

Następnie skontaktowała się z zastępcą prokuratora okręgowego, Grossmanem, który nie zażywał wypoczynku, lecz tkwił na posterunku w swoim biurze w centrum. Wcześniej w ogóle nie skojarzył nazwiska podejrzanego z kryminalistykiem.

– Przykro mi, Lincoln – powiedział szczerze. – Muszę jednak powiedzieć, że to solidna sprawa. Niczego nie podmalowuję.

Powiedziałbym ci, gdyby były jakieś dziury, ale nie ma. Ława przysięgłych zetrze go na proch. Jeżeli uda ci się namówić go na ugodę, wyświadczysz mu wielką przysługę. Mógłbym zejść do bitych dwunastu.

Dwanaście lat bez możliwości warunkowego zwolnienia. Arthura mogłoby to zabić, pomyślał Rhyme.

– Jesteśmy wdzięczni za informację – wtrąciła Sachs.

Prokurator dodał, że jutro czeka go skomplikowany proces, więc nie może dłużej z nimi rozmawiać. Jeśli sobie życzą, może do nich zadzwonić w tygodniu.

Podał im jednak nazwisko detektywa prowadzącego sprawę. Bobby LaGrange.

– Znam go – powiedziała Sachs, wstukując jego numer domowy. Odezwała się poczta głosowa, lecz gdy zadzwoniła pod numer komórki, odebrał natychmiast.

– LaGrange.

Szum wiatru i plusk fal zdradzały, co detektyw porabia tego bezchmurnego, ciepłego dnia.

Sachs przedstawiła się.

– Ach, co u ciebie, Amelia? Właśnie czekam w Red Hook na telefon od informatora. Lada chwila coś się tu zacznie.

A więc nie był na rybach.

– Być może będę się musiał szybko rozłączyć.

– Rozumiem. Przełączyłam cię na głośnik.

– Detektywie, mówi Lincoln Rhyme.

Moment wahania.

– Ach, tak. – Telefon od Lincolna Rhyme'a szybko stawiał ludzi na baczność.

Rhyme powiedział mu o swoim kuzynie.

– Zaraz... „Rhyme". Wie pan, z początku pomyślałem, że to dziwne nazwisko. To znaczy niespotykane. Ale w ogóle nie skojarzyłem. Poza tym ani razu o panu nie wspomniał. W żadnym przesłuchaniu. Pański kuzyn. Przykro mi.

– Detektywie, nie chcę się mieszać do śledztwa, ale obiecałem, że zadzwonię i dowiem się, jak wygląda sprawa. Wiem, że już się włączył prokurator. Właśnie z nim rozmawiałem.

– Muszę powiedzieć, że przy aresztowaniu nie było żadnych wątpliwości. Od pięciu lat zajmuję się zabójstwami i oprócz jednego razu, kiedy ktoś ze służby patrolowej był świadkiem gangsterskich porachunków, nie widziałem czystszego zamknięcia sprawy.

– Jak to się stało? Żona Arta przedstawiła mi sytuację tylko w ogólnych zarysach.

Surowym, beznamiętnym tonem, jaki przybierają gliniarze, referując szczegóły przestępstwa, LaGrange rzekł:

– Pański kuzyn wcześnie wyszedł z pracy. Pojechał do mieszkania kobiety, Alice Sanderson, w Village. Ona też wcześnie skończyła pracę. Nie jesteśmy pewni, ile czasu tam spędził, ale około osiemnastej kobieta zginęła od ciosów nożem, a z jej mieszkania skradziono obraz.

– Rozumiem, że jakieś rzadkie dzieło.

– Tak. Ale nie żadnego van Gogha.

– Jak się nazywał malarz?

– Niejaki Prescott. Poza tym znaleźliśmy parę przesyłek reklamowych, ulotek na temat Prescotta, które pański kuzyn otrzymał z kilku galerii. To nie wyglądało dobrze.

– Niech pan opowie, co się zdarzyło dwunastego maja – poprosił Rhyme.

– Około osiemnastej świadek usłyszał krzyki, a kilka minut później zobaczył mężczyznę niosącego obraz do jasnoniebieskiego mercedesa zaparkowanego na ulicy. Zaraz potem samochód szybko odjechał. Świadek zdążył tylko zapamiętać trzy litery na tablicy rejestracyjnej – nie potrafił określić, z jakiego stanu pochodziły numery, ale sprawdziliśmy wszystkie takie pojazdy w całej aglomeracji. Skróciliśmy listę i przesłuchaliśmy właścicieli. Jednym z nich był pański kuzyn. Mój partner i ja pojechaliśmy do Jersey porozmawiać z nim, ze względów proceduralnych był z nami miejscowy gliniarz. Na tylnych drzwiach wozu i na tylnym siedzeniu zobaczyliśmy ślady krwi. Pod fotelem leżała zakrwawiona ściereczka. Pasowała do kompletu bielizny znalezionej w mieszkaniu ofiary.

– Wynik testu DNA był pozytywny?

– Tak, jej krew.

– Świadek rozpoznał go podczas okazania?

– Nie, to była anonimowa informacja. Zadzwonił z automatu i nie podał nazwiska. Nie chciał być w to zamieszany. Ale nie potrzebowaliśmy żadnych świadków. Ekipa z kryminalistyki miała niezły połów. Zdjęli odcisk buta z korytarza w domu ofiary – takiego samego rodzaju obuwia, jakie nosił pana kuzyn – i znaleźli sporo śladów.

– Dowody grupowe?

– Tak, grupowe. Ślady żelu do golenia, chipsów i nawozu do trawnika z jego garażu. Dokładnie pasują do tego, co było w mieszkaniu ofiary.

Nie, wcale nie pasują, pomyślał Rhyme. Dowody rzeczowe dzielą się na kilka kategorii. „Zindywidualizowany" dowód wskazuje na jedno konkretne źródło, jak na przykład DNA czy odciski palców. Dowody „grupowe" mają wspólne cechy charakterystyczne z podobnymi materiałami, lecz niekoniecznie pochodzą z tego samego źródła. Na przykład włókna z dywanu. Na podstawie testu DNA krwi znalezionej na miejscu zdarzenia można jednoznacznie zidentyfikować przestępcę, ale badanie porównawcze włókna z dywanu z miejsca zdarzenia może tylko „powiązać" włókna znalezione w domu podejrzanego ze śladami, co pozwala przysięgłym wywnioskować, że był on na miejscu zdarzenia.

– Waszym zdaniem podejrzany znał ofiarę czy nie? – spytała Sachs.

– Twierdził, że nie, ale znaleźliśmy dwie notatki napisane przez tę kobietę. Jedną w jej biurze i drugą w domu. Jedna brzmiała „Art – wyjście na drinka", a druga po prostu „Arthur". Nic więcej. Aha, w jej spisie telefonów znaleźliśmy jego nazwisko.

– Z jego numerem? – Rhyme zmarszczył brwi.

– Nie. Był tylko numer komórki na kartę. Brak danych właściciela.

– A więc zakładacie, że byli kimś więcej niż znajomymi?

– Taką przyjęliśmy hipotezę. Bo po co miałby jej dawać numer komórki zamiast numeru do pracy albo do domu? – Zaśmiał się.

– Widocznie było jej wszystko jedno. Zdziwiłby się pan, ile ludzie potrafią brać na wiarę.

Wcale bym się nie zdziwił, odrzekł w myśli Rhyme.

– A ten telefon?

– Na nic. Nie znaleźliśmy.

– I sądzi pan, że ją zabił, bo go naciskała, żeby zostawił żonę?

– Taka będzie linia oskarżenia. Mniej więcej.

Rhyme porównał informację z tym, co wiedział o kuzynie, którego nie widział od ponad dziesięciu lat; nie mógł ani potwierdzić zarzutu, ani mu zaprzeczyć.

– Czy ktoś jeszcze mógł mieć motyw? – zapytała Sachs.

– Nie. Rodzina i znajomi mówili, że spotykała się z paroma facetami, ale naprawdę niezobowiązująco. Nie było żadnych burzliwych zerwań. Zastanawiałem się nawet, czy nie zrobiła tego żona – Judy – ale miała alibi.

– Arthur nie miał?

– Nie. Twierdzi, że poszedł pobiegać, ale nikt nie może poświadczyć, że go widział. Clinton State to duży park. I mało uczęszczany.

– Ciekawa jestem, jak się zachowywał podczas przesłuchania – powiedziała Sachs.

LaGrange parsknął śmiechem.

– Zabawne, że o tym wspominasz – to właśnie najdziwniejsze w całej sprawie. Był zupełnie oszołomiony. Kiedy nas zobaczył, wyglądał, jakby dostał obuchem w głowę. Zgarniałem w życiu wielu ludzi. Czasem trafiali się zawodowcy, całkiem nieźle ustawieni. Ale żaden nie grał niewiniątka lepiej od niego. Naprawdę świetny aktor. Pamięta pan u niego takie zdolności, detektywie Rhyme?

Kryminalistyk nie odpowiedział.

– Co się stało z obrazem?

Pauza. •

– To inna rzecz. Nie odzyskaliśmy go. Nie było go w domu ani w garażu, ale technicy znaleźli drobiny ziemi na tylnym siedzeniu wozu i w garażu. Takiej samej jak w parku niedaleko jego domu, gdzie co wieczór uprawiał jogging. Doszliśmy do wniosku, że gdzieś tam zakopał obraz.

– Jeszcze jedno pytanie, detektywie – rzekł Rhyme.

Po drugiej stronie zapadła cisza, a w tle słychać było czyjś niezrozumiały głos i gwizd wiatru.

– Słucham.

– Mogę zobaczyć akta?

– Akta? – To nie było pytanie, lecz próba zyskania na czasie. – Mamy niezbite dowody. Prowadziliśmy śledztwo jak należy.

– Nie wątpiliśmy nawet przez chwilę – wtrąciła Sachs. – Chodzi jednak o to, że podobno odrzucił propozycję ugody.

– Ach, tak. Chcecie go przekonać? Już rozumiem. To dla niego najlepsze wyjście. Mam tylko kopie, wszystkie akta i dowody poszły do prokuratury. Ale mogę wam dać protokoły. Za dzień albo dwa, zgoda?

Rhyme przecząco pokręcił głową. Sachs powiedziała do detektywa:

– Gdybyś mógł pogadać z archiwum i dać mi upoważnienie, sama przyjadę po akta.

Głośniki znów wypełnił szum wiatru, który nagle się urwał. LaGrange musiał się gdzieś schronić.

– Dobra. Zaraz tam zadzwonię.

– Dzięki.

– Nie ma sprawy. Powodzenia.

Kiedy się rozłączyli, Rhyme uśmiechnął się przelotnie.

– To był świetny ruch. Mam na myśli to o ugodzie.

– Trzeba wiedzieć, jak wziąć pod włos publiczność – odparła Sachs i przewiesiwszy torebkę przez ramię, skierowała się do drzwi.

Rozdział 4

Sachs wróciła z komendy policji znacznie szybciej, niż gdyby skorzystała z komunikacji publicznej czy zwracała uwagę na czerwone światła. Rhyme wiedział, że przemknęła przez miasto z włączonym kogutem na desce rozdzielczej swojego samochodu, camaro SS rocznik 1969, który przed kilkoma laty pomalowała na ognistoczerwono, aby pasował do ulubionego koloru wózków Rhyme'a. Jak nastolatka korzystała z każdego pretekstu, by wycisnąć siódme poty z potężnego silnika i palić gumę, wzbijając kłęby dymu spod kół.

– Skopiowałam wszystko – powiedziała, wnosząc do pokoju grubą teczkę. Kładąc ją na stole, skrzywiła się.

– Nic ci nie jest?

Amelia Sachs przez całe życie cierpiała na artretyzm, łykała glukozaminę, chondroitynę, advil i naprosyn jak żelki, lecz rzadko mówiła o chorobie, obawiając się, że gdyby dowiedziało się o tym szefostwo, posadziłoby ją za biurkiem. Nawet gdy byli sami z Rhyme'em, starała się bagatelizować ból. Dziś jednak przyznała:

– Czasem bardziej szarpie.

– Chcesz usiąść?

Przeczący ruch głową.

– Dobra, co mamy?

– Raport, spis dowodów rzeczowych i kopie zdjęć. Nie ma zapisu wideo. Jest w prokuraturze.

– Przenieśmy wszystko na tablicę. Chcę zobaczyć główne miejsce zdarzenia i dom Arthura.

Sachs podeszła do białej tablicy – jednej z kilkudziesięciu ustawionych w laboratorium – i pod okiem Rhyme'a zapisała informacje.

MIESZKANIE ALICE SANDERSON:

- Ślady żelu do golenia z aloesem Edge Advanced
- Okruchy zidentyfikowane jako chipsy Pringles, bez tłuszczu, o smaku barbecue
- Nóż Chicago Cutlery (średni)
- Nawóz TruGro
- Odcisk buta Alton EZ-Walk, numer 10 ½
- Drobina lateksowej rękawiczki
- Wpis „Art" i numer telefonu na kartę w książce telefonicznej, numer już nieaktywny. Nie do zlokalizowania (domniemany romans?)
- Dwie notatki: „Art – wyjście na drinka" (biuro) i „Arthur" (dom)
- Świadek widział jasnoniebieskiego mercedesa z literami NLP na tablicy rejestracyjnej

SAMOCHÓD ARTHURA RHYME'A:

- Jasnoniebieski mercedes klasy c, sedan, rocznik 2004, rejestracja New Jersey NLP 745, zarejestrowany na Arthura Rhyme'a
- Krew na drzwiach i podłodze z tyłu (DNA zgodne z krwią ofiary)
- Zakrwawiona ściereczka, pasująca do kompletu znalezionego w mieszkaniu ofiary (DNA zgodne z krwią ofiary)
- Ziemia o składzie podobnym do ziemi w Clinton State Park

DOM ARTHURA RHYME'A:

- Żel do golenia z aloesem Edge Advanced, tego samego rodzaju co znaleziony na głównym miejscu zdarzenia
- Chipsy Pringles o smaku barbecue, bez tłuszczu
- Nawóz TruGro (garaż)
- Łopata z ziemią podobną do ziemi w Clinton State Park (garaż)
- Noże Chicago Cutlery, tego samego typu co nóż z głównego miejsca zdarzenia
- Buty Alton EZ-Walk, numer 10 ½, protektor podobny do śladu znalezionego na głównym miejscu zdarzenia
- Ulotki reklamowe z Galerii Wilcox w Bostonie i Anderson-Billings Fine Arts w Carmel na temat wystaw malarstwa Harveya Prescotta
- Pudełko lateksowych rękawiczek Safe-Hand, skład gumy podobny do składu drobiny znalezionej na głównym miejscu zdarzenia (garaż)

– Kurczę, to dosyć obciążające dowody, Rhyme – powiedziała Sachs, odsuwając się od tablicy i kładąc ręce na biodrach.

– A ta komórka na kartę? I wpis „Art". Ale brak adresu pracy i domu. To mogłoby sugerować romans... Jakieś inne szczegóły?

– Żadnych. Poza zdjęciami.

– Przyklej je – polecił, przyglądając się tablicy i żałując, że sam nie przeprowadził oględzin – to znaczy na odległość, jak to często robili, gdy Amelia Sachs przeszukiwała miejsce zdarzenia uzbrojona w mikrofon ze słuchawką lub kamerę wysokiej rozdzielczości. Wyglądało to na porządną robotę kryminalistyczną, ale nie wybitną. Brakowało fotografii pozostałych pomieszczeń. A nóż... Spojrzał na zdjęcie zakrwawionej broni leżącej pod łóżkiem. Jeden z funkcjonariuszy unosił falbanę pokrycia łóżka, by zrobić dobre ujęcie. Czy nóż był zasłonięty materiałem i niewidoczny (co oznaczało, że sprawca w rozgorączkowaniu mógł go nie zauważyć), czy też był widoczny, co mogłoby sugerować, że pozostawiono go celowo jako podrzucony dowód?

Rhyme zatrzymał wzrok na zdjęciu leżącego na podłodze opakowania, w które prawdopodobnie był owinięty wcześniej obraz Prescotta.

– Coś mi tu nie gra – szepnął.

Sachs zerknęła w jego stronę.

– Chodzi mi o obraz – ciągnął Rhyme.

– To znaczy?

– LaGrange sugerował dwa motywy. Jeden był taki, że Arthur ukradł Prescotta, żeby zmylić trop, bo chciał po prostu usunąć Alice ze swojego życia.

– Zgadza się.

– Ale – kontynuował Rhyme – chcąc upozorować przypadkowe zabójstwo podczas włamania, inteligentny sprawca nie kradłby przecież jedynego przedmiotu, który może go powiązać ze sprawą. Pamiętaj, że Art miał obraz Prescotta. I ulotki na jego temat.

– Jasne, Rhyme, to wygląda zupełnie nielogicznie.

– Powiedzmy, że naprawdę zależało mu na obrazie i nie było go stać na jego zakup. Zamiast mordować właścicielkę, o wiele łatwiej i bezpieczniej byłoby włamać się i wynieść obraz w ciągu dnia, gdy była w pracy. – Zachowanie kuzyna, choć nie stanowiło ważnego kryterium w arsenale Rhyme'a, gdy starał się ocenić, czy podejrzany jest winien czy nie, wciąż nie dawało mu spokoju. – Może wcale nie grał niewiniątka. Może naprawdę był niewinny... Powiedziałaś, dosyć obciążające dowody? Nie, zbyt obciążające.

Pomyślał: załóżmy, że Art tego nie zrobił. Jeśli to nie on, płynęły stąd istotne wnioski. Ponieważ nie chodziło tylko o to, że wzięto go za kogoś innego; dowody były zbyt przekonujące – w tym krew, która niezbicie łączyła ofiarę z jego samochodem. Nie, jeżeli Art był niewinny, ktoś zadał sobie ogromnie wiele trudu, żeby go wplątać w zbrodnię.

– Wydaje mi się, że został wrobiony.

– Dlaczego?

– Pytasz o motyw? – mruknął. – Na razie nas nie obchodzi. Ważne jest, jak. Jeżeli to ustalimy, być może znajdziemy odpowiedź na pytanie, kto. Możliwe, że po drodze okaże się, dlaczego, ale to drugorzędna sprawa. Wyjdźmy z założenia, że Alice Sanderson zamordował ktoś inny, pan X, skradł obraz, a potem wrobił Arthura. Sachs, jak twoim zdaniem mógłby to zrobić?

Skrzywiła się – znów artretyzm – i usiadła. Po chwili zastanowienia odrzekła:

– Pan X śledził Arthura i śledził Alice. Zobaczył, że interesują się sztuką, namierzył ich razem w galerii i ustalił ich tożsamość.

– Pan X wie, że Alice ma obraz Prescotta. Chce go zdobyć, ale go na niego nie stać.

– No dobrze. – Sachs wskazała tablicę. – Potem włamuje się do domu Arthura, widzi chipsy Pringles, żel Edge, nawóz TruGro i noże Chicago Cutlery. Kradnie z każdego po trochu, żeby podrzucić te rzeczy na miejscu zdarzenia. Wie, jakie buty nosi Arthur, więc zostawia odcisk podeszwy, z parku nabiera na łopatę Arthura odrobinę ziemi...

– Wróćmy do dwunastego maja. Pan X skądś wie, że Art co czwartek wychodzi z pracy wcześniej i idzie pobiegać do pustego parku – nie ma więc alibi. Idzie do mieszkania ofiary, morduje ją, kradnie obraz i dzwoni z automatu z informacją, że słyszał krzyki i widział, jak jakiś mężczyzna niósł obraz do samochodu, który bardzo przypominał wóz Arthura, podaje też fragment rejestracji. Potem jedzie do domu Arthura w New Jersey i zostawia ślady krwi, ziemi, ściereczkę i łopatę.

Odezwał się telefon. Dzwonił adwokat Arthura. Znużonym głosem powtórzył wszystko, czego dowiedział się od zastępcy prokuratora okręgowego. Nie usłyszeli od niego niczego, co mogłoby im pomóc, a co więcej kilka razy próbował ich namówić, by przekonali Arthura do ugody.

– Załatwią go – oznajmił prawnik. – Chodzi mi tylko o jego dobro. Postaram się, żeby dostał najwyżej piętnaście lat.

– To go zniszczy – powiedział Rhyme.

– Nie tak jak dożywocie.

40

Rhyme pożegnał go chłodno i rozłączył się. Ponownie spojrzał na tablicę z dowodami.

Nagle coś nowego przyszło mu do głowy.

– Co jest, Rhyme? – Sachs zauważyła, że przeniósł wzrok na sufit.

– A może kiedyś już zrobił coś takiego?

– Co masz na myśli?

– Zakładając, że jego celem – motywem – była kradzież obrazu, nie sądzę, żeby to była jednorazowa akcja. Nie mówimy o Renoirze, którego można opylić za dziesięć milionów i zniknąć na zawsze. To mi zalatuje jakimś grubszym przedsięwzięciem. Facet zaatakował tak sprytnie, żeby mu uszło płazem. I będzie to robił, dopóki ktoś go nie powstrzyma.

– Tak, słusznie. Czyli powinniśmy się przyjrzeć kradzieżom innych obrazów.

– Nie. Dlaczego miałby kraść tylko obrazy? To może być cokolwiek. Ale jest jeden wspólny element.

Sachs zmarszczyła brwi i po chwili znalazła odpowiedź.

– Zabójstwo.

– Otóż to. Ponieważ sprawca wrabia kogoś innego, musi mordować ofiary – bo mogłyby go rozpoznać. Zadzwoń do kogoś z wydziału zabójstw. Choćbyś miała dzwonić do domu. Szukamy takiego samego scenariusza: pierwotne przestępstwo, na przykład kradzież, którego ofiara zostaje zamordowana, plus mocne poszlaki.

– I ślad DNA, który mógł być podrzucony.

– Dobra – przytaknął, podniecony myślą, że być może są na właściwym tropie. – Jeżeli nie zmienia metody, będzie jeszcze telefon pod dziewięćset jedenaście od anonimowego świadka z konkretnymi informacjami ułatwiającymi identyfikację.

Podeszła do biurka w rogu laboratorium, usiadła i wzięła słuchawkę.

Rhyme wsparł głowę o zagłówek wózka i przyglądał się partnerce rozmawiającej przez telefon. Na jej paznokciu dostrzegł zakrzepłą krew. I ledwie widoczny ślad nad uchem, na wpół przysłonięty rudym kosmykiem. Sachs często drapała się w głowę, raniąc się paznokciami, wyrządzając sobie drobne krzywdy – był to nawyk i zarazem sygnał stresu.

Kiwając głową, zaczęła notować, a na jej twarzy odmalowało się skupienie. Serce Rhyme'a zabiło szybciej – choć sam nie mógł tego wyraźnie poczuć. Dowiedziała się czegoś ważnego. Długopis się wypisał, więc rzuciła go na podłogę i sięgnęła po następny tak gwałtownie, jak gdyby wyciągała pistolet na zawodach strzeleckich. Po dziesięciu minutach odłożyła słuchawkę.

– Hej, Rhyme, tylko posłuchaj. – Usiadła obok niego na wiklinowym fotelu. – Rozmawiałam z Flintlockiem.

– Aha, dobry wybór.

Joseph Flintlock, którego przydomek nawiązywał do dawnej broni[*], był detektywem wydziału zabójstw, gdy Rhyme stawiał pierwsze kroki w policji. Drażliwy staruszek pamiętał prawie każde morderstwo, jakie popełniono w Nowym Jorku – i w okolicach miasta – podczas jego długiej służby. Mimo że Flintlock osiągnął wiek, w którym powinien odwiedzać wnuki, nadal pracował w niedziele. Rhyme nie był tym zaskoczony.

– Przedstawiłam mu sprawę, a on bez namysłu podsunął mi dwie sprawy, które mogą pasować do naszego profilu. Jedna to kradzież rzadkich monet, wartych pięćdziesiąt kawałków. Druga to gwałt.

– Gwałt? – Ostatnia informacja wprowadzała do sprawy poważniejszy i znacznie bardziej niepokojący element.

– Tak jest. W obu przypadkach o przestępstwie zawiadomił anonimowy świadek, podając informacje kluczowe dla zidentyfikowania sprawcy – tak jak świadek dzwoniący w sprawie samochodu twojego kuzyna.

– Oczywiście w obu przypadkach dzwonili mężczyźni.

– Zgadza się. Miasto wyznaczyło nagrodę, ale żaden z nich się po nią nie zgłosił.

– Co z dowodami?

– Flintlock nie pamiętał dokładnie. Powiedział jednak, że na pewno były mikroślady i poszlaki. Tak samo jak z twoim kuzynem – pięć czy sześć rodzajów dowodów grupowych na miejscu zdarzenia i w domach sprawców. W obu przypadkach u podejrzanych znaleziono krew ofiary na szmatce czy części garderoby.

– Założę się, że nie zidentyfikowano płynów ustrojowych gwał-

---

[*] *Flintlock* – karabin skałkowy (przyp. tłum.).

42

ciciela. – Większość sprawców gwałtu zostaje skazana, ponieważ zostawiają po sobie ślady śliny, nasienia lub potu.

– Nie. Żadnego.

– A czy anonimowi świadkowie podawali część numerów rejestracyjnych samochodu?

Zajrzała do notatek.

– Tak, skąd wiedziałeś?

– Bo nasz sprawca musiał trochę zyskać na czasie. Gdyby podał cały numer, policja pojechałaby prosto do kozła ofiarnego, a on nie miałby czasu podrzucić tam dowodów. – Morderca pomyślał o wszystkim. – A podejrzani wszystkiego się wyparli?

– Aha. Zupełnie. Postawili wszystko na jedną kartę i przegrali z ławą przysięgłych.

– Nie, nie, nie, to wygląda na zbyt przypadkowe – mruknął Rhyme.

– Chcę zobaczyć...

– Poprosiłam już kogoś, żeby wyciągnął akta z archiwum zamkniętych śledztw.

Roześmiał się. Uprzedzała jego myśli, jak już się nieraz zdarzało. Przypomniał sobie ich pierwsze spotkanie przed laty, gdy Sachs była rozczarowaną funkcjonariuszką patrolu, gotową porzucić służbę w policji, a Rhyme był gotów porzucić znacznie więcej. Od tamtej pory oboje przebyli daleką drogę.

Rhyme rzucił do mikrofonu nagłownego:

– Polecenie, zadzwoń do Sellitta.

Był już wyraźnie podekscytowany. Czuł jedyny w swoim rodzaju dreszczyk, towarzyszący początkom pościgu. Odbierz ten cholerny telefon, pomyślał ze złością, tym razem nie mając na myśli Anglii.

– Cześć, Linc. – Pokój wypełnił głos Sellitta z brooklyńskim akcentem. – Co...

– Słuchaj, mamy problem.

– Jestem trochę zajęty. – Dawny partner Rhyme'a, porucznik detektyw Lon Sellitto, nie był ostatnio w najlepszym nastroju. Duża sprawa, nad którą pracował wraz z grupą złożoną z funkcjonariuszy innych służb, zakończyła się właśnie całkowitą klapą. Władymir Dienko, człowiek bossa rosyjskiego gangu z Brighton Beach, został w zeszłym roku oskarżony o wymuszanie okupu i morderstwo. Rhyme pomagał w analizie kryminalistycznej. Ku zaskoczeniu wszystkich w zeszły piątek sąd oddalił sprawę przeciw Dience i jego trzem wspólnikom, ponieważ część świadków odmówiła zeznań, a część zniknęła. Sellitto i agenci FBI pracowali cały weekend, szukając nowych świadków i informatorów.

– Będę się streszczał. – Opowiedział, czego dowiedzieli się z Sachs o jego kuzynie oraz sprawie gwałtu i kradzieży monet.

– Dwie podobne sprawy? Cholernie dziwne. Co mówi twój kuzyn?

– Jeszcze z nim nie rozmawiałem. Ale wszystkiemu zaprzecza. Trzeba się tym zająć.

– „Zająć". Psiakrew, co to niby ma znaczyć?

– Sądzę, że Arthur tego nie zrobił.

– To twój kuzyn. Jasne, że twoim zdaniem tego nie zrobił. Ale co masz konkretnego?

– Na razie nic. Dlatego chcę, żebyś mi pomógł. Potrzebuję ludzi.

– Siedzę po uszy w tej historii Dienki w Brighton Beach. W której nawiasem mówiąc powinieneś mi pomagać, gdybyś nie był zajęty popijaniem herbatki z cholernymi Angolami.

– To też może być duża rzecz, Lon. Dwie inne sprawy, które na kilometr czuć podrzuconymi dowodami? Idę o zakład, że jest ich więcej. Wiem, jak uwielbiasz oklepane zwroty, Lon. Czy „morderca na wolności" w ogóle cię nie rusza?

– Linc, możesz mnie bombardować różnymi zdaniami, jestem zajęty.

– To równoważnik zdania, Lon. Zdanie ma podmiot i orzeczenie.

– Cholera, wszystko jedno. Próbuję ratować operację „Rosyjski łącznik". Nikt w ratuszu ani budynku federalnym nie cieszy się z tego, co się stało.

– Głęboko im współczuję. Załatw sobie zmianę przydziału.

– To zabójstwo. Ja pracuję w wydziale specjalnym.

Wydział specjalny Departamentu Policji Nowego Jorku nie zajmował się morderstwami, lecz wymówka Sellitta wywołała cyniczny śmiech Rhyme'a.

– Pracujesz nad zabójstwami, jeżeli chcesz nad nimi pracować. Kiedy to przejmowałeś się przepisami departamentu?

– Powiem ci, co zrobię – odburknął detektyw. – W centrum pracuje dzisiaj pewien kapitan. Joe Malloy. Znasz go?

– Nie.

– Ja znam – odezwała się Sachs. – Solidny człowiek.

– Cześć, Amelia. Wytrzymujesz jakoś ten zimny front?

Sachs zaśmiała się. Rhyme warknął:

– Bardzo śmieszne, Lon. Kto to jest?

– Inteligentny facet. Bezkompromisowy. Bez poczucia humoru. To ci się na pewno spodoba.

– Za dużo dzisiaj komików – mruknął Rhyme.

– Dobry gliniarz. I zaprzysięgły bojownik. Jakieś pięć, sześć lat temu włamano mu się do domu i zamordowano żonę.

Sachs wzdrygnęła się.

– Nie wiedziałam.

– No, dlatego poświęca pracy sto pięćdziesiąt procent czasu. Mówią, że pewnego dnia zasiądzie w narożnym gabinecie na górze. Albo nawet trafi naprzeciwko.

Czyli do ratusza.

– Zadzwoń do niego – ciągnął Sellitto. – Zapytaj, może zwolni dla ciebie paru ludzi.

– Wolałbym, żeby ciebie zwolnili.

– Nic z tego, Linc. Przygotowuję cholerną zasadzkę. Koszmarna robota. Ale informuj mnie na bieżąco i...

– Muszę kończyć, Lon... Polecenie, rozłącz.

– Rzuciłeś mu słuchawką – zauważyła Sachs.

Rhyme burknął pod nosem i zadzwonił do Malloya. Czuł, że jeśli usłyszy pocztę głosową, wybuchnie wściekłością.

Ale kapitan odebrał po dwóch dzwonkach. Jeszcze jeden oficer dyżurujący w niedzielę. Cóż, Rhyme też często spędzał weekendy w pracy, co skończyło się rozwodem.

– Malloy.

Rhyme przedstawił się.

Chwila wahania.

– Lincoln... Chyba się nie znamy. Ale oczywiście słyszałem o tobie.

– Jest ze mną twoja detektyw, Amelia Sachs. Mówisz przez głośnik, Joe.

– Dzień dobry, Sachs – powiedział oschły głos. – Co mogę dla was zrobić?

45

Rhyme wyjaśnił sprawę, dodając, że jego zdaniem Arthur został przez kogoś wplątany w przestępstwo.

– Twój kuzyn? Przykro mi to słyszeć. – Jego ton nie świadczył jednak o współczuciu. Malloy prawdopodobnie zaniepokoił się, że Rhyme poprosi go o interwencję i złagodzenie zarzutów. W najlepszym razie czekałoby go oskarżenie o nadużycie służbowe. W najgorszym – dochodzenie wydziału wewnętrznego i zainteresowanie mediów. Na drugiej szali było ryzyko, że zostanie uznany za gbura, odmawiając przysługi człowiekowi, który udzielał policji nieocenionej pomocy. W dodatku odmawiając kalece. Władze miasta chlubiły się poprawnością polityczną.

Ale oczywiście prośba Rhyme'a okazała się bardziej złożona.

– Istnieje duże prawdopodobieństwo, że ten sam sprawca popełnił jeszcze inne przestępstwa – dodał, wspominając o gwałcie i kradzieży monet.

Oznaczałoby to, że nowojorski departament aresztował nie jedną, ale trzy niewinne osoby. Czyli nie zakończono trzech spraw, a prawdziwy sprawca wciąż pozostawał na wolności. Mogło to grozić katastrofą publicznego wizerunku policji.

– Hm, dość zagadkowe. Nietypowe. Rozumiem twoją lojalność wobec kuzyna...

– Jestem lojalny wobec prawdy, Joe – odparł Rhyme, nie przejmując się, jak pompatycznie mogło to zabrzmieć.

– No...

– Potrzebuję tylko kilku funkcjonariuszy do pomocy. Żeby jeszcze raz przejrzeć dowody w tych sprawach. Albo poszukać czegoś nowego.

– Ach, rozumiem... Hm, przykro mi, Lincoln. Nie mamy wolnych ludzi. W każdym razie nie na coś takiego. Ale wspomnę o tym jutro zastępcy komendanta.

– A może teraz moglibyśmy do niego zadzwonić?

Znów chwila wahania.

– Nie. Miał coś dzisiaj w planach.

Późne śniadanie. Grill w ogrodzie. Popołudniowe przedstawienie „Młodego Frankensteina" albo „Spamalot".

– Poruszę tę sprawę jutro na odprawie. Ciekawa sytuacja. Ale nie rób nic, dopóki nie dam ci znać. Ja albo ktoś inny.

– Oczywiście.

Zakończyli rozmowę. Rhyme i Sachs milczeli przez kilka długich sekund.

Ciekawa sytuacja...

Rhyme wpatrywał się w tablicę – gdzie spoczywały zwłoki śledztwa, które ledwie się narodziło, zostało natychmiast rozstrzelane. Przerywając grobową ciszę, Sachs powiedziała:

– Ciekawe, co porabia Ron.

– Sprawdźmy, co? – Posłał jej szczery uśmiech, który rzadko gościł na jego twarzy. Wyciągnęła komórkę, wcisnęła przycisk szybkiego wybierania i przełączyła na głośnik.

– Tak, proszę pani – zatrzeszczał w słuchawce młody głos. – Detektywie?

Sachs od lat naciskała posterunkowego Rona Pulaskiego, by mówił jej po imieniu, lecz zwykle nie potrafił się na to zdobyć.

– Pulaski, mówisz przez głośnik – uprzedził go Rhyme.

– Tak jest, kapitanie.

Rhyme też nie lubił, gdy młody człowiek mu „kapitanował", ale w tym momencie nie miał ochoty go poprawiać.

– Jak się pan czuje? – spytał Pulaski.

– Co to ma za znaczenie? – odrzekł Rhyme. – Co robisz? W tej chwili. I czy to coś ważnego?

– Teraz?

– Chyba właśnie o to zapytałem.

– Zmywam naczynia. Jenny i ja właśnie zjedliśmy niedzielny lunch z moim bratem i jego żoną. Poszliśmy z dzieciakami na targ. Była superzabawa. Czy pan i detektyw Sachs pojechaliście kiedyś...

– Czyli jesteś w domu. I nic nie robisz.

– No, zmywam.

– Zostaw to. I przyjeżdżaj. – Rhyme jako cywil nie miał prawa wydawać rozkazów nikomu w nowojorskim departamencie policji, nawet funkcjonariuszom drogówki.

Ale Sachs była detektywem trzeciej klasy; mimo że nie mogła zażądać od Pulaskiego, aby im pomógł, mogła złożyć oficjalną prośbę o zmianę jego przydziału.

– Potrzebujemy cię, Ron. Dziś i być może jutro.

Ron Pulaski regularnie współpracował z Rhyme'em, Sachs i Sellittem. Rhyme'a rozbawiła wiadomość, że pozycja młodego policjanta w departamencie znacznie wzrosła dzięki zadaniom powierzanym mu przez słynnego kryminalistyka. Był pewien, że jego przełożony zgodzi się oddać im do dyspozycji Pulaskiego na kilka dni – pod warunkiem że nie zadzwoni do Malloya czy innej ważnej figury w komendzie i nie dowie się, że sprawa formalnie w ogóle nie jest sprawą.

Pulaski podał Sachs nazwisko naczelnika posterunku, po czym zapytał:

– Panie kapitanie, czy przy tej sprawie pracuje porucznik Sellitto? Może powinienem do niego zadzwonić i uzgodnić...

– Nie – ucięli chórem Rhyme i Sachs.

Po krótkiej pauzie Pulaski rzekł niepewnym głosem:

– W takim razie chyba zaraz tam będę. Ale mogę najpierw powycierać szklanki? Jenny nie znosi zacieków na szkle.

Rozdział 5

Niedziele są najlepsze. Bo w niedziele mogę robić to, co uwielbiam. Jestem kolekcjonerem. Kolekcjonuję wszystko, co tylko możecie sobie wyobrazić. Jeżeli coś mi się spodoba i mogę to zapakować do plecaka albo bagażnika, biorę to. Ale nie zachowuję się jak szczur drzewny, który porzuca jedną rzecz, żeby móc wziąć coś innego. Kiedy coś znajdę, już jest moje. Nigdy niczego nie zostawiam. Przenigdy.

Niedziela to mój ulubiony dzień. Dzień odpoczynku dla mas, dla szesnastek, które uważają to niezwykłe miasto za swój dom. Mężczyźni, kobiety, dzieci, prawnicy, artyści, rowerzyści, kucharze, złodzieje, żony i kochankowie (kolekcjonuję też DVD), politycy, miłośnicy joggingu, kustosze... To niewiarygodne, ile form przyjemności potrafią sobie znaleźć szesnastki.

Wędrują przez miasto i parki New Jersey, Long Island i północy stanu Nowy Jork jak beztroskie antylopy.

A ja mogę na nie polować.

I właśnie wybrałem się na łowy, wykręciwszy się wcześniej od nudnych niedzielnych rozrywek: lunchu, kina, a nawet od zaproszenia na partyjkę golfa. No i udziału w nabożeństwie – które cieszy się wielką popularnością wśród antylop, oczywiście pod warunkiem że po wizycie w kościele będą mogły zasiąść do wspomnianego lunchu albo uganiać się za piłką, usiłując ją wbić do dziewięciu dołków.

Polowanie...

W tej chwili rozmyślam o ostatniej transakcji, włączając ją do kolekcji swoich wspomnień – transakcji z młodą Alice Sanderson,

3895-0967-7524-3630, która wyglądała pięknie, naprawdę pięknie. Oczywiście dopóki nie dosięgnął jej nóż.

Alice 3895 w ślicznej różowej sukience, podkreślającej biust i zalotnie opływającej biodra (myślę też o niej 96-66-92, ale to mój prywatny żart). Całkiem ładna, używająca perfum o zapachu orientalnych kwiatów. .

Moje plany wobec niej były tylko w pewnej mierze związane z obrazem Harveya Prescotta, który miała szczęście zdobyć (albo pecha, jak się później przekonała). Chciałem się najpierw upewnić, czy przywieziono jej płótno, a potem wyciągnąć taśmę izolacyjną i spędzić z nią następnych kilka godzin w sypialni. Ale wszystko zepsuła. Gdy podszedłem do niej od tyłu, odwróciła się i narobiła koszmarnego wrzasku. Nie miałem wyjścia, musiałem rozciąć jej gardło jak skórkę pomidora, złapać pięknego Prescotta i wymknąć się – by tak rzec, przez okno.

Nie, nie potrafię przestać myśleć o całkiem ładnej Alice 3895 w kusej różowej sukience, o skórze pachnącej jak chińska herbaciarnia. Wniosek z tego taki, że potrzebuję kobiety.

Snuję się po ulicach, spoglądając przez ciemne okulary na szesnastki. One natomiast tak naprawdę mnie nie widzą. Zresztą zgodnie z moją intencją; dbam, żeby pozostawać niewidzialnym, a nie ma lepszego miejsca niż Manhattan, żeby pozostać niewidzialnym.

Skręcam w kolejne przecznice, przemykam alejką, kupuję coś – rzecz jasna, za gotówkę – po czym zanurzam się w opuszczoną część miasta niedaleko SoHo, dawniej przemysłową, gdzie dziś powstaje dzielnica mieszkaniowa i handlowa. Cicho tu. To dobrze. Chcę mieć spokój, aby przeprowadzić transakcję z Myrą Weinburg, 9834-4452-6740-3418, szesnastką, którą od pewnego czasu mam na oku.

Myra 9834, znam cię doskonale. Wiem, skąd wziąć informacje. (Hm, słownik nie pozostawia wątpliwości, podając jedyną poprawną formę „wziąć". Sam jestem raczej purystą, ale staram się nikogo nie poprawiać, słysząc często „wziąść". Język jest jak rzeka; zmierza, dokąd chce, a jeśli płyniesz pod prąd, zaraz cię zauważą. To oczywiście ostatnia rzecz, jakiej bym pragnął).

Oto więc dane na temat Myry 9834: mieszka na Waverly Place w Greenwich Village. Właściciel budynku chce go sprzedać na mieszkania spółdzielcze, a lokatorzy, którzy nie kupią udziałów spółki, zostaną wyeksmitowani. (Wiem o tym, choć biedni mieszkańcy domu jeszcze nie, a sądząc z ich dochodów i wiarygodności kredytowej, większość z nich po uszy tkwi w kłopotach).

Ciemnowłosa Myra 9834 o egzotycznej urodzie skończyła Uniwersytet Nowojorski i od kilku lat pracuje w agencji reklamowej w Nowym Jorku. Jej matka żyje, ale ojciec nie. Zginął w wypadku, którego sprawca zbiegł i do dziś nie został odnaleziony, mimo upływu lat. Policja nie wkłada zbyt wiele wysiłku w ściganie takich przestępców.

W tym momencie Myra 9834 nie ma chłopaka, z przyjaciółmi też zapewne nie układa się jej najlepiej, bo swoje trzydzieste drugie urodziny uczciła jedynie porcją wieprzowiny moo-shu z restauracji Hunan Dynasty na Czwartej Zachodniej (zupełnie przyzwoity wybór) i butelką białego Caymus Conundrum (za dwadzieścia osiem dolarów, z drogiego Village Wines). Przypuszczam, że ten samotny wieczór wynagrodziła sobie potem sobotnią wycieczką na Long Island, która zbiegła się z przyjazdem członków jej rodziny i znajomych oraz wystawieniem słonego rachunku, między innymi za spore ilości brunello, w pewnej restauracji w Garden City, o której bardzo pochlebnie pisał „Newsday".

Myra 9834 sypia w koszulce Victoria's Secret. Domyślam się tego, ponieważ ma ich pięć sztuk, w zbyt dużym rozmiarze, by mogła je nosić na ulicy. Budzi się wcześnie, z myślą o francuskim ciastku Entemanna (nigdy nie wybiera tych z niską zawartością tłuszczu, jestem z niej dumny) i o kawie ze Starbucksa; parzy ją w domu i rzadko chodzi do kawiarni. Szkoda, bo lubię osobiście obserwować antylopę, którą mam na oku, a na sawannie nie ma lepszego miejsca do obserwacji niż Starbucks. Około ósmej dwadzieścia wychodzi z mieszkania i jedzie do biura na środkowym Manhattanie – do agencji Maple, Reed & Summers, gdzie pracuje w obsłudze klienta.

Idę dalej, kontynuując niedzielną przechadzkę. Mam na głowie nijaką czapkę bejsbolową (stanowią 87,3 procent męskich nakryć głowy na terenie metropolii). I jak zawsze nie podnoszę oczu. Jeżeli sądzicie, że satelita z wysokości pięćdziesięciu kilometrów nie potrafi zrobić zdjęcia waszej uśmiechniętej twarzy, grubo się mylicie; na kilkunastu serwerach rozsianych po całym świecie są setki waszych fotografii i miejmy nadzieję, że gdy gdzieś w kosmosie trzasnęła migawka, patrzyliście tylko pod słońce spod przymrużonych powiek, spoglądając na sterowiec Goodyear albo chmurę w kształcie owieczki.

Moja pasja kolekcjonerska nie dotyczy tylko codziennych spraw szesnastek, które mnie interesują, ale także ich umysłów. Myra 9834 nie jest wyjątkiem. Po pracy dość regularnie chodzi ze znajomymi na drinka i zauważyłem, że często – moim zdaniem zbyt często – to ona płaci. Wyraźnie kupuje sobie ich życzliwość – prawda, doktorze Phil? W okresie dojrzewania prawdopodobnie miała trądzik; nadal raz na jakiś czas chodzi do dermatologa, choć rachunki są niewielkie, jak gdyby zastanawiała się nad zabiegiem dermabrazji (z tego co widziałem, zupełnie niepotrzebnie) albo chciała się upewnić, czy pryszcze nie wrócą, atakując ją nocą jak ninja.

Później, po trzech kolejkach cosmopolitana z koleżankami albo sporadycznej wizycie w klubie fitness, wraca do domu, gdzie spędza czas przy telefonie, wszechobecnym komputerze i kablówce z podstawowym pakietem programów. (Lubię śledzić jej telewizyjne przyzwyczajenia; wybór programów świadczy, że jest wyjątkowo wiernym widzem; gdy przeniesiono „Seinfelda" do innej sieci, też zmieniła kanał i dwa razy nie poszła na randkę, by spędzić wieczór z Jackiem Bauerem).

Przed snem czasami lubi się odprężyć (fakt, że hurtowo kupuje baterie paluszki, mówi sam za siebie, bo aparat cyfrowy i iPod są na akumulatorki).

To oczywiście dane na temat dni powszednich. Ale dziś mamy cudowną niedzielę, a niedziele są inne. Właśnie wtedy Myra 9834 wsiada na swój ukochany i bardzo drogi rower i wyrusza na przejażdżkę ulicami miasta.

Nie ma stałej trasy. Czasem wybiera Central Park lub Riverside Park czy Prospect Park na Brooklynie. Jednak bez względu na punkt docelowy, pod koniec wycieczki Myra 9834 bezwarunkowo robi sobie jeden przystanek: w delikatesach Hudson Gourmet na Broadwayu. A potem, mając przed sobą kuszącą perspektywę jedzenia i prysznica, najkrótszą drogą wraca do domu – która z powodu potwornego tłoku w centrum, przebiega obok miejsca, w którym właśnie stoję.

Jestem przed podwórkiem prowadzącym do loftu na parterze, należącego do Maury'ego i Stelli Griszinskich (wyobraźcie sobie, kupili go dziesięć lat temu za 278 000 dolarów). Griszinskich nie ma jednak w domu, ponieważ wybrali się w rejs do Skandynawii. Wstrzymali przyjmowanie poczty, nie wynajęli nikogo do podlewania kwiatów ani opieki nad zwierzętami. No i nie mają żadnego systemu alarmowego. Na razie ani śladu Myry 9834. Hm. Czyżby coś jej przeszkodziło? Może się pomyliłem. Ale rzadko się mylę.

Mija pięć niemiłosiernie długich minut. Wyciągam ze swojej kolekcji wspomnienia obrazu Harveya Prescotta, cieszę się nimi przez chwilę, po czym odkładam na miejsce. Rozglądam się i opanowuję przemożną chęć, by przetrząsnąć zawartość opasłego kubła na śmieci i sprawdzić, jakie skarby w sobie kryje.

Trzymać się w cieniu... Pozostać poza siecią. Zwłaszcza w takich momentach. I za wszelką cenę unikać okien. Zdziwilibyście się, jaką pokusą jest podglądanie innych i ilu ludzi obserwuje was z drugiej strony szyby, w której widzicie tylko swoje odbicie albo odblask słońca.

Gdzie ona jest? Gdzie?

Jeżeli zaraz nie doczekam się transakcji...

Ach, nagle czuję wewnątrz znajome drgnienie: widzę Myrę 9834.

Sunie powoli, na niskim biegu, mocno pracując pięknymi nogami. Rower za 1020 dolarów. Kosztował więcej niż mój pierwszy samochód.

Ma taki obcisły strój. Oddycham szybko. Tak bardzo jej pragnę.

Rozglądam się po ulicy. Pusto, jeśli nie liczyć tej kobiety, którą dzieli ode mnie już zaledwie dziesięć metrów. Trzymam przy uchu wyłączoną komórkę, w mojej ręce kołysze się torba z Food Emporium. Rzucam przelotne spojrzenie na kobietę. Podchodzę do krawężnika, prowadząc ożywioną i całkowicie fikcyjną rozmowę. Przystaję, żeby przepuścić rowerzystkę. Unoszę wzrok, marszczę brwi. I nagle się uśmiecham.

– Myra?

Zwalnia. Ależ obcisły ten strój. Opanuj się, opanuj. Zachowuj się naturalnie.

W pustych oknach wychodzących na ulicę nie ma nikogo. Nie nadjeżdża żaden samochód.

– Myra Weinburg?

Pisk hamulców.

– Cześć. – Wita mnie i robi taką minę, jak gdyby mnie poznawała – tylko dlatego, że ludzie są gotowi zrobić cokolwiek, by zatuszować zmieszanie.

Nie wypadając z roli wytrawnego biznesmena, ruszam w jej stronę, informuję swojego niewidzialnego znajomego, że oddzwonię później, i zamykam telefon.

– Przepraszam – mówi. Niepewny uśmiech. – Jesteś...

– Mike. Z obsługi klienta w Ogilvy, pamiętasz? Poznaliśmy się chyba... tak, na pewno. Na sesji zdjęciowej dla National Foods u Davida, zgadza się? Byliśmy w drugim studiu. Zajrzałem tam do was, poznałem ciebie i... jak on ma na imię? No tak, Richie. Mieliście lepszy catering.

Wreszcie widzę szczery uśmiech.

– Ach, jasne. – Pamięta Davida, National Foods, Richiego i catering w studiu fotograficznym. Nie może jednak pamiętać mnie, bo w ogóle mnie tam nie było. I nie było nikogo o imieniu Mike, ale nie będzie tym sobie zaprzątać uwagi, ponieważ tak miał na imię jej nieżyjący ojciec.

– Miło cię widzieć – mówię, posyłając jej swój najradośniejszy uśmiech pod tytułem „co za zbieg okoliczności". – Mieszkasz gdzieś w okolicy?

– W Village. A ty?

Wskazuję mieszkanie Griszinskich.

– Tam.

– Och, loft. Cudownie.

Pytam ją o pracę, ona o moją. Po chwili krzywię usta.

– Będę już wracać. Właśnie skończyły się cytryny. – Pokazuję cytrusowy rekwizyt. – Jest u mnie parę osób. – Urywam, bo właśnie przychodzi mi do głowy znakomity pomysł. – Słuchaj, nie wiem, czy masz na dzisiaj jakieś plany, ale właśnie siedzimy przy lunchu. Może się przyłączysz?

– Och, dziękuję, ale okropnie wyglądam.

– Proszę... mój chłopak i ja spędziliśmy cały dzień na marszu solidarności z chorymi na raka. – Świetny ruch. I na dodatek wymyślony zupełnie na poczekaniu. – Możesz mi wierzyć, jesteśmy bardziej spoceni od ciebie. To naprawdę żadne eleganckie przyjęcie. Jest szef obsługi klienta z Thompsona. I dwie osoby z Burston. Fajni, ale heterycy. – Smętnie wzruszam ramionami. – I jeden aktor. Ale to niespodzianka, nie powiem ci, kto to jest.

– No…

– Chodź. Zdaje mi się, że cosmopolitan dobrze ci zrobi… Wtedy na sesji zgodziliśmy się, że to nasz ulubiony drink, nie?

Rozdział 6

Grobowiec.

Zgoda, to już nie był oryginalny Grobowiec z dziewiętnastego wieku. Tamten budynek dawno zniknął, ale nadal powszechnie używano dawnej nazwy, mając na myśli ośrodek zatrzymań, Manhattan Detention Center, gdzie siedział Arthur Rhyme, którego serce od chwili aresztowania bez przerwy waliło rozpaczliwym łup, łup, łup.

Bez względu na to, czy areszt nazywano Grobowcem, MDC czy Ośrodkiem Bernarda Kerika (kompleks krótko nosił jego imię, dopóki były komendant policji i naczelnik nowojorskiego wydziału więziennictwa nie okrył się niesławą), dla Arthura było to po prostu piekło.

Prawdziwe piekło.

Jak wszyscy miał na sobie pomarańczowy kombinezon, lecz na tym kończyły się podobieństwa do reszty więźniów. Mężczyzna wzrostu stu osiemdziesięciu centymetrów i ważący osiemdziesiąt pięć kilogramów, o krótkich, biznesowo przystrzyżonych włosach, pod każdym względem różnił się od pozostałych ludzi czekających tu na proces. Nie, nie był mocno zbudowany, nie miał dziar (dowiedział się, że tak nazywa się tatuaże), nie miał tępego wyrazu twarzy ani ogolonej głowy, nie był czarny, nie był Latynosem. Wyglądał raczej na biznesmena oskarżonego o przestępstwa finansowe, a kryminalistów tego rodzaju nie przetrzymywano w Grobowcu aż do procesu; zwykle wychodzili za poręczeniem. Ale popełnione przez nich grzechy nie dawały podstaw do wyznaczenia kaucji w wysokości dwóch milionów dolarów, jak w wypadku Arthura.

Tak więc mieszkał w Grobowcu od trzynastego maja, spędzając tu najdłuższy, najbardziej bolesny i najtrudniejszy okres swojego życia.

Do dziś nie mógł też ochłonąć ze zdumienia.

Być może Arthur spotkał kobietę, którą rzekomo zamordował, lecz nie potrafił jej sobie nawet przypomnieć. Owszem, odwiedził galerię w SoHo, gdzie podobno bywała, nie pamiętał jednak, by z nią rozmawiał. Owszem, uwielbiał twórczość Harveya Prescotta i był zdruzgotany, gdy po utracie pracy musiał sprzedać jego płótno. Ale kraść obraz? Zabić człowieka? Czy oni wszyscy poszaleli? Czy ja w ogóle wyglądam na mordercę?

Był zupełnie bezradny wobec tej zagadki, równie niezrozumiałej jak twierdzenie Fermata, którego nie potrafił pojąć, nawet gdy poznał dowód. Nie miał wątpliwości, że ktoś go wrobił. Podejrzewał nawet, że mogła tego dokonać sama policja.

Po dziesięciu dniach w Grobowcu człowiekowi zaczyna się wydawać, że linia obrony O. J. Simpsona wcale nie przypominała fantazji z „Twilight Zone".

Dlaczego, dlaczego, dlaczego? Kto za tym stał? Pomyślał o przepełnionych złością listach, jakie pisał po zwolnieniu z Princeton. W niektórych roiło się od głupstw, małostkowych wyrzutów i pogróżek. W kręgach akademickich nie brakowało niezrównoważonych ludzi. Może chcieli się zemścić za rozpętaną przez niego aferę. I jeszcze ta studentka z jego grupy, która zaczęła się do niego przystawiać. Powiedział jej, że nie, nie jest zainteresowany żadnym romansem. Wpadła we wściekłość.

„Fatalne zauroczenie" ...

Policja zbadała ten trop i uznała, że dziewczyna nie ma nic wspólnego z morderstwem, ale czy naprawdę rzetelnie sprawdzono jej alibi?

Rozejrzał się po przestronnej wspólnej sali, patrząc na kilkudziesięciu współwięźniów. Z początku traktowano go jak pewnego rodzaju osobliwość. Jego akcje poszły w górę, kiedy się dowiedzieli, że zamknięto go za morderstwo, lecz szybko spadły na wieść, że ofiara nie próbowała ukraść mu narkotyków ani go zdradzić – były to jedyne dopuszczalne powody, aby zabić kobietę.

Gdy więc wyszło na jaw, że jest po prostu jednym z białasów, którzy dali ciała, jego życie zmieniło się w koszmar.

Popychali go, zaczepiali, kradli mu kartony z mlekiem – zupełnie jak w gimnazjum. Nie myśleli jednak o seksie. Nie tu. Wszyscy przebywali w areszcie od niedawna, więc przez jakiś czas mogli trzymać fiuty w spodniach. Ale paru nowych „znajomych" zapewniło Arthura, że nie będzie się zbyt długo cieszył dziewictwem, gdy zacznie garować w prawdziwym pudle, na przykład w Attica, zwłaszcza jeśli zarobi ćwierćfunciaka – czyli minimum dwadzieścia pięć lat.

Cztery razy dostał w twarz, dwa razy stuknięty Aquilla Sanchez podstawił mu nogę i przygwoździł go do podłogi, wrzeszcząc coś mieszaniną hiszpańskiego i angielskiego i spryskując mu oczy kropelkami potu, dopóki nie odciągnęło go kilku znudzonych klawiszy.

Arthur dwa razy zmoczył się w spodnie, kilkanaście razy wymiotował. Był robakiem, frajerem, którego nawet nie warto było przelecieć.

Chyba że później.

Serce łomotało mu gwałtownie i obawiał się, że lada chwila pęknie na kawałki. Tak jak przytrafiło się Henry'emu Rhyme'owi, jego ojcu, choć słynny profesor nie skonał oczywiście w tak podłym miejscu jak Grobowiec, lecz na chodniku przed szacownym budynkiem uczelni w chicagowskim Hyde Parku.

Jak to się stało? Świadek, dowody... To nie miało sensu.

– Niech pan przyjmie warunki ugody, panie Rhyme – mówił mu zastępca prokuratora okręgowego. – Dobrze panu radzę.

Podobną sugestię Arthur usłyszał od adwokata.

– Znam na wylot takie historie, Art. Jak gdybym czytał mapę GPS. Powiem ci, co cię czeka na końcu tej drogi – ale to nie będzie zastrzyk. W Albany nie potrafią nawet napisać paragrafu o karze śmierci. Przepraszam, kiepski żart. Mimo to grozi ci dwadzieścia pięć lat. Mogę zmniejszyć wyrok do piętnastu. Zgódź się.

– Ależ ja tego nie zrobiłem.

– Mhm. To naprawdę nic dla nikogo nie znaczy, Arthurze.

– Ale to nie ja!

– Mhm.

– Nie przyjmę tej ugody. Ława mnie zrozumie. Przysięgli mnie zobaczą. Przekonają się, że nie jestem mordercą.

Cisza. Po chwili:

– Świetnie.

Lecz jego mina zdradzała co innego. Był wyraźnie wkurzony, mimo że zgarniał ponad sześćset dolarów za godzinę – swoją drogą skąd wziąć takie pieniądze? Przecież...

Nagle Arthur uniósł głowę i napotkał badawczy wzrok dwóch Latynosów. Przyglądali mu się z absolutną obojętnością. Ich oczy nie patrzyły na niego życzliwie ani wyzywająco, ani surowo. Wydawali się raczej zaciekawieni.

Gdy ruszyli w jego stronę, zaczął się gorączkowo zastanawiać, czy wstać, czy nie ruszać się z miejsca.

Lepiej siedzieć.

Ale spuścić wzrok.

Wbił wzrok w podłogę. Jeden z mężczyzn stanął naprzeciw niego i w polu widzenia Arthura znalazły się jego sfatygowane adidasy.

Drugi zaszedł go od tyłu.

Arthur Rhyme nie miał już wątpliwości. Zaraz zginie. Do diabła, niech to zrobią raz a dobrze.

– E? – powiedział wysokim głosem mężczyzna stojący za nim.

Arthur spojrzał na tego drugiego, przed sobą. Miał przekrwione oczy, zepsute zęby i duży kolczyk. Arthur nie mógł wykrztusić słowa.

– E? – powtórzył tenor.

Arthur z trudem przełknął ślinę. Nie potrafił tego powstrzymać.

– Mówimy do ciebie, mój kumpel i ja. Nie umiesz się zachować. Czego jesteś taki ćwok?

– Przepraszam. Jestem tylko… cześć.

– E, gościu, w czym robisz? – spytał Tenor za jego plecami.

– Jestem… – Poczuł przeraźliwą pustkę w głowie. Co mam powiedzieć? – Jestem naukowcem.

– Kurwa, naukowcem? – rzucił Kolczyk. – Znaczy się co, robisz rakiety?

Obaj wybuchnęli śmiechem.

– Nie, sprzęt medyczny.

– Coś jak ta maszyna, co to przykładają ci dwa dinksy i puszczają przez ciebie prąd? Jak w „Ostrym dyżurze"?

– Nie, to skomplikowane.

Kolczyk zmarszczył brwi.

– Nie to miałem na myśli – powiedział szybko Arthur. – Nie chodzi o to, że nie zrozumiecie. To po prostu trudno wytłumaczyć. Systemy kontroli jakości do dializ. I…

Tenor:

59

– Musisz zarabiać niezłą kasę, co? Podobno jak cię zgarnęli, miałeś fajny garnitur.
– Fajny? Nie wiem. Kupiłem go w Nordstromie.
– Co to, kurwa, Nordstrom?
– Sklep.
Arthur ponownie wbił wzrok w buty Kolczyka, a jego kompan ciągnął:
– No i co z tą kasą? Ile zarabiasz?
– Nie...
– Chcesz powiedzieć, że nie wiesz?
– Nie... – Tak, to właśnie chciał powiedzieć.
– Ile zarabiasz?
– Nie w... Roczna pensja ma chyba z pięć zer.
– Kurwa.
Arthur nie wiedział, czy to oznaczało, że kwota jest dla nich duża czy mała.
Tenor parsknął śmiechem.
– Masz rodzinę?
– Nic wam o niej nie powiem. – Zabrzmiało to buńczucznie.
– Pytam, masz rodzinę?
Arthur Rhyme patrzył w ścianę obok. Z zaprawy między pustakami wystawał gwóźdź, gdzie jak sądził powinna wisieć jakaś tabliczka, którą przed laty zdjęto albo ukradziono.
– Dajcie mi spokój. Nie chcę z wami rozmawiać. – Starał się mówić stanowczym i mocnym głosem, lecz przypominał protestującą dziewczynę, do której na szkolnej potańcówce podszedł najbrzydszy kujon w klasie.
– Próbujemy prowadzić uprzejmą pogawędkę.
Naprawdę to powiedział? „Uprzejmą pogawędkę"?
Po chwili pomyślał, cholera, może naprawdę chcą być mili. Może mogliby zostać jego przyjaciółmi i chronić go przed innymi. Bóg jeden wiedział, jak bardzo potrzebował teraz przyjaciół. Miał jeszcze szansę to naprawić?
– Przepraszam. To po prostu naprawdę dziwna sprawa. Nigdy dotąd nie miałem żadnych kłopotów. Dlatego jestem trochę...
– Co robi twoja żona? Też jest naukowcem? Cwana z niej laska?
– Ma duże cycki?

– Walisz ją w tyłek?

– Słuchaj no, Uczony Skurwielu, plan jest taki. Twoja cwana żonka weźmie z banku kasę. Dziesięć tysięcy. Potem skoczy do mojego kuzyna na Bronksie. A potem...

Wysoki głos zamarł.

Do ich trójki podszedł czarnoskóry więzień, zwalisty i muskularny, z podwiniętymi rękawami kombinezonu. Patrzył na Latynosów, złośliwie mrużąc oczy.

– Ej, wypierdalać stąd, meksykańce.

Arthur Rhyme skamieniał. Nie potrafiłby się ruszyć, choćby ktoś zaczął do niego strzelać, co zresztą wcale by go nie zdziwiło, nawet tu, pod czujnym okiem magnetometrów.

– Idź się jebać, czarnuchu – odparł Kolczyk.

– Gnoju – dorzucił Tenor. Słysząc to, Murzyn parsknął śmiechem, otoczył ramieniem Kolczyka i odciągnął go na bok, szepcząc mu coś do ucha. Oczy Latynosa stały się szkliste; skinął głową swojemu kompanowi, który ruszył za nim. Obaj poszli na przeciwległą stronę sali, udając ciężko obrażonych. Gdyby nie paraliżujący strach, Arthur mógłby dostrzec w tym coś zabawnego – Latynosi przypominali pognębionych łobuziaków ze szkoły, do której chodziły jego dzieci.

Czarnoskóry więzień przeciągnął się i Arthur usłyszał, jak chrupnęło mu w stawie. Czuł, że serce wali mu jeszcze mocniej niż dotąd. Przez myśl przemknęło mu coś na kształt modlitwy: pragnął tu i teraz dostać śmiertelnego zawału.

– Dzięki.

– W dupę se to wsadź – odrzekł czarny. – Ci dwaj to kutasy. Muszą znać swoje miejsce. Rozumiesz, co mówię?

Nie, Arthur Rhyme nie miał pojęcia. Powiedział jednak:

– Mimo wszystko dziękuję. Mam na imię Arthur.

– Wiem, kurwa, jak masz na imię. Wszyscy tu wszystko wiedzą. Tylko nie ty. Ty gówno wiesz.

Ale jednego Arthur Rhyme był zupełnie pewien: już nie żył. Dlatego powiedział:

– No dobra, to powiedz mi gnojku, kim, kurwa, jesteś.

Szeroka twarz zwróciła się w jego stronę. Czując woń potu i cuchnący tytoniowym dymem oddech, Arthur pomyślał o swojej rodzinie, najpierw o dzieciach, a potem o Judy. I o rodzicach, najpierw o matce, potem o ojcu. Nagle nieoczekiwanie przyszedł mu na myśl kuzyn Lincoln. Przypomniał sobie, jak będąc nastolatkami, ścigali się pewnego upalnego dnia na rozpalonym słońcem polu w Illinois. *Kto pierwszy do tamtego dębu. Do tamtego, patrz. Na trzy. Gotowy? Jeden... dwa... trzy... start!* Ale potężnie zbudowany więzień odwrócił się i podszedł do drugiego czarnoskórego w głębi sali. Stuknęli się pięściami, zapominając o Arthurze Rhymie.

Siedział, obserwując ich koleżeński rytuał i czując się coraz bardziej opuszczony. Zamknął oczy i opuścił głowę. Arthur Rhyme był naukowcem. Wierzył, że warunkiem rozwoju życia jest proces doboru naturalnego; boska sprawiedliwość nie odgrywała tu żadnej roli.

Teraz jednak, pogrążony w depresji, ogarniającej go z nieustępliwością zimowego przypływu, zaczynał powoli nabierać przekonania, że być może istnieje jakiś system kar, niewidzialny i rzeczywisty jak grawitacja, który właśnie kazał mu zapłacić za wyrządzone w życiu zło. Owszem, zrobił wiele dobrego. Wychował dzieci, wpoił im zasady tolerancji i liberalne wartości, był dobrym towarzyszem żony, której pomógł przetrwać nowotworowy incydent, miał swój wkład w wielkie dzieło nauki ulepszającej świat.

Ale było też zło. Jak zawsze.

Siedząc w cuchnącym pomarańczowym kombinezonie, starał się nie tracić nadziei, że dzięki niezłomnemu postanowieniu i dobrym myślom – a także wierze w system, który sumiennie wspierał w każdy dzień wyborów – uda mu się odzyskać łaskę Temidy i wrócić do rodziny i normalnego życia.

Ufał, że dzięki hartowi ducha i wytrwałości zdoła wygrać z fatum, tak jak prześcignął Lincolna na tamtym rozgrzanym i suchym polu, pierwszy dopadając dębu.

I może się uratuje. Może...

– Rusz się.

Drgnął na dźwięk tego głosu, mimo że był cichy. Stanął za nim inny więzień, biały, ze zmierzwionymi włosami i tatuażami pokrywającymi całe ciało, z wyjątkiem bieli zębów. Nerwowe ruchy zdradzały, że jego organizm powoli pozbywał się narkotyków. Mężczyzna patrzył na ławkę, gdzie siedział Arthur, choć mógł wybrać sobie jakiekolwiek inne miejsce. W jego oczach malowała się otwarta wrogość.

W tym momencie w sercu Arthura zgasł płomyczek nadziei – na to, że istnieje wymierny i naukowy system sprawiedliwości moralnej. Zdmuchnęły go dwa słowa, które padły z ust tego zniszczonego, lecz groźnego człowieka.

Rusz się...

Arthur Rhyme ruszył się, powstrzymując łzy.

Rozdział 7

Dzwonek telefonu zirytował Lincolna Rhyme'a. Wyrwał go z rozmyślań o tajemniczym panu X i mechanizmie podrzucania dowodów, jeśli naprawdę coś takiego się zdarzyło. Rhyme nie miał ochoty, by cokolwiek mu przeszkadzało.

Zaraz jednak wrócił do rzeczywistości; na wyświetlaczu zobaczył 44, numer kierunkowy Wielkiej Brytanii.

– Polecenie, odbierz telefon – polecił natychmiast.

Klik.

– Słucham, pani inspektor. – Zrezygnował ze zwracania się do niej po imieniu. Stosunki ze Scotland Yardem wymagały pewnych konwenansów.

– Witam, detektywie Rhyme – powiedziała Longhurst. – Mamy coś nowego.

– Proszę mówić – odparł Rhyme.

– Danny Krueger dostał sygnał od jednego ze swoich byłych przemytników. Zdaje się, że Richard Logan wyjechał z Londynu, żeby odebrać coś w Manchesterze. Nie jesteśmy pewni, co to jest, ale wiemy, że w Manchesterze kwitnie czarny rynek broni.

– Wiadomo, gdzie dokładnie jest?

– Danny wciąż próbuje to ustalić. Byłoby dobrze zdjąć tam Logana zamiast czekać na okazję w Londynie.

– Czy Danny działa subtelnie? – Z wideokonferencji Rhyme pamiętał potężnego, opalonego i głośnego Południowoafrykańczyka, z wydatnym brzuchem i równie okazałym złotym sygnetem na małym palcu. Rhyme zajmował się kiedyś pewną sprawą, która miała związek z Darfurem, i rozmawiał z Kruegerem o tragicznym konflikcie targającym ten kraj.

64

– Och, dobrze wie, co robi. Kiedy trzeba, potrafi działać subtelnie. Potrafi też być zajadły jak pies gończy, gdy wymaga tego sytuacja. Jeżeli się da, na pewno wybada dokładnie sprawę. Współpracujemy z policją w Manchesterze, żeby był w pogotowiu oddział specjalny. Odezwiemy się, kiedy będziemy wiedzieć coś więcej.

Podziękował jej i rozłączyli się.

– Dostaniemy go, Rhyme – powiedziała Sachs, nie tylko po to, by go pocieszyć. Jej także zależało na odnalezieniu Logana; przez jedną z jego intryg sama omal nie straciła życia.

Zadzwonił jej telefon. Sachs słuchała przez chwilę, po czym odrzekła, że będzie za dziesięć minut.

– Chodzi o akta tamtych spraw, o których wspominał Flintlock. Są gotowe. Pojadę po nie... Aha, być może wpadnie do nas Pam.

– Co porabia?

– Uczy się z kimś na Manhattanie – z chłopakiem.

– Świetnie. Kto to jest?

– Kolega ze szkoły. Nie mogę się doczekać, żeby go poznać. Mówi tylko o nim. Na pewno zasługuje na kogoś porządnego. Ale nie chcę, żeby za szybko się z kimś zaprzyjaźniała. Będę się lepiej czuła, kiedy go poznam i sama go wymagluję.

Rhyme skinął jej głową na pożegnanie, ale myślami był gdzie indziej. Patrząc na białą tablicę z informacjami na temat sprawy Alice Sanderson, polecił telefonowi wybrać numer.

– Halo? – odezwał się cichy męski głos, a w tle brzmiał walc. Bardzo głośno.

– Mel, to ty?

– Lincoln?

– Co to za cholerna muzyka? Gdzie jesteś?

– Na Konkursie Tańca Towarzyskiego Nowej Anglii – odparł Mel Cooper.

Rhyme westchnął. Zmywanie naczyń, popołudniówki teatralne, konkursy tańca. Nie cierpiał niedziel.

– Jesteś mi potrzebny. Mam sprawę. Wyjątkową.

– Wszystkie twoje sprawy są wyjątkowe, Lincoln.

– Ta jest wyjątkowsza od innych, jeśli wybaczysz to wykroczenie gramatyczne. Możesz wpaść? Wspomniałeś o Nowej Anglii. Tylko nie mów, że jesteś w Bostonie albo Maine.

– W centrum Manhattanu. I chyba jestem już wolny – Gretta i ja właśnie zostaliśmy wyeliminowani. Pewnie wygrają Rosie Talbot i Bryan Marshall. To dopiero skandal. – Ostatnie słowa wypowiedział znaczącym tonem. – Kiedy mam być?

– Teraz.

Cooper zachichotał.

– Jak długo będę ci potrzebny?

– Może jakiś czas.

– To znaczy do szóstej wieczorem czy do środy?

– Lepiej zadzwoń do swojego przełożonego i powiedz, że dostajesz inne zadanie. Mam nadzieję, że to nie potrwa dłużej niż do środy.

– Muszę mu podać jakieś nazwisko. Kto prowadzi śledztwo? Lon?

– Ujmę to w ten sposób: wyrażaj się mało konkretnie.

– Słuchaj, Lincoln, chyba pamiętasz czasy, gdy byłeś gliną, nie? „Mało konkretnie" nie przejdzie. Przejdzie tylko „precyzyjnie".

– Ściśle rzecz biorąc, nie ma prowadzącego dochodzenie.

– Robisz to na własną rękę? – W jego głosie zabrzmiała nuta niepewności.

– Niezupełnie. Są jeszcze Amelia i Ron.

– To wszystko?

– No i ty.

– Rozumiem. Kto jest sprawcą?

– Chodzi o to, że sprawcy już siedzą. Dwaj zostali skazani, jeden czeka na proces.

– A ty masz wątpliwości, czy zamknięto właściwe osoby.

– Coś w tym rodzaju.

Mel Cooper, detektyw nowojorskiego wydziału kryminalistycznego, specjalizował się w badaniach laboratoryjnych i był jednym z najwybitniejszych funkcjonariuszy departamentu, a także jednym z najinteligentniejszych.

– Aha, czyli chcesz, żebym ci pomógł znaleźć odpowiedź, jak moi szefowie spieprzyli robotę i aresztowali nie tych, co trzeba, a potem namówić ich do wszczęcia trzech nowych i kosztownych śledztw przeciwko prawdziwym sprawcom, którzy, nawiasem mówiąc, pewnie też nie będą zachwyceni, kiedy się dowiedzą, że mimo wszystko nie uda się im wymigać od kary. Stoimy na potrójnie straconej pozycji, zgadza się, Lincoln?

- Przeproś ode mnie swoją dziewczynę, Mel. I zaraz przyjeżdżaj.

Sachs była w połowie drogi do swojego karmazynowego camaro SS, gdy usłyszała:

- Hej, Amelia!

Odwróciwszy się, zobaczyła ładną nastolatkę o długich, kasztanowych włosach z czerwonymi pasemkami. W uszach dziewczyny tkwiło kilka gustownych kolczyków. Taszczyła dwie płócienne torby. Jej usiana drobnymi piegami twarz promieniała radością.

- Wyjeżdżasz? - zapytała.

- Mamy dużą sprawę. Jadę do centrum. Podrzucić cię?

- Jasne. Pójdę na metro przy ratuszu. - Pam wsiadła do samochodu.

- Jak poszła nauka?

- No, wiesz...

- Gdzie twój kolega? - Sachs rozejrzała się po ulicy.

- Właśnie się pożegnaliśmy.

Stuart Everett i Pam uczyli się w tej samej szkole średniej na Manhattanie. Dziewczyna chodziła z nim od kilku miesięcy. Poznali się na lekcjach i natychmiast odkryli wspólne zamiłowanie do książek i muzyki. Należeli do szkolnego kółka poetyckiego, co uspokoiło Sachs; chłopak przynajmniej nie był członkiem motocyklowego gangu ani prymitywnym mięśniakiem.

Pam rzuciła torbę z książkami na tylne siedzenie i otworzyła drugą. Wychynął z niej kudłaty łeb.

- Cześć, Jackson - powiedziała Sachs, głaszcząc psiaka.

Maleńki hawańczyk chwycił ciastko Milk-Bone wyciągnięte z uchwytu na kubek, który służył wyłącznie do przechowywania psich smakołyków; zamiłowanie Sachs do ostrego przyspieszania i ścinania zakrętów nie sprzyjało przewożeniu samochodem żadnych płynów.

- Stuart nie mógł cię odprowadzić? Co z niego za dżentelmen?

- Ma mecz piłki nożnej. Sport go strasznie kręci. Wszyscy faceci są tacy?

Wyjeżdżając na ulicę, Sachs zaśmiała się drwiąco.

- Aha.

Pytanie zabrzmiało w jej ustach dziwnie, ponieważ większość dziewczyn w tym wieku wiedziała wszystko o chłopakach i sporcie. Pam Willoughby różniła się jednak od większości dziewczyn. Kiedy była mała, jej ojciec zginął w misji pokojowej ONZ, a niezrównoważona matka zaczęła działać w podziemnym, skrajnie prawicowym ruchu politycznym i religijnym, który coraz częściej uciekał się do przemocy. Matka odsiadywała wyrok dożywocia za morderstwo (była odpowiedzialna za zamach bombowy na budynek ONZ, w którym przed kilkoma laty zginęło sześć osób). Wtedy właśnie Amelia Sachs poznała Pam, ratując ją z rąk seryjnego porywacza. Potem dziewczyna zniknęła, ale przez czysty zbieg okoliczności nie tak dawno temu Sachs ocaliła ją ponownie.

Uwolniona od socjopatycznej rodziny Pam trafiła do rodziny zastępczej na Brooklynie – wcześniej jednak Sachs prześwietliła na wylot nowych rodziców z sumiennością agenta Secret Service planującego prezydencką wizytę. Pam podobało się nowe życie. Jej przybraną matkę często absorbowała opieka nad pięciorgiem młodszych dzieci, więc Sachs przyjęła na siebie rolę starszej siostry.

Był to układ dobry dla jednej i drugiej. Sachs zawsze chciała mieć dzieci, lecz los jej nie sprzyjał. Planowała założenie rodziny ze swoim pierwszym stałym chłopakiem, także policjantem, który okazał się jednak najgorszym z możliwych kandydatów (miał na koncie wymuszenie, napaść i w końcu więzienie). Potem została sama, dopóki nie poznała Lincolna Rhyme'a i do dziś była jego towarzyszką. Rhyme nie odnosił się do dzieci z przesadnym entuzjazmem, ale był dobrym człowiekiem, uczciwym i mądrym, który potrafił oddzielić swój bezduszny profesjonalizm od domowego życia; wielu mężczyzn nie było do tego zdolnych.

W tym momencie założenie rodziny byłoby jednak dla nich trudne; musieli się zmagać z zagrożeniami i uciążliwymi warunkami policyjnej pracy oraz własnymi niepokojami – niewiadomą było również zdrowie Rhyme'a. Mieli też do pokonania pewną barierę fizyczną, choć dowiedzieli się, że kłopot ma Sachs, nie Rhyme (któremu nic nie przeszkadzało zostać ojcem rodziny).

Tak więc na razie wystarczała jej Pam. Sachs lubiła swoją rolę i traktowała ją bardzo poważnie; dziewczyna powoli wyzbywała się nieufności do dorosłych. Rhyme'a szczerze cieszyło jej towarzystwo.

Właśnie pomagał jej naszkicować plan książki o jej doświadcze-
niach zdobytych w prawicowym podziemiu, którą chciała zatytuło-
wać „Niewola". Thom twierdził, że ma spore szanse wystąpić w talk
show „Oprah".

Wyprzedzając taksówkę, Sachs zauważyła:

– Nie odpowiedziałaś na pytanie. Jak poszła nauka?

– Świetnie.

– Gotowa do testu w czwartek?

– Wykułam. Będzie dobrze.

Sachs parsknęła śmiechem.

– W ogóle nie otworzyłaś książki, co?

– Amelia, daj spokój. Taka fajna pogoda! Przez cały tydzień było
paskudnie. Musieliśmy gdzieś wyjść.

Sachs instynktownie chciała jej przypomnieć, jak ważne są dla niej
dobre wyniki egzaminów semestralnych. Pam miała wysoki iloraz inteligencji i z zapałem pochłaniała książki, ale po osobliwej edukacji, jaką
odebrała wcześniej, trudno byłoby się jej dostać do dobrego college'u.
Dziewczyna jednak tak bardzo się cieszyła, że Sachs ustąpiła.

– Co robiliście?

– Po prostu spacerowaliśmy. Poszliśmy do Harlemu, potem dookoła zbiornika. Obok hangaru był koncert, taki jeden zespół grał
covery, ale mówię ci, Coldplay zrobili totalnie… – Pam zastanowiła
się. – Prawie cały czas gadaliśmy ze Stuartem, właściwie o niczym.
I to chyba było najlepsze, wiesz?

Amelia Sachs nie mogła się nie zgodzić.

– Fajny jest?

– Och, tak. Bardzo fajny.

– Masz zdjęcie?

– Amelia! Nie rób obciachu.

– Kiedy ta sprawa się skończy, może zjemy razem kolację, w trójkę?

– Tak? Naprawdę chcesz go poznać?

– Każdy chłopak, z którym chodzisz, powinien wiedzieć, że masz
stróża. Kogoś, kto nosi broń i kajdanki. Trzymaj psa; mam ochotę
pojeździć.

Sachs gwałtownie zredukowała bieg, wcisnęła pedał gazu i zostawiła na matowym asfalcie dwa wykrzykniki z gumy.

Rozdział 8

Odkąd Amelia Sachs zaczęła od czasu do czasu spędzać u Rhyme'a noce i weekendy, w wiktoriańskim domu zaszły pewne zmiany. Kiedy Rhyme mieszkał sam, po wypadku i przed spotkaniem z Sachs, panował tu mniej więcej porządek – w zależności od tego, czy gospodarz akurat nie wyrzucał z pracy opiekuna lub gosposi – ale trudno było nazwać dom przytulnym. Scian nie zdobiły osobiste pamiątki – żaden dyplom czy list pochwalny ani odznaczenie, które zdobył jako słynny szef wydziału kryminalistycznego nowojorskiego departamentu policji. Próżno też było szukać fotografii rodziców, Teddy'ego i Anne, a także rodziny wuja Henry'ego.

Sachs nie podobała się ta pustka.

– To jest ważne – pouczała go. – Twoja przeszłość, twoja rodzina. Pozbawiasz się własnej historii, Rhyme.

Nigdy nie widział jej mieszkania – nie było dostępne dla niepełnosprawnych – ale wiedział, że pokoje są po brzegi wypełnione śladami jej historii. Widział wiele zdjęć: Amelii Sachs jako ślicznej, choć rzadko uśmiechniętej dziewczynki (z piegami, które dawno już znikenły); jako uczennicy szkoły średniej z narzędziami w rękach; jako studentki college'u na wakacjach w towarzystwie roześmianego ojca policjanta i surowej matki; jako modelki w czasopismach i folderach reklamowych, o oczach, w których malował się elegancki, zawodowy chłód (Rhyme wiedział jednak, że to pogarda wobec opinii, iż modelki to tylko wieszaki na ubrania).

I setki innych fotografii, zrobionych głównie przez jej ojca, który korzystał z każdej okazji, by wycelować do córki ze swojego kodaka.

Obejrzawszy puste ściany w domu Rhyme'a, Sachs postanowiła poszperać tam, gdzie nie zaglądali jego opiekunowie – nawet Thom:

w schowanych w piwnicy kartonach, mieszczących dziesiątki świadectw życia Rhyme'a z czasów Przedtem, przedmiotów ukrytych przed wzrokiem innych, o których się nie wspominało, tak jak drugiej żonie o jej poprzedniczce. Wiele z tych dyplomów, pamiątek i zdjęć znalazło się na ścianach i nad kominkiem.

Wśród nich jego fotografia, na którą właśnie patrzył – szczupłego nastolatka w stroju sportowym, zrobiona tuż po starcie w mityngu reprezentacji szkolnych. Rhyme miał na niej rozwichrzone włosy i wydatny nos Toma Cruise'a i pochylał się, opierając ręce na kolanach, po ukończonym biegu na milę. Nigdy nie był sprinterem; wolał lirykę i elegancję dłuższych dystansów. Uważał bieg za „proces". Czasami nie zatrzymywał się nawet po przekroczeniu linii mety.

Jego rodzina była wtedy zapewne na trybunach. Ojciec i wuj mieszkali na przedmieściach Chicago, choć w innych dzielnicach. Dom Lincolna znajdował się na zachodzie, na płaskiej, prawie nagiej połaci ziemi, częściowo zajmowanej jeszcze przez pola, które atakowali na zmianę bezmyślni deweloperzy i groźne tornada. Henry Rhyme i jego rodzina, nie byli wystawieni na te zagrożenia, mieszkali bowiem nad jeziorem w Evanston.

Dwa razy w tygodniu Henry wyruszał w długą podróż dwoma pociągami, przecinając wiele granic społecznych dzielących miasto, by wykładać fizykę wyższą na Uniwersytecie Chicagowskim. Jego żona Paula uczyła na Uniwersytecie Northwestern. Mieli troje dzieci, Roberta, Marie i Arthura. Dwoje starszych otrzymało imiona na cześć sławnych naukowców, Oppenheimera i Skłodowskiej-Curie. Art nosił imię Arthura Comptona, który w 1942 roku kierował słynnym Laboratorium Metalurgicznym przy Uniwersytecie Chicagowskim, stanowiącym przykrywkę projektu przeprowadzenia pierwszej na świecie kontrolowanej reakcji łańcuchowej. Wszyscy troje wybrali dobre szkoły. Robert poszedł na medycynę na Northwestern. Marie na Berkeley. Arthur na MIT.

Robert zginął wiele lat temu w wypadku przy pracy w Europie. Marie pracowała w Chinach, prowadząc badania ekologiczne. Ze starszego pokolenia Rhyme'ów pozostała tylko ciotka Paula, która mieszkała w domu opieki i miała głowę pełną żywych wspomnień sprzed sześćdziesięciu lat, a teraźniejszość stanowiła dla niej zdumiewający kalejdoskop niepowiązanych ze sobą fragmentów.

Rhyme wciąż przyglądał się swojemu zdjęciu. Nie potrafił oderwać od niego wzroku, przypominając sobie tamten mityng... Profesor Henry Rhyme podczas zajęć ze studentami wyrażał aprobatę delikatnym uniesieniem brwi. Ale na trybunie stadionu zawsze zrywał się na równe nogi, gwiżdżąc i wrzeszcząc do Lincolna: „Ciągnij, ciągnij, ciągnij, dasz radę!". Dopingował go aż do linii mety (którą Lincoln często przekraczał pierwszy).

Po mityngu Rhyme chyba zmył się gdzieś z Arthurem. Chłopcy spędzali ze sobą każdą wolną chwilę, czując się jak bracia. Robert i Marie byli znacznie starsi od Arthura, a Lincoln był jedynakiem.

I tak Lincoln i Art zaadoptowali się nawzajem. Niemal co weekend i każdego lata zastępczy bracia wyruszali na spotkanie przygody, często w corvette Arthura (wuj Henry, nawet jako profesor, zarabiał kilka razy więcej niż ojciec Rhyme'a; Teddy też był naukowcem, lecz czuł się lepiej, pozostając w cieniu). Podczas wspólnych wypraw chłopców zajmowało to co typowych nastolatków: dziewczyny, bejsbol, dyskusje, jedzenie hamburgerów i pizzy, ukradkowe popijanie piwa i wyjaśnianie zagadek świata. I dziewczyny.

Siedząc na swoim nowym wózku TDX, Rhyme zastanawiał się, dokąd właściwie poszli z Arthurem po mityngu.

Arthur, jego brat zastępczy...

Który nigdy go nie odwiedził po wypadku, gdy jego kręgosłup pękł jak kawałek kruchego drewna.

Dlaczego, Arthurze? Powiedz, dlaczego...

Wspomnienia zakłócił dźwięk dzwonka u drzwi. Thom skręcił w korytarz, a chwilę później do pokoju wkroczył drobny, łysiejący mężczyzna ubrany w smoking. Mel Cooper wsunął grube okulary na cienki nos i powitał Rhyme'a skinieniem głowy.

– Dzień dobry.

– Strój wieczorowy? – zapytał Rhyme, rzucając okiem na smoking.

– Jadę prosto z konkursu tańca. Gdybyśmy zostali finalistami, na pewno by mnie tu nie było. – Zdjął marynarkę i muszkę, po czym podwinął rękawy plisowanej koszuli. – Cóż to za wyjątkowa sprawa, o której mi mówiłeś?

Rhyme wprowadził go w szczegóły.

– Przykro mi z powodu twojego kuzyna, Lincoln. Chyba nigdy o nim nie wspominałeś.

– Co sądzisz o modus operandi?

– Jeżeli to prawda, jest genialny. – Cooper spojrzał na listę dowodów z zabójstwa Alice Sanderson.

– Wnioski? – spytał Rhyme.

– Połowa dowodów znalezionych u twojego kuzyna była w samochodzie i garażu. O wiele łatwiej podrzucić je tam niż do domu.

– To samo pomyślałem.

Znów rozległ się dzwonek. Po chwili Rhyme usłyszał kroki swojego opiekuna wracającego samotnie od drzwi. Przyszło mu do głowy, że może ktoś przyniósł paczkę, ale zaraz sobie uprzytomnił, że jest niedziela. Gość mógł mieć buty sportowe, które bezgłośnie stąpały po podłodze korytarza.

Oczywiście.

W drzwiach ukazał się młody Ron Pulaski i nieśmiało skinął głową. Od kilku lat pełnił służbę w patrolu, nie był już więc nowicjuszem. Wyglądał jednak na żółtodzioba, dlatego Rhyme wciąż uważał go za „nowego". I mało prawdopodobne, by to się kiedykolwiek zmieniło.

Pulaski rzeczywiście miał na nogach nike'i na miękkiej podeszwie i był ubrany w dżinsy oraz krzykliwą koszulę hawajską. Jego blond włosy były modnie nastroszone, a czoło znaczyła widoczna blizna – ślad po niemal śmiertelnym ataku podczas pierwszej wspólnej sprawy z Rhyme'em i Sachs. Otrzymał wtedy tak potężny cios, że doznał uszkodzenia mózgu i omal nie zakończył służby. Postanowił jednak walczyć, przejść rehabilitację i pozostać w policji, w dużej mierze zainspirowany przykładem Rhyme'a (oczywiście wyznał to tylko Sachs, nie samemu kryminalistykowi; to ona przekazała mu wiadomość).

Młody człowiek obrzucił zdumionym spojrzeniem smoking Coopera i przywitał się z nimi.

– Naczynia czyste, Pulaski? Kwiatki podlane? Resztki lunchu w zamrażarce?

– Wyszedłem natychmiast, panie kapitanie.

Zaczęli rozmawiać o sprawie, gdy usłyszeli głos Sachs od drzwi:

– Bal kostiumowy. – Patrzyła na smoking Coopera i jaskrawą koszulę Pulaskiego. Zwracając się do technika, powiedziała: – Wyglądasz jak prawdziwy elegant. To jest chyba właściwe słowo na określenie kogoś w smokingu, nie? „Elegant"?

– Niestety, do głowy przychodzi mi tylko słowo „półfinalista".

– Jak to zniosła Gretta?

Odparł, że jego piękna, pochodząca ze Skandynawii dziewczyna „poszła z koleżankami utopić smutki w akvavicie".

– To jej narodowy trunek. Ale moim zdaniem nie da się tego pić.

– Jak się miewa mama?

Cooper mieszkał z matką, energiczną starszą panią, która już dawno zadomowiła się w Queens.

– Doskonale. Poszła na lunch do „Boat House".

Sachs spytała Pulaskiego o żonę i dwójkę małych dzieci, po czym dodała:

– Dziękuję, że przyszedłeś mimo niedzieli. – Spojrzawszy na Rhyme'a, spytała: – Powiedziałeś mu, że jesteśmy bardzo wdzięczni, prawda?

– Pewnie – mruknął. – Jeżeli możemy się zabrać do pracy... Co masz? – Jego wzrok spoczął na dużej brązowej teczce, którą miała w rękach Sachs.

– Wykaz dowodów i zdjęcia z kradzieży monet i gwałtu.

– A gdzie sam materiał dowodowy?

– Zarchiwizowany w magazynie na Long Island.

– No to zobaczmy.

Podobnie jak w wypadku sprawy jego kuzyna, Sachs wzięła flamaster i zaczęła pisać na nowej tablicy.

ZABÓJSTWO/KRADZIEŻ – 27 MARCA

27 marca
Przestępstwo: zabójstwo, kradzież 6 kasetek rzadkich monet
Przyczyna śmierci: utrata krwi, wstrząs na skutek licznych ran kłutych
Miejsce: Bay Ridge, Brooklyn
Ofiara: Howard Shwartz
Podejrzany: Randall Pemberton

SPIS DOWODÓW Z DOMU OFIARY:

• Smar
• Drobiny zaschłego lakieru do włosów
• Włókna poliestrowe

• Włókna wełniane
• Odcisk buta turystycznego Bass numer 9 ½

**WYKAZ DOWODÓW Z DOMU
I SAMOCHODU PODEJRZANEGO:**

• Na patio parasol ze śladami smaru odpowiadającego substancji znalezionej w domu ofiary
• Para butów Bass numer 9 ½
• Lakier do włosów Clairol, odpowiadający drobinie znalezionej na miejscu zdarzenia
• Nóż/Ślady osadzone na rękojeści:

- Pył nieodpowiadający żadnemu materiałowi z miejsca zdarzenia ani domu podejrzanego
- Drobiny starego kartonu
- Nóż/Ślady na ostrzu:
  - Krew ofiary. Wynik identyfikacji pozytywny.
- Podejrzany był właścicielem hondy accord, rocznik 2004
- Jedną monetę zidentyfikowano jako pochodzącą z kolekcji ofiary
- Kamizelka Culberton Outdoor Company, beżowa. Źródło pochodzenia włókien poliestrowych znalezionych na miejscu zdarzenia.
- Koc wełniany w samochodzie. Źródło pochodzenia włókien wełnianych znalezionych na miejscu zdarzenia.

Uwaga: Przed procesem śledczy zebrali informacje wśród głównych handlarzy monet na terenie metropolii i w internecie. Nikt nie próbował im sprzedać skradzionych monet.

– A więc jeżeli sprawca skradł monety, to je zatrzymał. A ten „pył nieodpowiadający żadnemu materiałowi z miejsca zdarzenia ani domu...". Czyli prawdopodobnie pochodził z domu sprawcy. Ale co to za pył, do cholery? Nie przeprowadzono analizy? – Rhyme pokręcił głową. – Dobra, pokaż zdjęcia. Gdzie one są?

– Zaraz je zobaczysz. Chwileczkę.

Sachs znalazła taśmę i przykleiła wydruki na trzeciej tablicy. Rhyme podjechał na wózku bliżej i spod przymrużonych powiek obejrzał kilkadziesiąt fotografii z miejsc zdarzenia. W mieszkaniu kolekcjonera monet panował porządek, u sprawcy raczej nie. Kuchnia, gdzie pod zlewem znaleziono monetę i nóż, była zagracona, a na stole walały się brudne naczynia i kartonowe opakowania po jedzeniu. Obok leżał plik korespondencji, której większość stanowiły przesyłki reklamowe.

– Następna – zakomenderował. – Do roboty. – Starał się panować nad głosem, pohamowując zniecierpliwienie.

ZABÓJSTWO/GWAŁT – 18 KWIETNIA

18 kwietnia
Przestępstwo: zabójstwo, gwałt
Przyczyna śmierci: uduszenie
Miejsce: Brooklyn
Ofiara: Rita Moscone
Podejrzany: Joseph Knightly

DOWODY Z MIESZKANIA OFIARY:

- Ślady mydła do rąk Colgate-Palmolive Softsoap
- Lubrykant z prezerwatywy
- Włókna ze sznura
- Pył przyklejony do taśmy izolacyjnej, nieodpowiadający żadnej z próbek w mieszkaniu
- Taśma izolacyjna, marki American Adhesive
- Drobina lateksu
- Włókna wełniano-poliestrowe, czarne
- Tytoń na ciele ofiary (patrz uwaga niżej)

75

DOWODY Z DOMU PODEJRZANEGO

- Prezerwatywy Durex z lubrykantem takim samym jak znaleziony na ciele ofiary
- Zwój sznura o włóknach odpowiadających włóknom znalezionym na miejscu zdarzenia
- Odcinek tego samego sznura długości 60 cm ze śladami krwi ofiary i nitką nylonu BASF B35 długości 5 cm, najprawdopodobniej pochodzącą z włosów lalki

- Mydło Colgate-Palmolive Softsoap
- Taśma izolacyjna marki American Adhesive
- Lateksowe rękawiczki, źródło pochodzenia drobiny znalezionej na miejscu zdarzenia
- Skarpety męskie, mieszanka wełny i poliestru, źródło pochodzenia włókien znalezionych na miejscu zdarzenia. W garażu para identycznych skarpet ze śladami krwi ofiary
- Tytoń z papierosów Tareyton (patrz uwaga niżej)

– Domniemany sprawca zachował skarpety ze śladami krwi i zabrał je ze sobą? Bzdura. Podrzucony dowód. – Rhyme ponownie przeczytał informacje. – Co to za „uwaga niżej"?

Sachs znalazła notkę: kilka akapitów od detektywa prowadzącego śledztwo do prokuratora na temat przewidywanych kłopotów z oskarżeniem. Pokazała je Rhyme'owi.

Stan,

Parę słabych punktów, które może wykorzystać obrona:

– Przypuszczalne zanieczyszczenie: na miejscu zdarzenia i w domu sprawcy znaleziono podobne okruchy tytoniu, ale ani ofiara, ani podejrzany nie palili. Przesłuchano funkcjonariuszy, którzy dokonali aresztowania, i techników przeprowadzających oględziny, ale wszyscy zapewnili, że tytoń nie pochodził od nich.

– Nie znaleziono żadnego obciążającego materiału DNA poza krwią ofiary.

– Podejrzany miał alibi, świadka, który w czasie popełnienia przestępstwa widział go pod jego domem – około osiemdziesięciu kilometrów od miejsca zdarzenia. Świadek to bezdomny, któremu podejrzany od czasu do czasu dawał pieniądze.

– Miał alibi – zauważyła Sachs. – A przysięgli nie uwierzyli świadkowi. Nic dziwnego.

– Co o tym myślisz, Mel? – zapytał Rhyme.

– Trzymam się swojej wersji. Wszystko za bardzo do siebie pasuje.

Pulaski przytaknął.

– Lakier do włosów, mydło, włókna, lubrykant... wszystko.

– Takie materiały najłatwiej podrzucić – ciągnął Cooper. – Popatrzcie na DNA – to nie jest materiał podejrzanego na miejscu zdarzenia; to materiał ofiary w domu podejrzanego. O wiele prościej podrzucić krew ofiary.

Rhyme nadal przebiegał wzrokiem tablice, uważnie czytając każdą informację.

– Ale nie każdy dowód pasuje – dodała Sachs. – Stary karton i pył nie mają związku z żadnym miejscem.

– No i tytoń – rzekł Rhyme. – Ani ofiara, ani kozioł ofiarny nie palili. To oznacza, że ślady mogą pochodzić od prawdziwego sprawcy.

– A włosy lalki? – spytał Pulaski. – To znak, że ma dzieci?

– Powieś tamte zdjęcia – polecił Rhyme. – Przyjrzyjmy się.

Podobnie jak w przypadku poprzednich miejsc, mieszkanie ofiary oraz dom i garaż sprawcy zostały dobrze udokumentowane przez techników kryminalistycznych. Rhyme obejrzał fotografie.

– Nie ma żadnych lalek. W ogóle żadnych zabawek. Może prawdziwy morderca ma dzieci albo kontakt z zabawkami. I pali albo ma dostęp do papierosów albo tytoniu. Dobrze. Coś już mamy.

– Spróbujmy sporządzić profil. Nazywaliśmy go „panem X". Potrzebujemy czegoś innego... Jaka dziś data?

– Dwudziesty drugi maja – powiedział Pulaski.

– Dobra. Nieznany sprawca pięć dwadzieścia dwa. Sachs, gdybyś mogła... – Wskazał głową tablicę. – Zacznijmy profil.

PROFIL NN 522

- Mężczyzna
- Prawdopodobnie pali albo mieszka/pracuje z palącą osobą lub w pobliżu źródła tytoniu
- Ma dzieci albo mieszka/pracuje w ich pobliżu lub blisko źródła zabawek
- Interesuje się sztuką, monetami?

NIEPODRZUCONE DOWODY

- Pył
- Stary karton
- Włosy lalki, nylon BASF B35
- Tytoń z papierosów Tareyton

No, to już jakiś początek, pomyślał, chociaż kiepski.

– Może powinniśmy zadzwonić do Lona i Malloya? – podsunęła Sachs.

– I co mielibyśmy im powiedzieć? – odparł kpiącym tonem Rhyme. Wskazał głową tablicę. – Nasza tajna operacja szybko zostałaby zakończona.

– To nie jest formalne śledztwo? – zdziwił się Pulaski.

– Witaj w podziemiu – powiedziała Sachs.

Młody funkcjonariusz powoli oswajał się z tą myślą.

– Dlatego jesteśmy w przebraniu – dorzucił Cooper, pokazując satynowy lampas na swoich spodniach. Być może nawet mrugnął porozumiewawczo, ale Rhyme nie widział wyraźnie jego oczu za grubymi szkłami. – Co teraz robimy?

– Sachs, zadzwoń do kryminalistycznego w Queens. Dowodów w sprawie mojego kuzyna nie dostaniemy. Do procesu cały materiał dowodowy jest w prokuraturze. Ale sprawdź, czy ktoś w magazynie może nam przysłać dowody z poprzednich przestępstw – gwałtu i kradzieży monet. Chcę zobaczyć ten pył, karton i sznur. Pulaski, jedź do Centrali. Przejrzyj akta wszystkich morderstw z ubiegłych sześciu miesięcy.

– Wszystkich morderstw?

– Nie słyszałeś, że burmistrz zrobił w mieście porządek? Ciesz się, że nie jesteśmy w Detroit ani Waszyngtonie. Flintlock przypomniał sobie o dwóch sprawach. Założę się, że jest ich więcej. Szukaj przestępstw w rodzaju kradzieży czy gwałtu, które zakończyły się zabójstwem. Dowody grupowe plus anonimowy telefon tuż po zdarzeniu. Aha, i podejrzanego, który przysięga, że jest niewinny.

– Tak jest.

– A my? – spytał Mel Cooper.

– Czekamy – mruknął Rhyme z niesmakiem, jak gdyby to było wulgarne słowo.

Rozdział 9

Wspaniała transakcja.

Już jestem zadowolony. Idę ulicą radosny i szczęśliwy. Przeglądam nowe obrazy w swojej kolekcji. Obrazy Myry 9834. Wizualne mam w pamięci. Pozostałe zarejestrował cyfrowy dyktafon.

Idę ulicą, przyglądając się szesnastkom wokół mnie. Widzę, jak płyną chodnikami. Widzę je w samochodach, autobusach, taksówkach, pikapach.

Przyglądam się im przez okna, wiedząc, że są nieświadomi mojego spojrzenia.

Szesnastki... Rzecz jasna, nie ja jeden nazywam tak istoty ludzkie. W żadnym razie. To skrótowe określenie jest powszechnie używane w branży. Ale prawdopodobnie tylko ja wolę myśleć o ludziach jako o szesnastkach i dobrze się z tym czuję.

Szesnastocyfrowy numer jest znacznie precyzyjniejszy i pewniejszy niż nazwisko. Nazwiska mnie drażnią. A tego nie lubię. Gdy coś mnie drażni, nie jest to dobre ani dla mnie, ani dla nikogo innego. Nazwiska i imiona... okropność. Na przykład osoby noszące nazwisko Jones stanowią około 0,6 procent populacji Stanów Zjednoczonych, tak samo jak Brownowie. „Moore" to 0,3 procent, a jeśli chodzi o odwiecznego faworyta, nazwisko „Smith" – cały 1 procent. W kraju mieszkają ich trzy miliony. (Interesuje was, jak przedstawia się kwestia imion? John? Nie. John zajmuje drugie miejsce. Tu triumfuje James z wynikiem 3,3 procent).

Pomyślcie o konsekwencjach: słyszę, jak ktoś mówi „James Smith". Którego Jamesa Smitha może mieć na myśli, skorą są ich setki tysięcy? I to tylko żyjących. Policzcie wszystkich Jamesów Smithów w historii.

Mój Boże.

Sama myśl doprowadza mnie do szaleństwa.

I drażni...

Skutki pomyłek mogą być bardzo poważne. Powiedzmy, że jesteśmy w Berlinie roku 1938. Czy Herr Wilhelm Frankel jest Żydem Wilhelmem Franklem, czy gojem? To ogromna różnica, a cokolwiek o nich myślicie, chłopcy w brunatnych koszulach byli prawdziwymi geniuszami w ustalaniu tożsamości (wykorzystywali do tego komputery!).

Nazwiska prowadzą do błędów. Błędy to szum. Szum to zanieczyszczenie. A zanieczyszczenia należy eliminować.

Osób o imieniu i nazwisku Alice Sanderson mogą być dziesiątki, ale tylko jedna Alice 3895 poświęciła życie, żebym mógł się stać posiadaczem portretu amerykańskiej rodziny pędzla szanownego pana Prescotta.

Myry Weinburg? Och, na pewno jest ich niewiele. Ale więcej niż jedna. A jednak tylko Myra 9834 poświęciła się, żeby sprawić mi satysfakcję.

Założę się, że jest wielu DeLeonów Williamsów, ale tylko 6832-5794-8891-0923 spędzi resztę życia w pudle za gwałt i morderstwo Myry 9834, żebym mógł zrobić to samo jeszcze raz.

W tej chwili zmierzam do jego domu (ściślej rzecz biorąc, domu jego dziewczyny, jak się dowiedziałem), niosąc wystarczająco dużo dowodów, by mieć pewność, że biedak zostanie skazany za gwałt i morderstwo po naradzie trwającej nie dłużej niż godzinę.

DeLeon 6832...

Zadzwoniłem już pod 911 i zgłosiłem transakcję, informując o starym beżowym dodge'u – to jego wóz – którym z miejsca zdarzenia szybko odjechał jakiś czarnoskóry mężczyzna. „Widziałem jego ręce! Całe we krwi! Niech ktoś tam zaraz przyjedzie! Te krzyki były straszne".

Będziesz doskonałym podejrzanym, DeLeonie 6832. Blisko połowa sprawców popełnia gwałt pod wpływem alkoholu albo narkotyków (DeLeon 6832 pija teraz piwo w umiarkowanych ilościach, ale przed kilku laty chodził na spotkania AA). Większość ofiar gwałtu zna napastnika (DeLeon 6832 wykonywał kiedyś prace stolarskie w sklepie spożywczym, gdzie zwykle robiła zakupy nieżyjąca Myra

9834, zatem logika podpowiada, że się znali, choć prawdopodobnie było inaczej).

Większość gwałcicieli ma około trzydziestu lat (okazuje się, że dokładnie w tym wieku jest DeLeon 6832). W przeciwieństwie do handlarzy narkotyków i narkomanów, nie mają na koncie zbyt wielu aresztowań, z wyjątkiem przypadków użycia przemocy w rodzinie – a mój wybraniec został skazany za napaść na swoją dziewczynę; doskonale, prawda? Większość gwałcicieli pochodzi z nizin społecznych i ma kłopoty finansowe (DeLeon 6832 od miesięcy nie ma pracy).

A teraz, panie i panowie przysięgli, zwróćcie uwagę, że dwa dni przed gwałtem oskarżony kupił opakowanie prezerwatyw Trojan-Enz, dokładnie takich samych jak te dwie znalezione w pobliżu ciała ofiary. (Jeżeli chodzi o prezerwatywy, których użyto naprawdę – moje – oczywiście dawno już nie ma po nich śladu. Materiał DNA jest bardzo niebezpieczny, zwłaszcza odkąd w Nowym Jorku zaczęto pobierać próbki od sprawców wszystkich poważnych przestępstw, nie tylko gwałtów. A w Wielkiej Brytanii od razu wezmą od ciebie wymaz, gdy dostaniesz wezwanie za to, że twój pies zapaskudził chodnik albo że wykonałeś manewr zawracania, powodując zagrożenie dla ruchu drogowego.

Jest jeszcze jeden fakt, który policja może wziąć pod uwagę, jeżeli solidnie przyłoży się do pracy. DeLeon 6832 jest weteranem wojennym, który służył w Iraku, a gdy opuszczał armię, nie zdał służbowej broni kaliber .45. Nie wiadomo, co się z nią stało. Podobno została „stracona w walce".

Ciekawe, bo kilka lat temu kupił amunicję kalibru .45.

Jeśli policja to odkryje, co nie będzie zbyt trudne, dojdzie do wniosku, że podejrzany jest uzbrojony. A sięgając nieco głębiej, dowie się, że leczył się w szpitalu Departamentu Kombatantów – na zespół stresu pourazowego.

Niezrównoważony i uzbrojony podejrzany?

Którego funkcjonariusza policji nie korciłoby, żeby nacisnąć spust?

Miejmy nadzieję. Nie zawsze jestem w stu procentach pewien szesnastek, które wybieram. Nigdy nic nie wiadomo o niespodziewanym alibi. Albo ława przysięgłych okaże się złożona z idiotów. Być może DeLeon 6832 trafi dziś do worka na zwłoki. Czemu nie? Czyż nie zasługuję na odrobinę szczęścia w zamian za drażliwość, jaką dał mi Bóg? Życie nie zawsze jest łatwe. Za mniej więcej pół godziny powinienem dotrzeć do jego domu na Brooklynie. Miło jest maszerować, nadal czując zadowolenie po transakcji z Myrą 9834. Mój kręgosłup obciąża plecak. Jego wnętrze kryje nie tylko dowody do podrzucenia oraz but, który pozostawił charakterystyczny ślad DeLeona 6832, ale także skarby, jakie znalazłem, penetrując dziś ulice. W mojej kieszeni tkwi niestety tylko drobne trofeum po Myrze 9834, kawałeczek jej paznokcia. Wolałbym coś bardziej osobistego, ale śmierć na Manhattanie to niecodzienne zdarzenie, a brakujące części ciała zanadto przyciągają uwagę.

Przyspieszam kroku, czując przyjemne triole uderzeń plecaka, podskakującego mi na ramionach. Rozkoszuję się wiosenną niedzielą i wspomnieniami transakcji z Myrą 9834.

Oraz całkowitym spokojem, jaki daje mi świadomość, że choć jestem prawdopodobnie najniebezpieczniejszym człowiekiem w Nowym Jorku, jestem też niezniszczalny, niemal niewidzialny dla wszystkich szesnastek, które nie mogą mi zrobić nic złego.

Zwrócił uwagę na światło.

Błysk na ulicy.

Czerwony.

A potem drugi. Niebieski.

Opadła mu ręka, w której trzymał telefon. DeLeon Williams dzwonił do znajomego, próbując odnaleźć człowieka, u którego kiedyś pracował. Gdy należąca do tego faceta firma stolarska padła, wyjechał z miasta, pozostawiając za sobą same długi, w tym ponad cztery tysiące dolarów, które był winien swojemu najrzetelniejszemu pracownikowi, DeLeonowi Williamsowi.

– Leon – powiedział głos po drugiej stronie. – Nie wiem, gdzie jest ten gnojek. Mnie zostawił z…

– Oddzwonię później.

Klik.

Rosły mężczyzna wyjrzał na ulicę, odsuwając spoconymi dłońmi zasłony, które zawiesili z Janeece w sobotę (to ona musiała za nie zapłacić, a Williams czuł się z tego powodu bardzo, bardzo głupio –

och, okropnie jest być bezrobotnym). Zauważył, że źródłem światła są lampy ostrzegawcze dwóch nieoznakowanych wozów policyjnych. Wysiedli z nich dwaj detektywi, rozpinając marynarki, choć nie z powodu wiosennego ciepła. Samochody szybko odjechały, aby zablokować najbliższe skrzyżowania.

Policjanci ostrożnie rozejrzeli się po ulicy, a potem – rozwiewając resztki nadziei, że to tylko zbieg okoliczności – podeszli do beżowego dodge'a Williamsa, spisali numer rejestracyjny i zajrzeli do środka. Jeden powiedział coś przez radio.

Williams w rozpaczy zacisnął powieki, a z jego piersi wyrwało się ciężkie westchnienie.

Znowu mu to robiła.

Znowu ona...

W zeszłym roku Williams związał się z kobietą nie tylko seksowną, ale dobrą i inteligentną. W każdym razie tak mu się z początku wydawało. Krótko po tym, jak zaczęli chodzić ze sobą na poważnie, zmieniła się w zacietrzewioną jędzę. Humorzastą, zazdrosną, mściwą. Niezrównoważoną... Był z nią cztery miesiące, najgorsze w swoim życiu. I przez większą część tego czasu chronił przed nią jej własne dzieci.

Dobre uczynki zaprowadziły go jednak za kratki. Pewnego wieczoru Leticia zamierzyła się pięścią na córkę za to, że nie doszorowała garnka do czysta. Williams instynktownie chwycił ją za rękę, a dziewczynka z płaczem uciekła. Udało mu się uspokoić matkę i sprawa na pozór wydawała się zakończona. Ale kilka godzin później, gdy siedział na werandzie, zastanawiając się, jak zabrać od niej dzieci i być może przekazać je ojcu, przyjechała policja i go aresztowała.

Leticia oskarżyła go o napaść, pokazując siny ślad na ramieniu po jego uścisku. Williams był oburzony. Wytłumaczył, co się stało, ale funkcjonariusze nie mieli innego wyjścia, jak tylko go aresztować. Odbył się proces, lecz Williams nie zgodził się, by córka Leticii zeznawała w jego obronie, mimo że dziewczynka tego chciała. Został uznany winnym napaści z zamiarem pobicia i skazany na prace społeczne.

W trakcie procesu mówił jednak o okrucieństwie Leticii. Prokurator mu uwierzył i przekazał jej nazwisko Wydziałowi Opieki Społecznej. Wydział wysłał do jej domu swojego pracownika, żeby sprawdził sytuację dzieci, które wkrótce odebrano matce, a opiekę nad nimi powierzono ojcu.

Leticia zaczęła nękać Williamsa. Trwało do dość długo, lecz kilka miesięcy temu zniknęła i Williams zaczynał myśleć, że już jest bezpieczny...

I nagle to. Wiedział, że stoi za tym Leticia.

Jezu Chryste, ile może znieść jeden człowiek? Wyjrzał jeszcze raz. Nie! Detektywi wyciągnęli broń!

Przeszył go dreszcz przerażenia. Czyżby naprawdę zrobiła krzywdę któremuś dziecku i utrzymywała, że on to zrobił? Nie byłby wcale zaskoczony.

Williamsowi drżały ręce, a po jego szerokiej twarzy spłynęły ciężkie łzy. Ogarnęła go taka sama panika jak podczas wojny na pustyni, gdy spojrzał na uśmiechniętą twarz swojego kumpla z Alabamy, który w tym samym momencie został trafiony pociskiem z irackiego granatnika, zmieniając się w czerwoną, bezkształtną masę. Do tamtej chwili Williams czuł się mniej więcej dobrze. Strzelali do niego, sypał się na niego piasek rozpryskiwany przez kule, parę razy mdlał z gorąca. Ale widok Jasona zmieniającego się w... rzecz wstrząsnął nim do głębi. Zespół stresu pourazowego, z jakim się zmagał po wojnie, odezwał się teraz ze zdwojoną siłą.

Śmiertelny, paraliżujący strach.

– Nie, nie, nie, nie. – Z trudem łapał powietrze. Od miesięcy nie brał lekarstw, wierząc, że już mu lepiej.

A teraz, widząc detektywów otaczających dom, DeLeon Williams pomyślał w popłochu: „Spadaj stąd, biegiem!".

Musiał się jak najszybciej oddalić. Zniknie, żeby nie dawać powodów do podejrzeń, że Janeece ma z nim jakiekolwiek związki, żeby ratować ją i jej syna – dwoje ludzi, których naprawdę kochał. Zamknął drzwi wejściowe na zasuwę, zabezpieczył łańcuchem i pobiegł na górę po torbę, wrzucając do niej, co mu przyszło do głowy. Robił to bez sensu: zapakował krem do golenia, ale zostawił żyletki, zapakował bieliznę, ale zostawił koszule, zapakował buty, ale zostawił skarpety.

Z szafy wyciągnął jeszcze jedną rzecz.

Swoją służbową broń, colta kaliber .45. Nie był naładowany – DeLeon nie zamierzał do nikogo strzelać – ale mógł nastraszyć policjantów i utorować sobie drogę ucieczki albo porwać samochód, gdyby było trzeba.

Miał w głowie tylko jedno: Uciekaj! Wiej!

Williams rzucił ostatnie spojrzenie na ich wspólne zdjęcie z Janeece i jej synem, zrobione podczas wycieczki do parku Six Flags. Znów zaczął płakać, lecz po chwili otarł oczy, zawiesił torbę na ramieniu i ściskając rękojeść ciężkiego pistoletu, ruszył biegiem po schodach.

Rozdział 10

Snajper na pozycji?

Bo Haumann, były instruktor szkolenia, a dziś szef jednostki specjalnej ESU – nowojorskiej brygady antyterrorystycznej – wskazał dach budynku, który był doskonałym stanowiskiem strzeleckim, wychodzącym na maleńki ogród za domem, gdzie mieszkał DeLeon Williams.

– Tak jest – odparł stojący obok funkcjonariusz. – A Johnny ubezpiecza tyły.

– Dobra.

Siwiejący, krótko ostrzyżony i twardy jak wyprawiona skóra Haumann wysłał na pozycje dwa zespoły szturmowe ESU.

– I nie pokazujcie się.

Gdy Haumann dostał wiadomość o gwałcie i morderstwie oraz pewnym tropie podejrzanego, był niedaleko stąd, w swoim ogrodzie z tyłu domu, usiłując rozpalić w grillu węgiel drzewny z zeszłego roku. Przekazał zadanie synowi, chwycił służbowy ekwipunek i wybiegł, w duchu dziękując Bogu, że nie zdążył otworzyć pierwszego piwa. Po kilku butelkach mógłby siąść za kierownicą, ale nigdy nie użyłby broni przez co najmniej osiem godzin po wypiciu alkoholu.

A było całkiem możliwe, że tej pięknej niedzieli dojdzie do strzelaniny.

Zatrzeszczało radio i Haumann usłyszał w słuchawce:

– Rozpoznanie jeden do bazy. – Zespół rozpoznania był po drugiej stronie ulicy, razem z drugim snajperem.

– Tu baza. Mów.

– Mamy sygnały termiczne. Ktoś tam może być. Nie łapiemy dźwięku.

„Ktoś tam może być", pomyślał zirytowany Haumann. Widział, ile w budżecie przeznaczono na sprzęt. Aparaty za takie pieniądze powinny wykryć obecność człowieka w domu ze stuprocentową pewnością – a nawet podać numer jego buta i sprawdzić, czy rano wyczyścił zęby nitką.

– Sprawdź jeszcze raz.

Po trwającej nieskończenie długo chwili usłyszał:

– Rozpoznanie jeden. Jest jedna osoba. Mamy widok przez okno. To na pewno DeLeon Williams, ten sam co na zdjęciu z prawa jazdy.

– W porządku. Bez odbioru.

Haumann połączył się z dwoma zespołami szturmowymi, które zajmowały pozycje wokół domu, pozostając niemal niewidzialne.

– Mieliśmy mało czasu na odprawę, ale posłuchajcie. Podejrzany to gwałciciel i morderca. Chcemy go dostać żywcem, ale jest zbyt niebezpieczny, żeby pozwolić mu uciec. Gdyby wykonał jakikolwiek podejrzany ruch, macie zielone światło.

– Zespół B, zrozumiałem. Jesteśmy na pozycji. Ubezpieczamy alejkę, ulice od północy i tylne wyjście.

– Zespół A do bazy. Zrozumiałem, zielone światło. Jesteśmy na pozycji przy drzwiach wejściowych, ubezpieczamy wszystkie ulice od południa i wschodu.

– Snajperzy – rzucił do radia Haumann. – Zielone światło, przyjęliście?

– Zrozumiałem. – Dodali, że broń jest załadowana i zaryglowana. (Haumann wyjątkowo nie cierpiał tego wyrażenia, odnoszącego się do starego karabinu M1, w którym należało odciągnąć zamek i włożyć ładownik z pociskami; nowoczesnej broni nie trzeba było ryglować. Ale nie była to pora na wykłady).

Haumann odpiął kaburę z glockiem i wśliznął się do alejki za domem, gdzie dołączyło do niego kilku innych funkcjonariuszy, których plany na tę sielankową wiosenną niedzielę również uległy nagłej zmianie.

W tym momencie w słuchawce zadźwięczał głos:

– Rozpoznanie dwa do bazy. Chyba coś mamy.

Klęcząc na podłodze, DeLeon Williams ostrożnie wyjrzał przez szparę w drzwiach – prawdziwą szparę w desce, którą zamierzał załatać – i zobaczył, że na zewnątrz nie ma już policjantów.

Nie, poprawił się w myśli, już ich nie widać. To duża różnica. Dostrzegł w krzakach błysk metalu albo szkła. Może to jeden z tych dziwacznych ozdobnych krasnali czy sarenek, które zbierał jego sąsiad.

A może gliniarz z bronią.

Ciągnąc torbę, podczołgał się na tył domu. Zerknął na zewnątrz. Tym razem zaryzykował i wyjrzał przez okno, z trudem broniąc się przed paniką.

Ogród i alejka były puste.

Ale znów się poprawił: wyglądają na puste.

Wstrząsnął nim kolejny dreszcz przerażenia – echo stresu pourazowego – i musiał powstrzymać chęć, by wyskoczyć z domu, wyciągnąć broń i ruszyć biegiem alejką, grożąc każdej napotkanej osobie i krzycząc, żeby się do niego nie zbliżała.

Pod wpływem impulsu, nie panując już nad skłębionymi myślami, położył dłoń na klamce.

Nie...

Bądź rozsądny.

Cofnął się i oparł głowę o ścianę, starając się zapanować nad oddechem.

Po chwili się uspokoił i postanowił spróbować czegoś innego. W piwnicy było okienko prowadzące na małe podwórko z boku domu. Za dwumetrowym pasem anemicznej trawy znajdowało się podobne okno piwnicy sąsiada. Państwo Wong wyjechali na weekend – podlewał im kwiaty. Williams liczył, że uda mu się wśliznąć do środka, potem schodami wejść na górę i uciec tylnym wyjściem. Jeśli szczęście mu dopisze, policja nie będzie pilnowała bocznego podwórka. Później wydostanie się na główną ulicę i pobiegnie do metra.

Nie był to doskonały plan, lecz dawał mu większe szanse niż siedzenie tu i czekanie. Znowu łzy. I panika.

Przestań, żołnierzu. Ruszaj.

Wstał i chwiejąc się na nogach, ruszył po schodach do piwnicy.

Trzeba wiać jak najdalej. Lada chwila gliniarze staną u drzwi i wyważą je kopniakiem.

Otworzył okno i wygramolił się na zewnątrz. Gdy zaczął się czołgać w kierunku piwnicy Wongów, zerknął w prawo. I zastygł w bezruchu.

Jezu Chryste...

Na wąskim podwórku stało przyczajonych dwoje policjantów, mężczyzna i kobieta, trzymając w rękach pistolety. Nie patrzyli w jego stronę, ale na tylne wyjście i alejkę.

Znów ogarnęła go fala paniki. Wyciągnie colta i ich postraszy. Każe im siąść na ziemi, skuć się kajdankami i wyrzuci ich radia. Bardzo nie chciał tego robić; popełniłby prawdziwe przestępstwo. Ale nie miał wyboru. Byli wyraźnie przekonani, że zrobił coś strasznego. Tak, zabierze im broń i zwieje. Może niedaleko stoi ich nieoznakowany wóz. Zabierze im kluczyki.

Czy osłaniał ich ktoś, kogo nie widział? Może snajper?

Wszystko jedno, musiał zaryzykować.

Bezszelestnie odłożył torbę na bok i sięgnął po colta.

W tym momencie policjantka odwróciła się do niego. Williamsowi dech zamarł w piersiach. Już po mnie, pomyślał.

Janeece, kocham cię...

Ale kobieta zerknęła na jakąś kartkę, a potem spojrzała na niego spod przymrużonych powiek.

– DeLeon Williams?

Z jego ust dobył się gardłowy bełkot.

– Ee... – Skinął głową. Ramiona opadły mu bezwładnie. Mógł tylko niemo patrzeć na jej ładną twarz, rude włosy ściągnięte w koński ogon, na surowe oczy.

Pokazała odznakę zawieszoną na szyi.

– Jesteśmy z policji. Jak pan się wydostał z domu? – Po chwili zauważyła okienko i skinęła głową. – Panie Williams, prowadzimy tu właśnie akcję. Mógłby pan wrócić do środka? Tam będzie pan bezpieczniejszy.

– Ale... – Panika dławiła mu gardło. – Ale...

– Natychmiast – powiedziała stanowczo. – Kiedy wszystko się skończy, przyjdziemy do pana. Proszę zachować ciszę. I nie próbować wychodzić z domu.

– Tak. Na pewno... tak.

Zostawił torbę i zaczął się z powrotem przeciskać przez piwniczne okno.

– Tu Sachs – powiedziała przez radio policjantka. – Lepiej zabezpieczyć większy teren, Bo. Będzie naprawdę ostrożny.

Co tu się działo, do cholery? Williams nie tracił czasu na domysły. Niezgrabnie wgramolił się do piwnicy i wszedł na górę. Skierował się prosto do łazienki. Podniósł klapę za toaletą i wrzucił broń. Podszedł do okna, zamierzając jeszcze raz wyjrzeć na zewnątrz. Ale przystanął w połowie drogi i zdążył dopaść toalety, zanim wstrząsnęły nim bolesne torsje.

Ciekawa rzecz, że mimo pięknego dnia – i mimo tego, co zrobiłem z Myrą 9834 – tęsknię za biurem.

Po pierwsze, bardzo lubię pracować i zawsze lubiłem. Lubię też atmosferę koleżeństwa z szesnastkami, prawie jak w rodzinie.

No i poczucie wydajności pracy. Świadomość, że stanowi się element nowojorskiego biznesu działającego na najwyższych obrotach. (Słyszy się o „wysokiej innowacyjności i kreatywności", a tego korporacyjnego języka naprawdę nie cierpię – samo słowo „korporacyjny" jest wzięte z korporacyjnego języka. Nie, wielcy przywódcy – Roosevelt, Truman, Cezar, Hitler – nie czuli potrzeby, by ubierać myśli w naiwną retorykę).

Najważniejsze jest oczywiście to, że praca pomaga mi w uprawianiu mojego hobby. Nie, nawet bardziej niż najważniejsze – to ma fundamentalne znaczenie.

Sam jestem w dobrej, bardzo dobrej sytuacji. Zwykle mogę wyjść, kiedy chcę. Dzięki odpowiedniej organizacji obowiązków znajduję w tygodniu czas na swoją pasję. A zważywszy na mój publiczny wizerunek – moją profesjonalną twarz – wydaje się bardzo mało prawdopodobne, by ktokolwiek mógł przypuszczać, że w głębi duszy jestem zupełnie inną osobą. Delikatnie mówiąc.

Często przychodzę do pracy w weekendy i to lubię najbardziej – jeśli oczywiście nie przeprowadzam transakcji z piękną dziewczyną, taką jak Myra 9834, albo nie zdobywam obrazu, komiksów, monet czy rzadkiego okazu porcelany. Nawet gdy w święto, sobotę czy niedzielę w biurze jest niewiele szesnastek, korytarze wypełnia biały szum, monotonny odgłos kół, które wolno posuwają społeczeństwo naprzód – w stronę nowego wspaniałego świata.

Ach, sklep z antykami. Przystaję, żeby obejrzeć witrynę. Podobają mi się niektóre fotografie, talerzyki, filiżanki i plakaty. Niestety, nie będę tu mógł wrócić na zakupy, bo sklep jest za blisko domu

DeLeona 6832. Prawdopodobieństwo, że ktoś skojarzy mnie z „gwałcicielem", jest minimalne, ale... po co ryzykować? (Zakupy robię tylko w supermarketach albo grzebię w śmieciach. Fajnie jest oglądać oferty na eBay, ale kupować w sieci? To dobre dla szaleńców). Gotówka na razie jest bezpieczna. Wkrótce jednak będzie znakowana, jak wszystko. Identyfikatory RFID w banknotach. Niektóre kraje już to robią. Bank będzie wiedział, z którego bankomatu czy banku pochodzi każdy banknot dwudziestodolarowy. I będzie wiedział, czy wydałeś go na colę, czy na biustonosz dla kochanki albo przeznaczyłeś na zaliczkę dla płatnego mordercy. Czasem myślę, że powinniśmy wrócić do złota.

Pozostać. Poza. Siecią.

Och, biedny DeLeon 6832. Na zdjęciu z prawa jazdy widziałem jego twarz, widziałem, jak łagodnie patrzył w oko obiektywu. Wyobrażam sobie jego minę, gdy policja zapuka do jego drzwi i pokaże nakaz aresztowania pod zarzutem gwałtu i morderstwa. Widzę też przerażone spojrzenie, jakie pośle swojej dziewczynie, Janeece 9810 i jej dziesięcioletniemu synowi, jeżeli akurat będą w domu. Ciekawe, czy Janeece 9810 jest typem płaczki.

Od celu dzielą mnie trzy przecznice. I...

Chwileczkę... Coś tu nie gra.

Na ocienionej drzewami bocznej ulicy stoją dwa nowe fordy crown victoria. Według statystyk rzadko się zdarza, by w tych okolicach widywano samochody tej marki, i to w tak idealnym stanie. Zwłaszcza dwa identyczne auta, zaparkowane jeden za drugim, bez śladów liści i pyłków jak pozostałe samochody. Musiały przyjechać niedawno.

Rzut oka do środka – zwykła ciekawość przechodnia – i już wiem, że to wozy policyjne.

Nie jest to zwykła procedura postępowania w przypadku kłótni domowej czy włamania. Owszem, do podobnych incydentów w tej części Brooklynu statystycznie dochodzi dość często, ale według danych rzadko o tej porze dnia – zanim w domach otworzą pierwsze puszki piwa. I przypuszczalnie nigdy policja nie ukrywa nieoznakowanych samochodów, tylko z hałasem podjeżdża biało-granatowymi radiowozami pod sam dom. Zastanówmy się. Są trzy przecznice od DeLeona 6832... Trzeba pomyśleć. Niewykluczone, że ich dowódca powiedział: „To gwałciciel. Jest niebezpieczny. Zdejmujemy go za dziesięć minut. Zostawcie wozy trzy przecznice dalej i podejdźcie tu pieszo. Migiem".

Niby przypadkiem zaglądam do najbliższej alejki. Robi się jeszcze gorzej. W cieniu stoi furgonetka ESU. Antyterroryści. Często wspierają aresztowania takich ludzi jak DeLeon 6832. Ale jak to się stało, że tak szybko przyjechali? Zadzwoniłem pod 911 zaledwie pół godziny temu. (Zawsze istnieje pewne ryzyko, ale jeśli po transakcji zwleka się z telefonem zbyt długo, gliny zaczynają się zastanawiać, dlaczego dopiero teraz świadek zawiadamia, że słyszał krzyki albo że może wcześniej widział kogoś podejrzanego).

Są dwa przypuszczalne powody obecności policji. Najbardziej logiczny jest taki, że po moim anonimowym telefonie przeczesali bazę danych w poszukiwaniu beżowych dodge'ów, które mają więcej niż pięć lat (wczoraj w mieście było ich 1357), i szczęśliwym trafem znaleźli tego. Nawet bez dowodów, które chciałem podrzucić w garażu, są przekonani, że DeLeon 6832 zgwałcił i zamordował Myrę 9834, i właśnie dokonują aresztowania albo czekają na jego powrót do domu.

Drugi powód budzi znacznie większe obawy. Policja uznała, że ktoś go wrabia. I czeka na mnie.

Pocę się. To niedobrze, niedobrze, niedobrze...

Ale nie panikuj. Twoje skarby są bezpieczne. Schowek jest bezpieczny. Uspokój się.

Mimo to muszę się dowiedzieć, co się stało. Jeżeli przyjazd policji to tylko przewrotny zbieg okoliczności, który nie ma nic wspólnego z DeLeonem 6832 ani mną, podrzucę dowody i wrócę do Schowka.

Jeżeli się jednak o mnie dowiedzieli, mogą się dowiedzieć o innych. O Randallu 6794, Ricie 2907 i Arthurze 3480...

Nasuwam czapkę głębiej na oczy – dokładnie zasłonięte ciemnymi okularami – i zupełnie zmieniam kurs, okrążając dom i wybierając trasę przebiegającą przez alejki, ogródki i podwórka. Trzymam się granicy trzech przecznic, swojej strefy bezpieczeństwa, którą uprzejmie wyznaczyła mi policja, parkując swoje fordy w charakterze znaków ostrzegawczych.

Łukiem dochodzę do trawiastego nasypu prowadzącego do autostrady. Wspinając się na zbocze, widzę małe ogródki i werandy kwartału, gdzie mieszka DeLeon 6832. Liczę je, żeby znaleźć jego dom.

Ale nie muszę. Wyraźnie dostrzegam policjanta na dachu piętrowego budynku za alejką biegnącą od jego domu. Gliniarz ma karabin. Snajper! Jest i drugi, uzbrojony w lornetkę. I kilku innych, w garniturach i innych cywilnych ubraniach, przyczajonych w krzakach obok budynku. Nagle dwóch policjantów pokazuje w moim kierunku. Dopiero teraz widzę, że na dachu po drugiej stronie ulicy jest jeszcze jeden. On też wskazuje na mnie. A skoro nie mam metra osiemdziesięciu wzrostu, nie ważę sto kilogramów i nie mam skóry czarnej jak heban, więc nie czekają na DeLeona 6832. Czekają na mnie.

Zaczynają mi dygotać ręce. Wyobrażam sobie, co by się stało, gdybym się wpakował prosto w ten kocioł, z dowodami w plecaku.

Kilkunastu policjantów pędzi do samochodów albo rzuca się biegiem w moją stronę. Gnają jak stado wilków. Odwracam się i w panice gramolę na nasyp, dysząc ciężko. Nie dotarłem jeszcze na szczyt, gdy słyszę pierwsze syreny.

Nie, nie!

Moje skarby, mój Schowek...

Czteropasmowa autostrada jest zatłoczona. To dobrze, bo szesnastki muszą jechać wolno. Bez trudu omijam samochody, chociaż mam spuszczoną głowę; jestem pewien, że nikt nie zobaczy mojej twarzy. Potem przeskakuję barierę i zbiegam z nasypu po drugiej stronie. Dzięki swojej kolekcjonerskiej pasji i innym zajęciom jestem w dobrej formie i chwilę później pędzę sprintem w stronę najbliższej stacji metra. Przystaję tylko raz, żeby nałożyć bawełniane rękawiczki i wyciągnąć z plecaka plastikową torebkę z dowodami, które zamierzałem podrzucić. Wrzucam ją do kosza na śmieci. Nie mogą jej przy mnie znaleźć. Nie mogą! Tuż przed stacją metra skręcam w alejkę za restauracją. Wywracam dwustronną kurtkę na lewą stronę, zmieniam czapkę i wychodzę z powrotem na ulicę, trzymając w ręce torbę na zakupy, do której wepchnąłem plecak.

Wreszcie schodzę do metra i – dzięki Bogu – czuję powiew stęchłego powietrza zwiastujący wjazd pociągu na stację. Potem rozlega się huk masywnych wagonów, zgrzyt metalu o metal.

Na moment przystaję przed przejściem przez kołowrotek. Szok zniknął, lecz zastąpiło go rozdrażnienie. Rozumiem, że jeszcze nie mogę stąd odejechać.

Uświadamiam sobie jasno wagę problemu. Być może nie znają jeszcze mojej tożsamości, ale domyślili się, co robię. A to oznacza, że chcą mi coś odebrać. Moje skarby, mój Schowek... wszystko.

Co oczywiście jest nie do przyjęcia.

Trzymając się z dala od obiektywów kamer, jak gdyby nigdy nic wchodzę z powrotem po schodach i szukając czegoś w torbie, opuszczam stację.

– Gdzie? – rozległ się w słuchawce Amelii Sachs głos Rhyme'a.

– Gdzie on jest, do cholery?

– Zauważył nas i uciekł.

– Jesteś pewna, że to był on?

– Prawie pewna. Rozpoznanie namierzyło kogoś parę ulic dalej. Chyba zobaczył samochody detektywów i zaraz zmienił trasę. Przez chwilę się nam przyglądał, a potem dał nogę. Wysłaliśmy za nim ludzi.

Sachs stała przed domem DeLeona Williamsa w towarzystwie Pulaskiego, Bo Haumanna i kilku innych funkcjonariuszy ESU. Technicy z wydziału kryminalistycznego i umundurowani policjanci z patroli przeszukiwali drogę ucieczki podejrzanego w poszukiwaniu śladów oraz próbowali znaleźć świadków.

– Coś wskazywało, że miał samochód?

– Nie wiem. Kiedy go zobaczyliśmy, szedł pieszo.

– Chryste. Daj mi znać, kiedy coś znajdziecie.

– Na pewno...

Klik.

Skrzywiła się do Pulaskiego, który trzymał przy uchu handi-talkie, słuchając meldunków z pościgu. Haumann także monitorował przebieg obławy. Z tego, co zdołała usłyszeć, akcja zakończyła się fiaskiem. Nikt na autostradzie go nie widział lub nie chciał się przyznać, jeżeli widział. Sachs spojrzała na dom i zobaczyła DeLeona Williamsa, który wyglądał zza zasłony z zaniepokojoną i bardzo zdezorientowaną miną.

Nie został kolejnym kozłem ofiarnym NN 522 dzięki szczęśliwemu zbiegowi okoliczności i dobrej robocie policyjnej.

Williams zawdzięczał ocalenie przede wszystkim Ronowi Pulaskiemu. Młody funkcjonariusz w jaskrawej koszuli hawajskiej zrobił to, o co prosił go Rhyme: natychmiast pojechał na komendę główną i zaczął szukać spraw pasujących do modus operandi NN 522. Nie znalazł żadnej, ale gdy rozmawiał z jednym z detektywów z wydziału zabójstw, nadeszła wiadomość o anonimowym telefonie. Ktoś słyszał krzyki dobiegające z loftu niedaleko SoHo i widział czarnoskórego mężczyznę uciekającego starym beżowym dodge'em. Na miejsce zdarzenia wysłano patrol, który odkrył, że zgwałcono i zamordowano młodą kobietę, Myrę Weinburg.

Anonimowe zgłoszenie za bardzo przypominało schemat wcześniejszych spraw, więc Pulaski natychmiast zadzwonił do Rhyme'a. Kryminalistyk doszedł do wniosku, że jeżeli za zbrodnią stoi 522, będzie się trzymał utartego planu: podrzuci dowody obciążające niewinnego człowieka, dlatego musieli ustalić, który samochód wybierze spośród ponad 1300 starszych beżowych dodge'ów. Oczywiście możliwe, że to wcale nie był NN 522, lecz gdyby nawet tak było, mieli okazję zgarnąć gwałciciela i mordercę.

Na polecenie Rhyme'a Mel Cooper porównał ewidencję wydziału komunikacji z danymi kartotek policyjnych i znalazł siedmiu Afroamerykanów, którzy mieli na koncie wyroki skazujące za czyny poważniejsze od wykroczeń drogowych. Jeden spośród nich wydawał się najbardziej prawdopodobnym kandydatem: miał zarzut napaści na kobietę. DeLeon Williams był idealnym kozłem ofiarnym.

Szczęśliwy zbieg okoliczności i policyjna robota.

Aby w aresztowaniu mogła wziąć udział jednostka specjalna, trzeba było uzyskać zgodę co najmniej porucznika. Kapitan Joe Malloy nadal nie miał pojęcia o ich tajnej operacji, więc Rhyme zadzwonił do Sellitta, który chwilę pogderał, ale w końcu zgodził się zadzwonić do Bo Haumanna i zezwolić na akcję.

Amelia Sachs dołączyła do Pulaskiego i oddziału specjalnego pod domem Williamsa, gdzie od zespołu rozpoznania dowiedzieli się, że w środku jest tylko Williams, nie NN 522. Zajęli pozycję, by zdjąć mordercę, kiedy przyjdzie podrzucić dowody. Plan został ułożony na poczekaniu – i najwyraźniej się nie powiódł, choć ocalili niewinnego człowieka przed aresztowaniem za gwałt i morderstwo i być może odkryli ślady, które pozwolą trafić na trop sprawcy.

– Macie coś? – spytała Haumanna, który naradzał się ze swoimi ludźmi.

– Nic.

Po chwili znów zatrzeszczało jego radio i Sachs usłyszała głośny meldunek.

– Jedynka, jesteśmy po drugiej stronie autostrady. Wygląda na to, że zapadł się pod ziemię. Musiał pobiec do metra.

– Cholera jasna – mruknęła.

Haumann skrzywił się, ale nic nie powiedział.

– Poszliśmy trasą, którą prawdopodobnie wybrał – ciągnął funkcjonariusz. – Możliwe, że po drodze wrzucił jakieś dowody do kosza na śmieci.

– To już coś – ożywiła się Sachs. – Gdzie? – Zanotowała podany adres. – Powiedz im, żeby zabezpieczyli teren. Będę za dziesięć minut.

Sachs weszła po schodkach prowadzących do domu i zapukała do drzwi. Kiedy DeLeon Williams otworzył, powiedziała:

– Przepraszam, nie miałam okazji wyjaśnić. Człowiek, którego próbowaliśmy złapać, próbował się dostać do pańskiego domu.

– Do mojego domu?

– Tak się nam wydaje. Ale uciekł. – Opowiedziała mu o Myrze Weinburg.

– Och, nie... nie żyje?

– Niestety.

– Przykro mi, naprawdę przykro.

– Znał ją pan?

– Nie, nigdy o niej nie słyszałem.

– Przypuszczamy, że sprawca mógł próbować obarczyć pana winą za tę zbrodnię.

– Mnie? Dlaczego?

– Nie mamy pojęcia. Gdy ustalimy coś więcej, być może będziemy chcieli pana przesłuchać.

– Jasne. – Podał jej numer domowy i komórkowy. Po chwili zmarszczył brwi. – Mogę o coś spytać? Wydaje się pani pewna, że tego nie zrobiłem. Skąd pani wie, że jestem niewinny?

– Funkcjonariusze przeszukali pański garaż i samochód. Nie znaleźli żadnych śladów z miejsca zdarzenia. Sprawca prawie na pewno zamierzał podrzucić tu obciążające pana przedmioty. Oczywiście gdyby zdążył to zrobić przed naszym przyjazdem, miałby pan kłopoty. Jeszcze jedno, panie Williams – dodała Sachs.

– Co takiego?

– Pewien drobiazg, który może pana zainteresować. Wie pan, że posiadanie niezarejestrowanej broni palnej na terenie Nowego Jorku jest bardzo poważnym przestępstwem?

– Chyba gdzieś o tym słyszałem.

– A więc powiem panu o innym drobiazgu. Posterunek policji w pańskiej dzielnicy prowadzi program amnestii. Zwraca pan broń i nikt o nic nie pyta... No dobrze, niech pan na siebie uważa. I korzysta z reszty weekendu.

– Spróbuję.

Rozdział 11

Obserwuję policjantkę, która przeszukuje kosz na śmieci, gdzie wrzuciłem dowody. Z początku byłem przerażony, ale zaraz zdałem sobie sprawę, że nie powinienem się dziwić. Jeśli oni okazali się na tyle bystrzy, by wpaść na mój trop, na pewno nie zabraknie im bystrości, by znaleźć kosz.

Wątpię, czy zdążyli mi się przyjrzeć, mimo to bardzo uważam. Oczywiście nie jestem na samym miejscu zdarzenia; siedzę w restauracji po drugiej stronie ulicy, wmuszam w siebie hamburgera i popijam wodą. Policja ma specjalne zespoły, tak zwane grupy antyprzestępcze, co zawsze wydawało mi się absurdalne. Jak gdyby inne było „proprzestępcze". Należący do nich funkcjonariusze, ubrani po cywilnemu, krążą wokół miejsca zbrodni, żeby znaleźć świadków, a czasem nawet sprawców. Na ogół przestępcy wracają, dlatego że albo są głupi, albo zachowują się irracjonalnie. Ja jestem tu jednak z dwóch powodów. Po pierwsze, bo zorientowałem się, że mam kłopot. Nie mogę się z tym pogodzić, więc potrzebuję rozwiązania. Żadnego problemu nie da się rozwiązać bez wiedzy. Dowiedziałem się już paru rzeczy.

Na przykład znam już kilka spośród osób, które chcą mnie złapać. Jak ta rudowłosa policjantka w białym, plastikowym kombinezonie, skupiona nad zabezpieczeniem śladów tak samo jak ja skupiam się nad danymi.

Widzę, jak opuszcza teren odgrodzony żółtą taśmą, niosąc parę toreb. Wkłada je do szarych plastikowych pudeł i zdejmuje biały kombinezon. Mimo strachu wywołanego dzisiejszą katastrofą, którego dreszcz jeszcze mnie przenika, na widok jej obcisłych dżinsów czuję znajome ukłucie i satysfakcja po transakcji z Myrą 9834 zaczyna się ulatniać.

Gdy gliniarze wracają do samochodów, ruda policjantka do kogoś dzwoni.

Płacę rachunek i nonszalanckim krokiem kieruję się do drzwi, jak zwykły klient wychodzący z restauracji w późne niedzielne popołudnie.

Zniknąć. Z. Mapy.

A drugi powód mojej obecności w tym miejscu? To bardzo proste. Muszę chronić swoje skarby, chronić swoje życie, co oznacza, że jestem gotów zrobić wszystko, aby pozbyć się natrętów.

– Co 522 zostawił w tym koszu? – Rhyme rozmawiał z nią przez mikrofon przymocowany do wózka.

– Niewiele. Ale jesteśmy pewni, że to jego rzeczy. Zakrwawiony ręcznik papierowy i trochę krwi w plastikowych torebkach – chciał ją zostawić w samochodzie albo garażu Williamsa. Wysłałam próbkę do laboratorium na wstępną analizę DNA. Komputerowy wydruk zdjęcia ofiary. Rolka taśmy izolacyjnej – własnej marki Home Depot. I but sportowy. Wygląda na nowy.

– Jeden.

– Aha. Prawy.

– Może skradł go z domu Williamsa, żeby zostawić ślad na miejscu. Ktoś go widział?

– Snajper i dwóch ludzi z rozpoznania. Ale był dość daleko. Prawdopodobnie biały albo o jasnej karnacji, średniej budowy. Beżowa czapka, ciemne okulary, plecak. Wiek i kolor włosów nieznany.

– To wszystko?

– Aha.

– Dobra, zaraz przywoź te dowody. Potem przejdź po siatce w miejscu, gdzie zgwałcono tę Weinburg. Czekają z oględzinami na ciebie.

– Mam jeszcze jeden trop, Rhyme.

– Naprawdę? Jaki?

– Znaleźliśmy kartkę samoprzylepną przyklejoną do dna plastikowej torebki z dowodami. 522 chciał się pozbyć tej torby; nie jestem pewna, czy chciał wyrzucić karteczkę.

– Co na niej jest?

– Numer pokoju w hotelu na Upper East Side. Chcę to sprawdzić.

– Myślisz, że to adres 522?

– Nie, dzwoniłam do recepcji i powiedzieli mi, że gość przez cały dzień siedział w pokoju. Niejaki Robert Jorgensen.

– Trzeba przeszukać miejsce zdarzenia, Sachs.

– Wyślij Rona. Poradzi sobie.

– Wolałbym ciebie.

– Naprawdę wydaje mi się, że trzeba sprawdzić, czy jest jakiś związek między tym Jorgensenem a 522. I to szybko.

Nie potrafił odmówić jej słuszności. Poza tym oboje ostro ćwiczyli Pulaskiego, ucząc go, jak należy chodzić po siatce – tak Rhyme nazwał metodę przeszukiwania miejsca zdarzenia, polegającą na prowadzeniu oględzin według wzoru siatki, która dawała największe szanse znalezienia śladów.

Rhyme, czując się jak szef i rodzic w jednej osobie, wiedział, że prędzej czy później chłopak będzie musiał w pojedynkę przeszukać swoje pierwsze miejsce zbrodni.

– No dobrze – burknął. – Miejmy nadzieję, że ta karteczka do czegoś nas doprowadzi. – Nie mógł się powstrzymać, by nie dodać: – I nie okaże się zupełną stratą czasu.

Sachs zaśmiała się.

– Zawsze mamy taką nadzieję, co, Rhyme?

– Powiedz Pulaskiemu, żeby niczego nie schrzanił.

Rozłączyli się i Rhyme poinformował Coopera, że dowody są w drodze.

Patrząc na tablice, mruknął pod nosem:

– Uciekł.

Polecił Thomowi dopisać nadzwyczaj skąpy rysopis NN 522.

Prawdopodobnie biały albo o jasnej karnacji...

Przydatny szczegół, nie ma co.

Amelia Sachs siedziała za kierownicą swojego camaro przy otwartych drzwiach. Do wnętrza samochodu, pachnącego starą skórą i olejem, wpadało wiosenne powietrze późnego popołudnia. Sachs robiła notatki do raportu z oględzin miejsca. Zawsze po przeszukaniu miejsca zdarzenia starała się jak najszybciej wszystko zapisać. Zdumiewające, ile człowiek w krótkim czasie potrafi zapomnieć. Zmieniają się kolory, lewa strona staje się prawą, drzwi i okna przesuwają się z jednej ściany na drugą albo zupełnie znikają.

Przerwała, wracając myślą do dziwnych faktów sprawy. Jak mordercy udało się rzucić podejrzenia na niewinnego człowieka, omal nie doprowadzając do jego aresztowania? Nigdy nie miała do czynienia z takim sprawcą; podrzucanie dowodów nie należało do rzadkości, ale ten facet był geniuszem w podsuwaniu policji fałszywych tropów.

Ulica, na której zaparkowała samochód, ciemna i pusta, była dwie przecznice od kosza na śmieci.

Kątem oka pochwyciła jakiś ruch. Myśląc o 522, poczuła skurcz niepokoju. Uniosła wzrok i w lusterku wstecznym zobaczyła jakąś postać idącą w jej stronę. Zmrużyła oczy, przyglądając się uważnie nieznajomemu, choć człowiek wyglądał niegroźnie: schludny biznesmen. Niósł w ręce torebkę z jedzeniem na wynos i z uśmiechem na twarzy rozmawiał przez komórkę. Typowy mieszkaniec dzielnicy, który wyszedł kupić na kolację jakieś chińskie czy meksykańskie danie.

Sachs pochyliła się nad notatkami.

Wreszcie skończyła i schowała je do teczki. Nagle jednak uświadomiła sobie, że stało się coś dziwnego. Mężczyzna, który szedł ulicą, powinien już dawno minąć camaro. Ale nie minął. Czyżby wszedł do budynku? Odwróciła się w kierunku chodnika, gdzie go ostatnio widziała.

Nie!

Torebka z restauracji leżała na chodniku z lewej strony, blisko tyłu samochodu. To był rekwizyt!

Jej dłoń odruchowo powędrowała do glocka. Zanim jednak zdążyła wyciągnąć broń, ktoś gwałtownym ruchem otworzył drzwi z prawej strony i Sachs ujrzała twarz mordercy, jego zmrużone oczy i pistolet wycelowany w siebie.

Rozległ się dzwonek u drzwi i po chwili Rhyme znów usłyszał znajome kroki. Tym razem ciężkie.

– Tutaj, Lon.

Detektyw Lon Sellitto przywitał go skinieniem głowy. Jego tęga sylwetka była wtłoczona w niebieskie dżinsy i ciemnofioletową koszulę Izod, a stroju dopełniały buty do biegania, co zdziwiło Rhyme'a. Kryminalistyk rzadko widywał Sellitta ubranego sportowo. Wszystkie garnitury detektywa były niemiłosiernie wymięte, więc zaskakujący był również fakt, że jego dzisiejszy strój wyglądał, jak gdyby właśnie opuścił deskę do prasowania. Doskonałą gładkość tkaniny psuło jedynie kilka fałd w miejscu, gdzie znad paska wystawał brzuch, oraz wypukłość z tyłu, gdzie materiał niezbyt skutecznie maskował pistolet.

– Podobno dał nogę.

– Ulotnił się jak kamfora – rzucił ze złością Rhyme.

Podłoga skrzypnęła pod jego ciężarem, gdy Sellitto niespiesznie podszedł do tablic z dowodami i je obejrzał.

– Tak go nazywasz? 522?

– Dwudziesty drugi maja. Co się stało z rosyjską sprawą?

Sellitto nie odpowiedział.

– Pan 522 zostawił po sobie jakąś pamiątkę?

– Niedługo się dowiemy. Pozbył się torby z dowodami, które zamierzał podrzucić. Zaraz będziemy ją mieli.

– Uprzejmie z jego strony.

– Kawy, mrożonej herbaty?

– Chętnie, dzięki – mruknął detektyw do Thoma. – Kawy. Masz chude mleko?

– Dwuprocentowe.

– Może być. A te ciasteczka co ostatnio? Z czekoladą?

– Tylko owsiane.

– Też są dobre.

– Mel? – zwrócił się do Coopera Thom. – Coś dla ciebie?

– Jeżeli jem albo piję w pobliżu stołu do badań, dostaję ochrzan.

– To nie moja wina, że adwokaci tak się czepiają zanieczyszczonych dowodów i żądają wyłączenia ich ze sprawy – warknął Rhyme. – Nie ja ustalam reguły.

– Widzę, że nastrój ci się nie poprawił – zauważył Sellitto. – Co słychać w Londynie?

– Akurat na ten temat nie mam ochoty rozmawiać.

– No więc żeby ci poprawić humor, powiem, że mamy jeszcze jeden problem.

– Malloy?

– Aha. Dowiedział się, że Amelia robi oględziny, a ja wydałem zgodę na akcję ESU. Ucieszył się jak dziecko, bo pomyślał, że chodzi o sprawę Dienki, a potem strasznie posmutniał, kiedy okazało się, że nie. Zapytał, czy to ty za tym stoisz. Mogę za ciebie nadstawiać karku, Linc, ale nie dam się zabić. Sypnąłem cię... O, dziękuję – Skinął głową Thomowi, który podał mu kawę i ciastka. Opiekun Rhyme'a postawił też tacę na stoliku niedaleko Coopera, a technik nałożył lateksowe rękawiczki i wziął ciastko.

– Dla mnie odrobinę szkockiej, jeśli łaska – powiedział szybko Rhyme.

– Nie – odparł Thom i wyszedł.

Rhyme z nachmurzoną miną rzekł:

– Domyśliłem się, że Malloy nas przyskrzyni, gdy tylko do akcji włączy się ESU. Ale zrobiło się tak gorąco, że musimy mieć górę po swojej stronie. Co robimy?

– Lepiej szybko coś wymyśl, bo czeka na telefon. Od pół godziny.

– Pociągnął łyk kawy i z ociąganiem odłożył ćwierć ciastka, najwyraźniej postanawiając go nie kończyć.

– Trzeba przekonać górę. Potrzebujemy ludzi, żeby szukać tego faceta.

– No to dzwońmy. Jesteś gotowy?

– Tak, tak.

Sellitto wstukał numer. Wcisnął przycisk GŁOŚNIK.

– Ścisz trochę – poradził Rhyme. – Przypuszczam, że może być za głośno.

– Tu Malloy. – Rhyme usłyszał szum wiatru, przytłumione głosy i brzęk szkła. Może był w restauracyjnym ogródku.

– Kapitanie, dzwonię do pana od Lincolna Rhyme'a. Obaj pana słyszymy.

– Do cholery, co się dzieje? Mogłeś mi powiedzieć, że ta operacja ESU ma związek z telefonem Lincolna. Wiedziałeś, że odłożyłem do jutra decyzję o jakiejkolwiek operacji?

– Nie, nie wiedział – rzekł Rhyme.

– Zgadza się, ale wiedziałem na tyle dużo, żeby się domyślić – wyrwało się detektywowi.

– Wzruszające, jak bardzo staracie się chronić nawzajem, ale pytam, dlaczego nic mi nie powiedziałeś?

– Bo mieliśmy duże szanse zgarnąć gwałciciela i mordercę – odparł Sellitto. – Uznałem, że nie ma chwili do stracenia.

– Nie jestem dzieckiem, poruczniku. To ty przedstawiasz mi sprawę, a ja dokonuję oceny. Tak to powinno wyglądać.

– Przepraszam, kapitanie. Wydawało mi się, że to najrozsądniejsza decyzja.

Cisza. Po chwili:

– Ale uciekł.

– Owszem – przytaknął Rhyme:

– Jak?

– Zorganizowaliśmy oddział najszybciej, jak się dało, ale nie mieliśmy dobrej osłony. Sprawca był bliżej, niż sądziliśmy. Chyba zobaczył nieoznakowany wóz albo któryś z zespołów. I zniknął. Ale porzucił dowody, które mogą się przydać.

– Dowody jadą do laboratorium w Queens? Czy do ciebie?

Rhyme zerknął na Sellitta. W instytucjach takich jak nowojorski departament policji ludzie pną się po szczeblach kariery dzięki doświadczeniu, zapałowi i bystrości umysłu. Malloy wyprzedzał ich o dobre pół kroku.

– Prosiłem, żeby przywieziono je tutaj, Joe – powiedział Rhyme. Tym razem nie odpowiedziała im cisza. W głośniku rozległo się westchnienie rezygnacji.

– Lincoln, zdajesz sobie sprawę, na czym polega problem, prawda? Konflikt interesów, pomyślał Rhyme.

– Rysuje się wyraźny konflikt interesów, jeżeli jako doradca departamentu próbujesz oczyścić z zarzutów swojego kuzyna. Poza tym wynika z tego, że aresztowano niewłaściwą osobę.

– Właśnie tak się stało. I skazano dwie niewinne osoby. – Rhyme przypomniał Malloyowi o gwałcie i kradzieży monet, o których mówił im Flintlock. – Nie zdziwiłbym się, gdyby wyszły na jaw inne przypadki... Znasz zasadę Locarda, Joe?

– Pisałeś o tym w książce, w tym podręczniku akademii, zgadza się?

Francuski kryminalistyk Edmond Locard twierdził, że ilekroć zostaje popełnione przestępstwo, zawsze następuje przeniesienie dowodów między sprawcą a miejscem zdarzenia lub ofiarą. Reguła odnosiła się głównie do pyłów, lecz dotyczyła też wielu substancji i typów dowodów. Czasem ślad trudno było znaleźć, ale istniał.

– To my w swojej pracy korzystamy z zasady Locarda, Joe. Ale mamy sprawcę, który używa jej jako broni. To jego modus operandi. Zabija bezkarnie, bo za jego zbrodnie zostaje skazany ktoś inny. Dokładnie wie, kiedy zaatakować, jaki rodzaj dowodu i kiedy podrzucić. Wykorzystuje techników kryminalistycznych, laboratoryjnych, detektywów, prokuratorów, sędziów... wszystkich. Robi z nich wspólników. To nie ma nic wspólnego z moim kuzynem, Joe. Chodzi o powstrzymanie bardzo groźnego człowieka.

Tym razem nie było westchnienia.

– Dobra, zezwolę na to.

Sellitto uniósł brew.

– Nie bez zastrzeżeń. Będziecie mnie informować o każdym nowym zdarzeniu w sprawie. O wszystkim.

– Jasne.

– Lon, jeżeli jeszcze raz będziesz coś przede mną ukrywał, przeniosę cię do wydziału budżetowego. Rozumiesz?

– Tak, kapitanie. Całkowicie.

– A skoro jesteś u Lincolna, Lon, przypuszczam, że chcesz zrezygnować ze sprawy Władymira Dienki.

– Petey Jimenez jest na bieżąco. Odwalił znacznie więcej roboty ode mnie i osobiście przygotował prowokacje.

– Ze strony federalnych sprawę pilotuje Dellray? I on zajmuje się informatorami?

– Zgadza się.

– W porządku, zmieniam ci przydział. Tymczasowo. Otwórz dochodzenie w sprawie tego NN – to znaczy wyślij notatkę służbową o śledztwie, które już ukradkiem prowadzicie. I posłuchaj: nie zamierzam poruszać tematu niesłusznie skazanych niewinnych ludzi. Z nikim nie będę o tym rozmawiał. Wy też nie. Tą kwestią się nie zajmujemy. Pracujecie tylko nad gwałtem i morderstwem, które popełniono dzisiaj. Koniec i kropka. Być może sprawca usiłował zrzucić winę na kogoś innego, ale to wszystko, co wolno wam powiedzieć, i to tylko w sytuacji, gdyby ktoś pytał. Sami nie poruszajcie tego tematu i na litość boską, nie mówcie niczego prasie.

– Nie rozmawiam z prasą – oświadczył Rhyme. Kto by rozmawiał, jeśli mógł tego uniknąć? – Ale trzeba będzie zbadać tamte sprawy, żeby poznać jego metody działania.

– Nie powiedziałem, że nie możesz tego zrobić – odrzekł kapitan, stanowczym, lecz niezbyt ostrym tonem. – Informujcie mnie na bieżąco. – Odłożył słuchawkę.

– No to załatwiliśmy sobie sprawę – powiedział Sellitto, kapitulując przed pozostawioną ćwiartką ciastka, którą popił kawą.

Stojąc na krawężniku w towarzystwie trzech ubranych po cywilnemu ludzi, Amelia Sachs rozmawiała z krępym mężczyzną, który otworzył drzwi camaro i wymierzył do niej z pistoletu. Okazało się, że nie był to 522, ale agent federalny z DEA, Urzędu do Walki z Narkotykami.

– Ciągle próbujemy złożyć to wszystko do kupy – powiedział, zerkając na swojego szefa, zastępcę dyrektora brooklyńskiego biura DEA.

– Za parę minut będziemy wiedzieć więcej – odparł dyrektor.

Chwilę wcześniej, gdy wzięto ją na muszkę w samochodzie, Sachs powoli podniosła ręce i przedstawiła się jako funkcjonariuszka policji. Agent odebrał jej broń i dwa razy obejrzał legitymację. Potem oddał jej glocka, z niedowierzaniem kręcąc głową.

– Nic nie rozumiem – powiedział. Przeprosił, lecz jego mina świadczyła, że wcale nie jest mu przykro. Na jego twarzy malowało się... przede wszystkim zdumienie.

Wkrótce zjawił się jego szef w towarzystwie dwóch agentów.

Teraz dyrektor odebrał telefon i przez parę minut słuchał. Następnie zatrzasnął komórkę i wyjaśnił, co prawdopodobnie się stało. Kilka chwil wcześniej ktoś anonimowo zadzwonił z automatu, zawiadamiając biuro, że uzbrojona kobieta odpowiadająca rysopisem Sachs właśnie kogoś postrzeliła w wyniku kłótni, prawdopodobnie o narkotyki.

– W tym momencie prowadzimy tu akcję – ciągnął zastępca dyrektora. – Badamy zabójstwo pewnego dilera i dostawcy. – Ruchem głowy wskazał swojego agenta, który próbował aresztować Sachs. – Anthony mieszka niedaleko stąd. Szef operacyjny przysłał go tu, żeby ocenił sytuację, zanim przyjadą zespoły agentów.

– Sądziłem, że pani odjeżdża, więc złapałem jakąś starą torebkę i wkroczyłem do akcji – dodał Anthony. – Kurczę... – Zaczynało do niego docierać, że omal nie doprowadził do tragedii. Zbladł jak płótno, a Sachs pomyślała, jak czuły spust mają glocki. Była o włos od śmierci.

– Co pani tu robiła? – spytał zastępca dyrektora.

– Chodzi o gwałt i zabójstwo. – Nie wspomniała o tym, że 522 aranżuje zbrodnie w taki sposób, by pogrążyć niewinnych. – Przypuszczam, że sprawca mnie zauważył i zadzwonił, żeby opóźnić pościg. Albo żebym zginęła z ręki swoich własnych ludzi.

Agent pokręcił głową, marszcząc brwi.

– Co takiego? – spytała Sachs.

– Myślę, że niezły cwaniak z niego. Gdyby zadzwonił na policję – jak pewnie zrobiłaby większość ludzi – wiedzieliby, kim pani jest i co to za operacja. Dlatego zadzwonił do nas. Nie wiedzieliśmy nic, poza tym, że jest pani uzbrojona, że trzeba zachować ostrożność i w razie zagrożenia strzelać. – Skrzywił się. – Sprytne.

– I cholernie straszne – powiedział Anthony, nadal śmiertelnie blady.

Agenci pożegnali się, a Sachs wyciągnęła telefon.

Gdy Rhyme odebrał, opowiedziała mu o incydencie.

Kryminalistyk przetrawił tę wiadomość, po czym spytał:

– Zadzwonił do federalnych?

– Aha.

– Jak gdyby świetnie wiedział, że właśnie prowadzą tam akcję. I że niedaleko mieszka agent, który próbował cię zgarnąć.

– Nie mógł tego wiedzieć – odparła.

– Może nie. Ale na pewno wiedział jedno.

– Co?

– Dokładnie wiedział, gdzie jesteś. A to znaczy, że cię śledził. Uważaj, Sachs.

Rhyme wyjaśniał Sellittowi, jak NN 522 zastawił na Brooklynie pułapkę na Sachs.

– To jego sprawka?

– Na to wygląda.

Zastanawiali się, skąd mógł zdobyć takie informacje – nie dochodząc do żadnych konstruktywnych wniosków – gdy zadźwięczał telefon. Rhyme zerknął na wyświetlacz i natychmiast odebrał.

– Witam, pani inspektor.

– Jak się pan miewa, detektywie Rhyme? – rozległ się w głośniku głos inspektor Longhurst.

– Dobrze.

– To wspaniale. Chciałam pana poinformować, że znaleźliśmy kryjówkę Logana. Okazało się, że jednak nie była w Manchesterze, ale tuż obok, w Oldham. We wschodniej części miasta. – Opowiedziała, jak Danny Krueger dowiedział się od swoich informatorów, że ktoś, najprawdopodobniej Richard Logan, wypytywał o kupno części broni.

– Proszę zauważyć, że nie chodziło mu o samą broń. Ale jeśli ktoś ma części zamienne, przypuszczalnie może je złożyć w całość.

– Karabiny?

– Tak. Duży kaliber.

– Jakieś dane personalne?

– Żadnych, chociaż ludzie Kruegera sądzili, że Logan reprezentuje armię amerykańską. Podobno obiecał im amunicję w hurtowych ilościach i po obniżonej cenie. Pokazał też oficjalne dokumenty wojskowe na temat stanu magazynów i specyfikacji.

– Czyli nie zmieniamy planu zasadzki w Londynie.

– Tak sądzę. Wracając do kryjówki: mamy kontakty w hinduskiej społeczności w Oldham. Ci ludzie cieszą się nieposzlakowaną opinią. Słyszeli o Amerykaninie, który wynajął stary dom na obrzeżach miasta. Udało się nam namierzyć ten obiekt. Jeszcze go nie przeszukaliśmy. Nasz zespół mógł wprawdzie to zrobić, ale uznaliśmy, że lepiej będzie najpierw porozmawiać z panem.

– Tak więc, detektywie – ciągnęła Longhurst – Logan nie ma pojęcia o tym, że dowiedzieliśmy się o jego kryjówce – tak mi mówi przeczucie. Podejrzewam też, że możemy tam znaleźć bardzo cenne dowody. Zadzwoniłam do paru osób z MI5 i pożyczyłam od nich dość drogą zabawkę. Kamerę wysokiej rozdzielczości. Zamierzamy wyposażyć w nią jednego z naszych funkcjonariuszy, a pan będzie nim kierował i przekazywał nam swoje spostrzeżenia. Powinnyśmy mieć sprzęt na miejscu za czterdzieści minut.

Aby przeprowadzić pełne oględziny domu, sprawdzić wszystkie wejścia i wyjścia, szuflady, toalety, szafy, materace… trzeba było poświęcić niemal cały wieczór.

Dlaczego to się dzieje akurat teraz? Rhyme był przekonany, że 522 stanowi rzeczywiste zagrożenie. Co więcej, zważywszy na rozwój wypadków – wcześniejsze zbrodnie, sprawę jego kuzyna i dzisiejsze morderstwo – działał w coraz szybszym tempie. Szczególnie niepokojący był ostatni fakt: NN 522 zaatakował ich bezpośrednio, niemal doprowadzając do śmierci Sachs.

Tak czy nie?

Przez chwilę był w rozterce.

– Pani inspektor – rzekł w końcu – bardzo mi przykro, ale coś się tu właśnie wydarzyło, mieliśmy serię zabójstw. Muszę się na nich skupić.

– Ach, tak. – Niezachwiana brytyjska rezerwa.

– Muszę pozostawić sprawę w pani gestii.

– Oczywiście, detektywie. Rozumiem.

– Proszę swobodnie podejmować wszelkie decyzje.

– Doceniam pańskie zaufanie. Załatwimy tę sprawę, będę pana o wszystkim informować. Lepiej się rozłączę.

– Powodzenia.

– Wzajemnie.

Lincolnowi Rhyme'owi trudno było wycofać się z pościgu, zwłaszcza gdy jej celem był właśnie ten człowiek.

Ale decyzja zapadła. Jego jedynym celem był teraz NN 522.

– Mel, łap za telefon i dowiedz się, gdzie, do diabła, są te dowody z Brooklynu.

Rozdział 12

Ato niespodzianka.

Hotel znajdował się na Upper East Side, a Robert Jorgensen był chirurgiem ortopedą, co kazało Amelii Sachs przypuszczać, że Henderson House Residence, którego adres znalazła na samoprzylepnej karteczce, będzie znacznie ładniejszy.

Budynek okazał się jednak obrzydliwą norą, hotelikiem dla przejezdnych, zamieszkanym przez ćpunów i pijaczków. Zapuszczony hol, zastawiony przestarzałymi meblami nie do kompletu, cuchnął czosnkiem, tanim środkiem dezynfekującym, bezużytecznym odświeżaczem powietrza i kwaśnym ludzkim potem. Korzystniejsze wrażenie sprawiała większość schronisk dla bezdomnych.

Stojąc w brudnym wejściu, odwróciła się za siebie. Pamiętając, z jaką łatwością 522 wyprowadził w pole agentów federalnych, i obawiając się, że morderca może ją śledzić, rozejrzała się po ulicy. Nikt nie zwracał na nią uwagi, ale przecież w pobliżu domu DeLeona Williamsa zupełnie nie zauważyła swego prześladowcy. Zatrzymała spojrzenie na opuszczonym budynku po drugiej stronie ulicy. Czyżby ktoś się jej przyglądał zza oblepionych brudem szyb?

Tam! Na drugim piętrze Sachs dostrzegła duże rozbite okno i była pewna, że zauważyła w ciemności jakiś ruch. Twarz? Czy światło wpadające przez otwór w dachu?

Podeszła bliżej i uważnie zlustrowała budynek. Nikogo jednak nie wypatrzyła, uznała więc, że wzrok płata jej figle. Zawróciła i starając się nie oddychać zbyt głęboko, weszła do hotelu. Mignęła odznaką groteskowo opasłemu recepcjoniście. Nie wyglądał na zaskoczonego ani w najmniejszym stopniu przestraszonego obecnością policjantki.

110

Wskazał jej windę. Zza drzwi buchnął ostry odór. Trudno, trzeba schodami.

Krzywiąc się z bólu po wspinaczce na szóste piętro, stanowiącej nie lada wysiłek dla jej artretycznych stawów, pchnęła drzwi na korytarz i odnalazła pokój numer 672. Zapukała i odsunęła się na bok.

– Policja. Pan Jorgensen? Proszę otworzyć. – Nie wiedziała, co łączy tego człowieka z mordercą, więc jej dłoń błądziła w okolicy rękojeści niezawodnego glocka.

Nikt się nie odezwał, ale zdawało się jej, że usłyszała szczęk metalowej zasłonki judasza.

– Policja – powtórzyła.

– Niech pani wsunie legitymację pod drzwi.

Zrobiła to.

Po chwili ciszy rozległ się brzęk kilku łańcuchów. I zgrzyt zasuwy. Drzwi uchyliły się odrobinę, lecz zostały zablokowane podpórką.

Powstała szpara, większa, niż gdyby nie zdjęto z drzwi łańcucha, ale nie na tyle duża, by można się było przez nią przecisnąć.

Ukazała się w niej głowa mężczyzny w średnim wieku. Jego długie włosy były nieumyte, a twarz szpeciła potargana broda. Miał rozbiegane oczy.

– Pan Robert Jorgensen?

Przyjrzał się badawczo jej twarzy, po czym wrócił do studiowania legitymacji, oglądając ją pod światło, choć laminowany prostokąt nie był przezroczysty. Oddał jej dokument i odblokował drzwi. Sprawdził korytarz i wreszcie gestem zaprosił Sachs do środka. Weszła ostrożnie, nadal trzymając dłoń niedaleko pistoletu. Sprawdziła pokój i szafy. Nie znalazła nikogo poza Jorgensenem, który był nieuzbrojony.

– Pan Robert Jorgensen? – powtórzyła.

Skinął głową.

Uważniej rozejrzała się po smutnym pokoju. Stało w nim łóżko, biurko z krzesłem, fotel i mocno sfatygowana kanapa. Na ciemnoszarym dywanie widniały plamy. Lampa podłogowa rzucała mdłe żółte światło, rolety w oknach były spuszczone. Wyglądało na to, że lokator żyje na walizkach – ściślej mówiąc, na czterech dużych walizkach i jednej torbie podróżnej. Nie miał kuchni, ale w pokoju stała miniaturowa lodówka i dwie kuchenki mikrofalowe. Oraz zaparzacz do kawy.

Jego dieta opierała się na błyskawicznych zupach z makaronem. Pod ścianą stał równiutki rząd setki szarych kopert. Ubranie Jorgensena pochodziło z innego okresu jego życia, znacznie lepszego. Rzeczy wyglądały na drogie, lecz były wytarte i poplamione. Zwróciła uwagę na zdarte obcasy kosztownych butów. Pewnie stracił praktykę lekarską z powodu picia albo narkotyków. W tym momencie Jorgensen był zajęty dość dziwną czynnością: rozpruwaniem grubej książki w twardej oprawie. Do blatu biurka miał przykręconą odrapaną lupę na giętkim uchwycie i wycinał po kolei kartki, które następnie kroił na paski.

Być może do upadku doprowadziła go choroba psychiczna.

– Przyszła pani w sprawie listów. Najwyższy czas.

– Listów?

Rzucił jej podejrzliwe spojrzenie.

– A nie?

– Nic nie wiem o żadnych listach.

– Wysłałem je do Waszyngtonu. Ale przecież wy ze sobą rozmawiacie, prawda? Wy wszyscy z organów tak zwanej ochrony porządku publicznego. Na pewno. Musicie, każdy gada. Macie bazy danych informacji kryminalnej i tak dalej…

– Naprawdę nie wiem, o co panu chodzi.

Chyba jej uwierzył.

– No więc co… – Zatrzymał wzrok na jej biodrze i szeroko otworzył oczy. – Zaraz, ma pani włączoną komórkę?!

– No, tak.

– Jezu Chryste! Co się z panią dzieje?

– Ale…

– A może od razu wybiegnie pani nago na ulicę i zacznie podawać swój adres każdemu napotkanemu nieznajomemu? Proszę wyjąć baterię. Nie wystarczy wyłączyć. Wyjąć baterię!

– Nie ma mowy.

– Niech ją pani wyciągnie. Jeżeli nie, może się pani zaraz wynosić. Z palmtopa też. I z pagera.

Zrozumiała, że to ultimatum. Mimo to oświadczyła stanowczo:

– Nie skasuję pamięci. Zgadzam się na telefon i pager.

– Dobrze – mruknął. Patrzył, jak Sachs wyciąga baterie z obu urządzeń i wyłącza palmtop.

Następnie poprosiła go o dowód tożsamości. Po chwili wahania wyciągnął prawo jazdy. Widniał na nim adres w Greenwich, jednym z najelegantszych miast w Connecticut.

– Nie przyszłam w sprawie żadnych listów, panie Jorgensen. Mam tylko kilka pytań. Nie zajmę panu zbyt dużo czasu.

Wskazał jej nieprzyjemnie zalatującą kanapę, a sam usiadł na rozchybotanym krześle przy biurku. Jak gdyby nie potrafił się powstrzymać, pochylił się nad książką i nożem introligatorskim rozciął grzbiet książki. Robił to szybko i pewnie, posługując się tym narzędziem z widoczną wprawą. Sachs cieszyła się w duchu, że dzieli ich biurko i że ma broń pod ręką.

– Panie Jorgensen, przyszłam w sprawie przestępstwa, które popełniono dziś rano.

– Ach tak, naturalnie. – Zacisnął usta i ponownie spojrzał na Sachs. Na jego twarzy malowały się wyraźnie rezygnacja i niesmak. – A co tym razem zrobiłem?

Tym razem?

– Dokonano gwałtu i morderstwa. Ale wiemy, że nie jest pan w to zamieszany. Był pan tutaj.

Szyderczy uśmiech.

– Ach, śledzicie mnie. No jasne. – Potem grymas. – Niech to szlag. – Była to reakcja na to, co znalazł lub czego nie znalazł w rozprutym grzbiecie książki. Cisnął go do śmieci. Sachs zauważyła, że w otwartych workach na śmieci leżą resztki ubrań, książek, gazet i niewielkich pudełek, które także zostały pocięte. Gdy zajrzała do większej kuchenki mikrofalowej, zobaczyła książkę.

Doszła do wniosku, że Jorgensen cierpi na fobię przed zarazkami.

Zauważył jej spojrzenie.

– Mikrofale to najlepszy sposób, żeby je zniszczyć.

– Bakterie? Wirusy?

Zaśmiał się, jak gdyby usłyszał żart. Ruchem głowy wskazał rozcięty tom na biurku.

– Czasem naprawdę trudno je znaleźć. Ale nie ma rady. Trzeba wiedzieć, jak wygląda wróg. – Pokazał na kuchenkę. – Niedługo zaczną produkować nawet odporne na mikrofalówkę. Może mi pani wierzyć.

Zniszczyć je... zaczną produkować... Sachs przez kilka lat była w służbie patrolowej – w policyjnym slangu nazywano tych funkcjonariuszy „ruchomymi". Pracowała na Times Square w czasach, gdy był to... po prostu Times Square, zanim zmienił się w Północny Disneyland. Miała bogate doświadczenia z bezdomnymi i niezrównoważonymi emocjonalnie. Rozpoznała oznaki osobowości paranoicznej, może nawet schizofrenii.

– Zna pan DeLeona Williamsa?

– Nie.

Podała nazwiska pozostałych ofiar i kozłów ofiarnych, łącznie z kuzynem Rhyme'a.

– Nie, nigdy o nich nie słyszałem. – Odniosła wrażenie, że mówił prawdę. Przez długie trzydzieści sekund jego uwagę pochłaniała wyłącznie książka. Wyciął kolejną stronę, obejrzał, znów się skrzywił i wyrzucił ją.

– Panie Jorgensen, numer pańskiego pokoju był na karteczce znalezionej dziś niedaleko miejsca zdarzenia.

Ręka z nożem zawisła w powietrzu. Spojrzał na nią oczami płonącymi z przerażenia. Bez tchu zapytał:

– Gdzie?! Do diabła, gdzie ją znaleźliście?

– W koszu na śmieci na Brooklynie. Była przyklejona do pewnego dowodu. Możliwe, że wyrzucił ją morderca.

Upiornym szeptem spytał:

– Macie jego nazwisko? Jak wygląda? Niech pani mówi! – Uniósł się z krzesła, czerwieniejąc. Drżały mu usta.

– Spokojnie, panie Jorgensen. Nie ma powodu do obaw. Nie jesteśmy pewni, czy to on zostawił tę karteczkę.

– Och, to on. Założę się. Sukinsyn! – Pochylił się. – Zna pani jego nazwisko?

– Nie.

– Cholera, proszę mi powiedzieć! Dla odmiany zróbcie coś dla mnie. Nie mnie, ale dla mnie!

– Pomogę panu, jeżeli tylko potrafię – odparła stanowczo. – Ale musi pan zachować spokój. O kim pan mówi?

Upuścił nóż i opadł na krzesło, garbiąc się. Na jego twarzy pojawił się gorzki uśmiech.

– O kim? O kim? Oczywiście o Bogu.

– O Bogu?

– A ja jestem Hiobem. Wie pani, kto to Hiob? Niewinny człowiek, nad którym Bóg się znęcał. A jego męczarnie? Są niczym w porównaniu z tym, co ja przeżyłem... Och, to on. Dowiedział się, gdzie jestem, i zapisał to na tej karteczce. Myślałem, że udało mi się uciec. Ale znowu mnie dopadł. Sachs zdawało się, że zobaczyła łzy.

– O co chodzi? Proszę mi powiedzieć.

Jorgensen otarł twarz.

– Dobrze... Kilka lat temu byłem praktykującym lekarzem, mieszkałem w Connecticut. Miałem żonę i dwójkę cudownych dzieci. Pieniądze w banku, udziały w funduszu emerytalnym, domek letniskowy. Wygodne, beztroskie życie. Byłem szczęśliwy. Ale nagle zdarzyło się coś dziwnego. Z początku drobnostka. Złożyłem wniosek o wydanie nowej karty kredytowej – żeby zdobyć nowe punkty w programie lojalnościowym linii lotniczych. Zarabiałem trzysta tysięcy rocznie. Nigdy w życiu nie spóźniłem się ze spłatą raty kredytu hipotecznego ani karty. Ale wniosek odrzucono. Pomyślałem, że to jakaś pomyłka. Usłyszałem jednak, że jestem klientem o dużym ryzyku kredytowym, bo w ciągu pół roku trzy razy zmieniłem miejsce zamieszkania. Tylko że w ogóle się nie przeprowadzałem. Ktoś użył mojego nazwiska, mojego numeru ubezpieczenia i informacji kredytowych, żeby wynająć mieszkania, podszywając się pode mnie. I nie zapłacił czynszu. A wcześniej zrobił zakupy za prawie sto tysięcy dolarów i kazał dostarczyć towar pod te adresy.

– Kradzież tożsamości?

– Kradzież to mało powiedziane. Bóg trafił na żyłę złota. Brał karty kredytowe na moje nazwisko, robił ogromne debety, kazał przysyłać wyciągi pod różne adresy. Oczywiście nigdy nie płacił. Gdy tylko wyjaśniłem jedną rzecz, robił coś nowego. I ciągle zbierał o mnie informacje. Bóg wiedział wszystko! Znał panieńskie nazwisko mojej matki, datę jej urodzenia, imię mojego pierwszego psa, markę pierwszego samochodu – wszystkie szczegóły, których używa się jako haseł. Zdobył numery moich telefonów – i PIN karty pre-paid. Wydzwonił dziesięć tysięcy dolarów. Jak? Dzwonił na pogodynkę albo zegarynkę w Moskwie, Singapurze albo Sydney i zostawiał odłożoną słuchawkę na parę godzin.

– Dlaczego?

– Dlaczego? Bo jest Bogiem. A ja Hiobem… Sukinsyn kupił dom na moje nazwisko! Cały dom! A potem nie płacił rat. Dowiedziałem się dopiero wtedy, gdy prawnik z firmy windykacyjnej znalazł mnie w klinice w Nowym Jorku i zapytał mnie o ugodę w sprawie spłaty długu w wysokości trzystu siedemdziesięciu tysięcy dolarów. Bóg przepuścił też ćwierć miliona w internetowych grach hazardowych. Składał w moim imieniu fałszywe wnioski o odszkodowania z tytułu błędów lekarskich i mój ubezpieczyciel zerwał umowę. Bez ubezpieczenia nie mogłem dłużej pracować w klinice, a nikt nie chciał mnie ubezpieczyć. Musieliśmy sprzedać dom i każdy grosz szedł oczywiście na spłatę moich rzekomych długów – które wtedy urosły już do ponad dwóch milionów.

– Dwóch milionów?

Jorgensen na moment zamknął oczy.

– Potem było jeszcze gorzej. Przez cały czas żona dzielnie się trzymała. Było ciężko, ale wspierała mnie… dopóki Bóg nie zaczął w moim imieniu wysyłać byłym pielęgniarkom z kliniki prezentów – bardzo drogich – za które płacił moją kartą kredytową i dołączał do nich zaproszenia i różne dwuznaczne uwagi. Jedna z tych kobiet zadzwoniła do mojego domu i zostawiła wiadomość. Dziękowała mi i zapewniała, że bardzo chętnie wyjedzie ze mną na weekend. Wiadomość odsłuchała moja córka. Gdy mówiła o tym żonie, płakała jak bóbr. Żona chyba wierzyła, że jestem niewinny. Mimo to cztery miesiące temu odeszła ode mnie i wyprowadziła się do siostry do Kolorado.

– Przykro mi.

– Przykro? Och, serdecznie dziękuję. Ale jeszcze nie skończyłem. O nie. Tuż po odejściu żony zaczęły się aresztowania. Podobno podczas napadów na East New York, w New Haven i Yonkers ktoś użył broni kupionej na kartę kredytową i fałszywe prawo jazdy wystawione na moje nazwisko. Jeden sprzedawca został poważnie ranny. Aresztowało mnie Nowojorskie Biuro Śledcze. W końcu mnie wypuścili, ale aresztowanie mam w papierach. I zostanie tam na zawsze. Tak samo jak informacja o tym, że aresztowała mnie DEA, bo odkryto, że ktoś zapłacił moim czekiem za leki nielegalnie sprowadzone z zagranicy.

116

Och, tak naprawdę spędziłem jakiś czas w więzieniu – to znaczy nie ja: ktoś, komu Bóg sprzedał fałszywe karty kredytowe i prawo jazdy na moje nazwisko. Siedział ktoś zupełnie inny. Kto wie, jak się naprawdę nazywał? Ale dla świata, według oficjalnych dokumentów, za kratki trafił Robert Samuel Jorgensen, numer ubezpieczenia dziewięć dwa trzy, sześć siedem, cztery jeden osiem dwa, poprzednio zamieszkały w Greenwich w Connecticut. I to też mam w papierach. Na zawsze.

– Na pewno chciał pan to wyjaśnić, zawiadomił pan policję.

Skrzywił się drwiąco.

– Och, proszę nie żartować. Przecież jest pani policjantką. Wie pani, jak traktuje coś takiego policja? Odrobinę poważniej niż nieprawidłowe przechodzenie przez jezdnię.

– Dowiedział się pan czegoś, co mogłoby nam pomóc? Zna pan jakiś szczegół? Wiek, rasa, wykształcenie, miejsce pobytu?

– Nie, nic. Gdziekolwiek szukałem, zawsze znajdowałem tę samą osobę: siebie. Odebrał mi tożsamość... Podobno są jakieś zabezpieczenia, jakaś ochrona. Bzdura. Owszem, jeżeli ktoś zgubi kartę kredytową, może do pewnego stopnia jest chroniony. Ale jeżeli ktoś chce zniszczyć człowiekowi życie, nic się nie da na to poradzić. Ludzie wierzą komputerom. Jeżeli komputer twierdzi, że ma się dług, to ma się dług. Jeżeli twierdzi, że stanowi się za duże ryzyko dla ubezpieczyciela, to tak jest. Jeżeli z raportu wynika, że się jest niewypłacalnym, to się jest niewypłacalnym, nawet gdyby człowiek był multimilionerem. Wierzymy w dane; prawda nas nie obchodzi.

Chce pani zobaczyć, gdzie ostatnio pracowałem? – Jorgensen zerwał się z krzesła i otworzył szafę, pokazując uniform sprzedawcy jednej z sieci fast food. Potem wrócił za biurko i ponownie zajął się książką, mrucząc pod nosem: – Znajdę cię, skurwielu. – Uniósł wzrok. – Chce pani wiedzieć, co w tym wszystkim jest najgorsze?

Skinęła głową.

– Bóg nigdy nie mieszkał w mieszkaniach wynajmowanych na moje nazwisko. Nigdy nie odbierał nielegalnych leków. Ani zamówionych towarów. Wszystko przejęła policja. I nigdy nie mieszkał w tym pięknym domu, który kupił, rozumie pani? Miał tylko jeden cel – chciał mnie zadręczyć. Jest Bogiem. Ja jestem Hiobem.

Sachs zauważyła zdjęcie stojące na biurku. Przedstawiało Jorgensena i jasnowłosą kobietę mniej więcej w jego wieku, obejmujących kilkunastoletnią dziewczynkę i małego chłopca. W tle widać było bardzo ładny dom. Ciekawe, po co 522 – jeśli naprawdę za tym wszystkim stał szukany przez nich sprawca – zadawał sobie tyle trudu, żeby zniszczyć życie jednemu człowiekowi. Testował techniki, jak zbliżyć się do ofiar i obciążać winą kozłów ofiarnych? Czyżby Robert Jorgensen był królikiem doświadczalnym?

A może 522 to okrutny socjopata? To, co zrobił Jorgensenowi, można by nazwać aseksualnym gwałtem.

– Chyba powinien pan znaleźć inne mieszkanie, panie Jorgensen.

Zrezygnowany uśmiech.

– Wiem. Tak jest bezpieczniej. Rób wszystko, żeby trudniej było cię znaleźć.

Sachs pomyślała o wyrażeniu, którego używał jej ojciec. Dość dobrze oddawało styl jej życia. „Gdy jesteś w ruchu, nie dopadną cię...".

Jorgensen wskazał książkę.

– Wie pani, jak mnie tu znalazł? Mam przeczucie, że to przez nią. Odkąd kupiłem tę książkę, wszystko zaczęło się sypać. Myślę, że tu się kryje odpowiedź. Włożyłem ją to mikrofalówki, ale nie poskutkowało – naturalnie. Odpowiedź musi być w środku. Musi!

– Czego dokładnie pan szuka?

– Nie wie pani?

– Nie.

– Urządzeń śledzących oczywiście. Wsadzają je do książek. I do ubrań. Niedługo będą wszędzie.

A więc nie chodziło o zarazki.

– Mikrofale niszczą urządzenia śledzące? – zapytała bez mrugnięcia okiem.

– Na ogół. Można też uszkodzić antenę, ale dzisiaj są za małe. Mikroskopijne. – Jorgensen zamilkł, a Sachs zorientowała się, że wpatruje się w nią, jak gdyby nad czymś się zastanawiał. Wreszcie oznajmił: – Niech pani weźmie.

– Co?

– Książkę. – Jego oczy biegały po pokoju jak oszalałe. – Tu musi się kryć odpowiedź, odpowiedź na wszystko, co mi się zdarzyło... Proszę! Pani pierwsza poważnie potraktowała moją historię, tylko pani nie patrzy na mnie jak na wariata. – Wyprostował się na krześle.

– Pani tak samo jak mnie zależy na złapaniu tego sukinsyna. Macie potrzebny sprzęt. Mikroskopy skaningowe, czujniki... Możecie go znaleźć! A to was do niego doprowadzi. Tak! – Wcisnął jej książkę do rąk.

– Nie wiem, czego mamy szukać.

Ze zrozumieniem pokiwał głową.

– Och, nie musi mi pani mówić. W tym właśnie kłopot. Ciągle coś zmieniają. Zawsze są o krok przed nami. Ale proszę...

Wciąż ci oni...

Wzięła książkę, wahając się, czy nie włożyć jej do plastikowej torebki na dowody i dołączyć karty ewidencyjnej. Ciekawe, czy wzbudziłaby głośny śmiech w domu Rhyme'a. Chyba lepiej będzie po prostu zanieść ją w rękach.

Jorgensen pochylił się i mocno uścisnął jej dłoń.

– Dziękuję. – W jego oczach znów zjawiły się łzy.

– Wyprowadzi się pan? – spytała.

Odrzekł, że tak i podał jej nazwę innego hoteliku, na Lower East Side.

– Niech pani nie zapisuje adresu. I nikomu nie powtarza. Niech pani nie mówi o mnie przez telefon. Oni cały czas słuchają.

– Proszę zadzwonić, jeżeli przypomni pan sobie coś o... Bogu. – Podała mu wizytówkę.

Nauczył się na pamięć wszystkich informacji, po czym podarł kartonik. Wszedł do łazienki, wrzucił połowę strzępów do toalety i spuścił wodę. Zauważył jej zdziwione spojrzenie.

– Drugą połowę wyrzucę później. Wrzucić wszystko od razu to jakby zostawić rachunki w otwartej skrzynce na listy. Ludzie są okropnie głupi.

Odprowadził ją do drzwi, przysuwając się blisko. Uderzył ją ostry zapach przepoconego ubrania. Jorgensen wbił w nią przekrwione oczy.

– Proszę posłuchać. Wiem, że nosi pani wielki pistolet. Ale przeciw komuś takiemu jak on broń na nic się nie zda. Zanim uda się pani do niego strzelić, trzeba się do niego zbliżyć. Ale on wcale nie musi być blisko. Może siedzieć w jakimś ciemnym pokoju, popijać wino i rujnować człowiekowi życie. – Wskazał trzymaną przez nią książkę.

– Skoro już ją pani ma, też pani jest zarażona.

Rozdział 13

Śledziłem wiadomości – dziś jest takie bogactwo źródeł informacji – i nie usłyszałem żadnej wzmianki o rudych funkcjonariuszach policji zastrzelonych przez agentów federalnych na Brooklynie.

Ale przynajmniej się boją.

Teraz to oni są rozdrażnieni.

I bardzo dobrze. Dlaczego mam być sam?

Idąc ulicą, rozmyślam: jak to się stało? Jak to się w ogóle mogło stać?

Niedobrze, niedobrze, niedobrze...

Jak gdyby doskonale wiedzieli, co robię, kim jest moja ofiara.

I że dokładnie w tym momencie szedłem do domu DeLeona 6832.

Skąd?

Przeglądam dane, permutuję, analizuję. Nie, nie rozumiem, jak oni to zrobili.

Jeszcze nie. Muszę to przemyśleć.

Mam za mało informacji. Jak mogę dojść do jakichkolwiek wniosków, jeżeli nie mam danych? Jak?

Zwolnij, zwolnij, mówię sobie. Kiedy szesnastki chodzą za szybko, gubią dane, ujawniając przeróżne informacje, czytelne przynajmniej dla tych bardziej spostrzegawczych, którzy potrafią logicznie dedukować.

Przemieszczam się szarymi ulicami. Niedziela już nie jest piękna. To brzydki, zupełnie zepsuty dzień. Słońce rzuca ostry, skażony blask. Miasto jest zimne, bezkształtne. Szesnastki mają złośliwe, kpiące i nadęte miny.

Nienawidzę wszystkich!

Ale nie podnoś głowy, udawaj, że spacer sprawia ci przyjemność.

I przede wszystkim myśl. Analizuj. Jak komputer przeanalizowałby dane, mając do rozwiązania taki problem? Myśl. Jak oni mogli się dowiedzieć?

Jedna przecznica, druga przecznica, trzecia, czwarta... Nie znajduję żadnej odpowiedzi. Mam tylko wniosek: są w tym dobrzy. I kolejne pytanie: kim oni właściwie są? Przypuszczam... Nagle przychodzi mi do głowy straszna myśl. Błagam, tylko nie to... Przystaję i grzebię w plecaku. Nie, nie, nie, zniknęła! Karteczka przyklejona do torby z dowodami, którą zapomniałem oderwać, zanim wszystko wyrzuciłem. Adres mojej ulubionej szesnastki: 3694-8938-5330-2498, mojego pupila, znanego światu jako doktor Robert Jorgensen. Właśnie się dowiedziałem, dokąd uciekł, usiłując się ukryć, i zanotowałem to na kartce. Jestem na siebie wściekły za to, że nie nauczyłem się na pamięć adresu i nie wyrzuciłem notatki.

Nienawidzę się, nienawidzę wszystkiego. Jak mogłem być tak nieostrożny?

Chce mi się płakać, wrzeszczeć.

Mój Robert 3694! Od dwóch lat jest moim królikiem doświadczalnym, ludzkim obiektem moich eksperymentów. Rejestry publiczne, kradzież tożsamości, karty kredytowe...

Przede wszystkim jednak zniszczenie go było oszałamiającym przeżyciem. Nieopisanym, ekstatycznym. Dawało kopa jak koka czy hera. Wziąłem zupełnie zwykłego człowieka, szczęśliwego męża i ojca, dobrego, troskliwego lekarza, i zniszczyłem.

Nie mogę ryzykować. Muszę przyjąć, że ktoś znajdzie notatkę i odwiedzi go. Robert 3694 ucieknie... a ja nie mogę go zatrzymać.

Dziś odebrano mi coś jeszcze. Nie potrafię opisać, co czuję, kiedy to się dzieje. Ból, jakby mnie przypiekano żywym ogniem, strach jak w ślepej panice. Jak gdybym spadał z wysokości, wiedząc, że lada chwila zderzę się z majaczącą w dole ziemią, ale... jeszcze nie... teraz.

Błąkam się wśród stad antylop, wśród szesnastek, spędzających wolny dzień na włóczeniu się po mieście. Zburzono moje szczęście, zniweczono spokój. Zaledwie parę godzin temu przyglądałem się każdemu z łagodną ciekawością albo pożądaniem, a teraz pragnę tylko rzucić się na kogoś i jedną z moich osiemdziesięciu dziewięciu brzytew pociąć mu blade ciało, które ostrze przecina łatwo jak cienką skórkę pomidora.

Może wybrałbym model Krusius Brothers z końca XIX wieku. Ma długie ostrze, uchwyt z rogu jelenia i jest prawdziwą ozdobą mojej kolekcji.

– Dowody, Mel. Obejrzyjmy je sobie.

Polecenie Rhyme'a dotyczyło przedmiotów wyciągniętych z kosza na śmieci niedaleko domu DeLeona Williamsa.

– Ślady daktyloskopijne?

Cooper zaczął poszukiwania odcisków palców od plastikowych toreb – pierwszej, gdzie znajdowały się dowody, które 522 przypuszczalnie zamierzał podrzucić, oraz dwóch wewnątrz, zawierających odrobinę jeszcze nieskrzepłej krwi i zakrwawiony papierowy ręcznik. Na folii nie było jednak żadnych odcisków – ku ich rozczarowaniu, ponieważ na takiej powierzchni ślady linii papilarnych zachowują się bardzo dobrze. (Często są widoczne, nie utajnione, i można je dostrzec bez specjalnych środków chemicznych czy światła). Cooper znalazł natomiast dowody na to, że NN 522 dotykał torebek bawełnianymi rękawiczkami – doświadczeni przestępcy używali ich zamiast lateksowych rękawiczek, wiedzieli bowiem, że po wewnętrznej stronie lateksu pozostają wyraźne odciski palców.

Używając różnych sprayów i źródeł światła o zmiennej długości fali, Mel Cooper zbadał resztę przedmiotów, lecz na żadnych nie znalazł śladów linii papilarnych.

Rhyme zdawał sobie sprawę, że nietypowość tego przestępstwa, tak jak pozostałych, które, jak podejrzewał, były dziełem 522, polega na tym, że dowody należało podzielić na dwie kategorie. Do pierwszej zaliczały się przedmioty, które morderca zamierzał podrzucić, by obciążyć DeLeona Williamsa: niewątpliwie postarał się, aby żaden z nich nie łączył się z jego osobą. Druga kategoria obejmowała prawdziwe dowody, które zostawił przypadkiem i które mogły doprowadzić do drzwi jego domu – na przykład drobiny tytoniu i włosy lalki.

Zakrwawiony ręcznik i krew należały do pierwszej kategorii, podrzuconych dowodów. Podobnie jak rolka taśmy izolacyjnej, która miała się znaleźć w garażu lub samochodzie Williamsa. Analiza z pewnością potwierdziłaby, że to z niej pochodziły kawałki taśmy, którą zakneblowano albo związano Myrę Weinburg, lecz 522 dołożył starań, żeby nie znalazł się na niej żaden ślad z jego domu.

But sportowy Sure-Track numer 13 prawdopodobnie nie miał trafić do domu Williamsa, mimo to należał do „podrzuconych" dowodów, ponieważ 522 wykorzystał go do pozostawienia śladu, jaki mógłby zrobić but Williamsa. Mimo to Mel Cooper sprawdził but i coś znalazł: odrobinę piwa w protektorze. Według policyjnej bazy danych systematyzującej składniki fermentowanych napojów, którą przed laty stworzył Rhyme, było to najprawdopodobniej piwo Miller. Dowód mógł się kwalifikować do obu kategorii – podrzuconych lub prawdziwych. Aby mieć pewność, musieli się najpierw przekonać, co Pulaski zabezpieczył w trakcie oględzin miejsca morderstwa Myry Weinburg.

W torbie znalazł się także komputerowy wydruk zdjęcia Myry, co prawdopodobnie miało świadczyć, że Williams śledził ją w sieci; wysnuli więc wniosek, że fotografia również miała zostać podrzucona. Rhyme polecił jednak Cooperowi zbadać wydruk, ale test przy użyciu ninhydryny nie ujawnił żadnych odcisków palców. Analiza mikroskopowa i chemiczna wykazała, że zdjęcie wydrukowano na zwykłym papierze, tonerem Hewlett-Packard, którego źródła pochodzenia nie mogli ustalić.

Dokonali jednak odkrycia, które mogło się okazać cenne dla śledztwa. Rhyme i Cooper znaleźli osadzone w papierze drobiny pleśni *Stachybotrys chartarum*. Był to osławiony grzyb atakujący „chore domy". Mikroskopijna ilość pleśni sugerowała, że 522 raczej nie zamierzał jej podrzucić. Prawdopodobnie pochodziła z domu albo miejsca pracy mordercy. Obecność grzyba, który niemal zawsze występował wewnątrz budynków, oznaczała, że co najmniej część jego domu lub miejsca pracy to ciemne i wilgotne pomieszczenia. Pleśń nie wyrasta w suchych miejscach.

Samoprzylepna karteczka, której sprawca prawdopodobnie też nie zamierzał podrzucić, była lepszego gatunku, marki 3M, lecz określenie źródła pochodzenia było niemożliwe. Cooper nie znalazł na niej żadnych śladów z wyjątkiem kilku spor pleśni, co przynajmniej wskazywało, że karteczka była w rękach 522. Tusz pochodził z jednorazowego długopisu sprzedawanego w niezliczonych sklepach w całym kraju.

Na tym kończyły się dowody, choć gdy Cooper notował wyniki badań, zadzwonił technik z laboratorium, z którego usług korzystał Rhyme, kiedy potrzebował szybkiej analizy medycznej, i poinformował ich, że wstępny test potwierdził, iż krew znaleziona w torebkach należała do Myry Weinburg.

Sellitto odebrał telefon i po krótkiej rozmowie oznajmił:

– Nic... DEA namierzyła numer, z którego dzwoniono w sprawie Amelii. To automat, ale nikt nie widział, kto telefonował. I nikt nie widział człowieka przebiegającego przez autostradę. Według informacji zebranych na dwóch najbliższych stacjach metra, w porze jego ucieczki nie zdarzyło się nic podejrzanego.

– Przecież nie zrobi nic podejrzanego, prawda? Co ludzie sobie wyobrażali? Że uciekający morderca przeskoczy przez kołowrotek albo zdejmie ubranie, żeby się przebrać w strój superbohatera?

– Powtarzam ci tylko to, co usłyszałem, Linc.

Z grymasem na twarzy Rhyme polecił Thomowi zapisać wyniki na białej tablicy.

ULICA W POBLIŻU DOMU
DELEONA WILLIAMSA

- Trzy plastikowe torebki strunowe do przechowywania mrożonek, pojemności 5 litrów
- Prawy but Sure-Track nr 13, zaschnięte piwo na protektorze (prawdopodobnie Miller), brak śladów zużycia. Brak innych dostrzegalnych śladów. Kupiony w celu pozostawienia śladu na miejscu zdarzenia?
- Papierowy ręcznik z plamami krwi w plastikowej torebce. Wstępny test potwierdza, że to krew ofiary
- 2 cm^3 krwi w plastikowej torebce.

Wstępny test potwierdza, że to krew ofiary
- Samoprzylepna kartka z adresem: Henderson House Residence, pokój 672, zajmowany przez Roberta Jorgensena. Notatka i długopis nie do zidentyfikowania. Na papierze ślady pleśni *Stachybotrys chartarum*
- Taśma izolacyjna, marki Home Depot, konkretne źródło pochodzenia nie do ustalenia
- Brak śladów daktyloskopijnych

Rozległ się dzwonek u drzwi i do pokoju zamaszyście wkroczył Ron Pulaski, niosąc dwie skrzynki po mleku pełne plastikowych torebek – dowody z miejsca, gdzie zamordowano Myrę Weinburg.

Rhyme natychmiast zauważył, że ma zmieniony wyraz twarzy. Jego rysy były zupełnie nieruchome. Mina Pulaskiego często zdradzała zażenowanie, zmieszanie, czasem dumę – bywało nawet, że się czerwienił – teraz jednak miał szklany wzrok, zupełnie nieprzypominający dawnego, wyrażającego zdecydowanie spojrzenia. Pulaski zerknął na Rhyme'a, ponuro skinął głową, podszedł do stołów do badań, oddał Cooperowi dowody i podsunął mu karty ewidencyjne, na których technik złożył podpis.

Następnie młody funkcjonariusz cofnął się, spoglądając na informacje spisane przez Thoma. Stał w wysuniętej z dżinsów hawajskiej koszuli, z rękami w kieszeniach, i patrzył na tablicę, jak gdyby nie widział ani jednego słowa.

– Nic ci nie jest, Pulaski?

– Nie, wszystko w porządku.

– Wyglądasz, jakby ci coś było – powiedział Sellitto.

– Nie, to nic takiego.

Ale to nie była prawda. Podczas pierwszych samodzielnych oględzin miejsca zdarzenia coś go wytrąciło z równowagi.

Wreszcie rzekł:

– Leżała tam na wznak i patrzyła w górę. Jak gdyby żyła i szukała czegoś na suficie. Trochę skrzywiona, jakby zaciekawiona. Spodziewałem się, że ciało będzie przykryte.

– No, wiesz, że nie możemy tego robić – mruknął Sellitto.

Pulaski wyjrzał przez okno.

– Chodzi o to, że… wiem, że to bez sensu. Ale trochę przypominała mi Jenny. – Jego żonę. – Naprawdę niesamowite.

Jeśli chodzi o podejście do pracy, Lincoln Rhyme i Amelia Sachs pod wieloma względami byli do siebie podobni. Oboje uważali, że podczas oględzin miejsc zdarzenia konieczna jest empatia, by poczuć to, co czuł sprawca i co czuła ofiara. Ta zdolność pomagała lepiej poznać miejsce i znaleźć ślady, które w innym razie można by było przeoczyć.

Obdarzeni tym talentem, choć często przysparzał im cierpień, byli mistrzami w chodzeniu po siatce.

Rhyme i Sachs różnili się jednak w jednym istotnym aspekcie. Sachs była zdania, że nie wolno obojętnieć na okropność zbrodni. Trzeba ją odczuwać za każdym razem, gdy jedzie się na miejsce zdarzenia, a także później. Mówiła, że kiedy serce staje się nieczułe, człowiek niebezpiecznie zbliża się do mroków duszy tych, których ściga. Z kolei Rhyme uważał, że nie należy się angażować emocjonalnie. Tylko zachowując chłód i nie myśląc o tragedii, można być dobrym policjantem – i skuteczniej zapobiec przyszłym tragediom. („To już nie jest człowiek" – pouczał nowych funkcjonariuszy. – „To źródło dowodów. I to diablo bogate").

Rhyme sądził, że Pulaski ma zadatki na takiego fachowca jak on, lecz w pierwszym etapie kariery opowiadał się po stronie Amelii Sachs. Wprawdzie kryminalistyk współczuł młodemu człowiekowi, ale czekała na nich sprawa. Pulaski może boleć nad śmiercią tej kobiety wieczorem w domu, tuląc żonę, którą tak mu przypominała.

– Pulaski, możesz się skupić? – spytał szorstko.

– Tak jest, nic mi nie jest.

Niekoniecznie, ale przynajmniej Rhyme zwrócił mu uwagę.

– Przeprowadziłeś oględziny zwłok?

Skinął głową.

– Na miejscu był lekarz z biura koronera. Zrobiliśmy to razem. Dopilnowałem, żeby nałożył gumki na ochraniacze butów.

Aby technicy nie mylili swoich śladów z innymi, Rhyme wprowadził zasadę, by każda osoba przeszukująca miejsce zdarzenia nakładała na podeszwy gumki, nawet jeśli miała na sobie plastikowy kombinezon z kapturem, który zapobiegał zanieczyszczeniu miejsca włosami, fragmentami złuszczonego naskórka i innymi śladami.

– Dobrze. – Rhyme niecierpliwie zerknął na skrzynki. – Bierzmy się do roboty. Zepsuliśmy mu jeden plan. Być może jest wściekły i bierze na cel kogoś innego. A może kupuje bilet do Meksyku. Tak czy owak, trzeba się spieszyć.

Młody policjant otworzył notes.

– No więc…

– Thom, chodź. Thom, gdzie się podziałeś, do cholery?

– Już pędzę, Lincoln – odrzekł opiekun, wchodząc do pokoju z promiennym uśmiechem. – Wobec tak uprzejmych próśb, zawsze z radością rzucam wszystko.

– Znowu jesteś nam potrzebny – następna tablica.

– Doprawdy?

– Proszę.

– Nie mówisz poważnie.

– Thom!

– No już.

– „Miejsce zdarzenia – morderstwo Myry Weinburg".

Opiekun napisał nagłówek i czekał z flamastrem w ręku, a Rhyme zwrócił się do Pulaskiego:

– Domyślam się, że to nie było jej mieszkanie?

– Zgadza się. Należy do pewnego małżeństwa. Są na urlopie, wybrali się w rejs. Udało mi się z nimi skontaktować. Nigdy nie słyszeli o Myrze Weinburg. Szkoda, że ich pan nie słyszał: ależ byli zdenerwowani. Nie mieli pojęcia, kto to mógł być. Wyłamał zamek, żeby się dostać do środka.

– Czyli wiedział, że dom jest pusty i nie ma alarmu – zauważył Cooper. – Ciekawe.

– Jak sądzicie? – spytał Sellitto, kręcąc głową. – Wybrał to mieszkanie ot tak sobie?

– W okolicy jest dość pusto – wtrącił Pulaski.

– A jak myślisz, co ona tam robiła?

– Na ulicy znalazłem jej rower – miała w kieszeni kluczyk do zamka Kryptonite. Pasował.

– Jeździła na rowerze. Możliwe, że sprawdził jej trasę i wiedział, że o określonej godzinie dziewczyna znajdzie się w tym miejscu. Poza tym skądś wiedział, że właściciele mieszkania wyjechali i nikt nie będzie mu przeszkadzał... Dobra, nowy, mów, co ustaliłeś. Thom, bądź tak miły i zapisz to.

– Za bardzo się starasz.

– Ha. Przyczyna śmierci? – spytał Pulaskiego Rhyme.

– Mówiłem lekarzowi, żeby koroner jak najszybciej przekazał nam wyniki sekcji.

Sellitto zaśmiał się gardłowo.

– I co on na to?

– Powiedział coś w rodzaju „tak, dobrze" i parę innych rzeczy.

– Zanim będziesz mógł składać takie prośby, musisz nabrać trochę więcej rutyny. Ale doceniam twoje starania. A według wstępnej diagnozy?

Zajrzał do notatek.

– Otrzymała kilka ciosów w głowę. Lekarz przypuszczał, że napastnik

127

chciał ją w ten sposób obezwładnić. – Młody funkcjonariusz przerwał na moment, być może przypominając sobie własne obrażenia sprzed kilku lat. – Przyczyną śmierci było uduszenie. W oczach i po wewnętrznej stronie powiek były wybroczyny – punktowe krwawienia...

– Wiem, co to jest, nowy.

– Ach, no tak. Oczywiście. I nabrzmiały żyły na skórze głowy i twarzy. To prawdopodobnie jest narzędzie zbrodni. – Uniósł torebkę z kawałkiem sznura długości ponad metra.

– Mel?

Cooper wziął sznur, delikatnie rozwinął go nad dużym arkuszem czystego papieru gazetowego i omiótł, by usunąć z niego mikroślady. Następnie obejrzał to, co znalazł, i wziął kilka próbek włókien.

– No i co? – spytał zniecierpliwiony Rhyme.

– Sprawdzam.

Nowy ponownie pochylił się nad notatkami.

– Jeżeli chodzi o gwałt, dokonano waginalnego i analnego. Doktor sądzi, że post mortem.

– Na podstawie ułożenia ciała?

– Nie... ale zauważyłem jedną rzecz, detektywie – powiedział Pulaski. – Miała długie paznokcie z wyjątkiem jednego. Był obcięty bardzo krótko.

– Do krwi?

– Tak. Do żywego ciała. – Zawahał się. – Prawdopodobnie przed śmiercią.

A więc 522 jest typem sadysty, pomyślał Rhyme.

– Lubi zadawać ból. Zobaczmy zdjęcia z poprzedniego gwałtu.

Młody policjant poszedł znaleźć fotografie. Przeglądając je, trafił na jedną, która przykuła jego uwagę.

– Niech pan popatrzy, detektywie. Tak, tu też obciął paznokieć. Z tego samego palca.

– Nasz przyjaciel lubi trofea. Dobrze wiedzieć.

Pulaski z entuzjazmem przytaknął.

– No i wybiera palec serdeczny. To może mieć związek z jego przeszłością. Może żona go zostawiła, może nie dbała o niego matka albo opiekunka...

– Słuszna uwaga, Pulaski. A propos – o czymś chyba zapomnieliśmy.

– O czym?

– Zanim zaczęliśmy śledztwo, zaglądałeś rano do swojego horoskopu?

– Horo...?

– Aha, na kogo wypadło dzisiaj wróżenie z fusów? Ciągle zapominam.

Sellitto zachichotał. Pulaski oblał się pąsem.

– Profil psychologiczny do niczego się nam nie przyda – fuknął Rhyme. – Paznokieć jest ważny, bo teraz wiemy, że 522 ma materiał DNA, który łączy go z przestępstwem. Nie mówiąc o tym, że jeżeli uda się nam ustalić, jakim narzędziem się posłużył do zdobycia tego trofeum, być może będziemy mogli zlokalizować miejsce zakupu i go odnaleźć. Dowody, nowy. Nie pseudopsychologiczne bzdury.

– Jasne, detektywie. Rozumiem.

– Mów mi Lincoln. Wystarczy.

– Dobrze. Jasne.

– Co ze sznurem, Mel?

Cooper przeglądał bazę danych włókien.

– Zwykłe konopie. Dostępne w tysiącach punktów sprzedaży detalicznej w całym kraju. – Przeprowadził analizę chemiczną. – Nie ma żadnych mikrośladów.

Do kitu.

– Co jeszcze, Pulaski? – spytał Sellitto.

Ron przeszedł do pozostałych przedmiotów na liście. Żyłka wędkarska, którą związano ofierze ręce i która rozcięła jej skórę, powodując krwawienie. Taśma izolacyjna, którą zaklejono jej usta. Oczywiście była to taśma marki Home Depot, oderwana z rolki porzuconej przez 522: nierówny brzeg pasował jak ulał. Pulaski pokazał dwa zamknięte opakowania prezerwatyw, znalezione obok zwłok. Marki Trojan-Enz.

– A tu są wymazy.

Mel Cooper wziął plastikowe torebki i zbadał wymazy pobrane z pochwy i odbytu. Bardziej szczegółowy raport mieli dostać z biura koronera, ale już teraz dowiedzieli się, że wśród znalezionych substancji był plemnikobójczy lubrykant podobny do tego, którym nawilżano prezerwatywy. Na miejscu zdarzenia nie znaleziono żadnych śladów spermy.

Inna próbka, zebrana przez Pulaskiego z podłogi w miejscu, gdzie był ślad buta, zawierała piwo. Badanie wykazało, że to piwo Miller. Obraz elektrostatyczny protektora potwierdził naturalnie, że to prawy but Sure-Track numer 13 – taki sam jak but wrzucony przez sprawcę do kosza na śmieci.

– Właściciele loftu nie mieli piwa, zgadza się? Przeszukałeś kuchnię i spiżarnię?

– Tak jest. Nie znalazłem żadnego piwa.

Lon Sellitto kiwał głową.

– Założę się o dziesięć dolców, że Miller to ulubiona marka DeLeona.

– Chyba nie przyjmę zakładu, Lon. Co jeszcze?

Pulaski pokazał plastikową torebkę z jakąś brązową drobiną, którą znalazł tuż nad uchem ofiary. Analiza wykazała, że to tytoń.

– Co o nim powiesz, Mel?

Technik ustalił, że to drobno krojony tytoń, taki, jakiego używa się do produkcji papierosów, ale inny niż próbka Tareyton w bazie danych. Lincoln Rhyme był jednym z niewielu niepalących w kraju, którzy nie pochwalali zakazów palenia: tytoń i popiół stanowiły element fantastycznie łączący przestępcę z miejscem zbrodni. Cooper nie potrafił określić marki. Uznał jednak, że ze względu na stopień wysuszenia tytoń jest prawdopodobnie stary.

– Myra paliła? Może właściciele loftu?

– Nie widziałem nic, co by na to wskazywało. Poza tym zrobiłem to, co zawsze każe nam pan robić. Kiedy tam wszedłem, zwróciłem uwagę na zapach. Nie czułem dymu.

– Dobrze. – Na razie Rhyme był zadowolony z oględzin. – Co z daktyloskopią?

– Zebrałem próbki odcisków palców właścicieli – z apteczki i rzeczy na nocnym stoliku.

– Czyli się nie obijałeś. Naprawdę czytałeś moją książkę. – W swoim podręczniku kryminalistyki Rhyme poświęcił sporo miejsca znaczeniu zebrania odcisków porównawczych, wskazując miejsca, gdzie najlepiej ich szukać.

– Tak jest.

– Bardzo się cieszę. Zarobiłem na tym jakieś tantiemy?

– Pożyczyłem ją od brata. – Brat bliźniak Pulaskiego był policjantem na 6. posterunku w Greenwich Village.

– Miejmy nadzieję, że on za nią zapłacił.

Większość odcisków palców znalezionych w lofcie pochodziła od jego właścicieli – ustalili to na podstawie próbek. Inne prawdopodobnie pozostawili goście, ale niewykluczone, że to 522 nie zachował ostrożności. Cooper zeskanował wszystkie i przesłał do AFIS-u, zintegrowanego automatycznego systemu identyfikacji daktyloskopijnej. Niebawem mieli otrzymać wyniki.

– No dobrze, powiedz mi, Pulaski, jakie miałeś wrażenie z miejsca zdarzenia?

Pytanie wyraźnie zbiło go z tropu.

– Wrażenie?

– To są drzewa. – Rhyme wskazał wzrokiem torebki z dowodami.

– Co sądzisz o lesie?

Młody policjant zastanawiał się przez chwilę.

– Rzeczywiście coś mi przyszło do głowy. Ale to głupie.

– Dobrze wiesz, nowy, że jeżeli wyjedziesz z jakąś głupią teorią, pierwszy ci o tym powiem.

– Kiedy tam wszedłem, w pierwszej chwili miałem wrażenie, że chyba nie było żadnej szamotaniny.

– Jak to?

– Bo jej rower był przypięty do latarni przed wejściem. Jak gdyby spokojnie go tam zostawiła, nie podejrzewając, że coś jest nie tak.

– A więc nie zaatakował jej na ulicy.

– Zgadza się. Żeby się dostać do loftu, trzeba przejść przez bramę, a potem długim korytarzem do drzwi. Był naprawdę wąski i stało tam pełno rzeczy, które właściciele trzymali na zewnątrz – słoiki i puszki, sprzęt sportowy, jakieś śmieci posortowane do recyklingu, narzędzia ogrodowe. Ale nikt ich nie ruszał. – Wskazał następne zdjęcie. – Proszę zobaczyć – zaczęli się szamotać dopiero w środku. Stół i wazony. Tuż obok drzwi. – Znów ściszył głos. – Wygląda na to, że naprawdę rozpaczliwie się broniła.

Rhyme skinął głową.

– No dobrze. Czyli 522 zwabia ją do loftu, czarując słodkimi słówkami. Dziewczyna przypina rower, idzie przez korytarz i wchodzą do loftu. Zatrzymuje się w drzwiach, widzi, że facet kłamie i próbuje wyjść.

Zamyślił się.

131

– Czyli musiał wiedzieć o Myrze na tyle dużo, żeby ją uspokoić i przekonać, że może mu zaufać... No jasne, pomyślcie: ma wszystkie niezbędne informacje – wie, z kim ma do czynienia, co ten ktoś kupuje, kiedy wyjeżdża na urlop, czy ma w domu alarm, gdzie w tej chwili jest... Nieźle, nowy. Wreszcie wiemy o nim coś konkretnego.

Pulaski starał się powstrzymać od uśmiechu.

Komputer Coopera wydał krótki sygnał. Technik przeczytał komunikat z ekranu.

– Nie ma żadnego trafienia w bazie odcisków. Zero wyników.

Rhyme wzruszył ramionami, bynajmniej niezaskoczony.

– Ciekawi mnie ta myśl – że tak dużo wie. Niech ktoś zadzwoni do DeLeona Williamsa. Czy 522 miał rację w przypadku wszystkich dowodów?

Sellitto po krótkiej rozmowie potwierdził, że istotnie, Williams nosił buty Sure-Track numer 13, regularnie kupował prezerwatywy Trojan-Enz, miał żyłkę o wytrzymałości 18 kilogramów, pił piwo Miller i niedawno odwiedził Home Depot, gdzie kupił taśmę izolacyjną oraz konopny sznur, żeby coś umocować.

Patrząc na listę dowodów z poprzedniego gwałtu, Rhyme zwrócił uwagę, że wówczas 522 użył prezerwatyw Durex. Taką markę kupował Joseph Knightly.

– Czy brakuje panu jakiegoś buta? – zapytał Williamsa przez telefon przełączony na głośnik.

– Nie.

– A więc je kupił – rzekł Sellitto. – Parę takiego samego rodzaju i w takim samym numerze jak pański. Skąd wiedział? Czy ostatnio widział pan kogoś w pobliżu domu, może w garażu, kogoś zaglądającego do samochodu albo grzebiącego w śmieciach? A może ktoś się ostatnio do pana włamał?

– Nie, na pewno nie. Straciłem pracę i prawie przez cały dzień zajmuję się domem. Na pewno coś bym wiedział. Poza tym to nie jest najlepsza dzielnica; mamy alarm. Zawsze go włączamy.

Rhyme podziękował mu i rozłączyli się.

Wyciągając głowę, patrzył na tablicę i dyktował Thomowi.

MIEJSCE ZDARZENIA
– MORDERSTWO MYRY WEINBURG

- ‏Przyczyna śmierci: uduszenie. Oczekiwanie na końcowy raport koronera
- Brak śladów okaleczenia i charakterystycznego ułożenia ciała, ale został obcięty paznokieć serdecznego palca lewej ręki, prawdopodobnie przed śmiercią. Być może trofeum
- Lubrykant z prezerwatywy Trojan-Enz
- 2 nieużywane prezerwatywy Trojan-Enz
- Brak zużytych prezerwatyw oraz płynów ustrojowych

- Ślady piwa Miller na podłodze (źródło pochodzenia inne niż miejsce zdarzenia)
- Żyłka wędkarska, wytrzymałość 18 kg, zwykła
- 120 cm brązowego sznura konopnego (średniej grubości)
- Taśma izolacyjna na ustach
- Okruch tytoniu, starego, niezidentyfikowanej marki
- Ślad buta, Sure-Track nr 13
- Brak odcisków palców

– Nasz przyjaciel zadzwonił pod dziewięćset jedenaście, zgadza się? – spytał Rhyme. – Żeby powiedzieć o dodge'u?

– Tak – potwierdził Sellitto.

– Dowiedz się czegoś o tym telefonie. Co powiedział, jak brzmiał jego głos.

– Zapytam też o poprzednie sprawy – odparł detektyw. – Twojego kuzyna, kradzież monet i tamten gwałt.

– Dobrze. Nie pomyślałem o tym.

Sellitto połączył się z centralną dyspozytornią. Wszystkie zgłoszenia pod numer dziewięćset jedenaście są nagrywane i przechowywane przez dłuższy lub krótszy czas. Poprosił o informację i dziesięć minut później dyżurny oddzwonił. Zgłoszenia w sprawie Arthura i dzisiejszego morderstwa nadal były w systemie i dyżurny wysłał je pod adres e-mailowy Coopera w postaci plików WAV. Poprzednie zawiadomienia zostały przeniesione na płyty CD i przesłane do archiwum. Odnalezienie ich mogło potrwać kilka dni, ale jeden z pracowników złożył już prośbę o udostępnienie nagrań.

Gdy nadeszły pliki audio, Cooper je odtworzył. Usłyszeli męski głos, który prosił o pilny przyjazd policji pod adres, gdzie słyszał jakieś krzyki. Opisywał także pojazdy, którymi uciekli domniemani sprawcy. Obydwa głosy brzmiały identycznie.

– Odbitka głosu*? – spytał Cooper. – Jeżeli będziemy mieli podejrzanego, możemy porównać.

W kryminalistyce ceniono odbitki głosu wyżej niż badania przy użyciu wykrywacza kłamstw, a w niektórych sądach stanowiły dopuszczalny materiał dowodowy, w zależności od sędziego. Rhyme pokręcił jednak głową.

– Posłuchaj. Mówi przez skrzynkę. Nie słyszysz?

„Skrzynka" to urządzenie do zmiany głosu przez telefon. Mówiąc przez nie, człowiek nie brzmi upiornie jak Darth Vader; ma normalny, choć nieco głuchy tembr. Ze skrzynek korzysta wiele systemów informacji i biur obsługi klienta, aby głosy pracowników brzmiały jednakowo.

W tym momencie otworzyły się drzwi i do salonu weszła Amelia Sachs, niosąc pod pachą jakiś duży przedmiot, którego Rhyme nie rozpoznał. Skinęła wszystkim głową, po czym spojrzała na tablicę i powiedziała do Pulaskiego:

– Wygląda na dobrą robotę.

– Dzięki.

Rhyme zauważył, że Sachs przyniosła książkę, w połowie rozerwaną na części.

– Co to jest?

– Prezent od naszego znajomego doktora Roberta Jorgensena.

– To znaczy? Dowód?

– Trudno powiedzieć. Rozmowa z nim to było naprawdę dziwne przeżycie.

– Dziwne? Co masz na myśli, Amelio? – zapytał Sellitto.

– Dziwne w takim sensie, jakbym usłyszała, że za zamachem na Kennedy'ego stali Bat Boy, Elvis i kosmici.

Pulaski parsknął krótkim śmiechem, ściągając na siebie piorunujące spojrzenie Lincolna Rhyme'a.

---

* Voiceprint (dosłownie „odcisk głosu" przez analogię do fingerprint – „odcisk palca") – metoda identyfikacji głosu oparta na analizie indywidualnych cech charakterystycznych, opracowana przez L.G. Kerstę (przyp. tłum.).

Rozdział 14

Opowiedziała im historię udręczonego człowieka, któremu skradziono tożsamość i zrujnowano życie. Człowieka, który swojego prześladowcę nazywał Bogiem, a siebie Hiobem. Słowo „dziwny" nie oddawało w pełni jego stanu; był wyraźnie niezrównoważony. Gdyby jednak jego historia przynajmniej w części okazała się prawdziwa, opowieść poruszała do głębi. Życie w gruzach, zupełnie bezcelowa zbrodnia.

Rhyme bacznie nastawił uszu, gdy Sachs powiedziała:

– Jorgensen twierdzi, że jest śledzony, odkąd przed dwoma laty kupił tę książkę. Czuje się, jak gdyby ten człowiek wiedział o nim wszystko.

– Jak gdyby wiedział wszystko – powtórzył Rhyme, patrząc na tablice. – Właśnie o tym rozmawialiśmy parę minut temu. Zbiera wszystkie potrzebne informacje na temat ofiar i kozłów ofiarnych. – Powiedział jej, co ustalili.

Podała książkę Melowi Cooperowi, mówiąc mu o podejrzeniu Jorgensena, że kryje się w niej urządzenie śledzące.

– Urządzenie śledzące? – prychnął szyderco Rhyme. – Naoglądał się za dużo filmów Olivera Stone'a... no dobra, sprawdź, skoro chcesz. Ale nie zapominajmy o prawdziwych tropach.

Sachs zadzwoniła do policji w różnych miejscach w kraju, gdzie Jorgensen padł ofiarą oskarżeń, lecz nie uzyskała żadnych ważnych informacji. Owszem, nikt nie kwestionował, że doszło do kradzieży tożsamości. „Ale wie pani, ile razy to się zdarza?" – zapytał jeden glina z Florydy. – „Namierzamy fałszywy adres i robimy nalot, ale zanim wejdziemy, mieszkanie jest już puste. Zabierają cały towar kupiony na rachunek ofiary i zmywają się do Teksasu albo Montany".

Większość słyszała o Jorgensenie („Pisze sporo listów") i współczuła mu. Nigdzie jednak nie mieli żadnych konkretnych tropów prowadzących do osoby lub gangu odpowiedzialnego za przestępstwa, zresztą mogli poświęcić tym sprawom znacznie mniej czasu, niż chcieli. „Nawet gdybyśmy mieli jeszcze setkę ludzi do dyspozycji, nie zrobilibyśmy żadnych postępów".

Odłożywszy słuchawkę, Sachs wyjaśniła, że skoro 522 znał adres Jorgensena, poprosiła recepcjonistę z hotelu, aby dał jej znać, gdyby ktoś o niego pytał. Obiecała mu, że jeśli się zgodzi, nie wspomni o hotelu w miejskiej inspekcji budowlanej.

– Sprytny ruch – pochwalił Rhyme. – Wiedziałaś, że naruszyli jakieś przepisy?

– Nie, dopóki się nie zgodził. A zgodził się błyskawicznie. – Sachs podeszła do dowodów zebranych przez Pulaskiego w lofcie niedaleko SoHo i zaczęła je oglądać.

– Co o tym sądzisz, Amelio? – spytał Sellitto.

Patrzyła na tablice, pstrykając paznokciami i starając się dostrzec jakiś sens w zbiorze tak różnych śladów.

– Skąd to wziął? – Podniosła torebkę z wydrukiem twarzy Myry Weinburg – która wyglądała uroczo, spoglądając z rozbawieniem w obiektyw aparatu. – Powinniśmy się dowiedzieć.

Słusznie. Rhyme nie zastanawiał się nad pochodzeniem fotografii, zakładając tylko, że 522 ściągnął ją z jakiejś strony internetowej. Bardziej interesował go papier jako źródło śladów.

Na zdjęciu Myra Weinburg stała obok kwitnącego drzewa i z uśmiechem patrzyła w obiektyw. Trzymała jakiegoś różowego drinka w kieliszku do martini.

Rhyme zauważył, że Pulaski także przygląda się fotografii, a w jego oczach znów maluje się niepokój.

Chodzi o to... że trochę przypominała mi Jenny.

Rhyme zwrócił uwagę na wyraźne obramowanie fotografii i fragmenty liter z prawej strony, które znikały za kadrem.

– Musiał znaleźć w sieci. Żeby wyglądało to tak, jakby DeLeon Williams szukał o niej informacji.

– Może udałoby się go namierzyć przez stronę, z której to ściągnął – rzekł Sellitto. – Jak sprawdzić, gdzie znalazł zdjęcie?

– Wpiszmy jej nazwisko w Google'u – podsunął Rhyme.

Cooper zrobił to i znalazł kilkanaście adresów. Pod kilkoma z nich występowała inna Myra Weinburg. Strony związane z ofiarą należały do organizacji zawodowych, jednak żadne z jej zdjęć nie było podobne do fotografii wydrukowanej przez 522.

– Mam pomysł – powiedziała Sachs. – Zadzwonię do swojego eksperta od komputerów.

– Do kogo, tego faceta z przestępczości komputerowej? – spytał Sellitto.

– Nie, do kogoś jeszcze lepszego.

Podniosła słuchawkę i wybrała numer.

– Cześć, Pammy. Gdzie jesteś?... To dobrze. Mam dla ciebie zadanie. Wejdź do Internetu i włącz komunikator. Rozmawiać będziemy przez telefon.

Sachs odwróciła się do Coopera.

– Mel, możesz włączyć kamerę internetową?

Technik wcisnął kilka klawiszy i po chwili na ekranie monitora pojawił się widok pokoju Pam w domu jej przybranych rodziców na Brooklynie. Potem ukazała się twarz urodziwej nastolatki. Obraz był lekko zniekształcony przez szerokokątny obiektyw.

– Cześć, Pam.

– Dzień dobry, panie Cooper – odpowiedział z głośnika melodyjny głos.

– Pozwolisz – powiedziała Sachs, siadając na miejscu Coopera. – Kochanie, znaleźliśmy pewne zdjęcie i przypuszczamy, że pochodzi z internetu. Mogłabyś spojrzeć i jeżeli wiesz, powiedzieć nam skąd?

– Jasne.

Sachs zbliżyła wydruk do kamery.

– Trochę błyszczy. Możesz to wyjąć z folii?

Policjantka nałożyła lateksowe rękawiczki i ostrożnie wysunęła kartkę z plastikowej koperty, po czym ponownie ją uniosła.

– Tak lepiej. A, wiem, to z OurWorld.

– Co to takiego?

– No wiesz, taki portal społecznościowy. Podobny do Facebooka i MySpace. Jest teraz na topie. Wszyscy tam są.

– Słyszałeś o tym, Rhyme? – zapytała Sachs.

Skinął głową. Co ciekawe, całkiem niedawno o tym myślał. W „New York Timesie" czytał artykuł o serwisach społecznościowych i wirtualnych światach takich jak Second Life. Był zaskoczony wiadomością, że ludzie coraz mniej czasu spędzają w świecie zewnętrznym, a coraz więcej w wirtualnym – uciekając w awatary, portale społecznościowe i telepracę. Podobno współczesne nastolatki spędzały na świeżym powietrzu najmniej czasu ze wszystkich pokoleń w historii Stanów Zjednoczonych. Paradoksalnie, dzięki reżimowi ćwiczeń poprawiających jego stan fizyczny oraz zmianom w nastawieniu do świata, Rhyme powoli wychodził z rzeczywistości wirtualnej i coraz częściej odważał się opuszczać dom. Granica rozdzielająca pełno- od niepełnosprawnych zaczynała się zacierać.

– Jesteś pewna, że zdjęcie pochodzi z tego serwisu? – spytała dziewczynę Sachs.

– Tak. Tam są takie charakterystyczne ramki. Wyglądają jak linia, ale jak się przyjrzysz z bliska, to zobaczysz, że to małe globusiki jak ziemia.

Rhyme przymrużył oczy. Rzeczywiście, obramowanie zdjęcia wyglądało dokładnie tak, jak opisała Pam. Przypomniał sobie, co pisano o OurWorld w artykule.

– Cześć, Pam… ten portal ma dużo członków, prawda?

– O, dzień dobry, panie Rhyme. Tak, jakieś trzydzieści czy czterdzieści milionów. Z czyjej sfery jest to zdjęcie?

– Sfery? – zdziwiła się Sachs.

– Tak tam nazywają strony. Każdy ma swoją „sferę". Kto to jest?

– Niestety, ta kobieta została dzisiaj zamordowana – odrzekła spokojnie Sachs. – To właśnie ta sprawa, o której ci wspominałam.

Rhyme nie powiedziałby nastolatce o morderstwie. Ale to Sachs tu decydowała; wiedziała, co może ujawnić, a czego nie.

– Och, przykro mi. – W głosie Pam zabrzmiała nuta współczucia, ale dziewczyna nie wydawała się wstrząśnięta ani poruszona bolesną prawdą.

– Pam, czy ktoś mógłby się zalogować i dostać do czyjejś sfery? – spytał Rhyme.

– Najpierw trzeba się zarejestrować. Ale jeżeli ktoś nie chce prowadzić swojej sfery ani niczego zamieszczać, może się po prostu włamać, żeby się rozejrzeć.

– Czyli człowiek, który wydrukował zdjęcie, musi się znać na komputerach.

– No, chyba tak. Tylko że on wcale tego nie wydrukował.

– Jak to?

– Nie można niczego drukować ani ściągać. Nie można nawet zrobić zrzutu ekranu. W systemie jest filtr – ochrona przed prześladowaniami. Nikt go nie złamie. To coś takiego jak ochrona praw autorskich książek w sieci.

– Skąd więc wziął to zdjęcie? – spytał Rhyme.

Pam się roześmiała.

– Pewnie zrobił to samo co my w szkole, kiedy chcemy fotkę jakiegoś przystojniaka albo odjechanej gotyckiej dziewczyny. Robimy zdjęcie ekranu aparatem cyfrowym. Jak wszyscy.

– No tak – powiedział Rhyme, kręcąc głową. – Nie przyszło mi to do głowy.

– Niech się pan nie martwi, panie Rhyme – odparła dziewczyna. – Ludzie często nie zauważają najprostszej odpowiedzi.

Sachs zerknęła na Rhyme'a, który odpowiedział uśmiechem na słowa pociechy.

– No dobrze, Pam. Dzięki. Na razie.

– Cześć!

– Uzupełnijmy profil naszego przyjaciela.

Sachs wzięła flamaster i podeszła do tablicy.

PROFIL NN 522

- Mężczyzna
- Prawdopodobnie pali albo mieszka/pracuje z palącą osobą lub w pobliżu źródła tytoniu
- Ma dzieci albo mieszka/pracuje w ich pobliżu lub blisko źródła zabawek
- Interesuje się sztuką, monetami?
- Prawdopodobnie biały lub o jasnej karnacji
- Średniej budowy ciała
- Silny – potrafi udusić ofiarę
- Dostęp do urządzeń zmieniających głos
- Prawdopodobnie zna się na komputerach; zna OurWorld. Inne portale społecznościowe?
- Zbiera trofea po ofiarach. Sadysta?
- Część mieszkania/miejsca pracy ciemna i wilgotna

NIEPODRZUCONE DOWODY

- Pył
- Stary karton
- Włosy lalki, nylon BASF B35
- Tytoń z papierosów Tareyton
- Stary tytoń, nie Tareyton, marka nieznana
- Ślad pleśni *Strachybotrys chartarum*

Rhyme przeglądał listę informacji, gdy nagle usłyszał śmiech Mela Coopera.

– Proszę, proszę.

– Co?

– Ciekawe.

– Mów konkretniej. Nie interesują mnie rzeczy „ciekawe". Interesują mnie fakty.

– Mimo to ciekawe. – Technik oświetlał jasnym światłem rozcięty grzbiet książki Roberta Jorgensena. – Myśleliście, że doktor oszalał, bredząc coś o urządzeniach śledzących? Nie uwierzycie, ale Oliver Stone naprawdę mógłby mieć temat na film – tu rzeczywiście coś wsadzili. Pod kapitałkę.

– Naprawdę? – zdumiała się Sachs. – Miałam wrażenie, że jest po prostu stuknięty.

– Pokaż – zażądał Rhyme, zaciekawiony odkryciem, odkładając sceptycyzm na później.

Cooper przysunął niewielką kamerę wysokiej rozdzielczości do stołu i oświetlił książkę podczerwienią. Pod taśmą ukazał się maleńki prostokącik pokryty siateczką drobnych linii.

– Wyciągnij to – powiedział Rhyme.

Cooper ostrożnie rozciął kapitałkę i wyciągnął kawałek plastyfikowanego papieru długości około dwóch centymetrów, z nadrukiem przypominającym układ scalony. Był na nim także numer seryjny oraz nazwa producenta, DMS Inc.

– Cholera jasna, co to jest? – spytał Sellitto. – Naprawdę urządzenie śledzące?

– Nie wiem, jak miałoby działać. Nie ma baterii ani żadnego źródła zasilania – odparł Cooper.

– Mel, sprawdź tę firmę.

Po szybkim przeszukaniu bazy danych przedsiębiorstw okazało się, że to Data Management Systems z siedzibą pod Bostonem. Technik przeczytał opis, z którego wynikało, że jeden z oddziałów produkuje właśnie takie znaczniki, zwane tagami RFID – identyfikatory odczytywane za pomocą fal radiowych.

– Słyszałem o nich – odezwał się Pulaski. – Mówili w CNN.

– Och, najwyższy autorytet wiedzy kryminalistycznej – zauważył zgryźliwie Rhyme.

– Nie, pomyliłeś z „CSI. Kryminalne zagadki" – rzekł Sellitto, wywołując kolejny wybuch śmiechu u Rona Pulaskiego, urwany równie raptownie jak wcześniej.

– Do czego to służy? – spytała Sachs.

– To ciekawe.

– Znowu „ciekawe".

– Zasadniczo to programowalny układ elektroniczny, który może być odczytany przez radiowy skaner. Takie znaczniki nie potrzebują baterii: fale radiowe odbiera antena i tyle energii wystarcza im do działania.

– Jorgensen mówił, że można uszkodzić antenę, żeby je wyłączyć. Powiedział też, że niektóre można zniszczyć w mikrofalówce. Ale tego... – pokazała książę – ...nie udało mu się zniszczyć. Tak w każdym razie twierdził.

– Używają ich producenci i hurtownicy do kontroli stanu magazynów – ciągnął Cooper. – W ciągu kilku najbliższych lat prawie każdy produkt sprzedawany w Stanach będzie miał swój własny tag RFID. Niektórzy więksi detaliści już teraz ich wymagają, zanim wprowadzą do sprzedaży nowy produkt.

Sachs zaśmiała się.

– To samo mówił mi Jorgensen. Może faktycznie wcale nie plótł takich bzdur w stylu „National Enquirera"*, jak mi się wydawało.

– Każdy produkt? – zapytał Rhyme.

– Aha. Żeby sklepy wiedziały, gdzie jest towar w magazynie, ile go jest, co się sprzedaje lepiej niż inne rzeczy, gdzie uzupełnić półki, kiedy złożyć nowe zamówienie. Tagów używają też linie lotnicze do oznaczania bagażu, żeby wiedzieć, gdzie są twoje walizki bez konieczności skanowania kodów kreskowych. Znajdziesz je też w prawach jazdy, legitymacjach pracowników i kartach kredytowych. To są karty chipowe.

– Jorgensen chciał zobaczyć moją legitymację służbową. Oglądał ją bardzo dokładnie. Może to go właśnie interesowało.

– Tagi RFID są wszędzie – kontynuował Cooper. – W kartach rabatowych do supermarketów, w kartach lojalnościowych linii lotniczych, w elektronicznych transponderach do opłat za autostradę.

---

* Brukowy tygodnik publikujący artykuły na temat życia gwiazd, skandali i zjawisk ezoterycznych (przyp. tłum.).

Sachs wskazała tablice z listami dowodów.

– Pomyśl, Rhyme. Jorgensen mówił, że człowiek, którego nazywa Bogiem, wie wszystko o jego życiu. Wiedział tyle, żeby skraść mu tożsamość, robić zakupy w jego imieniu, brać pożyczki, karty kredytowe, dowiadywać się, gdzie jest.

Rhyme'a ogarnęło podniecenie na myśl, że śledztwo zaczyna się posuwać naprzód.

– A 522 wie o ofiarach na tyle dużo, żeby się do nich zbliżyć, przełamać ich linie obrony. Wie na tyle dużo o kozłach ofiarnych, żeby podrzucić dowody identyczne z tym, co mają w domu.

– Poza tym dokładnie wie, gdzie będą w czasie przestępstwa – dodał Sellitto. – Żeby nie mieli żadnego alibi.

Sachs spojrzała na maleńki znacznik.

– Jorgensen mówił, że jego życie zaczęło się walić, kiedy kupił tę książkę.

– Gdzie ją kupił? Mel, są jakieś paragony, naklejki z ceną?

– Nic. Jeżeli coś było, wszystko powycinał.

– Zadzwoń do Jorgensena. Trzeba go tu sprowadzić.

Sachs wyciągnęła telefon i zadzwoniła do hotelu, gdzie spotkała się z doktorem. Zmarszczyła brwi.

– Już? – spytała recepcjonisty.

To nie wróży nic dobrego, pomyślał Rhyme.

– Wyprowadził się – poinformowała. – Ale wiem dokąd. – Znalazła kartkę i znów zadzwoniła, lecz po krótkiej rozmowie rozłączyła się i westchnęła. Okazało się, że w tym hotelu Jorgensena też nie było; nawet nie dzwonił w sprawie rezerwacji.

– Masz numer jego komórki?

– Jorgensen nie ma telefonu. Nie ufa im. Ale zna mój numer. Jeżeli będziemy mieć szczęście, zadzwoni. – Sachs podeszła do elektronicznego identyfikatora. – Mel. Odetnij ten drucik. Antenę.

– Co?

– Jorgensen powiedział, że skoro mamy książkę, też jesteśmy zarażeni. Odetnij.

Cooper wzruszył ramionami i zerknął na Rhyme'a, który uznał ten pomysł za niedorzeczny. Wiedział jednak, że Amelię Sachs trudno przestraszyć.

– Jasne, tnij. Tylko zrób dopisek na karcie ewidencyjnej. „Dowód unieszkodliwiono".

142

Była to formułka przeznaczona dla bomb i broni. Rhyme stracił zainteresowanie technologią RFID. Uniósł wzrok.

– W porządku. Dopóki nie da znać o sobie, spróbujmy przyjąć jakąś hipotezę… No, śmiało. Chcę pomysłów! Mamy sprawcę, który potrafi zdobyć każdą informację o każdym człowieku. Jak? Doskonale wie, co kupuje każdy z kozłów ofiarnych. Żyłkę, noże kuchenne, żel do golenia, nawóz, prezerwatywy, taśmę izolacyjną, sznur, piwo. Były cztery ofiary i czterech kozłów ofiarnych – co najmniej. Nie może przecież śledzić każdego, nie włamuje się do domów.

– Może jest sprzedawcą w jakimś dużym supermarkecie – podsunął Cooper.

– Ale DeLeon kupił niektóre z dowodów w Home Depot – nie kupisz tam prezerwatyw ani chipsów.

– Może 522 pracuje w firmie wydającej karty kredytowe? – zasugerował Pulaski. – Mógłby widzieć, co ludzie kupują.

– Nieźle, nowy, ale czasem ofiary musiały płacić gotówką.

O dziwo, odpowiedzi udzielił im Thom, który wyciągnął klucze.

– Słyszałem, jak Mel wcześniej wspomniał o kartach rabatowych.

– Pokazał kilka plastikowych kart doczepionych do kluczy. Jedną z A&P, jedną z Food Emporium. – Wkładam kartę do czytnika i dostaję rabat. Nawet gdy płacę gotówką, sklep wie, co kupiłem.

– Dobrze – powiedział Rhyme. – Ale jaki stąd wniosek? Ciągle mamy kilkadziesiąt miejsc, gdzie ofiary i kozły ofiarne robiły zakupy.

– Ach.

Rhyme spojrzał na Sachs, która patrzyła na tablicę dowodów z lekkim uśmiechem.

– Chyba mam.

– Co? – zapytał Rhyme, spodziewając się twórczego zastosowania jednej z zasad kryminalistyki.

– Buty – odrzekła po prostu. – Odpowiedź to buty.

Rozdział 15

Nie chodzi o to, że ogólnie wie, co ludzie kupują – tłumaczyła Sachs. – Zna szczegóły na temat wszystkich ofiar i kozłów ofiarnych. Weźmy trzy przestępstwa. Sprawę twojego kuzyna, sprawę Myry Weinburg i kradzież monet. 522 nie tylko znał rodzaj obuwia, jakie nosiły kozły ofiarne. Znał też rozmiary.

– Dobrze – rzekł Rhyme. – Sprawdźmy, gdzie DeLeon Williams i Arthur kupują buty.

Po krótkiej rozmowie telefonicznej z Judy Rhyme, a potem z Williamsem dowiedzieli się, że obaj kupili buty w sprzedaży wysyłkowej – jeden z katalogu, drugi za pośrednictwem strony internetowej, lecz w obu przypadkach bezpośrednio u producenta.

– W porządku, wybierzmy jedną firmę, zadzwońmy i sprawdźmy, jak działa branża obuwnicza – powiedział Rhyme. – Możemy rzucić monetą.

Padło na Sure-Track. I wystarczyły zaledwie cztery telefony, by dotrzeć do przedstawiciela kierownictwa firmy – samego prezesa i dyrektora generalnego.

W tle słychać było szum wody i śmiech dzieci.

– Przestępstwo? – spytał niepewnym głosem prezes.

– Nie ma bezpośredniego związku z panem – zapewnił go Rhyme.

– Jeden z pańskich produktów jest dowodem w sprawie.

– Ale nie chodzi o takie zdarzenie jak tamten przypadek, kiedy facet próbował wysadzić samolot bombą ukrytą w bucie? – Urwał, jak gdyby nawet wzmianka na ten temat stanowiła naruszenie zasad bezpieczeństwa narodowego.

Rhyme wyjaśnił sytuację – opowiedział o mordercy zbierającym osobiste informacje o ofiarach, w tym szczegółowe dane o butach

Sure-Track, o altonach swojego kuzyna i butach Bass innego kozła ofiarnego.

– Prowadzą państwo sprzedaż w punktach detalicznych?

– Nie. Tylko w internecie.

– Wymieniają się państwo informacjami z konkurencją? Informacjami o klientach?

Chwila wahania.

– Halo? – powiedział do ciszy Rhyme.

– Och, nie możemy się wymieniać informacjami. To byłoby złamanie przepisów antymonopolowych.

– Jak więc ktoś mógłby uzyskać dostęp do informacji o nabywcach butów Sure-Track?

– To nieco skomplikowane.

Rhyme skrzywił się.

– Proszę pana – odezwała się Sachs – człowiek, którego szukamy, jest mordercą i gwałcicielem. Naprawdę w ogóle się pan nie domyśla, jak mógł zdobyć informacje o waszych klientach?

– Naprawdę.

– Cholera, wobec tego zrobimy wam nalot z nakazem – warknął Lon Sellitto. – I prześwietlimy papiery do ostatniej literki.

Rhyme rozegrałby to subtelniej, ale metoda na rympał okazała się bardzo skuteczna. Mężczyzna zaraz się zreflektował.

– Chwileczkę, chyba mam pewien pomysł.

– Jaki? – warknął Sellitto.

– Może... skoro miał informacje z różnych przedsiębiorstw, to może je zdobył od firmy eksplorującej dane.

– Od kogo? – spytał Rhyme.

Chwila ciszy zapewne wyrażała zaskoczenie.

– Nie słyszał pan o nich?

Rhyme przewrócił oczami.

– Nie. Kto to jest?

– Jak sama nazwa wskazuje. Firmy świadczące usługi informacyjne – przekopują się przez dane klientów, o ich zakupach, domach, samochodach, historiach kredytowych, o wszystkim na ich temat. Analizują je i sprzedają. Żeby pomóc firmom odkryć trendy rynkowe, znaleźć nowych klientów, ustalić grupy docelowe przesyłek reklamowych, zaplanować kampanię reklamową i tak dalej.

O wszystkim na ich temat...

Może jesteśmy na dobrym tropie, pomyślał Rhyme.

– Czy mają dostęp do informacji ze znaczników RFID?

– Oczywiście. To jedno z najlepszych źródeł danych.

– Z czyich usług korzysta pańskie przedsiębiorstwo?

– Och, nie wiem. Jest kilka takich firm – odrzekł z wyraźną niechęcią.

– Naprawdę musimy to wiedzieć – powiedziała Sachs, grając dobrego policjanta w kontrapunkcie do roli Sellitta. – Nie chcemy dopuścić do następnych ofiar. To bardzo niebezpieczny człowiek.

Po chwili wahania w głośniku rozległo się westchnienie.

– Przypuszczam, że naszym największym dostawcą danych jest SSD. Dość duża firma. Ale niemożliwe, żeby w zbrodnię był zamieszany ktoś stamtąd. To są najuczciwsi ludzie pod słońcem. Mają środki bezpieczeństwa, mają...

– Gdzie jest ich siedziba? – przerwała mu Sachs.

Znów niezdecydowane milczenie. Do diabła, mów, człowieku, pomyślał Rhyme.

– W Nowym Jorku.

W rewirze 522. Kryminalistyk pochwycił spojrzenie Sachs. Uśmiechnął się. Zapowiadało się nieźle.

– Czy w okolicy Nowego Jorku są jacyś inni dostawcy danych?

– Nie. Podobne duże firmy, Axciom, Experian i Choicepoint, działają gdzie indziej. Ale proszę mi wierzyć, nikt z SSD nie może być w to zamieszany. Przysięgam.

– Co oznacza skrót SSD? – zapytał Rhyme.

– Strategic Systems Datacorp.

– Zna pan kogoś z tej firmy?

– Nie, nikogo konkretnego – odrzekł szybko. Za szybko.

– Nie?

– Wszystkie sprawy załatwiamy z przedstawicielami handlowymi. Nie potrafię sobie w tym momencie przypomnieć ich nazwisk. Mogę sprawdzić.

– Kto prowadzi tę firmę?

Kolejna chwila ciszy.

– Andrew Sterling. Jest założycielem i prezesem. Proszę posłuchać, ręczę, że nikt stamtąd nie zrobiłby niczego sprzecznego z prawem. To niemożliwe.

Nagle Rhyme zorientował się, że ich rozmówca jest przerażony. Ale nie bał się policji. Bał się SSD.

– Czego się pan obawia?

– Po prostu... – Tonem wyznania powiedział: – Bez nich nie moglibyśmy funkcjonować. To naprawdę nasz... ważny partner.

Ton jego głosu sugerował jednak, że ostatnie zdanie w istocie oznacza „jesteśmy od nich całkowicie uzależnieni".

– Będziemy dyskretni – zapewniła go Sachs.

– Dziękuję. Naprawdę bardzo dziękuję. – Wyraźnie usłyszeli ulgę.

Sachs uprzejmie podziękowała mu za współpracę, na co Sellitto przewrócił oczami.

Rhyme zakończył rozmowę z prezesem.

– Eksploracja danych? Ktoś z was o tym słyszał?

– Nie znam SSD – odezwał się Thom – ale słyszałem o firmach sprzedających dane. To prawdziwa branża dwudziestego pierwszego wieku.

Rhyme zerknął na tablicę z dowodami.

– Jeżeli więc 522 pracuje w SSD albo jest jednym z jego klientów, może zdobyć każdą potrzebną informację o tym, kto kupił żel do golenia, sznur, prezerwatywy, żyłkę – wszystkie dowody, które mógł podrzucić. – Nagle przyszła mu do głowy inna myśl. – Prezes Sure-Track mówił, że na podstawie danych układa się listy odbiorców przesyłek reklamowych. Arthur dostał ulotkę o malarstwie Prescotta, pamiętacie? Możliwe, że 522 dowiedział się o tym z listy adresatów. Być może figurowała na niej też Alice Sanderson.

– Popatrzcie na zdjęcia z miejsc zdarzenia. – Sachs podeszła do tablic i wskazała kilka fotografii ze sprawy kradzieży monet. W widocznych miejscach na stolikach i podłodze leżały przesyłki reklamowe.

– Panie kapitanie? – włączył się Pulaski. – Detektyw Cooper wspomniał o bramkach pobierania opłat na autostradach. Jeżeli ten SSD zbiera też dane od nich, to morderca mógł dokładnie wiedzieć, kiedy pana kuzyn był w mieście i kiedy pojechał do domu.

– Jezu – mruknął Sellitto. – Jeśli to prawda, to ten facet odkrył modus operandi wszech czasów.

– Mel, sprawdź w Google'u eksplorację danych. Chcę mieć pewność, czy SSD to jedyna taka firma w okolicy.

Kilka uderzeń w klawiaturę później:

– Hmm, dla hasła „eksploracja danych" mam ponad dwadzieścia milionów trafień.

– Dwadzieścia milionów?

Przez następną godzinę cały zespół przyglądał się, jak Cooper zawęża listę największych w kraju hurtowni i sprzedawców danych – do kilku. Ściągnął z ich witryn setki stron informacji i szczegółów. Po porównaniu listy klientów różnych firm z produktami, które były dowodami w sprawie 522, okazało się, że najbardziej prawdopodobnym pojedynczym źródłem wszystkich informacji jest SSD, jedyna firma mająca siedzibę w rejonie Nowego Jorku.

– Jeżeli chcecie, mogę ściągnąć ich prospekt reklamowy – zaproponował Cooper.

– Och, oczywiście, że chcemy, Mel. Poczytajmy.

Sachs usiadła obok Rhyme'a i oboje patrzyli na ekran, gdzie pojawiła się witryna internetowa SSD, opatrzona logo firmy: wieżą strażniczą z oknem, z którego promieniście rozchodziło się światło.

Strategic Systems Datacorp
Otwiera ci okna na świat SM

„Wiedza to potęga" … Najcenniejszym towarem XXI wieku jest informacja, a SSD jest liderem w wykorzystywaniu wiedzy, aby służyć Ci pomocą w opracowaniu strategii, redefiniowaniu celów oraz konstruowaniu rozwiązań umożliwiających sprostanie niezliczonym wyzwaniom, jakie stawia przed Tobą dzisiejszy świat. Pozyskując ponad 4000 klientów w USA i za granicą, SSD wyznacza nowe standardy jako przodujący dostawca usług informacyjnych.

BAZA DANYCH

innerCircle® to największa prywatna baza danych na świecie, obejmująca kluczowe informacje na temat 280 milionów Amerykanów i 130 milionów obywateli innych państw. innerCircle® rezyduje na należącej do nas sieci komputerów masowo równoległych (MPCAN®), najpotężniejszym komercyjnym systemie komputerowym, jaki dotąd zbudowano.

innerCircle® zawiera obecnie ponad 500 petabajtów informacji – co równa się bilionom stron danych – a przewidujemy, że wkrótce system osiągnie eksabajt danych, wielkość tak gigantyczną, że wystarczyłoby pięć eksabajtów, aby przechować zapis każdego słowa, jakie zostało wypowiedziane przez każdego człowieka w ciągu całej historii ludzkości!

Dysponujemy skarbnicą informacji personalnych i publicznych: posiadamy dane teleadresowe, ewidencje rejestracyjne pojazdów i praw jazdy, informacje o preferencjach zakupowych i zachowaniach konsumenckich, profile preferencji dotyczących podróży, rejestry państwowe i akta stanu cywilnego, informacje o wiarygodności kredytowej i historii dochodów, a także wiele, wiele innych. Dane trafiają w Twoje ręce z prędkością światła, idealnie dopasowane do Twoich potrzeb, w łatwo dostępnej formie, umożliwiającej ich natychmiastowe zastosowanie.

innerCircle® rośnie w tempie setek tysięcy pozycji dziennie.

NARZĘDZIA

Watchtower DBM® – najwszechstronniejszy na świecie system zarządzania bazami danych. Watchtower®, Twój partner w planowaniu strategicznym, pomaga Ci wytyczyć cele, wydobywa z innerCircle® najistotniejsze dane i dostarcza najlepszą strategię działania wprost na Twoje biurko, dwadzieścia cztery godziny na dobę, za pośrednictwem naszych superszybkich i superbezpiecznych serwerów. Watchtower® spełnia i przewyższa standardy wyznaczone przed laty przez SQL.

Xpectation® – oprogramowanie do badania przewidywanych zachowań, oparte na najnowszej technologii sztucznej inteligencji i modelowania. Producenci, usługodawcy, hurtownicy i detaliści... chcecie wiedzieć, dokąd zmierza rynek i czego Wasi klienci będą pragnąć w przyszłości? To produkt dla Was. Z pewnością zainteresuje też organa ścigania: dzięki Xpectation® będą mogły przewidzieć, gdzie i kiedy zostanie popełnione przestępstwo, a co najważniejsze, kto go może dokonać.

FORT® (narzędzie do odnajdywania ukrytych zależności) – unikatowy i rewolucyjny produkt, który analizuje miliony na pozór niepowiązanych ze sobą faktów, aby ustalić relacje, których istota ludzka w żaden sposób nie potrafiłaby odkryć. FORT® daje przewagę zarówno firmom komercyjnym, pragnącym wiedzieć więcej o rynku (lub o konkurencji), jak i organom ścigania, prowadzącym dochodzenie w trudnej sprawie.

ConsumerChoice® – oprogramowanie i sprzęt monitorujący pozwala precyzyjnie określić reakcje konsumentów na reklamę, programy marketingowe oraz nowe i proponowane produkty. Zapomnij o subiektywnych badaniach grup fokusowych. Dziś, dzięki monitoringowi biometrycznemu, możesz zebrać i przeanalizować dane o prawdziwych odczuciach badanych wobec Twoich planów – często bez ich wiedzy!

Hub Overvue® – oprogramowanie do koordynacji informacji. Łatwy w obsłudze produkt umożliwiający kontrolę wszystkich baz danych w Twojej organizacji – a w odpowiednich okolicznościach także w innych przedsiębiorstwach.

SafeGard® – oprogramowanie i wsparcie techniczne w zakresie bezpieczeństwa i weryfikacji tożsamości. Bez względu na to, czy obawiasz się zagrożeń terrorystycznych, porwań dla okupu, szpiegostwa przemysłowego czy kradzieży klientów lub pracowników, SafeGard® daje Ci pewność, że Twoje przedsiębiorstwo pozostanie bezpieczne, a Ty możesz się skupić na merytorycznej stronie swojej działalności. W skład działu SafeGard® SSD wchodzą czołowe firmy, zajmujące się weryfikacją danych osobowych, bezpieczeństwem oraz testami na obecność środków odurzających, z których usług korzystają klienci korporacyjni i publiczni na całym świecie. Częścią działu SafeGard® jest również lider w dziedzinie oprogramowania i sprzętu biometrycznego, Bio-Chek®.

NanoCure® – oprogramowanie i wsparcie techniczne w zakresie badań medycznych. Witaj w świecie inteligentnych systemów mikrobiologicznych do diagnozowania i leczenia chorób. Współpracując z lekarzami, nasi nanotechnolodzy poszukują rozwiązań problemów zdrowotnych powszechnie nękających współczesną ludzkość. Od monitorowania genetycznego po konstruowanie nanoobiektów wspomagających wykrywanie i leczenie uporczywych, śmiertelnych chorób, nasz dział NanoCure® pracuje nad stworzeniem zdrowego społeczeństwa.

On-Trial® – wsparcie techniczne procesów cywilnych. Od pozwów z tytułu odpowiedzialności producenta po sprawy naruszania przepisów antymonopolowych, On-Trial® usprawnia przepływ dokumentów i kontrolę nad dowodami.

PublicSure® – oprogramowanie przeznaczone dla organów ścigania. To najlepszy system do koordynacji i zarządzania danymi w bankach informacji kryminalnej oraz pokrewnych rejestrach publicznych, zgromadzonymi w bazach międzynarodowych, federalnych, stanowych i lokalnych. Dzięki PublicSure® wyniki wyszukiwania w ciągu kilku sekund mogą zostać przesłane do biur, terminali w radiowozach, palmtopów i telefonów komórkowych, pomagając śledczym szybko zakończyć dochodzenie, a także poprawiając bezpieczeństwo i przygotowanie funkcjonariuszy pracujących w terenie.

EduServe® – oprogramowanie i wsparcie techniczne instytucji edukacyjnych. Podejmowanie decyzji o tym, jaką wiedzę zdobywają nasze dzieci, ma podstawowe znaczenie dla pomyślności społeczeństwa. EduServe® pomaga kuratoriom i nauczycielom wszystkich placówek oświatowych, od przedszkola do szkoły średniej, w efektywnym wykorzystaniu środków, oferując usługi, które gwarantują najlepszą edukację za każdego wydanego dolara z podatków.

Rhyme zaśmiał się z niedowierzaniem.

– Jeżeli 522 położył łapę na tych informacjach... to naprawdę jest człowiekiem, który wie wszystko.

– Posłuchajcie tego – powiedział Mel Cooper. – Czytałem, jakie firmy należą do SSD. Odgadnijcie jedną.

– Stawiam na tą ze skrótem w nazwie – odparł Rhyme. – DMS. Producenta tagu RFID w książce. Zgadza się?

– Aha. Trafiłeś.

Przez chwilę nikt się nie odzywał. Rhyme zauważył, że wszyscy w pokoju wpatrują się w błyszczące na ekranie monitora logo SSD.

– No i co teraz? – mruknął Sellitto, spoglądając na tablicę.

– Obserwacja? – podsunął Pulaski.

– Brzmi sensownie – rzekł Sellitto. – Zadzwonię do rozpoznania, niech zorganizują jakieś zespoły.

Rhyme posłał mu sceptyczne spojrzenie.

– Obserwacja firmy, która zatrudnia... no ilu pracowników? Tysiąc? – Pokręcił głową, po czym zapytał: – Lon, słyszałeś o brzytwie Ockhama?

– Kto to jest Ockham, do cholery? Fryzjer?

– Filozof. Brzytwa to metafora – odcina niepotrzebne wyjaśnienia jakiegoś zjawiska. Według jego teorii, jeżeli masz wiele możliwości, to najprostsza prawie zawsze jest właściwa.

– Jak więc brzmi twoja prosta teoria, Rhyme?

Patrząc na prospekt reklamowy, kryminalistyk powiedział do Sachs:

– Myślę, że ty i Pulaski powinniście jutro rano odwiedzić SSD.

– I co mielibyśmy zrobić?

Wzruszył ramionami.

– Zapytać, czy ktoś z jej pracowników jest mordercą.

Rozdział 16

Nareszcie w domu.

Zamykam drzwi.

I odgradzam się od świata.

Głęboko oddycham i kładąc plecak na kanapie, idę do starannie wysprzątanej kuchni, żeby napić się czystej wody. W tej chwili nie potrzebuję żadnych środków pobudzających.

Znowu to rozdrażnienie.

Dom jest ładny. Przedwojenny, duży (musi taki być, kiedy mieszka się tak jak ja, z tak bogatą kolekcją). Niełatwo znaleźć odpowiednie miejsce. Dość długo szukałem. Ale w końcu tu trafiłem i prawie nikt nie zwraca na mnie uwagi. W Nowym Jorku nieprzyzwoicie łatwo jest pozostawać niemal anonimową osobą. Co za cudowne miasto! Tu standardem egzystencji jest życie poza siecią. Tu musisz walczyć, by zostać zauważonym. Oczywiście wiele szesnastek wybiera walkę. Ale przecież świat zawsze był pełen głupców.

Mimo to należy zachowywać pozory, możecie mi wierzyć. Pokoje od frontu są urządzone gustownie i z prostotą (dziękuję, Skandynawio). Nie prowadzę tu zbyt bujnego życia towarzyskiego, lecz fasada normalności jest bardzo potrzebna. Musisz funkcjonować w realnym świecie. Kiedy się wycofujesz, szesnastki zaczynają podejrzewać, że coś jest nie tak, że jesteś kimś innym, niż sądzili.

Stąd już tylko krok do wizyt nieproszonych gości, którzy będą węszyć, zaglądać do Schowka i w końcu wszystko ci zabiorą. Wszystko, co zdobyłeś ciężką pracą.

Wszystko.

Nie ma nic gorszego.

Dlatego starasz się utrzymywać Schowek w głębokiej tajemnicy. Starasz się ukryć swoje skarby za szczelnie zasłoniętymi oknami, ukazując innym swoje drugie życie niczym jasną stronę księżyca. Aby pozostać poza siecią, najlepiej mieć dwie przestrzenie mieszkalne.

I zrobić to co ja: dbać, by panował tu nienaganny porządek, nawet gdyby ten nowoczesny duński blichtr normalności działał na ciebie jak czerwona płachta na byka.

Masz normalny dom. Bo wszyscy mają.

I utrzymujesz dobre stosunki ze współpracownikami i znajomymi. Bo wszyscy tak robią.

Od czasu do czasu umawiasz się z dziewczyną, nakłaniasz ją, żeby spędziła z tobą noc i udajesz namiętność.

Bo wszyscy też tak robią. Nieważne, że kręci cię to znacznie mniej, niż gdybyś wprosił się do sypialni dziewczyny, mówiąc jej z uśmiechem: czyż nie jesteśmy bratnimi duszami, spójrz, ile nas łączy, a w kieszeni miałbyś nóż i dyktafon.

Spuszczam rolety w swoich wykuszowych oknach i kieruję się w głąb salonu.

– *Jejku, ale fajny dom... Z zewnątrz wydaje się większy.*

– *Tak, zabawne, prawda?*

– *O, masz drzwi w salonie. Co za nimi jest?*

– *Ach, tam. Nic, zwykła garderoba. Schowek. Nic ciekawego. Napijemy się wina?*

No więc, Debby Sandro Susan Brendo, właśnie zmierzam do tych drzwi. Do swojego prawdziwego domu. Swojego Schowka, jak go nazywam. Przypomina stołp – ostatni punkt obrony w średniowiecznych twierdzach – azyl pośrodku warowni. Kiedy wszystkie wysiłki obronne zawiodły, król wraz z rodziną chronili się w stołpie.

Przez te magiczne drzwi wchodzę do swojej wieży. To naprawdę jest garderoba, pełna wieszaków z ubraniami i pudeł butów. Gdy jednak odsunąć je na bok, ukazują się drugie drzwi. Prowadzą do pozostałej części domu, znacznie większej od fasady utrzymanej w okropnym stylu blond szwedzkiego minimalizmu.

Mój Schowek...

Wchodzę do niego, zamykam drzwi na klucz i zapalam światło.

Próbuję się rozluźnić. Ale po dzisiejszej katastrofie trudno mi otrząsnąć się z rozdrażnienia.

Niedobrze, niedobrze, niedobrze...

Opadam na krzesło przy biurku i włączam komputer, patrząc na obraz Prescotta, który stał się moją własnością dzięki Alice 3895. Ależ miał rękę! Oczy rodziny są fascynujące. Prescottowi udało się nadać każdej osobie inne spojrzenie. Ich pokrewieństwo nie budzi wątpliwości; widać to w podobieństwie wyrazu twarzy. A jednak są zupełnie różni, jak gdyby każdy wyobrażał sobie inny aspekt życia rodzinnego: w ich oczach maluje się szczęście, troska, złość, zdumienie, władczość, uległość.

Na tym polega rodzina.

Tak przypuszczam.

Otwieram plecak i wyciągam zebrane dzisiaj skarby. Blaszany pojemnik, komplet kredek, starą tarkę do sera. Dlaczego ktoś się tego pozbył? Wydobywam też kilka praktycznych znalezisk, jakie wykorzystam w ciągu najbliższych tygodni: lekkomyślnie wyrzucone przez kogoś przesyłki z ofertą kredytową, potwierdzenia zapłaty kartą kredytową, rachunki telefoniczne... Jak już mówiłem, głupcy.

Oczywiście mam także kolejny okaz do swojej kolekcji, ale dyktafonem zajmę się później. Nie jest to tak wspaniały nabytek, jak się spodziewałem, ponieważ musiałem stłumić kawałkiem taśmy gardłowe krzyki, jakie wydawała Myra 9834, gdy obcinałem jej paznokieć (bałem się, że przechodnie mogą coś usłyszeć). Kolekcja nie może się składać z samych klejnotów; na nijakim tle brylant bardziej błyszczy.

Potem ruszam w głąb Schowka, układając skarby we właściwych miejscach.

Z zewnątrz wydaje się większy...

Stan kolekcji na dziś przedstawia się następująco: 7403 gazety, 3234 czasopisma (podstawą jest oczywiście „National Geographic"), 4235 karnetów zapałek... oraz, pominąwszy liczbę, wieszaki, sprzęt kuchenny, pudełka na kanapki, butelki po napojach, pudełka po płatkach, nożyczki, przybory do golenia, łyżki i prawidła do butów, guziki, kasetki na spinki do mankietów, grzebienie, zegarki, ubrania, narzędzia, przydatne i przestarzałe. Kolorowe i czarne płyty gramofonowe. Butelki, zabawki, słoiki, świece i świeczniki, patery, broń. I tak dalej, i tak dalej.

Co jeszcze jest w Schowku? Szesnaście galerii, jak w muzeum, od ekspozycji wesołych zabawek (choć Howdy Doody wygląda naprawdę strasznie) po pokoje pełne rzeczy dla mnie bardzo cennych, które większości ludzi mogą się wydać bardzo nieprzyjemne. Włosy, obcięte paznokcie, parę wyschniętych pamiątek po różnych transakcjach. Takich jak ta dziś po południu. Kładę paznokieć Myry 9834 na widocznym miejscu. I choć w innych okolicznościach sprawiłoby mi to przyjemność i poczułbym nową falę podniecenia, ta chwila jest wyjątkowo ponura.

Tak bardzo ich nienawidzę...

Drżącymi rękami zamykam pudełko po cygarach. Moje skarby nie sprawiają mi w tym momencie żadnej przyjemności.

Nienawidzę, nienawidzę, nienawidzę...

Wracając do komputera, myślę: może nie ma żadnego zagrożenia. Może do domu DeLeona 6832 zaprowadził ich tylko dziwny zbieg okoliczności.

Nie mogę jednak ryzykować.

Problem: nie daje mi spokoju ryzyko, że odbiorą mi moje skarby.

Rozwiązanie: robić to, co zacząłem na Brooklynie. Bronić się. Wyeliminować zagrożenie.

Większość szesnastek, w tym i moi prześladowcy, nie rozumieją jednego, co stawia ich w żałosnym położeniu: otóż wierzę w niezmienną prawdę, że pozbawienie kogoś życia nie nosi żadnych znamion moralnego zła. Ponieważ wiem, że istnieje zewnętrzna forma bytu, całkowicie niezależna od worków kości i narządów, jakie chwilowo musimy dźwigać. Mam dowód: wystarczy spojrzeć na skarbnicę danych o waszym życiu, gromadzonych od chwili waszych narodzin. Są trwałe, przechowywane w tysiącach miejsc, przenoszone, kopiowane, niewidzialne i niezniszczalne. Kiedy ciało scześnie, jak wszystkie ciała, dane będą żyć wiecznie.

Nie znam lepszej definicji nieśmiertelności duszy.

Rozdział 17

Wsypialni było cicho.

Rhyme wysłał Thoma do domu, by spędził niedzielny wieczór z Peterem Hoddinsem, swoim długoletnim partnerem. Rhyme wygadywał mnóstwo nieprzyjemnych rzeczy, dokuczał Thomowi. Nie potrafił się powstrzymać i miał czasem wyrzuty sumienia. Starał się mu to jednak wynagrodzić i gdy Amelia Sachs zostawała na noc, tak jak dziś, wyganiał Thoma do domu. Młody człowiek potrzebował chwili wytchnienia po ciężkiej pracy, jaką była opieka nad zgryźliwym starym kaleką.

Rhyme słyszał dźwięki dobiegające z łazienki. Odgłosy towarzyszące kobiecie szykującej się do snu. Brzęk szkła, trzask plastikowych wieczek, syk aerozoli, szum wody, zapachy unoszące się w wilgotnym powietrzu, które wydobywało się zza drzwi łazienki.

Lubił takie chwile. Przypominały mu o życiu Przedtem.

A to z kolei przywiodło mu na myśl zdjęcia na dole w laboratorium. Obok fotografii Lincolna w dresie wisiała inna, czarno-biała. Przedstawiała dwóch chudych, dwudziestokilkuletnich mężczyzn w garniturach, stojących obok siebie. Mieli opuszczone ramiona, jak gdyby się wahali, czy się objąć.

Ojciec i wuj Rhyme'a.

Często myślał o wuju Henrym. O ojcu rzadziej. Tak było przez całe życie. Och, Teddy'emu Rhyme'owi trudno było cokolwiek zarzucić. Młodszy z braci był po prostu niepewny siebie, często nieśmiały. Uwielbiał swoją pracę w laboratoriach, gdzie przez osiem godzin dziennie ślęczał nad cyframi, uwielbiał czytać i co wieczór zasiadał z książką w głębokim, sfatygowanym fotelu, podczas gdy jego żona, Anne, szyła albo oglądała telewizję. Teddy szczególnie upodobał sobie historię, zwłaszcza okres wojny secesyjnej, dlatego Lincoln Rhyme przypuszczał, że właśnie tym zainteresowaniom zawdzięcza swoje imię.

Stosunki chłopca z ojcem układały się całkiem sympatycznie, choć Rhyme dobrze pamiętał, że gdy zostawali sami, nieraz zapadało niezręczne milczenie. To, co niepokoi, równocześnie absorbuje. To, co prowokuje, równocześnie pobudza do życia. A Teddy nigdy nie niepokoił ani nie prowokował.

Natomiast wuj Henry wręcz przeciwnie. Niepokoił i prowokował za dwóch.

Wystarczyło spędzić z nim kilka minut w jednym pokoju, by skierował na człowieka uwagę niczym snop światła reflektora. Po chwili zaczynały się sypać żarty, dykteryjki, rodzinne nowiny. I zawsze pytania – niektóre padały dlatego, że rzeczywiście chciał się czegoś dowiedzieć. Na ogół jednak pytał, żeby wywołać dyskusję. Och, Henry Rhyme przepadał za intelektualnymi pojedynkami. Człowiek mógł się kulić, rumienić po uszy, mógł wpadać we wściekłość. Ale słysząc od niego komplement, puchł z dumy, bo wiedział, że naprawdę na niego zasłużył. Z ust wuja Henry'ego nigdy nie padały słowa fałszywej pochwały ani nieuzasadnionej zachęty.

– Jesteś na dobrej drodze. Dobrze się zastanów! Potrafisz. Einstein dokonał swoich największych odkryć, kiedy był trochę starszy od ciebie.

Gdy odpowiedziałeś właściwie, wuj obdarzał cię pełnym aprobaty uniesieniem brwi, co było równoznaczne ze zdobyciem nagrody w konkursie Westinghouse Science. Znacznie częściej okazywało się, że nie znajdujesz właściwych argumentów, opierasz się na wątłych przesłankach, krytykujesz nazbyt emocjonalnie, wypaczasz fakty... Wujowi nie chodziło jednak o to, by odnieść zwycięstwo; pragnął jedynie dotrzeć do prawdy, starając się, żebyś zrozumiał, jak należy do niej dojść. Kiedy starł twoją argumentację na proch i pokazał ci, dlaczego się mylisz, sprawa była zakończona.

Rozumiesz już, gdzie popełniłeś błąd? Obliczyłeś temperaturę na podstawie fałszywych założeń. Otóż to! A teraz zadzwonimy do kilku osób – w sobotę wybierzemy się razem zobaczyć mecz White Sox. Mam ochotę zjeść hot doga na stadionie, a daję głowę, że w październiku na Comiskey Park żadnych nie dostaniemy.

Lincoln bardzo lubił te intelektualne potyczki, często jeździł aż do Hyde Parku, aby uczestniczyć w seminariach prowadzonych przez wuja albo nieformalnych spotkaniach dyskusyjnych na uniwersytecie. Bywał tam nawet częściej niż Arthur, którego zazwyczaj zaprzątały inne zajęcia. Gdyby wuj Henry żył, niewątpliwie wkroczyłby teraz do pokoju Rhyme'a i nie rzuciwszy okiem na jego unieruchomione ciało, wskazałby chromatograf gazowy i huknął: „Czemu ciągle używasz tego grata?". Potem zasiadłby naprzeciwko tablic z listami dowodów i zaczął przepytywać Rhyme'a ze sposobu prowadzenia sprawy 522.

Owszem, ale czy zachowanie tego osobnika jest zgodne z logiką? Podaj mi jeszcze raz założenia.

Wrócił pamięcią do wieczoru, o którym myślał wcześniej: Wigilii w domu wuja w Evanston, gdy Lincoln był w ostatniej klasie szkoły średniej. Na kolacji spotkali się Henry i Paula z dziećmi, Robertem, Arthurem i Marie, Teddy i Anne z Lincolnem, inni wujowie i ciotki z kuzynami oraz jacyś sąsiedzi.

Lincoln i Arthur spędzili większą część wieczoru na dole, grając w bilard i rozmawiając o swoich planach na najbliższą jesień i początek college'u. Lincoln bardzo chciał iść na MIT. Arthur także zamierzał się tam dostać. Przekonani, że zostaną przyjęci, dyskutowali o wspólnym mieszkaniu, zastanawiając się, czy wybrać pokój w akademiku, czy wynająć mieszkanie poza kampusem (męskie kumplostwo kontra przytulne gniazdko do przyjmowania panienek).

Potem rodzina zgromadziła się przy masywnym stole w jadalni wujostwa. Zza okien dobiegał szum jeziora Michigan i szelest wiatru kołyszącego nagimi gałęźmi szarych drzew w ogrodzie. Henry królował za stołem tak jak królował na sali wykładowej, panując nad sytuacją i z lekkim uśmiechem przysłuchując się uważnie wszystkim rozmowom. Opowiadał dowcipy i anegdoty, wypytywał gości o różne sprawy. Był szczerze zaciekawiony – czasem uciekał się do manipulacji. „Skoro jesteśmy tu razem, Marie, opowiedz nam o swoim stypendium na Georgetown. Zgodziliśmy się, że to dla ciebie wielka szansa. Jerry będzie mógł w weekendy przyjeżdżać z wizytą tym nowym luksusowym samochodem. A propos, kiedy upływa termin składania podań? O ile mnie pamięć nie myli, niedługo".

A jego córka o rozwichrzonych włosach, unikając wzroku ojca, mówiła, że z powodu świąt i egzaminów nie zdążyła jeszcze przygotować dokumentów. Ale obiecała, że to zrobi. Na pewno.

Oczywiście Henry zamierzał podstępem skłonić córkę, by złożyła zobowiązanie przy świadkach, chociaż miałoby to oznaczać półroczną rozłąkę z narzeczonym.

Rhyme zawsze uważał, że wuj mógłby zostać znakomitym prawnikiem lub politykiem.

Kiedy ze stołu uprzątnięto resztki indyka i nadziewanego mięsem placka i podano kawę, herbatę i likier Grand Marnier, Henry zaprowadził gości do salonu, ocienionego przez potężne drzewo rosnące za oknem, gdzie w kominku buzował ogień, a z portretu spoglądała surowa twarz dziadka Lincolna – wykładowcy na Harvardzie, legitymującego się trzema doktoratami.

Nadeszła pora konkursu.

Henry rzucał pytanie na temat nauki, a pierwsza osoba, która odpowiedziała poprawnie, uzyskiwała punkt. Zdobywcy trzech pierwszych miejsc dostawali nagrody wybrane przez Henry'ego i starannie zapakowane przez Paulę.

W pokoju panowało wyczuwalne napięcie – jak zawsze, gdy spotkaniu przewodził Henry – i toczyła się naprawdę ostra rywalizacja. Wiadomo było, że ojciec Lincolna rozwiąże dużą część zagadek chemicznych. Jeśli pojawiło się zadanie związane z liczbami, matka Lincolna, nauczycielka matematyki, odpowiadała, zanim jeszcze Henry zdążył dokończyć pytanie. W trakcie całego konkursu prowadzili jednak kuzyni – Robert, Marie, Lincoln, Arthur oraz narzeczony Marie.

Pod koniec, gdy dochodziła ósma, zawodnicy dosłownie siedzieli na brzeżku krzesła. Kolejność zmieniała się z każdym pytaniem. Wszystkim pociły się dłonie. Kiedy na zegarze ciotki Pauli, która mierzyła czas, pozostało zaledwie kilka minut, Lincoln odpowiedział na trzy pytania z rzędu i wysunął się na czoło, ostatecznie zwyciężając w konkursie. Drugie miejsce zajęła Marie, a trzecie Arthur.

Wśród gromkich braw Lincoln zgiął się w teatralnym ukłonie i przyjął od wuja główną nagrodę. Do dziś pamiętał swoje zdziwienie, gdy rozwinął ciemnozielony papier; ujrzał przezroczyste plastikowe pudełko, w którym spoczywała niewielka kostka betonu.

Nie był to jednak żaden dowcip. Lincoln otrzymał kawałek ziemi z uniwersyteckiego stadionu Staggs Field, gdzie przeprowadzono pierwszą na świecie jądrową reakcję łańcuchową, pod kierunkiem Enrica Fermiego oraz Arthura Comptona, na którego cześć otrzymał imię jego kuzyn. Henry podobno dostał ten odłamek betonu, gdy w latach pięćdziesiątych zburzono stadion. Lincoln był bardzo wzruszony historyczną pamiątką, ciesząc się, że tak poważnie potraktował zawody. Wciąż miał ten kamień, który tkwił na dnie jednego z kartonów w piwnicy.

Ale wówczas nie miał czasu zachwycać się nagrodą. Ponieważ tego wieczoru był umówiony z Adrianną.

Równie niespodziewanie jak dziś odżyły wspomnienia o rodzinie, w jego myślach zagościła postać pięknej, rudowłosej gimnastyczki.

Adrianna Waleska – wymawiane z twardym „w", które było śladem jej gdańskich korzeni, sięgających dwa pokolenia wstecz – pracowała w poradni zawodowej w szkole Lincolna. Na początku ostatniej klasy, składając u niej jakieś podanie, zauważył leżącą na biurku zupełnie zaczytaną książkę Heinleina „Obcy w obcym kraju". Przez następną godzinę rozmawiali o powieści, zgadzając się w wielu punktach, w niektórych spierając, aż Lincoln zorientował się, że nie poszedł na lekcję chemii. Trudno. Są rzeczy ważne i ważniejsze.

Była wysoka i szczupła, nosiła niewidoczny aparat korekcyjny na zębach. Miała pociągającą figurę, skrywaną pod włochatymi swetrami i dżinsami dzwonami, oraz piękny uśmiech, czasem radosny, a czasem uwodzicielski. Wkrótce zaczęli się spotykać – dla obojga była to pierwsza próba stworzenia poważnego związku. Chodzili oglądać nawzajem swoje występy na imprezach sportowych, odwiedzali kluby jazzowe na Old Town, Instytut Sztuki, by obejrzeć miniaturowe pokoje Thorne'a, od czasu do czasu lądowali na tylnym siedzeniu jej chevroleta monza, które ściśle rzecz biorąc w ogóle nie było siedzeniem, i o to właśnie chodziło. Adrianna mieszkała niedaleko jego domu, w odległości, którą tak wytrawny lekkoatleta jak Lincoln bez trudu mógłby pokonać pieszo. Tak jednak nie wypadało – nie mógł się jej pokazać zlany potem – więc kiedy tylko miał okazję, pożyczał od rodziny samochód i jechał się z nią zobaczyć.

Przegadali ze sobą wiele godzin. Podobnie jak wuj Henry, Adie potrafiła absorbować.

Owszem, istniały przeszkody. W przyszłym roku Lincoln wyjeżdżał do college'u w Bostonie, Adie do San Diego, gdzie miała studiować biologię i pracować w zoo. Ale były to tylko komplikacje, a Lincoln Rhyme, wtedy i dziś, nie uznawał komplikacji za wystarczające usprawiedliwienie.

Później – po wypadku i po rozwodzie z Blaine – Rhyme często się zastanawiał, co by się stało, gdyby zostali razem i kontynuowali to, co zaczęli. Prawdę mówiąc, tamtej Wigilii omal nie oświadczył się Adriannie. Zamiast pierścionka zaręczynowego zamierzał jej podarować „innego rodzaju kamyk", jak chciał powiedzieć – nagrodę od wuja za zwycięstwo w turnieju.

Ale plany pokrzyżowała mu pogoda. Kiedy siedzieli na ławce wtuleni w siebie, nagle z nieba zaczął walić gęsty śnieg i po kilku minutach ich włosy i kurtki przykrył biały, wilgotny całun. Oboje zdążyli wrócić do swoich domów, zanim zamknięto drogi. Leżąc w nocy w łóżku, mając przy sobie plastikowe pudełko z kawałkiem betonu, powtarzał sobie w myślach mowę oświadczynową.

Której nigdy nie wygłosił. Ich drogi rozeszły się z powodu biegu zdarzeń, który zakłócił ich życie, zdarzeń na pozór błahych, choć drobnych w takim sensie jak niewidzialne atomy, które pewnego zimowego dnia zmuszono do rozszczepienia, zmieniając świat na zawsze.

Wszystko wyglądałoby inaczej...

Rhyme dostrzegł Sachs czeszącą długie rude włosy. Przyglądał się jej przez kilka chwil, ciesząc się, że została na noc – bardziej niż zwykle. Rhyme i Sachs nie byli nierozłączni. Oboje prowadzili własne, niezależne życie, często wybierając samotność. Lecz dziś Rhyme pragnął, żeby przy nim była. Chciał się rozkoszować bliskością jej ciała – jej dotykiem tam, gdzie miał zdolność czucia – doznaniem tym intensywniejszym, że należało do rzadkości.

Miłość do niej była jednym z bodźców, jakie skłoniły go do narzucenia sobie reżimu treningowego, opartego na ćwiczeniach na skomputeryzowanej bieżni i rowerze ergometrycznym. Robił wszystko, by jego mięśnie były gotowe na wypadek, gdyby medycynie udało się przekroczyć ostatnią granicę – i sprawić, by znów zaczął chodzić. Rhyme rozważał także możliwość poddania się jeszcze jednej operacji, która mogła poprawić jego stan i lepiej przygotować go na ten dzień. Kontrowersyjną metodę, będącą wciąż w fazie eksperymentalnej, nazywano przekierowaniem nerwów obwodowych. Dyskutowano o niej od lat i od czasu do czasu próbowano ją stosować, choć bez nadzwyczajnych wyników. Ostatnio jednak zagraniczni lekarze przeprowadzili kilka udanych operacji, mimo zastrzeżeń środowiska medycznego w Ameryce. Zabieg polegał na chirurgicznym połączeniu nerwów powyżej miejsca uszkodzenia rdzenia z nerwami poniżej. W rezultacie powstawało coś w rodzaju objazdu omijającego most zmyty przez rzekę.

Sukcesy odnotowano w leczeniu mniej poważnych obrażeń niż u Rhyme'a, lecz wyniki były niezwykłe: pacjentom przywrócono kontrolę nad pęcherzem, sprawność motoryczną kończyn, a nawet zdolność chodzenia. To ostatnie nie wchodziło w grę w wypadku Rhyme'a, ale rozmowy z pewnym japońskim lekarzem, który był pionierem tej metody, oraz jego kolegą z kliniki jednego z uniwersytetów należącego do Ligi Bluszczowej, dawały nadzieję poprawy. Być może miał szansę odzyskać zdolność motoryczną i czucie w dłoniach, ramionach i pęcherzu.

Chodziło także o seks.

Sparaliżowani ludzie, nawet tetraplegicy, są w stanie uprawiać seks. Jeśli bodziec pochodzi z umysłu – w reakcji na widok mężczyzny lub kobiety, która się nam podoba – wówczas sygnał nie przedostaje się przez przerwany rdzeń kręgowy. Ale ciało to wspaniały mechanizm i poniżej miejsca uszkodzenia znajduje się cudowna pętla nerwów. Wystarczy niewielki miejscowy bodziec, by nawet człowiek o znacznym stopniu niepełnosprawności mógł się kochać.

W łazience zgasło światło i Rhyme ujrzał zarys sylwetki Sachs, gdy kładła się w łóżku, które już dawno temu uznała za najwygodniejsze na świecie.

– Wiesz… – zaczął, ale dalsze słowa stłumił pocałunek, którym zamknęła mu usta.

– Co mówiłeś? – szepnęła, przesuwając wargi po jego podbródku i szyi.

Zapomniał.

– Zapomniałem.

Chwycił wargami jej ucho i po chwili zorientował się, że ściąga z niego kołdrę. Wymagało to od niej pewnego wysiłku; Thom ścielił łóżko z pedanterią żołnierza, który boi się sierżanta. Zaraz jednak zobaczył, że pościel leży zwinięta w nogach. Obok wylądowała koszulka Sachs.

Znów go pocałowała. Oddał pocałunek.

W tym momencie zadzwonił jej telefon.

– Mm – szepnęła. – Nic nie słyszałam. – Po czterech dzwonkach dzięki Bogu włączyła się poczta głosowa. Ale po chwili znów rozległ się dzwonek.

– Może to twoja matka – zauważył Rhyme.

Rose Sachs leczyła się z powodu dolegliwości sercowych. Rokowanie było dobre, lecz ostatnio nastąpiło pogorszenie.

Sachs mruknęła coś pod nosem i otworzyła telefon, oblewając ich ciała błękitnym światłem. Patrząc na wyświetlacz, powiedziała.

– To Pam. Lepiej będzie, jak odbiorę.

– Oczywiście.

– Cześć. Co jest?

Z dalszego ciągu jednostronnej rozmowy Rhyme wywnioskował, że coś się stało.

– Dobrze… jasne… Ale jestem u Lincolna. Chcesz tu przyjechać?

– Zerknęła na Rhyme'a, który przyzwalająco skinął głową. – Dobrze, kochanie. Jasne, nie zaśniemy. – Zamknęła komórkę.

– O co chodzi?

– Nie wiem. Nie chciała powiedzieć. Mówiła tylko, że Dan i Enid musieli nagle przyjąć dwoje dzieci, więc starsze musiały dzielić jeden pokój. Musiała wyjść. I nie chce nocować sama u mnie.

– Dobrze wiesz, że nie mam nic przeciwko temu.

Sachs położyła się z powrotem, a jej usta podjęły przerwaną wędrówkę. Szepnęła:

– Policzyłam. Musi się jeszcze spakować, wyprowadzić samochód z garażu… to potrwa co najmniej czterdzieści pięć minut. Mamy trochę czasu.

Nachyliła się i pocałowała go.

I nagle rozjazgotał się dzwonek u drzwi, a domofon zaterkotał:

– Panie Rhyme? Amelia? Cześć, tu Pam. Wpuścicie mnie?

Rhyme wybuchnął śmiechem.

– Chyba że dzwoniła ze schodów przed wejściem.

Pam i Sachs siedziały w sypialni na górze.

Pokój był do dyspozycji dziewczyny, ilekroć miała ochotę tu nocować. Na półce stało parę zapomnianych pluszowych zwierzaków (gdy matka i ojczym uciekają przed FBI, w dzieciństwie nie ma miejsca na zabawki), ale jej kolekcja książek i płyt kompaktowych liczyła kilkaset egzemplarzy. Dzięki Thomowi zawsze miała pod ręką sporo czystych bluz, spodni, T-shirtów i skarpet. W pokoju było radio satelitarne Sirius i odtwarzacz płyt. A także buty do biegania; Pam uwielbiała pokonywać sprintem dwuipółkilometrową ścieżkę wokół zbiornika w Central Parku. Biegała z miłości do biegania i z nieodpartej potrzeby.

Dziewczyna siedziała na łóżku, starannie malując złotym lakierem paznokcie u stóp, rozdzieliwszy palce wacikami. Matka jej tego zabraniała, podobnie jak makijażu („z szacunku dla Jezusa", cokolwiek to miało znaczyć), a gdy Pam wyrwała się z prawicowego podziemia, zaczęła zmieniać styl, poprawiając sobie nastrój drobiazgami, takimi jak lakierowane paznokcie, odrobina czerwieni we włosach albo trzy kolczyki w jednym uchu. Sachs była zadowolona, że dziewczyna nie popadła w przesadę; jeśli ktokolwiek miał powody zrobić z siebie dziwadło, taką osobą z pewnością była Pamela Willoughby.

Sachs siedziała wygodnie rozparta na fotelu, z ułożonymi wysoko nogami, boso. Przez otwarte okno do pokoiku napływały wiosenne zapachy z Central Parku: mieszanka woni torfu, ziemi, okrytych rosą liści, spalin samochodowych. Sachs pociągnęła łyk gorącej czekolady.

– Au. Najpierw podmuchaj.

Pam przytknęła stulone usta do kubka i ostrożnie spróbowała.

– Dobra. Faktycznie gorąca. – Wróciła do lakierowania paznokci. W odróżnieniu od radości, jaka dziś rano malowała się na jej twarzy, teraz dziewczyna wydawała się przygnębiona.

– Wiesz, jak to się nazywa? – spytała Sachs, wskazując jej nogi.

– Stopy? Palce?

– Nie, podeszwy?

– Pewnie. Podeszwy stóp i palców. – Roześmiały się.

– Powierzchnia oporowa stóp. Też zostawiają odciski, tak samo jak palce. Lincoln doprowadził kiedyś do skazania człowieka, który kopniakiem bosej stopy pozbawił ofiarę przytomności. Ale raz nie trafił i walnął w drzwi. Zostawił odcisk.

– Fajnie. Pan Rhyme powinien napisać następną książkę.

– Pracuję nad nim – odrzekła Sachs. – No mów, o co chodzi.

– O Stuarta.

– Gadaj.

– Może nie powinnam przychodzić. To głupie.

– Daj spokój. Pamiętaj, że jestem gliną. Wszystko z ciebie wyduszę.

– No więc zadzwoniła Emily i zdziwiłam się, że dzwoni w niedzielę, bo nigdy tego nie robi, to pomyślałam, że coś jest nie tak. I najpierw w ogóle nie chciała nic powiedzieć, ale w końcu powiedziała. Że widziała dzisiaj Stuarta z kimś innym. Z jedną dziewczyną ze szkoły. Po meczu. A on mi mówił, że od razu wraca do domu.

– Jakie są fakty? Może tylko rozmawiali? Nie ma w tym nic złego.

– Emily mówiła, że nie jest pewna, ale to wyglądało, jakby ją przytulał. A potem, jak zauważył, że ktoś na niego patrzy, poszedł sobie z tą dziewczyną. Jakby próbował uciekać. – Zastygła z pędzelkiem w dłoni, nie dokończywszy malowania paznokcia. – Naprawdę bardzo go lubię. Gdyby już nie chciał ze mną chodzić, to by była kaszana.

Sachs i Pam były razem u psycholożki – za zgodą dziewczyny, Sachs rozmawiała z nią sama. Pam przechodziła długotrwały stres pourazowy, wywołany nie tylko długim okresem przebywania pod kuratelą socjopatycznej matki, ale także pewnym epizodem, gdy ojczym o mały włos nie poświęcił jej życia, próbując zamordować funkcjonariuszy policji. Zdarzenia takie jak incydent ze Stuartem Everettem, błahe dla większości ludzi, w oczach dziewczyny urastały do olbrzymich rozmiarów i mogły mieć tragiczne skutki. Sachs usłyszała od psycholożki, że nie powinna wzmagać jej lęków, lecz nie powinna ich także bagatelizować. Miała analizować każdy z osobna.

– Rozmawialiście o spotykaniu się z innymi?

– Mówił… miesiąc temu mówił, że z nikim się nie spotyka. Ja też nie. Powiedziałam mu to.

– Miałaś jakieś inne informacje wywiadowcze?

– Wywiadowcze?

– Czy inne koleżanki coś ci mówiły?

– Nie.

– A znasz jego znajomych?

– Tak jakby. Ale nie tak, żebym mogła ich o cokolwiek pytać. To by był obciach.

Sachs się uśmiechnęła.

– A więc szpiedzy odpadają. Moim zdaniem powinnaś go po prostu zapytać. Prosto z mostu.

– Tak myślisz?

– Tak myślę.

– A jak powie, że się z nią spotyka?

– Wtedy powinnaś być mu wdzięczna za szczerość. To dobry znak. A potem przekonasz go, żeby puścił laskę kantem. – Zaśmiały się obie.

– Powiesz mu, że chcesz chodzić z jedną osobą. – Słysząc wewnętrzny głos początkującej matki, Sachs dodała szybko: – Nie mówimy o małżeństwie ani wspólnym mieszkaniu. Tylko o chodzeniu ze sobą.

Pam pokiwała głową.

– Pewnie, że tak.

Sachs odetchnęła z ulgą.

– I że to on jest osobą, z którą chcesz się spotykać. Ale tego samego oczekujesz od niego. Łączy was coś ważnego, rozumiecie się, potraficie się dogadać, a to nie zdarza się co dzień.

– Tak jak ty i pan Rhyme.

– Właśnie tak. Ale jeżeli nie będzie chciał, to trudno. Nic się nie stanie.

– Stanie. – Pam zmarszczyła czoło.

– Po prostu radzę ci, co powinnaś mówić. Potem powiesz mu, że ty też będziesz się spotykać z innymi. Musi wybrać: albo – albo.

– Chyba tak. A jak się zgodzi? – Spochmurniała na samą myśl.

Sachs ze śmiechem pokręciła głową.

– Fakt, to rzeczywiście pech, kiedy ktoś przejrzy twoją grę. Ale nie sądzę, żeby się zgodził.

– No dobrze. Jutro spotkam się z nim po lekcjach. Pogadam z nim.

– Zadzwoń. Daj mi znać, jak poszło. – Sachs podniosła się, zabrała lakier i zakręciła. – Kładź się. Już późno.

– Ale nie skończyłam paznokci.

– To jutro nie włożysz sandałów.

– Amelia?

Przystanęła w progu.

– Zamierzacie się pobrać z panem Rhyme'em?

Sachs uśmiechnęła się i zamknęła drzwi.

III

WRÓŻKA

PONIEDZIAŁEK, 23 MAJA

Przeszukując i segregując dane zebrane przez przedsiębiorstwa, komputery z nieprawdopodobną precyzją przewidują zachowania klientów. Ta nowoczesna, zautomatyzowana sztuka wróżenia ze szklanej kuli, nazywana analizą predykcyjną, rozwinęła się w Stanach Zjednoczonych w potężny przemysł, wart 2,3 miliarda dolarów, który w 2008 roku osiągnie wartość 3 miliardów.

CHICAGO TRIBUNE

Rozdział 18

Dość duża firma...

Amelia Sachs siedziała w podniebnym holu siedziby Strategic Systems Datacorp, dochodząc do wniosku, że opis SSD przedstawiony przez prezesa firmy obuwniczej był... dość oszczędny.

Trzydziestopiętrowy budynek, szary, strzelisty monolit, o murach z gładkiego granitu połyskującego miką, stał na środkowym Manhattanie. Zważywszy na położenie i wysokość, z której roztaczała się wspaniała panorama miasta, miał zaskakująco małe i wąskie okna. Sachs znała ten gmach, który nazywano Gray Rock, lecz nigdy nie wiedziała, do kogo należy.

Razem z Ronem Pulaskim – już nie w niedzielnych strojach, ale oficjalnie ubrani na granatowo, ona w kostium, on w mundur – siedzieli naprzeciw wielkiej ściany, na której widniały tabliczki z nazwami miast na całym świecie, gdzie SSD miał swoje oddziały, a były wśród nich Londyn, Buenos Aires, Bombaj, Singapur, Pekin, Dubaj, Sydney i Tokio.

Dość duża...

Listę oddziałów wieńczyło firmowe logo: okno w wieży strażniczej.

Sachs poczuła lekki ucisk w żołądku, przypominając sobie okna w opuszczonym budynku naprzeciwko hotelu Roberta Jorgensena. Wspomniała także słowa Lincolna Rhyme'a o incydencie z agentem federalnym na Brooklynie.

Dokładnie wiedział, gdzie jesteś. A to znaczy, że cię śledził. Uważaj, Sachs...

Rozejrzawszy się po holu, zobaczyła kilku czekających biznesmenów, których twarze zdawały się zdradzać jakiś niepokój, i przypomniała sobie obawy prezesa firmy obuwniczej wywołane perspektywą skreślenia z listy klientów SSD. Nagle zauważyła, że wszyscy, niemal jak jeden mąż, zwrócili głowy w stronę recepcjonistki. Obok niej pojawił się jakiś mężczyzna, na którego patrzyli – niewysoki, o rudoblond włosach i młodzieńczym wyglądzie. Wszedł do holu i od razu skierował się w stronę Sachs i Pulaskiego. Maszerował po czarno-białej wykładzinie sprężystym krokiem, wyprostowany jak struna. Uśmiechem i skinieniem głowy witał się prawie z każdą osobą, zwracając się do niej po imieniu.

Kandydat na prezydenta. Takie było pierwsze wrażenie Sachs.

Ale mężczyzna nie zatrzymywał się, dopóki nie dotarł do dwojga policjantów.

– Dzień dobry. Jestem Andrew Sterling.

– Detektyw Sachs. A to posterunkowy Pulaski.

Sterling był o dziesięć centymetrów niższy od Sachs, lecz wyglądał na wysportowanego. Miał na sobie nieskazitelnie białą koszulę z wykrochmalonym kołnierzykiem i mankietami. Marynarka ciasno opinała szerokie, muskularne ramiona. Nie nosił żadnej biżuterii. Gdy jego twarz rozjaśnił niewymuszony, życzliwy uśmiech, w kącikach zielonych oczu ukazały się zmarszczki.

– Chodźmy do mnie.

Szef tak potężnej firmy… sam do nich przyszedł zamiast wysyłać podwładnych, by przyprowadzili ich pod eskortą do sali tronowej.

Sterling szedł swobodnym krokiem długimi, cichymi korytarzami. Witał się z każdym pracownikiem, pytając niektórych, jak minął weekend. Z wdzięcznością przyjmowali jego uśmiech, gdy słyszał o miłym weekendzie, i zatroskanie na wieść o chorobie krewnych lub odwołanym meczu. Spotkał po drodze kilkadziesiąt osób i z każdą zamienił parę słów.

– Witaj, Tony – powiedział do sprzątacza, który wsypywał resztki pociętych przez niszczarkę dokumentów do dużego plastikowego worka. – Byłeś na meczu?

– Nie, Andrew. Nie zdążyłem. Miałem za dużo roboty.

– Może powinnyśmy zaczynać weekend dzień wcześniej – zażartował Sterling.

– Jestem za, Andrew.

I sunęli dalej korytarzem.

Sachs przypuszczała, że nie zna nawet tylu osób w policji, z iloma Sterling przywitał się w ciągu pięciu minut.

Wystrój siedziby firmy był minimalistyczny: rozległe śnieżnobiałe ściany zdobiły niewielkie, gustowne czarno-białe fotografie i rysunki. Meble, utrzymane w tej samej tonacji, proste i drogie, pochodziły z Ikei. Sachs domyślała się, że kryje się za tym jakieś przesłanie, lecz wnętrze wydało się jej ponure.

Po drodze powtórzyła sobie w myślach wszystko, czego dowiedziała się poprzedniego wieczoru, kiedy powiedziała Pam dobranoc. W internecie znalazła skąpe informacje na temat biografii tego człowieka. Był samotnikiem – raczej typem Howarda Hughesa niż Billa Gatesa. Jego wczesne lata pozostawały zagadką. Sachs nie znalazła nic na temat jego dzieciństwa ani rodziców. Pierwsze pobieżne wzmianki w prasie mówią tylko tyle, że siedemnastoletni Sterling zaczynał pracować w sprzedaży domokrążnej i telemarketingu, handlując coraz droższymi produktami. W końcu zajął się komputerami. Jak na chłopaka, który, według jego wypowiedzi dla prasy, uzyskał „siedem ósmych licencjatu w szkołach wieczorowych", Sterling uważał, że jako sprzedawca odnosił spore sukcesy. Niebawem wrócił do college'u, by dokończyć pozostałą jedną ósmą licencjatu i zaraz potem uzyskać magisterium z informatyki i inżynierii komputerowej. Wszystkie artykuły przypominały historie żywcem wzięte z powieści Horatia Algera i promowały go jako biznesmena, podkreślając, że ma wyjątkową głowę do interesów.

Potem, gdy Sterling miał dwadzieścia kilka lat, nadeszło, jak powiedział, używając określenia godnego dyktatora komunistycznych Chin, „wielkie przebudzenie". Sprzedawał mnóstwo komputerów, ale za mało, by zaspokoić własne ambicje. Dlaczego nie odnosił większych sukcesów? Przecież nie był leniwy. Ani głupi.

Wreszcie odgadł, na czym polega problem: był za mało wydajny. Jak wielu innych sprzedawców.

Sterling nauczył się programowania i tygodniami przesiadywał po osiemnaście godzin dziennie w ciemnym pokoju, pisząc oprogramowanie. Zastawił wszystko i założył firmę, opartą na pomyśle, który mógł się okazać niemądry albo genialny: jej najcenniejsze aktywa nie miały należeć do przedsiębiorstwa, ale do milionów ludzi i na ogół

171

były dostępne za darmo – informacje na ich temat. Sterling zaczął budować bazę danych potencjalnych klientów rynku towarów i usług, włączając do niej informacje demograficzne o rejonie, w którym mieszkali, informacje o dochodach, stanie cywilnym, sytuacji finansowej, prawnej i podatkowej oraz wszystkie dane – osobiste i zawodowe – jakie udało mu się kupić, ukraść lub znaleźć w inny sposób. Prasa cytowała jego słowa: „Jeżeli jest jakiś fakt, chcę go znać".

Oprogramowanie, którego był autorem, pierwsza wersja systemu zarządzania bazami danych Watchtower, było jak na owe czasy rewolucyjne i stanowiło ogromny krok naprzód w stosunku do słynnego standardu SQL. W ciągu kilku minut Watchtower podejmował decyzję, którzy klienci zasługują na uwagę i jak ich zwabić, a którzy nie są warci zachodu (choć ich nazwiska można było odsprzedać innym firmom, które chciałyby ich pozyskać).

Firma rozrastała się niczym potwór z filmu science fiction. Sterling zmienił jej nazwę na SSD, przeniósł się na Manhattan i zaczął skupiać pod szyldem swojego imperium mniejsze przedsiębiorstwa działające na rynku informacji. Mimo że nie był lubiany wśród organizacji broniących praw do prywatności, w SSD nigdy nie doszło do najdrobniejszego skandalu à la Enron. Personel musiał zapracować na swoje wynagrodzenie – nikt nie dostawał nieprzyzwoicie wysokich premii jak na Wall Street – ale jeżeli firma osiągała zyski, pracownicy mieli w nich udział. SSD oferował program pożyczek na opłaty za studia i zakup nieruchomości, staże dla dzieci, a rodzicom przysługiwał roczny urlop wychowawczy. Firma była znana z rodzinnego traktowania swoich pracowników, a Sterling popierał zatrudnianie małżonków, rodziców i dzieci. Co miesiąc sponsorował wyjazdowe spotkania integracyjne i motywacyjne.

Swoje życie prywatne prezes trzymał w tajemnicy, choć Sachs udało się dowiedzieć, że nie pali, nie pije i nikt nie słyszał, by kiedykolwiek z jego ust padło przekleństwo. Mieszkał skromnie, pobierał zaskakująco niską pensję, a majątek lokował w akcjach SSD. Stronił od nowojorskich kręgów towarzyskich. Nie było mowy o szybkich samochodach ani prywatnych odrzutowcach. Mimo szacunku dla instytucji rodziny, jaki okazywał w życiu zawodowym, Sterling miał za sobą dwa rozwody i nie zawarł trzeciego małżeństwa. Krążyły sprzeczne pogłoski o jego dzieciach z czasów młodości. Miał kilka rezydencji, lecz próżno było szukać ich adresów w publicznych rejestrach. Znając wagę danych, Andrew Sterling zdawał sobie zapewne sprawę z zagrożeń, jakie niosło ich ujawnianie.

Sterling, Sachs i Pulaski dotarli do końca długiego korytarza i weszli do sekretariatu. Na biurkach dwóch asystentów leżały pedantycznie uporządkowane dokumenty, teczki i wydruki. W tym momencie w pokoju był tylko jeden asystent, przystojny młody człowiek, ubrany w klasycznie skrojony garnitur, do którego miał przypiętą plakietkę z nazwiskiem „Martin Coyle". W jego części sekretariatu panował idealny porządek – Sachs zauważyła z rozbawieniem, że nawet książki za jego plecami były ustawione według formatu.

– Andrew. – Asystent skinął szefowi głową, ignorując dwoje funkcjonariuszy, kiedy się zorientował, że nie zostaną mu przedstawieni.

– Wszystkie wiadomości masz w komputerze.

– Dziękuję. – Sterling zerknął na sąsiednie biurko. – Jeremy poszedł obejrzeć restaurację przed tą imprezą dla prasy?

– Był tam już rano. Pojechał zawieźć dokumenty do firmy prawniczej. W tej drugiej sprawie.

Sachs dziwiła się, że Sterling ma dwóch sekretarzy – widocznie jeden zajmował się pracą w siedzibie firmy, a drugi załatwiał sprawy w terenie. W departamencie policji detektywi musieli się dzielić asystentami, jeśli w ogóle mieli pomoc.

Weszli do gabinetu Sterlinga, niewiele większego od innych pomieszczeń, które tu widzieli. Na ścianach nie było żadnych ozdób. W przeciwieństwie do wścibskiego okna w logo SSD, zasłony w oknach u Andrew Sterlinga były zasunięte, zakrywając wspaniały widok miasta. Sachs przeniknął lekki dreszcz klaustrofobii.

Sterling usiadł na prostym drewnianym krześle, nie na skórzanym obrotowym tronie. Wskazał im podobne, choć wyściełane krzesła. Za jego plecami stały niskie regały pełne książek, ale, co ciekawe, zamiast w stronę gabinetu, wszystkie były odwrócone grzbietami w górę. Aby się dowiedzieć, jakie lektury lubi Sterling, goście musieliby podejść do regału i spojrzeć z góry albo wyjąć któryś z tomów.

Prezes wskazał dzbanek i kilka odwróconych dnem do góry szklanek.

– To woda. Ale jeżeli mają państwo ochotę, zaraz poślę po kawę czy herbatę.

Poślę? Sachs dawno nie słyszała tego słowa.

– Nie, dziękuję.

Pulaski przecząco pokręcił głową.

– Przepraszam. To potrwa dosłownie chwileczkę. – Sterling podniósł słuchawkę i wstukał numer. – Andy? Dzwoniłeś do mnie. Z jego tonu Sachs odgadła, że rozmawia z kimś bliskim, chociaż wyraźnie chodziło o jakiś problem związany z firmą. Mimo to Sterling mówił obojętnym głosem. – Ach. No, chyba będziesz musiał. Potrzebujemy tych numerów. Wiesz, że nie siedzą tam z założonymi rękami. Lada dzień wykonają jakiś ruch.... To dobrze.

Odłożywszy słuchawkę, dostrzegł badawcze spojrzenie Sachs.

– W firmie pracuje mój syn. – Wskazał zdjęcie na biurku, przedstawiające Sterlinga w towarzystwie przystojnego, szczupłego młodzieńca, podobnego do prezesa. Obaj mieli na sobie T-shirty z logo SSD. Fotografię zrobiono na jakimś spotkaniu pracowników, może na jednym z wyjazdów szkoleniowych. Stali obok siebie, lecz nie było między nimi kontaktu fizycznego. Żaden się nie uśmiechał.

Czyli jedna z zagadek dotyczących jego życia osobistego została rozwiązana.

– A zatem – powiedział, zwracając zielone oczy na Sachs – o co chodzi? Wspomniała pani o jakimś przestępstwie.

– W ciągu kilku ostatnich miesięcy popełniono w mieście kilka morderstw – odrzekła Sachs. – Uważamy, że ktoś mógł wykorzystać informacje z waszych komputerów, żeby zbliżyć się do ofiar, zabić je, a następnie, używając tych i innych informacji, obciążyć winą niewinne osoby.

Człowiek, który wie wszystko...

– Informacji? – Wydawał się szczerze zaniepokojony. A także zakłopotany. – Nie jestem pewien, jak mogłoby do tego dojść, ale proszę powiedzieć mi coś więcej.

– Morderca dokładnie wiedział, jakich produktów używały ofiary, więc podrzucił ich ślady jako dowód w domach niewinnych ludzi, żeby powiązać ich z zabójstwem. – Od czasu do czasu Sterling ściągał brwi nad szmaragdowymi tęczówkami. Słuchając szczegółowej relacji o kradzieży obrazu i monet oraz dwóch gwałtach, miał coraz bardziej strapioną minę.

– To straszne… – Odwrócił wzrok, wstrząśnięty wiadomościami.
– Gwałty?

Sachs ponuro przytaknęła, dodając, że SSD to jedyna firma w okolicy, która miała dostęp do wszystkich informacji, jakie wykorzystał morderca.

Sterling przetarł twarz, wolno kiwając głową.

– Rozumiem już, skąd to zainteresowanie… Ale czy mordercy nie byłoby łatwiej śledzić ofiary i dowiedzieć się, co kupują? Albo nawet włamać się do ich komputerów, do skrzynek pocztowych, do domu, zapisać numery rejestracyjne na ulicy?

– Na tym właśnie polega problem: mógł to zrobić. Ale żeby zdobyć potrzebne informacje, musiałby zrobić każdą z tych rzeczy. Popełniono co najmniej cztery przestępstwa – przypuszczamy, że mogło ich być więcej – a to oznacza, że miał najświeższe dane o czterech ofiarach i czterech osobach, które zamierzał wrobić. Najprostsza droga do zdobycia takich informacji to przeszukanie zasobów firmy eksplorującej dane.

Sterling uśmiechnął się i lekko skrzywił.

Sachs przechyliła głowę, marszcząc brwi.

– Nie ma nic złego w określeniu „eksploracja danych" – powiedział prezes. – Podchwyciła je prasa i wszędzie można je znaleźć. *Dwadzieścia milionów wyników wyszukiwania…*

– Wolę jednak nazywać SSD dostawcą usług informacyjnych. Analogicznie do dostawcy usług internetowych.

Sachs odniosła dziwne wrażenie; Sterling wydawał się dotknięty tym, co powiedziała. Chciała go zapewnić, że więcej tego nie zrobi.

Prezes wyrównał plik papierów na uporządkowanym biurku. Z początku sądziła, że to puste kartki, lecz teraz zauważyła, że były ułożone zapisaną stroną do dołu.

– Proszę mi wierzyć, jeżeli jest w to zamieszany ktoś z SSD, to tak samo jak wam zależy mi na znalezieniu tej osoby. To może nam przynieść ogromne szkody – dostawcy wiedzy nie mają ostatnio najlepszych notowań w prasie ani w Kongresie.

– Po pierwsze – powiedziała Sachs – domyślamy się, że morderca kupił większość przedmiotów za gotówkę.

Sterling skinął głową.

– Nie chciał zostawiać po sobie żadnych śladów.

– Tak. Ale buty kupił w sprzedaży wysyłkowej albo przez internet.

Moglibyśmy dostać listę osób z Nowego Jorku, które kupiły te buty w tych rozmiarach? – Podała mu spis altonów, bassów i sure-tracków.

– Ten sam człowiek kupował każdą z tych marek.

– Jaki okres wchodzi w grę?

– Trzy miesiące.

Sterling zadzwonił. Po krótkiej rozmowie i mniej więcej minutę po jej zakończeniu spojrzał w ekran monitora. Odwrócił go do Sachs, żeby mogła widzieć, choć nie była pewna, na co patrzy – rządki informacji o produktach i kody.

Prezes pokręcił głową.

– Sprzedano około ośmiuset par altonów, tysiąc dwieście bassów, dwieście sure-tracków. Ale nikt nie kupił wszystkich trzech marek. Ani nawet dwóch par.

Rhyme podejrzewał, że morderca, jeśli korzystał z informacji pochodzących z SSD, zatarł ślady, lecz mieli nadzieję, że ten trop do czegoś ich doprowadzi. Wpatrując się w liczby, zastanawiała się, czy morderca przy zamawianiu butów użył metod kradzieży tożsamości, przećwiczonych na Robercie Jorgensenie.

– Przykro mi.

Skinęła głową.

Sterling odkręcił wysłużone srebrne pióro i przysunął sobie notatnik. Starannym charakterem pisma zanotował coś, czego Sachs nie mogła przeczytać, potem spojrzał na zapiski i pokiwał głową.

– Zapewne przypuszczacie, że to dzieło intruza, pracownika, jednego z naszych klientów albo hakera, prawda?

Ron Pulaski zerknął na Sachs i powiedział:

– Właśnie tak.

– Dobrze. Przejdźmy więc do sedna. – Spojrzał na zegarek Seiko. – Chcę tu sprowadzić kilka osób. To może potrwać parę minut. W każdy poniedziałek o tej porze mamy Koła Duchowe.

– Koła Duchowe? – zdziwił się Pulaski.

– Spotkania motywacyjne zespołów prowadzone przez liderów grup. Niedługo powinny się skończyć. Zaczynamy punktualnie o ósmej. Niektóre trwają trochę dłużej od innych. W zależności od lidera. Polecenie, intercom, Martin – powiedział nagle.

Sachs zaśmiała się w duchu. Sterling używał podobnego systemu rozpoznawania głosu co Lincoln Rhyme.

– Tak, Andrew? – Głos asystenta dobiegał z niewielkiej skrzyneczki na biurku.

– Przyślij do mnie Toma – Toma z ochrony – i Sama. Są na Kołach Duchowych?

– Nie, Andrew, ale Sam prawdopodobnie cały tydzień spędzi w Waszyngtonie. Wróci dopiero w piątek. Jest Mark, jego asystent.

– Niech będzie on.

– Tak jest.

– Polecenie, interkom, rozłącz. – Zwracając się do Sachs, powiedział: – Za chwileczkę powinni być.

Wyobrażała sobie, że na wezwanie Andrew Sterlinga każdy stawia się natychmiast. Prezes znów zaczął notować. Sachs zerknęła na firmowe logo na ścianie. Kiedy skończył, powiedziała:

– Ciekawe. Wieża i okno. Co mają symbolizować?

– Z jednej strony oznaczają po prostu śledzenie danych. Ale jest drugie znaczenie. – Uśmiechnął się, zadowolony, że może wyjaśnić. – Zna pani koncepcję rozbitego okna w filozofii społecznej?

– Nie.

– Poznałem ją przed laty i pamiętam do dziś. Jej istota polega na tym, że aby udoskonalić społeczeństwo, należy się skupić na rzeczach drobnych. Jeżeli uzyska się nad nimi kontrolę – albo się je naprawi – nastąpią większe zmiany. Weźmy osiedla z wysokim wskaźnikiem przestępczości. Można utopić miliony, zwiększając liczbę patroli policyjnych, montując kamery, ale jeśli osiedla niszczeją i są niebezpieczne, to nadal będą niszczeć i będą niebezpieczne. Zamiast milionów dolarów, trzeba przeznaczyć tysiące na naprawę okien, odmalowanie, uporządkowanie korytarzy. Może to kosmetyczne zmiany, ale ludzie je zauważą. Będą dumni ze swojej dzielnicy. Zaczną informować, kto może być groźny i kto nie dba o ich własność.

– Jak pan z pewnością wie, taka była istota programu prewencyjnego wprowadzonego w Nowym Jorku w latach dziewięćdziesiątych. I program się powiódł.

– Andrew? – zabrzmiał z interkomu głos Martina. – Są już Tom i Mark.

– Wpuść ich – polecił Sterling. Położył przed sobą kartkę z notatkami i posłał Sachs smętny uśmiech. – Zobaczmy, czy ktoś zagląda nam w okno.

Rozdział 19

Rozległ się dzwonek u drzwi i po chwili Thom wprowadził trzydzie-stoparoletniego mężczyznę o rozczochranych ciemnych włosach, ubranego w dżinsy, T-shirt z Alem Jankovicem i wytartą brązową kurtkę sportową.

Każdy, kto chciał się liczyć w świecie współczesnej kryminalistyki, musiał się znać na komputerach, lecz Rhyme i Cooper zdawali sobie sprawę ze swoich słabych punktów. Gdy stało się jasne, że sprawa NN 522 zahacza o świat techniki cyfrowej, Sellitto zwrócił się o pomoc do wydziału przestępczości komputerowej nowojorskiego departamentu policji, elitarnej grupy trzydziestu dwóch detektywów i personelu pomocniczego.

Rodney Szarnek wkroczył do salonu, rzucił okiem na najbliższy monitor i powiedział:

– Cześć – jak gdyby zwracał się do maszyny. Spoglądając w stronę Rhyme'a, nie wykazał żadnego zainteresowania jego stanem fizycznym, lecz zatrzymał wzrok na bezprzewodowym układzie sterowania otoczeniem, zamocowanym na oparciu wózka. Urządzenie najwyraźniej wywarło na nim wrażenie.

– Masz wolny dzień? – zapytał Sellitto, obrzucając niechętnym spojrzeniem strój szczupłego mężczyzny. Ton jego głosu świadczył, że nie pochwala takiego luzu. Rhyme wiedział, że gruby detektyw reprezentuje starą szkołę; funkcjonariusze policji powinni się ubierać stosownie do powagi urzędu.

– Wolny? – powtórzył Szarnek, nie rozumiejąc przytyku. – Dlaczego miałbym mieć wolny dzień?

– Tak sobie pomyślałem.

– No dobra, na czym polega problem?

– Musimy zastawić pułapkę.

Pomysł Lincolna Rhyme'a, by wejść do SSD i prosto z mostu zapytać o mordercę, nie był wcale tak naiwny, jak mógłby się wydawać. Kiedy na stronie internetowej firmy zobaczył, że dział PublicSure obsługuje wydziały policji, przeczucie podpowiedziało mu, że na liście klientów znajduje się departament nowojorski. Gdyby tak było, morderca mógłby mieć dostęp do akt policyjnych. Szybki telefon potwierdził, że istotnie, departament należy do klienteli firmy. Zarządzając danymi, miasto korzystało z oprogramowania PublicSure, a także z usług konsultantów SSD, aby koordynować informacje o sprawach kryminalnych oraz raporty i akta. Jeśli patrol na ulicy musiał sprawdzić jakiś nakaz lub detektyw, który przejął śledztwo w sprawie zabójstwa, chciał poznać przebieg dotychczasowego dochodzenia, PublicSure w ciągu kilku minut dostarczał wszystkie szczegóły prosto na jego biurko, do terminala w radiowozie albo nawet do palmtopów czy telefonów komórkowych.

Dzięki temu, że Sachs i Pulaski zostali wysłani do SSD, aby zbadać, kto mógł uzyskać dostęp do danych ofiar i kozłów ofiarnych, istniało duże prawdopodobieństwo, że 522 dowie się, iż są na jego tropie i za pośrednictwem PublicSure spróbuje dostać się do systemu policji, by zajrzeć do dokumentów. Gdyby tak się stało, mogliby ustalić, kto miał dostęp do akt.

Rhyme wyjaśnił sytuację Szarnkowi, który z namysłem kiwał głową – jak gdyby codziennie zastawiał takie pułapki. Zbiła go jednak z tropu informacja, z jaką firmą może mieć związek morderca.

– SSD? Największy eksplorator danych na świecie. Mają informacje z pierwszej ręki o wszystkich bożych dzieciach.

– To jakiś problem?

Beztroska mina komputerowego speca odrobinę zrzedła.

– Mam nadzieję, że nie – odrzekł cicho.

I przystąpił do opracowania pułapki, objaśniając wszystko po kolei. Usunął z danych szczegóły sprawy, których nie zamierzali ujawniać 522, po czym ręcznie przeniósł wszystkie wrażliwe informacje na komputer, który nie miał dostępu do internetu. Następnie przed aktami sprawy „Gwałt i morderstwo Myry Weinburg" na policyjnym serwerze umieścił program do śledzenia pakietów w sieci. Na przynętę dodał podpliki zatytułowane „Miejsce pobytu podejrzanego", „Analiza kryminalistyczna" i „Świadkowie", gdzie znajdowały się jedynie ogólne uwagi na temat oględzin miejsca zdarzenia. Gdyby ktokolwiek uzyskał do nich dostęp, oficjalnie lub nie, program natychmiast zawiadomiłby Szarnka, kto jest dostawcą internetowym takiej osoby i skąd nastąpiło połączenie. Wiedzieliby od razu, czy dokumenty ogląda glina prowadzący legalne dochodzenie, czy ktoś spoza departamentu. W tym drugim wypadku Szarnek miał zaalarmować Rhyme'a lub Sellitta, którzy mieli natychmiast wysłać na miejsce zespół ESU. Szarnek dołączył jeszcze dużą ilość materiałów, takich jak publicznie dostępne informacje na temat SSD, ale wszystkie zostały zaszyfrowane, aby morderca poświęcił na ich odczytanie jak najwięcej czasu i łatwiej było go złapać.

– Jak długo to potrwa?

– Piętnaście, dwadzieścia minut.

– Dobrze. Jak to skończysz, chcę jeszcze zobaczyć, czy mógłby się włamać ktoś z zewnątrz.

– Zhakować SSD?

– Mhm.

– Ha. Przecież oni mają firewall na firewallu.

– Mimo to musimy wiedzieć.

– Jeżeli mordercą jest ktoś stamtąd, to zapewne nie chcecie, żebym dzwonił do firmy i uzgadniał to z nimi.

– Zgadza się.

Szarnek zachmurzył się.

– To chyba po prostu spróbuję się włamać.

– Możesz to zrobić legalnie?

– I tak, i nie. Zbadam tylko szczelność zapór sieciowych. To nie przestępstwo, jeżeli nie rozwalę im systemu i nie roztrąbią o tym w mediach, a my wszyscy nie trafimy do pudła. Albo nie spotka nas coś gorszego – dodał złowróżbnym tonem.

– Dobrze, najpierw jednak chcę zastawić tę pułapkę. Jak najszybciej. – Rhyme zerknął na zegar. Sachs i Pulaski powinni już zacząć rozgłaszać w Gray Rock wiadomość o sprawie.

Szarnek wyciągnął z torby ciężki laptop i postawił na najbliższym stoliku.

– Mógłbym może dostać... O, dziękuję.

Thom wnosił do pokoju dzbanek kawy i filiżanki.

– Właśnie miałem o to poprosić. Dużo cukru, bez mleka. Haker nigdy nie przestanie być hakerem, nawet kiedy zostanie gliną. Jakoś nie mogę się przyzwyczaić do spania. – Wsypał cukier, zamieszał i wypił połowę, zanim Thom zdążył odejść. Opiekun Rhyme'a ponownie napełnił mu filiżankę. – Dzięki. No dobra, co my tu mamy? – Zaczął oglądać komputer, przy którym siedział Cooper. – Aj.

– Aj?

– Modem kablowy półtora megabita na sekundę? Wiecie, od jakiegoś czasu produkuje się kolorowe monitory i używa tak zwanego internetu.

– Bardzo zabawne – mruknął Rhyme.

– Kiedy sprawa się skończy, zadzwońcie do mnie. Wymienimy instalację, poprawimy LAN. Założymy wam szybki Ethernet.

Koszulka z Alem Jankovicem, Ethernet, LAN...

Szarnek nałożył przyciemniane okulary, podłączył laptop do portów komputera Rhyme'a i zaczął bębnić w klawisze. Rhyme zauważył, że niektóre litery są starte, a panel dotykowy nosi widoczne ślady potu. Klawiaturę pokrywała warstwa okruchów.

Spojrzenie, jakie Sellitto posłał Rhyme'owi, mówiło: trzeba brać, co popadnie.

Pierwszy z dwóch mężczyzn, którzy weszli do gabinetu Andrew Sterlinga, był szczupłym człowiekiem w średnim wieku, o nieprzeniknionej twarzy. Przypominał emerytowanego glinę. Drugi, młodszy i opanowany, wyglądał na typowego przedstawiciela kadry menedżerskiej. Był podobny do jasnowłosego brata bohatera sitcomu „Frasier".

W wypadku pierwszego Sachs trafiła prawie w dziesiątkę; Tom O'Day, szef ochrony SSD, nie służył w policji, ale był kiedyś agentem FBI. Drugi z nich, Mark Whitcomb, był zastępcą dyrektora działu kontroli wewnętrznej.

– Tom i ochrona dbają, żeby nikt z zewnątrz nie zrobił nam nic złego – wyjaśnił Sterling. – Dział Marka pilnuje, żebyśmy nie zrobili nic złego ludziom. Poruszamy się po polu minowym. Zbierając informacje o SSD, na pewno przekonaliście się, że podlegamy setkom stanowych i federalnych przepisów o ochronie prywatności – ustawie Gramm-Leach-Bliley o niewłaściwym wykorzystywaniu informacji osobowych, ustawie o uczciwym informowaniu o wierzytelnościach, ustawie o zmianach i odpowiedzialności za ubezpieczenia zdrowotne, ustawie o ochronie prywatności kierowców. I wielu prawom stanowym. Dział kontroli wewnętrznej pilnuje, żebyśmy znali reguły i ich przestrzegali.

To dobrze, pomyślała. Ci dwaj będą najlepsi, by roznieść wiadomość o śledztwie w sprawie 522 i zachęcić mordercę do wywęszenia pułapki na serwerze nowojorskiej policji.

Pisząc coś w żółtym notatniku, Mark Whitcomb powiedział:

– Chcemy mieć pewność, że gdy Michael Moore zrobi film o dostawcach danych osobowych, nie znajdziemy się w centrum uwagi.

– Nawet tak nie żartuj – odrzekł ze śmiechem Sterling, choć na jego twarzy malował się autentyczny niepokój. – Mogę się z nimi podzielić tym, co od pani usłyszałem? – zwrócił się do Sachs.

– Oczywiście, bardzo proszę.

Sterling przedstawił sprawę w zwięzły i klarowny sposób. Zapamiętał wszystko, co mu powiedziała, nawet marki przedmiotów, których ślady znaleziono.

Whitcomb słuchał ze zmarszczonymi brwiami. O'Day rejestrował informacje w milczeniu, bez uśmiechu. Sachs była przekonana, że jego rezerwa, charakterystyczna dla FBI, nie jest zachowaniem wyuczonym, ale wrodzonym.

– A więc tak wygląda problem, z którym mamy do czynienia – zakończył zdecydowanym tonem Sterling. – Jeżeli SSD ma z tym coś wspólnego, chcę o tym wiedzieć i chcę poznać rozwiązania. Zidentyfikowaliśmy cztery potencjalne źródła zagrożenia: hakerzy, pracownicy, intruzi i klienci. Wasze przemyślenia?

O'Day, były agent, powiedział do Sachs:

– Najpierw zajmijmy się hakerami. Mamy najlepsze zapory sieciowe w branży. Lepsze niż Microsoft i Sun. Dla bezpieczeństwa korzystamy z usług internetowych z Bostonu. Zapewniam, że jesteśmy wymarzonym trofeum hakerów na całym świecie – każdy chciałby się do nas włamać. nikomu się to nie udało, odkąd pięć lat temu przenieśliśmy się do Nowego Jorku. Parę osób weszło na dziesięć, piętnaście minut do naszych serwerów administracyjnych, ale ani razu nie naruszono innerCircle, a tam musiałby się dostać wasz NN, żeby znaleźć informacje potrzebne do popełnienia przestępstw. Nie mógłby tego zrobić przez jeden wyłom w zabezpieczeniach; musiałby zaatakować co najmniej trzy albo cztery samodzielne serwery.

– Jeżeli chodzi o intruzów z zewnątrz, to też jest niemożliwe – dodał Sterling. – Nasze obiekty mają taką samą ochronę jak Agencja Bezpieczeństwa Narodowego. Mamy piętnastu strażników pracujących w pełnym wymiarze godzin i dwudziestu niepełnoetatowych. Poza tym żaden gość nie może się zbliżyć do serwerów innerCircle. Odnotowujemy wejście każdej osoby i nikomu, nawet klientom, nie pozwalamy poruszać się swobodnie po terenie firmy.

W drodze do podniebnego holu Sachs i Pulaskiego eskortował jeden z tych strażników – posępny młody człowiek, którego czujności nie stępiła nawet wiadomość, że są z policji.

– Trzy lata temu zdarzył się pewien incydent – rzekł O'Day. – Ale od tamtego razu jest spokój. – Zerknął na Sterlinga. – Mówię o tym reporterze.

Prezes skinął głową.

– Przemądrzały dziennikarz z którejś miejskiej gazety. Pisał artykuł o kradzieży tożsamości i uznał nas za diabła wcielonego. Axciom i Choicepoint mieli nosa, nie wpuszczając go do siebie. Wierzę w wolność prasy, więc zgodziłem się z nim porozmawiać… Poszedł do toalety i jak twierdził, zabłądził. Wrócił, wesoły jak ptaszek. Ale coś było nie tak. Nasza ochrona przeszukała jego teczkę i znalazła aparat fotograficzny. Były w nim zdjęcia chronionych tajemnicą handlową planów biznesowych, a nawet hasła dostępu.

– Dziennikarz nie tylko stracił pracę – dodał O'Day – ale postawiono mu zarzuty naruszenia praw własności. Odsiedział sześć miesięcy w więzieniu stanowym. O ile wiem, do dziś żadna gazeta nie chce go zatrudnić na stałe.

Sterling pochylił głowę i powiedział do Sachs:

– Traktujemy kwestie bezpieczeństwa bardzo, bardzo poważnie.

W drzwiach pojawił się młody człowiek. Sachs z początku pomyślała, że to Martin, asystent prezesa, lecz zmylił ją ciemny garnitur i podobna sylwetka.

– Andrew, przepraszam, że przeszkadzam.

– Ach, Jeremy.

A więc drugi asystent. Spojrzał na mundur Pulaskiego, potem na Sachs. I podobnie jak Martin, kiedy się zorientował, że nikt nie zamierza mu przedstawiać funkcjonariuszy, zignorował wszystkich obecnych w gabinecie z wyjątkiem szefa.

– Carpenter – rzekł Sterling. – Muszę się z nim dzisiaj zobaczyć.

– Dobrze, Andrew.

Po wyjściu asystenta Sachs spytała:

– A pracownicy? Jest ktoś, kto ma kłopoty dyscyplinarne?

– Szczegółowo badamy przeszłość naszych ludzi – odparł Sterling.

– Nie zgadzam się na zatrudnienie osoby, która ma na koncie coś poważniejszego od wykroczeń drogowych. Weryfikacja danych osobowych to jedna z naszych specjalności. Gdyby jednak nawet pracownik chciał się dostać do innerCircle, nie mógłby skraść żadnych informacji. Mark, opowiedz o klatkach.

– Oczywiście, Andrew. – Zwracając się do Sachs, powiedział: – Mamy niezawodne zabezpieczenia.

– Nie znam się na szczegółach technicznych – odrzekła Sachs.

Whitcomb zaśmiał się.

– Nie, mówię o tradycyjnych zabezpieczeniach. Betonowych ścianach. Gdy otrzymujemy dane, segregujemy je i przechowujemy w fizycznie oddzielnych miejscach. Zrozumie pani lepiej, kiedy wyjaśnię, jak działa SSD. Na wstępie przyjmijmy założenie, że dane to nasz główny majątek. Gdyby ktoś miał skopiować innerCircle, w ciągu tygodnia wypadlibyśmy z rynku. Dlatego zasada numer jeden brzmi „chronić majątek". Skąd pochodzą wszystkie dane? Z tysięcy źródeł: od firm wydających karty kredytowe, z banków, z biur prowadzących publiczne rejestry, ze sklepów detalicznych, z operacji dokonywanych w internecie, od urzędników sądowych, z wydziałów komunikacji, szpitali, firm ubezpieczeniowych. Każde zdarzenie generujące jakieś dane nazywamy „transakcją", może to być na przykład połączenie z bezpłatnym numerem jeden osiemset, rejestracja samochodu, złożenie wniosku o odszkodowanie, wniesienie pozwu, urodzenie dziecka, zawarcie małżeństwa, zakup, zwrot towaru, reklamacja... W waszej branży transakcją może być gwałt, włamanie, morderstwo – każde przestępstwo. Podobnie jak wszczęcie sprawy, selekcja członków ławy przysięgłych, proces, skazanie.

Ilekroć SSD otrzymuje dane jakiejś transakcji – ciągnął Whitcomb – trafiają do Centrum Pobierania, gdzie zostają poddane ewaluacji. Ze względów bezpieczeństwa stosujemy zasadę maskowania danych – usuwamy nazwisko, zastępując je kodem.

– Numerem ubezpieczenia?

Przez twarz Sterlinga przemknął cień emocji.

– Och, nie. Numery ubezpieczenia powstały wyłącznie w celu obliczenia świadczeń emerytalnych. Wiele lat temu. To czysty przypadek, że stały się narzędziem do identyfikacji obywateli. Niedokładnym, który łatwo skraść czy kupić. Niebezpiecznym – jak trzymanie w domu na wierzchu naładowanej broni. Nasz kod to szesnastocyfrowy numer. Dziewięćdziesiąt osiem procent dorosłych Amerykanów ma swój kod SSD. Dziś każde dziecko, którego urodzenie zostaje zgłoszone – w każdym miejscu Ameryki Północnej – automatycznie otrzymuje swój kod.

– Dlaczego szesnaście cyfr? – zapytał Pulaski.

– Daje możliwość rozbudowy – odparł Sterling. – Nie musimy się martwić, że zabraknie nam numerów. Możemy nadać prawie trylion kodów. Prędzej na Ziemi zabraknie przestrzeni życiowej niż SSD zabraknie numerów. Dzięki kodom nasz system jest znacznie bezpieczniejszy i przetwarza dane szybciej, niż gdyby używał nazwisk czy numerów ubezpieczenia. Kod neutralizuje czynnik ludzki i eliminuje element uprzedzeń. Widząc imię Adolf, Britney, Shaquilla czy Diego, mamy do tej osoby pewne nastawienie psychiczne, mimo że nawet jej nie znamy. Numer likwiduje takie ryzyko. I poprawia skuteczność. Mark, kontynuuj, proszę.

– Oczywiście, Andrew. Gdy nazwisko zostaje zmienione na kod, Centrum Pobierania dokonuje ewaluacji transakcji, decyduje, do jakiej kategorii należy, i wysyła dane do jednego lub więcej z naszych trzech oddzielnych obszarów – tak zwanych klatek. W Klatce A gromadzimy dane dotyczące trybu życia. Klatka B to informacje finansowe, czyli historia dochodów, operacji bankowych, raporty kredytowe, ubezpieczenie. Klatka C zawiera dane pochodzące z publicznych rejestrów i ewidencji.

– Następnie dane są oczyszczane – ponownie podjął Sterling. – Pozbywamy się niepożądanych elementów, aby dane stały się jednolite. Na przykład w niektórych formularzach płeć jest oznaczana literą K, w innych słowem „kobieta". Czasem stosuje się kod zero--jedynkowy. Trzeba zachować spójność.

Usuwamy także szum – czyli niejednorodne dane. Mogą być błędne, zawierać za dużo lub za mało szczegółów. Szum to zanieczyszczenie, a zanieczyszczenia należy eliminować. – Powiedział to bardzo stanowczym tonem – kolejny przejaw emocji. – Następnie oczyszczone dane trafiają do jednej z naszych klatek i czekają tam, dopóki jakiś klient nie będzie potrzebował wróżki.

– Co to znaczy? – spytał Pulaski.

– W latach siedemdziesiątych ubiegłego wieku oprogramowanie baz danych umożliwiało firmom analizę wyników z przeszłości. W dziewięćdziesiątych dane pokazywały, jak wygląda sytuacja w danym momencie. To było bardziej przydatne. A dziś możemy przewidzieć, co konsumenci będą robić i pokazać naszym klientom, jak to wykorzystać.

– Wobec tego nie tylko przewidujecie przyszłość – zauważyła Sachs. – Próbujecie ją zmienić.

– Otóż to. A są inne powody, żeby odwiedzić wróżkę?

W jego oczach malował się spokój, z nutką rozbawienia. Mimo to Sachs poczuła się nieswojo, myśląc o wczorajszym starciu z agentem federalnym na Brooklynie. Jak gdyby 522 zrobił dokładnie to, o czym mówił Sterling: jak gdyby przewidział, że dojdzie do strzelaniny.

Prezes dał znak Whitcombowi, który ciągnął:

– Tak więc dane, które nie zawierają żadnych nazwisk tylko numery, trafiają do oddzielnych klatek na różnych piętrach w różnych strefach bezpieczeństwa. Pracownik w klatce rejestrów publicznych nie ma dostępu do danych z klatki z informacjami o trybie życia ani z klatki finansowej. Ponadto nikt z żadnej klatki danych nie ma dostępu do informacji z Centrum Pobierania i nie może powiązać nazwiska ani adresu z szesnastocyfrowym kodem.

– To właśnie miał na myśli Tom, mówiąc, że haker musiałby się włamać do wszystkich klatek osobno.

– Prowadzimy monitoring dwadzieścia cztery godziny na dobę – dodał O'Day. – Gdyby ktoś bez zezwolenia usiłował się dostać do klatki, wiedzielibyśmy o tym natychmiast. Taka osoba zostałaby z miejsca wyrzucona z pracy i prawdopodobnie aresztowana. Poza tym z komputerów w klatce nie można niczego ściągnąć – nie mają portów – a gdyby nawet komuś udało się włamać do serwera i zamontować jakieś urządzenie, nie mógłby go wynieść z firmy. Wszyscy są rewidowani – każdy pracownik, członek kadry menedżerskiej, strażnik, inspektor przeciwpożarowy, sprzątacz. Nawet Andrew. Przy każdym wejściu i wyjściu do klatek i Centrum Pobierania mamy wykrywacze metalu i gęstych materiałów – nawet przy drzwiach pożarowych.

Whitcomb podjął narrację:

– I generator pola magnetycznego, przez który każdy musi przejść. Kasuje wszystkie dane cyfrowe na każdym nośniku – iPodzie, telefonie czy twardym dysku. Nie, nikt nie wyniesie stamtąd ani jednego kilobajta informacji.

– Czyli możliwość, że haker z zewnątrz lub intruz, lub pracownik firmy skradł dane z tych klatek, jest prawie zerowa – podsumowała Sachs.

Sterling kiwał głową.

– Dane to nasz jedyny majątek. Strzeżemy ich jak oka w głowie.

– A inny scenariusz – gdyby to zrobił ktoś pracujący na zlecenie któregoś z klientów?

– Jak powiedział Tom, sposób działania tego człowieka wskazuje, że musiał uzyskać dostęp do innerCircle i zdobyć dossier każdej ofiary i każdej z osób aresztowanych pod zarzutem tych przestępstw.

– Zgadza się.

Sterling uniósł ręce gestem profesora prowadzącego wykład.

– Ależ klienci nie mają dostępu do dossier. Zresztą i tak by ich nie chcieli. W innerCircle są tylko surowe dane, które niewiele by im dały. Klienci chcą analizy danych. Logują się do Watchtower – naszego systemu zarządzania bazami danych – i innych programów takich jak Xpectation czy FORT. To programy przeszukują innerCircle, odnajdują stosowne dane i nadają im użyteczną formę. Gdybyśmy przyjęli analogię do eksploracji, Watchtower przesiewa tony ziemi i kamieni, żeby znaleźć bryłkę złota.

– Gdyby jednak klient kupił, powiedzmy, pewną liczbę list adresowych – zaripostowała Sachs – mógłby zdobyć wystarczające dane na temat jednej z naszych ofiar, żeby popełnić przestępstwo, prawda? – Wskazała na listę dowodów, którą pokazała wcześniej Sterlingowi.

– Na przykład sprawca mógł zdobyć listy wszystkich osób, które kupiły ten rodzaj żelu do golenia, prezerwatyw, taśmy izolacyjnej, butów i tak dalej.

Sterling uniósł brew.

– Hm. Wymagałoby to mnóstwa pracy, ale teoretycznie to możliwe... No dobrze. Dam państwu listę wszystkich naszych klientów, którzy kupili dane zawierające nazwiska ofiar – z ostatnich, powiedzmy, trzech miesięcy? Nie, może sześciu.

– Powinno wystarczyć. – Poszperała w teczce – znacznie mniej uporządkowanej niż biurko Sterlinga – i podała mu listę ofiar oraz kozłów ofiarnych.

– Umowa daje nam prawo ujawniania informacji o kliencie. Pod względem prawnym to nie będzie problem, ale przygotowanie listy potrwa kilka godzin.

– Dziękuję. Jeszcze jedno pytanie o pracowników... Nawet jeżeli nie mają fizycznego dostępu do klatek, czy mogliby ściągnąć dossier u siebie w biurze?

Pokiwał głową, jak gdyby był pod wrażeniem pytania, mimo że sugerowało, iż mordercą mogła być osoba zatrudniona w SSD.

– Większość pracowników nie może tego zrobić... jeszcze raz podkreślam, iż musimy chronić dane. Ale kilku z nas ma tak zwane pozwolenie na nieograniczony dostęp.

Whitcomb uśmiechnął się.

– Andrew, zwróć uwagę, kto to jest.

– Skoro mamy problem, trzeba zbadać wszystkie możliwe rozwiązania.

Whitcomb wyjaśnił Sachs i Pulaskiemu:

– Chodzi o to, że nieograniczony dostęp mają pracownicy na najwyższych stanowiskach. Pracują w firmie od wielu lat. Jesteśmy jak rodzina. Spotykamy się na przyjęciach, na wyjazdach szkoleniowych...

Sterling przerwał mu gestem i rzekł:

– Musimy to wyjaśnić, Mark. Chcę to wykorzenić, bez względu na cenę. Chcę znać odpowiedzi.

– Kto ma prawo nieograniczonego dostępu? – spytała Sachs.

Sterling wzruszył ramionami.

– Ja mam takie upoważnienie. Nasz szef działu sprzedaży, szef działu technicznego. Przypuszczam, że dyrektor działu personalnego mógłby zestawić dossier, choć jestem pewien, że nigdy tego nie zrobił. Poza tym szef Marka, dyrektor naszego działu kontroli wewnętrznej. – Podał jej nazwiska pracowników.

Sachs zerknęła na Whitcomba, który potrząsnął głową.

– Nie mam takiego dostępu.

O'Day także nie miał.

– A pańscy asystenci? – zapytała Sterlinga Sachs, mając na myśli Jeremy'ego i Martina.

– Nie... Natomiast ekipy serwisowe – technicy – nie mogliby złożyć dossier, z wyjątkiem dwóch kierowników obsługi. Jeden pracuje na dziennej zmianie, drugi na nocnej. – Podał także ich nazwiska.

Sachs przyjrzała się liście.

– Jest prosty sposób, żeby się przekonać, czy są niewinni.

– Jaki?

– Wiemy, gdzie był morderca w niedzielę po południu. Jeżeli będą mieli alibi, damy im spokój. Proszę mi pozwolić ich przesłuchać. Natychmiast, jeśli to możliwe.

– Dobrze – rzekł Sterling, z aprobatą przyjmując jej propozycję – proste „rozwiązanie" jednego z jego „problemów". Nagle Sachs zorientowała się, że ilekroć prezes na nią spoglądał, zawsze patrzył jej prosto w oczy. W przeciwieństwie do wielu, właściwie większości mężczyzn, jakich poznała, Sterling ani razu nie prześliznął się wzrokiem po jej ciele, nawet nie próbował flirtować. Ciekawe, jak przedstawiały się jego sprawy łóżkowe.

– Mogłabym zobaczyć zabezpieczenia klatek danych? – poprosiła.

– Oczywiście. Tylko proszę zostawić na zewnątrz pager, telefon i palmtop. I pendrive'y. W przeciwnym razie wszystkie dane zostaną skasowane. Po wyjściu zostanie pani zrewidowana.

– W porządku.

Sterling skinął głową O'Dayowi, który wyszedł z gabinetu i po chwili wrócił ze srogim strażnikiem, który eskortował Sachs i Pulaskiego z ogromnego holu na dole.

Sterling wydrukował dla niej przepustkę, podpisał i wręczył strażnikowi, który wyprowadził ją na korytarz.

Sachs cieszyła się, że Sterling nie sprzeciwiał się jej prośbie. Miała ukryty powód, by na własne oczy zobaczyć klatki. Dzięki temu więcej osób dowie się o śledztwie – miała nadzieję, że połkną haczyk – poza tym miała okazję wypytać strażnika o środki bezpieczeństwa i zweryfikować to, co powiedzieli jej O'Day, Sterling i Whitcomb.

Jej opiekun prawie cały czas jednak milczał, jak dziecko, któremu rodzice zabronili rozmawiać z nieznajomymi.

Mijali kolejne drzwi, korytarze, zeszli po schodach, by po chwili wspiąć się na następne. Wkrótce Sachs straciła orientację. Drżały jej mięśnie. Przestrzeń stawała się coraz ciaśniejsza, węższa i ciemniejsza. W Sachs znów odezwał się klaustrofobiczny lęk; w całym Gray Rock były małe okna, lecz pomieszczenia w pobliżu klatek były ich zupełnie pozbawione. Głęboko odetchnęła. Nie pomogło.

Zerknęła na plakietkę na piersi strażnika.

– John?

– Słucham?

– O co chodzi z tymi oknami? Albo są małe, albo w ogóle ich nie ma.

– Andrew obawiał się, że ktoś mógłby robić z zewnątrz zdjęcia i podpatrzeć hasła. Albo informacje z biznesplanu.

– Naprawdę? To możliwe?

– Nie wiem. Od czasu do czasu mamy sprawdzać sąsiednie tarasy widokowe i okna w budynkach naprzeciwko firmy. Nikt nigdy nie zauważył niczego podejrzanego. Ale Andrew ciągle każe nam to robić.

Klatki danych sprawiały przytłaczające wrażenie, a każda miała inny kolor. Klatka z danymi na temat trybu życia była niebieska, finansowa czerwona, a klatka rejestrów publicznych – zielona. Były to przestronne pomieszczenia, jednak Sachs nie opuszczało uczucie klaustrofobii. W ciemnych salach z niskimi sufitami stały rzędy komputerów, rozdzielone wąskimi przejściami. Powietrze drgało od jednostajnego szumu, przypominającego niski pomruk. Ze względu na liczbę komputerów i ilość energii, jakiej wymagały, klimatyzacja działała pełną parą, mimo to w pomieszczeniu było nieznośnie duszno.

Sachs nigdy w życiu nie widziała tylu komputerów naraz. Co ciekawe, masywne białe skrzynki nie były oznaczone cyframi ani literami, ale kalkomaniami z postaciami z kreskówek takimi jak Spider-Man, Batman, Barney, Struś Pędziwiatr i Myszka Miki.

– SpongeBob? – spytała Sachs, wskazując jeden z komputerów.

John po raz pierwszy się uśmiechnął.

– Andrew wymyślił jeszcze jedno zabezpieczenie. Mamy ludzi, którzy monitorują internet, szukając rozmów o SSD i innerCircle.

Jeżeli pada nazwa firmy i imię z kreskówki, na przykład Kojot czy Superman, to może znaczyć, że ktoś za bardzo się interesuje komputerami w klatkach. Imiona szybciej rzucają się w oczy niż numery.

– Sprytne – orzekła, uznając za paradoks fakt, że Sterling wolał nadawać ludziom numery, a komputerom imiona.

Weszli do Centrum Pobierania pomalowanego na przygnębiająco szary kolor. Pomieszczenie było mniejsze od klatek i jeszcze bardziej przyprawiało o klaustrofobię. Podobnie jak w klatkach, jedyną ozdobę stanowiło logo wieży ze świetlistym oknem oraz duże zdjęcie Andrew Sterlinga z nienaturalnym uśmiechem. Pod spodem biegł napis „Jesteś numerem jeden!".

Być może dotyczyło to pozycji firmy na rynku albo zdobytej przez nią nagrody. A może slogan podkreślał znaczenie pracowników. Zdaniem Sachs brzmiał jednak złowieszczo, jak gdyby mówił człowiekowi, że znalazł się na szczycie listy, na której w ogóle nie chciał się znaleźć.

Oddychała szybko, coraz bardziej przytłoczona zamkniętą przestrzenią.

– Ponuro tu, co? – spytał strażnik.

Uśmiechnęła się.

– Trochę.

– Robimy rutynowe obchody, ale nikt nie siedzi w klatkach dłużej, niż potrzeba.

Skoro udało się jej przełamać lody i skłonić Johna do nieco dłuższych odpowiedzi niż monosylaby, zapytała go o zabezpieczenia, chcąc sprawdzić, czy Sterling i jego dwaj menedżerowie byli z nią szczerzy.

Okazało się, że mówili prawdę. John powtórzył to, co mówił prezes: żaden z komputerów i terminali nie miał portów ani gniazd na kartę umożliwiających skopiowanie danych – wszystkie wyposażone były tylko w monitory i klawiatury. Wszystkie pomieszczenia były ekranowane; nie mógł się stamtąd wydostać sygnał żadnego urządzenia bezprzewodowego. Potwierdził również to, co usłyszała wcześniej od Sterlinga i Whitcomba – że dane z jednej klatki są do niczego nieprzydatne bez danych z pozostałych oraz z Centrum Pobierania. Monitory nie miały szczególnych zabezpieczeń, lecz aby się dostać do klatek, należało mieć identyfikator, znać hasło i poddać się kontroli skanera biometrycznego – albo zgodzić się na opiekę rosłego strażnika, obserwującego każdy ruch (co właśnie robił John, zresztą niezbyt subtelnie).

Na zewnątrz klatek także stosowano rygorystyczne środki bezpieczeństwa, zgodnie ze słowami szefów firmy. Po wyjściu z każdego pomieszczenia Sachs i strażnik zostawali poddani szczegółowej kontroli i musieli przejść przez wykrywacz metali oraz grubą ramę o nazwie Data-Clear. Napis na aparacie ostrzegał: „System trwale kasuje wszystkie dane cyfrowe przechowywane w komputerach, dyskach, telefonach komórkowych i innych urządzeniach".

W drodze powrotnej do gabinetu Sterlinga John powiedział jej, że o ile wie, nikt nigdy nie włamał się do SSD. Mimo to O'Day regularnie zarządzał ćwiczenia na wypadek naruszenia zabezpieczeń. Jak większość strażników, John nie nosił broni, lecz zgodnie z poleceniem Sterlinga w firmie przez dwadzieścia cztery godziny na dobę byli co najmniej dwaj uzbrojeni ochroniarze.

Wchodząc do sekretariatu, Sachs zobaczyła Pulaskiego siedzącego na ogromnej skórzanej kanapie obok biurka Martina. Choć był dobrze zbudowany, wydawał się drobny i bezbronny, jak uczeń wysłany do dyrektora. Podczas jej nieobecności młody funkcjonariusz z własnej inicjatywy sprawdził dyrektora działu kontroli wewnętrznej, Samuela Brocktona – szefa Whitcomba, który miał prawo nieograniczonego dostępu. Brockton przebywał w Waszyngtonie; z dokumentów hotelowych wynikało, że wczoraj w czasie popełnienia morderstwa jadł lunch w restauracji. Sachs odnotowała to w pamięci, po czym spojrzała na listę osób z prawem nieograniczonego dostępu.

Andrew Sterling, prezes, dyrektor naczelny
Sean Cassel, dyrektor działu sprzedaży i marketingu
Wayne Gillespie, dyrektor działu technicznego
Samuel Brockton, dyrektor działu kontroli wewnętrznej
Alibi – hotel potwierdza obecność w Waszyngtonie
Peter Arlonzo-Kemper, dyrektor działu personalnego
Steven Shraeder, kierownik obsługi technicznej, dzienna zmiana
Faruk Mameda, kierownik obsługi technicznej, nocna zmiana

– Chciałabym ich jak najszybciej przesłuchać – powiedziała do Sterlinga.

Prezes połączył się przez interkom z asystentem i dowiedział się, że z wyjątkiem Brocktona wszyscy są na miejscu, choć Shraeder zajmował się jakąś awarią sprzętu w Centrum Pobierania, a Mameda miał się zjawić w firmie dopiero około trzeciej po południu. Polecił Martinowi przysłać ich na górę na przesłuchanie. Obiecał znaleźć wolną salę konferencyjną.

Sterling rozłączył się i rzekł:

– No dobrze, detektywie. Teraz wszystko w pani rękach. Proszę naprawić naszą reputację... albo znaleźć mordercę.

Rozdział 20

Rodney Szarnek zastawił już pułapkę i ochoczo rozpoczął próby włamania się do głównych serwerów SSD. Młody długowłosy funkcjonariusz podrygiwał kolanem i od czasu do czasu pogwizdywał, co irytowało Rhyme'a. Kryminalistyk dał jednak chłopakowi spokój. Sam miał niegdyś swoje dziwactwa: przeprowadzając oględziny miejsca zdarzenia i zastanawiając się, jak ugryźć sprawę, mówił sam do siebie.

Trzeba brać, co popadnie...

Rozległ się dzwonek u drzwi; zjawił się policjant z laboratorium kryminalistycznego w Queens z prezentem – przywiózł dowód w jednej z dawniejszych spraw, nóż, którym dokonano morderstwa podczas kradzieży monet. Reszta dowodów rzeczowych była „w jakimś magazynie". Złożono prośbę o ich wydanie, lecz nikt nie potrafił powiedzieć, kiedy, jeśli w ogóle, zostaną zlokalizowane.

Rhyme polecił Cooperowi podpisać formularz ewidencyjny – procedur należało przestrzegać, nawet po zakończonym procesie.

– Dziwne. Brakuje większości pozostałych dowodów – zauważył Rhyme, choć zdawał sobie sprawę, że nóż jako narzędzie zbrodni zamiast trafić z resztą dowodów do archiwum, został zatrzymany pod kluczem w laboratorium.

Rhyme zerknął na tablicę z informacjami o wcześniejszym przestępstwie.

– Na rękojeści noża znaleziono ślady pyłu. Zobaczmy, czy da się ustalić, co to jest. Ale najpierw trzeba się przyjrzeć samemu nożowi.

Cooper sprawdził informacje o producencie w policyjnej bazie danych o broni.

– Wyprodukowany w Chinach, sprzedawany w hurtowych ilościach do tysięcy punktów detalicznych. Tani, możemy więc przyjąć, że zapłacił gotówką.

– Nie spodziewałem się rewelacji. Zajmijmy się pyłem.

Cooper nałożył rękawiczki i otworzył torebkę. Ostrożnie omiótł pędzlem rękojeść noża, którego ostrze było ciemnobrązowe od krwi ofiary, i na papier spadły drobiny białego pyłu.

Pył fascynował Rhyme'a. W kryminalistyce tą nazwą określa się grudki wielkości mniejszej niż pięćset mikrometrów, składające się z włókien pochodzących z ubrań, materiałów tapicerskich, złuszczonego naskórka ludzi i zwierząt, fragmentów roślin i owadów, zeschniętych ekskrementów, ziemi oraz różnych substancji chemicznych. Niektóre rodzaje unoszą się w powietrzu, inne szybko osiadają na wszelkich powierzchniach. Pył może powodować choroby – na przykład pylicę – a także stanowić niebezpieczny materiał wybuchowy (pył mączny w elewatorach zbożowych) lub wywierać wpływ na warunki klimatyczne.

Z punktu widzenia kryminalistyki, dzięki zjawisku elektrostatyczności i innym właściwościom przylepnym, pył jest niezwykle cennym dowodem dla policji, ponieważ często zostaje przeniesiony ze sprawcy na miejsce zdarzenia i odwrotnie. Kiedy Rhyme szefował wydziałowi kryminalistycznemu nowojorskiego departamentu, zbudował obszerną bazę próbek pyłu zebranych we wszystkich pięciu dzielnicach miasta, a także w niektórych częściach New Jersey i Connecticut.

Do rękojeści noża przywarło niewiele, lecz Mel Cooper zebrał wystarczającą ilość pyłu, by zbadać go w chromatografie gazowym sprzężonym ze spektrometrem gazowym, który rozdziela substancje na części składowe i identyfikuje każdą z nich. Analiza wymagała czasu. Nie była to wina Coopera. Jego ręce, zaskakująco duże i silne u tak szczupłego człowieka, poruszały się szybko i zręcznie. To maszyna długo się mozoliła, zanim dokonała swoich metodycznych czarów. Czekając na wyniki, Cooper przeprowadził dodatkowe testy chemiczne kolejnej próbki, by odkryć materiał, którego chromatograf mógł nie znaleźć.

Gdy w końcu mieli rezultaty obu analiz, Mel Cooper zapisał je na tablicy, wyjaśniając wszystko po kolei.

– No dobra, Lincoln. Mamy wermikulit, tynk, piankę syntetyczną, okruchy szkła, drobiny farby, włókna wełny mineralnej, włókna szklane, ziarna kalcytu, włókna papieru, ziarna kwarcu, materiał o niskiej temperaturze spalania, płatki metalu, chryzotylu i trochę substancji chemicznych. Wygląda na wielopierścieniowe węglowodory aromatyczne, parafinę, olefinę, cykloalkany, oktany, polichlorowane bifenyle, dibenzydioksyny – rzadko je widzę – i dibenzofurany. Aha, jeszcze polibromowane etery fenylowe.

– World Trade Center – powiedział Rhyme.

– Tak?

– Aha.

Pył z wież World Trade Center zniszczonych w 2001 roku był powodem problemów zdrowotnych osób pracujących w pobliżu Ground Zero, a w wiadomościach omawiano niedawno jego skład. Rhyme dobrze go pamiętał.

– Czyli jest z centrum?

– Możliwe – odparł Rhyme. – Ale ten pył można znaleźć we wszystkich pięciu dzielnicach. Na razie postawmy tu znak zapytania... – Skrzywił się. – Nasz profil wygląda więc tak: mamy człowieka, który być może jest biały albo ma jasną karnację. Który być może kolekcjonuje monety i być może interesuje się sztuką. I być może mieszka albo pracuje na środkowym Manhattanie. Być może ma dzieci, być może pali. – Rhyme spod przymrużonych powiek spojrzał na nóż. – Pokaż mi go z bliska. – Cooper przyniósł mu broń, a Rhyme dokładnie obejrzał każdy milimetr uchwytu. Mimo ułomności ciała wzrok miał bystry jak nastolatek. – Tu. Co to jest?

– Gdzie?

– Między trzonkiem a ostrzem.

Był to maleńki jasny płatek.

– Zobaczyłeś to? – szepnął technik. – Ja w ogóle tego nie zauważyłem. – Próbnikiem igłowym wydłubał drobinę i położył na szkiełku. Obejrzał ją pod mikroskopem. Zaczął od niewielkiego powiększenia, od 4 do 24 x, które zwykle wystarcza, zanim trzeba skorzystać z magii elektronowego mikroskopu skaningowego. – Wygląda mi na okruch jedzenia. Coś pieczonego. Pomarańczowy odcień. Widmo wskazuje na obecność oleju. Może jakieś chrupki. Doritos. Albo chipsy ziemniaczane.

– Za mało, żeby zbadać w chromatografie.

– Nie da rady – przytaknął Cooper.

– Na pewno nie zamierzał podrzucić takiej okruszyny w domu kozła ofiarnego. To musi być jeszcze jeden prawdziwy ślad 522. Co to może być? Kawałek lunchu, jaki zjadł w dniu morderstwa?

– Chcę tego skosztować.

– Co? Przecież na tym jest krew.

– Mówię o uchwycie, nie o ostrzu. Tylko tam, gdzie jest ten okruch, chcę się dowiedzieć, co to jest.

– Za mało, żeby spróbować. Taki płateczek? Ledwo go widać. Ja go w ogóle nie zobaczyłem.

– Nie, mam na myśli nóż. Może poznam smak, który coś nam powie.

– Nie możesz lizać narzędzia zbrodni, Lincoln.

– Gdzie to jest napisane, Mel? Nie pamiętam, żebym czytał coś takiego. Potrzebujemy informacji o tym człowieku!

– No… dobra. – Technik przysunął nóż do twarzy Rhyme'a, który zbliżył usta i dotknął językiem miejsca, gdzie znaleźli biały płatek.

– Jezu Chryste! – Gwałtownym ruchem odsunął głowę.

– Co się stało? – przestraszył się Cooper.

– Dajcie mi wody!

Cooper cisnął nóż na stół do badań i pobiegł zawołać Thoma, a Rhyme splunął na podłogę. Paliło go w ustach.

Do pokoju wpadł Thom.

– Co się dzieje?

– Kurczę… piecze. Prosiłem o wodę! Właśnie spróbowałem jakiegoś ostrego sosu.

– Sosu? Tabasco?

– Nie wiem jakiego!

– No to nie chcesz wody. Dam ci mleko albo jogurt.

– To daj!

Po chwili Thom wrócił z kartonem jogurtu i dał Rhyme'owi kilka łyżeczek. Ku jego zdumieniu ból natychmiast ustąpił.

– Uff… ale piekło. Dobra, Mel, dowiedzieliśmy się czegoś nowego – być może. Nasz przyjaciel lubi pikantne chipsy. Nazwijmy to chrupkami z ostrym sosem. Dopisz na tablicy.

Gdy Cooper dodawał nową informację, Rhyme zerknął na zegar i burknął:

– Cholera, gdzie jest Sachs?

– W SSD. – Cooper miał zdezorientowaną minę.

– Do diabła, wiem. Pytam, dlaczego jeszcze nie wróciła? ... Thom, daj mi jeszcze trochę jogurtu!

PROFIL NN 522

- Mężczyzna
- Prawdopodobnie pali albo mieszka/pracuje z palącą osobą lub w pobliżu źródła tytoniu
- Ma dzieci albo mieszka/pracuje w ich pobliżu lub blisko źródła zabawek
- Interesuje się sztuką, monetami?
- Prawdopodobnie biały lub o jasnej karnacji
- Średniej budowy ciała
- Silny – potrafi udusić ofiarę
- Dostęp do urządzeń zmieniających głos
- Prawdopodobnie zna się na komputerach; zna OurWorld. Inne portale społecznościowe?

- Zbiera trofea po ofiarach. Sadysta?
- Część mieszkania/miejsca pracy ciemna i wilgotna
- Jada pikantne chrupki

NIEPODRZUCONE DOWODY

- Stary karton
- Włosy lalki, nylon BASF B35
- Tytoń z papierosów Tareyton
- Stary tytoń, nie Tareyton, marka nieznana
- Ślad pleśni *Strachybotrys chartarum*
- Pył z katastrofy World Trade Center, prawdopodobnie wskazujący na miejsce zamieszkania/pracy na środkowym Manhattanie
- Pikantne chrupki

Rozdział 21

Sala konferencyjna, do której zaprowadzono dwoje policjantów, była równie minimalistyczna jak gabinet Sterlinga. Sachs uznała, że styl, w jakim zaprojektowano wystrój siedziby firmy, można nazwać „ascet déco".

Do sali zaprowadził ich sam Sterling, który wskazał dwa krzesła ustawione pod logo z oknem na wieży strażniczej.

– Nie spodziewam się, że będę traktowany inaczej niż inni – rzekł. – Ponieważ mam prawo nieograniczonego dostępu, też jestem w kręgu podejrzenia. Ale na wczoraj mam alibi – cały dzień spędziłem na Long Island. Często to robię – jadę do dużych dyskontów i hurtowni samoobsługowych, żeby zobaczyć, co ludzie kupują, jak kupują, o jakiej porze dnia. Zawsze szukam sposobów usprawnienia firmy, a nie da się tego zrobić, nie znając potrzeb klientów.

– Z kim się pan spotykał?

– Z nikim. Nigdy nikomu nie mówię, kim jestem. Chcę zobaczyć, jak to działa naprawdę. W surowym, nieupiększonym stanie. Ale rejestr E-ZPass powinien potwierdzić, że mój samochód przejechał przez bramkę poboru opłaty za wjazd do tunelu Queens Midtown około dziewiątej rano i tą samą drogą wrócił około siedemnastej trzydzieści. Mogą państwo sprawdzić w wydziale komunikacji. – Wyrecytował swój numer rejestracyjny. – Poza tym wczoraj dzwoniłem do syna. Pojechał pociągiem do Westchester, żeby się powłóczyć po leśnym rezerwacie. Był sam, więc chciałem zobaczyć, co u niego słychać. Dzwoniłem około drugiej po południu. Na billingu będzie zapis rozmowy z mojego domu w Hampton. Mogą też państwo zajrzeć do listy odebranych połączeń jego komórki. Powinna tam być data i godzina. Końcówka jego numeru to siedem jeden osiem siedem.

Sachs zapisała wszystko, wraz z numerem telefonu w letniskowym domu Sterlinga. Podziękowała mu, a po chwili zjawił się Jeremy, asystent „zewnętrzny", i szepnął coś szefowi na ucho.

– Muszę się czymś zająć. Gdyby państwo czegoś potrzebowali, proszę dać mi znać.

Kilka minut później do sali wszedł pierwszy z podejrzanych. Sean Cassel, dyrektor działu sprzedaży i marketingu. Wyglądał młodo, na najwyżej trzydzieści kilka lat, ale w SSD Sachs widziała niewiele osób po czterdziestce. Branża danych była zapewne nową Doliną Krzemową, światem przebojowych młodzieńców.

Cassel, o pociągłej twarzy i klasycznej urodzie, wyglądał na sportowca; muskularne ręce, szerokie ramiona. Miał na sobie „mundur" SSD, w jego wypadku był to granatowy garnitur. Na mankietach nieskazitelnie białej koszuli błyszczały masywne złote spinki. Żółty krawat był z grubo tkanego jedwabiu. Cassel miał kędzierzawe włosy, rumianą cerę i bacznie przyglądał się Sachs zza okularów. Nie wiedziała, że Dolce & Gabana produkuje też oprawki.

– Witam.

– Dzień dobry. Jestem detektyw Sachs, a to posterunkowy Pulaski. Proszę usiąść. – Podała mu rękę, zwracając uwagę, że przytrzymał ją dłużej niż dłoń Pulaskiego.

– A więc jest pani detektywem? – Dyrektor działu sprzedaży nie zdradzał żadnego zainteresowania osobą młodego funkcjonariusza.

– Zgadza się. Chce pan zobaczyć moją legitymację?

– Nie, nie trzeba.

– Zbieramy informacje na temat niektórych pracowników. Zna pan Myrę Weinburg?

– Nie. Powinienem?

– Została zamordowana.

– Ach, tak. – Przez jego twarz przemknął wyraz skruchy i maska dandysa na moment opadła. – Słyszałem o jakimś przestępstwie, ale nie wiedziałem, że chodzi o morderstwo. Przykro mi. Pracowała u nas?

– Nie. Ale osoba, która ją zabiła, mogła uzyskać dostęp do informacji z komputerów w pańskiej firmie. Wiem, że ma pan nieograniczony dostęp do innerCircle; czy któryś z pana pracowników mógłby zestawić czyjeś dossier?

Pokręcił głową.

– Żeby dostać się do schowka, trzeba znać trzy hasła. Osobie zarejestrowanej w systemie biometrycznym wystarczy jedno hasło.

– Schowka?

Zawahał się przez chwilę.

– Tak nazywamy dossier. W branży usług informacyjnych używamy wielu żargonowych określeń.

Przypuszczała, że „schowek" wziął się z przechowywania tajemnic.

– Ale nikt nie mógłby znać mojego hasła. Wszyscy bardzo uważają, żeby nikomu ich nie ujawniać. Andrew na to nalega. – Cassel zdjął okulary i przetarł je czarną ściereczką, która w czarodziejski sposób pojawiła się nagle w jego dłoni. – Zwalniał już pracowników, którzy używali haseł innych, nawet za ich zgodą. Wyrzucał ich z miejsca. – Skupił się na polerowaniu szkieł. Po chwili uniósł wzrok. – Nie owijajmy niczego w bawełnę. Nie interesują pani hasła tylko alibi, prawda?

– O alibi też chcielibyśmy pana zapytać. Gdzie pan był wczoraj między południem a szesnastą?

– Biegałem. Trenuję przed minitriatlonem... Pani też mi wygląda na biegaczkę. Ma pani sylwetkę sportsmenki.

Jeżeli sportem można nazwać stanie w miejscu i robienie dziur w tarczach z odległości dwudziestu pięciu i pięćdziesięciu stóp, to owszem, miał rację.

– Czy ktoś może to potwierdzić?

– Że wygląda pani na sportsmenkę? Co do tego nie mam wątpliwości.

Uśmiech. Czasem najlepiej przystać na warunki drugiej strony. Pulaski drgnął nerwowo – co Cassel dostrzegł nie bez rozbawienia – lecz Sachs milczała. Nie potrzebowała nikogo, aby bronił jej czci.

Zerkając z ukosa na umundurowanego funkcjonariusza, Cassel ciągnął:

– Niestety nie. Nocowała u mnie przyjaciółka, ale wyszła około wpół do dziesiątej. Czyżbym był podejrzany?

– Na razie zbieramy informacje – powiedział Pulaski.

– Doprawdy? – Mówił protekcjonalnym tonem, jak gdyby zwracał się do dziecka. – Tylko fakty, droga pani. Tylko fakty.

Cytat ze starego serialu telewizyjnego. Sachs nie pamiętała z którego.

Spytała go, gdzie był podczas pozostałych poprzednich zbrodni – morderstwa kolekcjonera monet, gwałtu i morderstwa właścicielki obrazu Prescotta. Cassel ponownie nałożył okulary i oznajmił, że nie pamięta. Zachowywał się całkiem swobodnie.

– Jak często wchodzi pan do klatek danych?

– Może raz w tygodniu.

– Bierze pan stamtąd jakieś informacje?

Lekko zmarszczył brwi.

– No... tego nie można zrobić. System zabezpieczeń nie pozwala.

– A jak często ściąga pan dossier?

– Nie wiem, czy kiedykolwiek to zrobiłem. To po prostu surowe dane. Jest w nich za dużo szumu, żeby mogły mi się do czegokolwiek przydać.

– W porządku. Dziękuję, że poświęcił nam pan swój czas. Myślę, że to na razie wystarczy.

Uśmiech donżuana przybladł.

– Coś nie tak? Mam powody do niepokoju?

– To dopiero wstępna faza śledztwa.

– Ach, niczego nie ujawniacie. – Zerknął na Pulaskiego. – Lepiej trzymać karty przy orderach, prawda, sierżancie Friday?

No tak, przypomniała sobie Sachs. „Dragnet". Stary serial kryminalny, którego powtórki przed laty oglądała z ojcem.

Po wyjściu Cassela w sali konferencyjnej zjawił się następny pracownik. Wayne Gillespie, który nadzorował techniczną stronę firmy – sprzęt i oprogramowanie. Nie pasował do wyobrażenia Sachs o klasycznym komputerowcu. Przynajmniej z początku. Był opalony i w dobrej formie, nosił drogą srebrną – albo platynową – bransoletę. Miał mocny uścisk dłoni. Przyjrzawszy mu się uważniej, uznała jednak, że jest typowym cybermaniakiem, którego matka ubrała do klasowej fotografii. Niski i szczupły mężczyzna miał na sobie wymięty garnitur i krzywo zawiązany krawat. Obrazu dopełniały zdarte buty, krzywo obcięte paznokcie z widocznymi śladami brudu i zaniedbane włosy, które należałoby przystrzyc. Miała wrażenie, jak gdyby grał rolę menedżera dużej korporacji, ale o wiele bardziej wolałby siedzieć w ciemnym pokoju przy komputerze.

W przeciwieństwie do Cassela, Gillespie zachowywał się nerwowo. Jego ręce były w ciągłym ruchu, bawiąc się trzema elektronicznymi aparatami, które nosił na pasku – terminalem BlackBerry, palmtopem i skomplikowanym telefonem komórkowym. Unikał kontaktu wzrokowego – flirt był ostatnią rzeczą, jaka mogłaby mu przyjść do głowy, choć podobnie jak dyrektor działu sprzedaży, nie miał na palcu obrączki. Może Sterling wolał zatrudniać na kierowniczych stanowiskach kawalerów. Wiernych rycerzy zamiast ambitnych książąt.

Sachs zorientowała się, że Gillespie wie o powodach ich obecności w firmie mniej niż Cassel i szczegóły dotyczące przestępstw wzbudziły w nim żywe zainteresowanie.

– Ciekawe. Naprawdę ciekawe. Niezła robota. Bębni, żeby popełniać zbrodnie.

– Co robi?

Gillespie nerwowo pstryknął palcami.

– To znaczy znajduje dane. Zbiera.

Ani słowa komentarza na temat zamordowanych ludzi. Czyżby odgrywał przed nimi przedstawienie? Prawdziwy morderca mógł udawać zgrozę i współczucie.

Sachs spytała go, gdzie był w niedzielę. Gillespie także nie miał alibi, ponieważ spędził dzień w domu, choć zaczął snuć długą opowieść o debugowaniu programu i jakiejś komputerowej grze RPG, w której brał udział.

– Czyli będzie jakiś ślad na to, że wczoraj był pan w internecie? Chwila wahania.

– Och, tylko ćwiczyłem. Nie wchodziłem do sieci. Wstałem od maszyny i nagle zrobiło się późno. Kiedy tak człowieka zamuli, wszystko dookoła jakby znika.

– Zamuli?

Zdał sobie sprawę, że mówi w niezrozumiałym języku.

– To znaczy, kiedy się jest w innej strefie. Kiedy gra wciągnie. Reszta życia przestaje się liczyć.

Twierdził, że też nie zna Myry Weinburg. Zapewnił Sachs, że nikt nie mógł uzyskać dostępu do jego haseł.

– Gdyby ktoś chciał je złamać, to powodzenia. Każde składa się z ciągu szesnastu przypadkowych znaków. Nigdzie ich nie zapisuję. Na szczęście mam dobrą pamięć.

Gillespie ciągle przesiadywał przy komputerze, „w systemie", jak się wyraził.

– To moja praca – dodał tonem usprawiedliwienia. Słysząc pytanie na temat kopiowania indywidualnych dossier, zmarszczył brwi, jak gdyby nie rozumiał. – Przecież to bez sensu. Czytać, co jeden z drugim kupił w zeszłym tygodniu w sklepie spożywczym. Dziękuję... mam lepsze rzeczy do roboty.

Przyznał, że spędza w klatkach danych sporo czasu, „regulując skrzynki". Sachs odniosła wrażenie, że lubi tam przebywać i świetnie się czuje w miejscu, z którego sama miała ochotę natychmiast uciec.

Gillespie również nie pamiętał, gdzie był podczas wcześniejszych zabójstw. Podziękowała mu i ruszył do wyjścia, sięgając po palmtop i jeszcze w drzwiach zaczął pisać wiadomość samymi kciukami, szybciej, niż Sachs potrafiłaby to zrobić, używając wszystkich palców.

Gdy czekali na następną podejrzaną osobę z prawem nieograniczonego dostępu, Sachs zapytała Pulaskiego:

– Jak wrażenia?

– Cassel mi się nie podoba.

– Zgadzam się.

– Ale wydaje mi się zbyt obrzydliwy na 522. Jest w nim za dużo z japiszona. Gdyby mógł zabić kogoś swoim ego, to tak, uwierzyłbym od razu... A Gillespie? Sam nie wiem. Próbował wyglądać na zaskoczonego śmiercią Myry, ale nie wiem, czy naprawdę był. No i ta poza – „bębnienie", „zamulony". Wiesz, skąd są te wyrażenia? Z ulicy. Kiedy ktoś „bębni", to znaczy, że szuka cracku – nerwowo przebiera palcami, jak gdyby bębnił. A „zamulony" to odurzony heroiną albo środkiem uspokajającym. Tak mówią dzieciaki z przedmieść, kiedy chcą zaszpanować przed dilerem w Harlemie czy na Bronksie.

– Myślisz, że Gillespie jest ćpunem?

– Wyglądał na dość roztrzęsionego. Ale wiesz, jakie miałem wrażenie?

– O to pytałam.

– Nie jest uzależniony od prochów, tylko od tego... – Funkcjonariusz szerokim gestem zakreślił łuk wokół siebie. – Od danych.

Musiała mu przyznać rację. Atmosfera w SSD miała w sobie coś narkotycznego, choć w nieprzyjemnym sensie. Budziła niepokój i działała otępiająco. Jak prawdziwe środki przeciwbólowe.

W drzwiach ukazał się kolejny podejrzany. Dyrektor działu personalnego, młody, szczupły Afroamerykanin o jasnej karnacji. Peter Arlonzo-Kemper oświadczył, że rzadko wchodzi do klatek danych, ale ma na to zezwolenie, żeby spotykać się z ludźmi, nie przerywając im pracy. Od czasu do czasu zaglądał do innerCircle w sprawach związanych z zarządzeniem personelem – tylko po to, by sprawdzić dane pracowników SSD, nigdy klientów.

Czyli wchodził do „schowków", mimo tego, co mówił o nim Sterling.

Poważny i skupiony człowiek, z przyklejonym do ust uśmiechem, odpowiadał monotonnym głosem, często zmieniając temat, a sens jego wypowiedzi sprowadzał się głównie do tego, że Sterling – o którym zawsze mówił „Andrew" – jest „najbardziej życzliwym i kulturalnym szefem, jakiego sobie można wymarzyć". Nikomu nigdy nie przyszło do głowy, żeby postąpić wobec niego nielojalnie czy sprzeniewierzyć się „ideałom" SSD, cokolwiek to mogło oznaczać. Dyrektor nie wyobrażał sobie, aby w świątyni jego firmy mógł kryć się przestępca.

Ten zachwyt był nużący.

Kiedy Sachs udało się przerwać jego peany, powiedział, że całą niedzielę spędził z żoną (był więc jedynym żonatym pracownikiem, z jakim rozmawiała). W dniu, w którym zamordowano Alice Sanderson, sprzątał dom niedawno zmarłej matki na Bronksie. Był sam, ale przypuszczał, że potrafi wskazać kogoś, kto go wówczas widział. Arlonzo-Kemper nie potrafił sobie przypomnieć, gdzie był podczas wcześniejszych zabójstw.

Gdy Sachs i Pulaski zakończyli przesłuchania, strażnik odprowadził ich z powrotem do sekretariatu Sterlinga. Prezes rozmawiał właśnie z mężczyzną mniej więcej w swoim wieku, o zaczesanych na bok ciemnoblond włosach. Tęgawy człowiek siedział niedbale rozparty na krześle. Nie był pracownikiem SSD: miał na sobie koszulkę polo i sportową marynarkę. Unosząc wzrok, Sterling zobaczył Sachs. Zakończył spotkanie i wstał, po czym odprowadził gościa do drzwi.

Sachs spojrzała na gruby plik papierów, który miał w rękach mężczyzna. Na wierzchu dostrzegła napis „Associated Warehousing" – prawdopodobnie nazwę jego firmy.

– Martin, mógłbyś zadzwonić po samochód dla pana Carpentera?

– Tak, Andrew.

– A więc się rozumiemy, Bob?

– Tak, Andrew. – Carpenter, górujący nad Sachs, ponuro uścisnął dłoń prezesa, odwrócił się i wyszedł. Jeden ze strażników poprowadził go korytarzem.

Policjanci weszli ze Sterlingiem do jego gabinetu.

– Co państwo ustalili? – zapytał prezes.

– Nic jednoznacznego. Niektórzy mają alibi, niektórzy nie. Zobaczymy, czy w dalszym ciągu śledztwa dowody albo świadkowie naprowadzą nas na jakiś ślad. Zastanawiałam się, czy mogłabym dostać kopię dossier. Chodzi o Arthura Rhyme'a.

– Kogo?

– To jedna z osób z listy – tych, które naszym zdaniem bezpodstawnie aresztowano.

– Oczywiście. – Sterling usiadł przy biurku, przytknął palec do czytnika obok klawiatury i zaczął pisać. Po kilku sekundach przerwał, spoglądając w ekran. Następnie wcisnął jeszcze kilka klawiszy i rozpoczęło się drukowanie dokumentu. Chwilę później prezes wręczył Sachs trzydzieści parę stron – „schowek" Arthura Rhyme'a.

Łatwo poszło, pomyślała. Ruchem głowy wskazała komputer.

– Czy jest jakiś zapis tego, co pan zrobił?

– Zapis? Och, nie. Nie rejestrujemy wewnętrznego pobierania danych. – Zajrzał do swoich notatek. – Polecę Martinowi sporządzić listę klientów. To może potrwać dwie, trzy godziny.

Gdy wyszli do sekretariatu, zjawił się Sean Cassel. Już się nie uśmiechał.

– O co chodzi z tą listą klientów, Andrew? Zamierzasz im ją dać?

– Owszem, Sean.

– Po co?

– Podejrzewamy, że informacje wykorzystane przez sprawcę zdobył ktoś pracujący u jednego z klientów SSD – powiedział Pulaski.

Młody człowiek spojrzał na niego kpiąco.

– Jasne, że tylko podejrzewacie… Ale na jakiej podstawie? Żaden z nich nie ma bezpośredniego dostępu do innerCircle. Nie mogą ściągać schowków.

– Możliwe, że kupili listy adresowe zawierające te informacje – wyjaśnił Pulaski.

– Listy adresowe? Zdaje pan sobie sprawę, ile razy klient musiałby wejść do systemu, żeby zebrać wszystkie dane, o których pan mówi? To byłaby praca na cały etat. Proszę pomyśleć.

Pulaski zarumienił się i spuścił oczy.

– No...

Przy biurku Martina stał Mark Whitcomb z działu kontroli wewnętrznej.

– Sean, policja nie zna działania firmy.

– Wiesz, Mark, wydaje mi się, że wystarczyłoby logicznie pomyśleć. Nie sądzisz? Każdy klient musiałby kupić setki list adresowych. I prawdopodobnie trzystu, czterystu z nich było w schowkach interesujących ich szesnastek.

– Szesnastek? – odezwała się Sachs.

– To znaczy „ludzi". – Nieokreślonym gestem wskazał na wąskie okna, mając przypuszczalnie na myśli wszystkich poza murami Gray Rock. – Nazwa pochodzi od naszego kodu.

Znowu żargon. Schowki, szesnastki, bębnienie... W tych słowach brzmiało poczucie wyższości, a nawet pogardy.

– Musimy zrobić wszystko, żeby poznać prawdę – odparł spokojnie Sterling.

Cassel potrząsnął głową.

– To nie klient, Andrew. Nikt nie odważyłby się użyć naszych danych do popełnienia zbrodni. Musiałby być samobójcą.

– Sean, jeżeli SSD jest w to zamieszane, musimy wiedzieć.

– W porządku, Andrew. Rób, co uważasz za najlepsze. – Ignorując Pulaskiego, Sean Cassel posłał Sachs chłodny uśmiech, bez cienia flirtu, i wyszedł.

– Odbierzemy listę klientów, gdy wrócimy przesłuchać szefów obsługi technicznej – poinformowała Sterlinga Sachs.

Gdy prezes wydawał instrukcje Martinowi, Sachs usłyszała, jak Mark Whitcomb szepcze do Pulaskiego:

– Proszę nie zwracać uwagi na Cassela. On i Gillespie – to cudowne dzieci tej branży. Młode wilczki. Ja jestem dla nich tylko zawadą. Pan też.

– Nie ma o czym mówić – odrzekł wymijająco młody funkcjonariusz, choć Sachs widziała, że jest wdzięczny. Nie brakuje mu niczego z wyjątkiem pewności siebie, pomyślała.

Whitcomb wyszedł z sekretariatu, a dwoje policjantów zaczęło się żegnać ze Sterlingiem.

Nagle prezes lekko dotknął ramienia Sachs.

– Chcę coś pani powiedzieć, detektywie.

Odwróciła się do Sterlinga, który stał z opuszczonymi ramionami, szeroko rozstawiwszy stopy, wpatrując się w nią przenikliwymi, zielonymi oczyma. Nie sposób było oderwać wzroku od tego świdrującego, hipnotyzującego spojrzenia.

– Przyznaję, że pracuję w branży usług informacyjnych dla pieniędzy. Zależy mi też jednak na naprawie społeczeństwa. Proszę pomyśleć o tym, co robimy. O dzieciach, które pierwszy raz dostaną porządne ubranie i prezenty na Boże Narodzenie, bo ich rodzice dzięki SSD zdołali zaoszczędzić parę groszy. Albo o młodych małżeństwach, którym jakiś bank wreszcie udzieli kredytu hipotecznego na pierwszy dom, bo SSD potrafi przewidzieć, że będą klientami o niewielkim ryzyku kredytowym. Albo o złodziejach tożsamości, których możecie złapać, bo nasze algorytmy wychwyciły jakąś nieprawidłowość w schemacie płatności kartą kredytową. Albo o tagu RFID w bransoletce czy zegarku na ręku dziecka, które pokazują rodzicom, gdzie jest ich pociecha w każdej minucie dnia. O inteligentnych toaletach, które potrafią wykryć cukrzycę, nawet jeżeli człowiek nie ma pojęcia, że jest nią zagrożony.

Proszę też pomyśleć o waszej pracy. Powiedzmy, że prowadzicie dochodzenie w sprawie morderstwa. Na nożu, którym dokonano zabójstwa, są ślady kokainy. Nasz program PublicSure powie wam, która z osób aresztowanych za posiadanie kokainy popełniła przestępstwo z użyciem noża w ciągu ostatnich dwudziestu lat, bez względu na położenie geograficzne, dowiecie się też, czy jest praworęczny leworęczna i jaki ma numer buta. Zanim zdążycie o to poprosić, zobaczycie na monitorze odciski palców sprawcy razem z jego zdjęciami, szczegółami na temat modus operandi, znaków szczególnych, charakteryzacji, jakiej dawniej używał, próbek porównawczych głosu i mnóstwa innych cech.

Możemy także ustalić, kto kupił nóż tej marki – a może nawet ten konkretny nóż. Prawdopodobnie będziemy też wiedzieć, gdzie był nabywca w czasie popełnienia zbrodni i gdzie jest teraz. Jeżeli system go nie zlokalizuje, będzie potrafił określić procentowe prawdopodobieństwo odnalezienia go w domu wspólnika, wysyłając wam także jego odciski palców i informacje o znakach szczególnych. A cały ten pakiet danych trafi do was w ciągu około dwudziestu sekund.

Nasze społeczeństwo potrzebuje pomocy, detektywie. Pamięta pani rozbite okna? SSD chce pomóc... – Uśmiechnął się. – To wszystko. Koniec reklamy. Chcę panią prosić o dyskrecję podczas śledztwa. Zrobię, co będę mógł – zwłaszcza jeżeli to ktoś z SSD. Jeżeli jednak zaczną krążyć plotki o wyłomach w naszych zabezpieczeniach i nieuwadze ochrony, konkurencja i krytycy natychmiast się na nas rzucą. Z całą zajadłością. Mogłoby to pokrzyżować nam plany, a przecież chcemy naprawiać okna dla dobra świata. Zgadza się pani ze mną?

Amelię Sachs nagle ogarnęły wyrzuty sumienia z powodu zatajenia przed Sterlingiem celu ich misji, którym była próba zwabienia sprawcy w pułapkę. Starając się wytrzymać spojrzenie prezesa, powiedziała:

– Chyba zgadzam się z panem w stu procentach.

– Wspaniale. Martin, proszę odprowadzić naszych gości.

Rozdział 22

Rozbite okna? Sachs tłumaczyła Rhyme'owi znaczenie logo SSD.

– Podoba mi się.

– Naprawdę?

– Tak. Pomyśl. To metafora tego, co robimy. Znajdujemy okruchy dowodów, które prowadzą nas do ostatecznej odpowiedzi.

Sellitto wskazał Rodneya Szarnka, który siedział w kącie, nie widząc niczego poza swoim komputerem i wciąż pogwizdując.

– Chłopak w T-shircie zastawił pułapkę. Teraz próbuje się włamać. Jak idzie? – zawołał do niego.

– He – goście znają się na rzeczy. Ale mam jeszcze w rękawie parę asów.

Sachs powiedziała im, że szef ochrony nie wierzy, by komukolwiek udało się włamać do innerCircle.

– Tym fajniejsza zabawa – odparł Szarnek. Dopił kolejną kawę i znów zaczął cicho gwizdać.

Sachs opowiedziała im o Sterlingu i firmie oraz mechanizmach procesu eksploracji danych. Mimo tego, co wczoraj mówił Thom i czego się dowiedzieli z internetu, Rhyme dopiero teraz uświadomił sobie rozmiary tego przemysłu.

– To jakiś mętny facet? – zapytał Sellitto. – Ten Sterling?

Rhyme skwitował pomrukiem niezadowolenia bezsensowne w jego przekonaniu pytanie.

– Nie. Chętnie współpracował. Na szczęście dla nas to prawdziwy ideowiec. Dane są dla niego bogiem. Jest gotów wykorzenić wszystko, jeżeli tylko zagraża jego firmie.

Następnie Sachs opisała rygorystyczne przepisy bezpieczeństwa w SSD, zaznaczając, że niewiele osób ma dostęp do wszystkich trzech klatek danych i nikt nie może ukraść danych, nawet jeśli dostanie się do środka.

– Mieli kiedyś jednego intruza – dziennikarza – który po prostu zbierał materiały do artykułu, nawet nie kradł żadnych tajemnic. Trafił za kratki i zakończył karierę.

– Mściwy facet, co?

Sachs zastanowiła się przez chwilę.

– Nie. Powiedziałabym raczej, że troskliwy... Jeżeli chodzi o personel: przesłuchałam większość osób, które mają dostęp do dossier. Parę z nich nie ma alibi na wczorajsze popołudnie. Aha, pytałam, czy rejestrują wewnętrzne operacje pobierania danych; nie rejestrują. Dostaniemy też listę klientów, którzy kupili dane o ofiarach i kozłach ofiarnych.

– Najważniejsze, że przekazałaś wiadomość o śledztwie i podałaś wszystkim nazwisko Myry Weinburg.

– Owszem.

Sachs wyciągnęła z teczki dokument, wyjaśniając, że to dossier Arthura.

– Pomyślałam, że może się przydać. A przynajmniej cię zainteresuje. Zobaczysz, co porabiał kuzyn. – Sachs wyciągnęła zszywkę i umieściła wydruk w ramce do czytania obok Rhyme'a – urządzeniu, które samo przewracało strony.

Zerknął na dokument. I przeniósł wzrok na tablice.

– Nie chcesz tego przejrzeć? – zdziwiła się.

– Może później.

Sachs znów sięgnęła do teczki.

– A to jest lista pracowników SSD, którzy mieli dostęp do dossier – nazywają je „schowkami".

– Jak schowek z sekretami?

– Właśnie. Pulaski sprawdza ich alibi. Musimy tam wrócić i pogadać z dwoma kierownikami technicznymi, ale na razie udało się ustalić tyle. – Zapisała na tablicy nazwiska wraz z uwagami.

Andrew Sterling, prezes, dyrektor naczelny
Alibi – był na Long Island, wymaga weryfikacji
Sean Cassel, dyrektor działu sprzedaży i marketingu
Brak alibi

Wayne Gillespie, dyrektor działu technicznego
Brak alibi
Samuel Brockton, dyrektor działu kontroli wewnętrznej
Alibi – hotel potwierdza obecność w Waszyngtonie
Peter Arlonzo-Kemper, dyrektor działu personalnego
Alibi – był z żoną, wymaga weryfikacji
Steven Shraeder, kierownik obsługi technicznej, dzienna zmiana
Zostanie przesłuchany
Faruk Mameda, kierownik obsługi technicznej, nocna zmiana
Zostanie przesłuchany
Klient SSD (?)
Oczekiwanie na listę od Sterlinga

– Mel? – zawołał Rhyme. – Sprawdź w NCIC i departamencie.

Cooper wrzucił nazwiska do krajowego centrum informacji kryminalnej i jej nowojorskiego odpowiednika, a także do bazy danych VICAP, programu ścigania przestępstw przeciwko życiu i zdrowiu Departamentu Sprawiedliwości.

– Zaraz… zdaje się, że chyba coś jest.

– Co? – spytała Sachs, podchodząc do niego.

– Arlonzo Kemper. Karany przez sąd dla nieletnich w Pensylwanii. Napaść, dwadzieścia pięć lat temu. Kartoteka jest utajniona.

– Wiek by się zgadzał. Ma mniej więcej trzydzieści pięć lat. I jasną karnację. – Sachs wskazała na tablicę z profilem 522.

– Spróbuj odtajnić kartotekę. Albo przynajmniej sprawdź, czy to ten sam.

– Zobaczę, co się da zrobić. – Cooper zaczął stukać w klawisze.

– Masz coś o reszcie? – Rhyme ruchem głowy wskazał listę podejrzanych.

– Nie. Tylko o nim.

Cooper przeszukał różne federalne i stanowe bazy danych, zaglądając także do organizacji zawodowych. Wreszcie wzruszył ramionami.

– Skończył UC-Hastings. Nie mogę znaleźć żadnej wzmianki o Pensylwanii. Wygląda na samotnika: poza informacją z uniwersytetu jest wymieniony tylko jako członek Krajowego Stowarzyszenia Specjalistów Zarządzania Personelem. Dwa lata temu należał do technicznej grupy roboczej, ale od tamtej pory niewiele się udzielał.

Dobra, mam jego teczkę z kartoteki nieletnich. Zaatakował chłopaka w poprawczaku... O.

– Co – o?

– To nie on. Nie ma dywizu. Inne nazwisko. Nieletni miał na imię Arlonzo i nazywał się Kemper. – Technik zerknął na tablicę. – A to jest „Peter", nazwisko „Arlonzo-Kemper". Źle wpisałem. Gdybym dodał dywiz, ta Pensylwania w ogóle by nie wyskoczyła. Przepraszam.

– Bywają większe grzechy. – Rhyme wzruszył ramionami. Przykra lekcja o naturze danych, pomyślał. Wydawało się, że znaleźli podejrzanego i nawet charakterystyka podana przez Coopera wskazywała, że to mógłby być on – *wygląda na samotnika* – a jednak trop okazał się zupełnie fałszywy, z powodu drobiazgu, braku jednego uderzenia w klawisz. Gdyby Cooper się nie zorientował, skierowaliby całą uwagę i siły na nie tego człowieka.

Sachs usiadła obok Rhyme'a, który, widząc jej spojrzenie, spytał:

– Co jest?

– Dziwne, ale po powrocie tutaj czuję, jakby prysł jakiś czar. Chyba chciałabym poznać opinię o tej firmie kogoś z zewnątrz. W SSD nie da się zachować dystansu... traci się orientację.

– Jak to? – spytał Sellitto.

– Byliście kiedyś w Las Vegas?

Sellitto był tam ze swoją byłą żoną. Rhyme parsknął krótkim śmiechem.

– W Las Vegas słyszysz tylko jedno pytanie – ile straciłeś? Dlaczego miałbym z własnej woli pozbywać się pieniędzy?

– No więc firma przypomina kasyno – ciągnęła Sachs. – Świat zewnętrzny nie istnieje. Okna są małe albo wcale ich nie ma. Nikt nie plotkuje na korytarzach, nikt się nie śmieje. Każdy skupia się wyłącznie na pracy. Jak gdyby się weszło do innego świata.

– I chcesz znać opinię kogoś z zewnątrz – rzekł Sellitto.

– Owszem.

– Dziennikarza? – podsunął Rhyme. Partner Thoma, Peter Hoddins, pracował kiedyś w „New York Timesie", a teraz poświęcił się literaturze faktu, pisząc książki o polityce i problemach społecznych. Prawdopodobnie znał reporterów z działu gospodarczego, którzy zajmowali się branżą eksploracji danych.

Sachs jednak przecząco pokręciła głową.

– Nie, wolałabym kogoś, kto ma informacje z pierwszej ręki. Na przykład byłego pracownika.

– Dobrze. Lon, możesz zadzwonić do kogoś z wydziału pracy?

– Jasne. – Sellitto zadzwonił do wydziału pracy stanu Nowy Jork.

Po mniej więcej dziesięciu minutach odsyłania z gabinetu do gabinetu uzyskał wreszcie nazwisko – byłego zastępcy dyrektora działu technicznego SSD, który pracował w firmie przez wiele lat, a półtora roku temu został zwolniony. Nazywał się Calvin Geddes i przebywał na Manhattanie. Sellitto wypytał o szczegóły, po czym wręczył notatkę Sachs. Zadzwoniła do Geddesa i umówiła się z nim za godzinę.

Rhyme nie miał zdania na temat tego spotkania. W każdym dochodzeniu należy się zabezpieczyć na wszystkich frontach. Ale tropy takie jak Geddes i alibi, które sprawdzał Pulaski, Rhyme traktował podobnie jak obrazy odbite w matowej szybie okna – cienie prawdy, lecz nie samą prawdę. Prawdziwa odpowiedź na pytanie, kim jest morderca, kryła się wyłącznie w namacalnych dowodach, choć było ich bardzo niewiele. Dlatego odwrócił się z powrotem do tablic z listą tropów, jakie dotąd udało się ustalić.

Rusz się...

Arthur Rhyme przestał się już bać Latynosów, którzy i tak nie zwracali na niego uwagi. Wiedział również, że potężny, rzucający mięsem Murzyn nie stanowi żadnego zagrożenia.

Niepokoił go ten wytatuowany biały. Spidziarz – tak podobno nazywano uzależnionych od metamfetaminy – budził w Arthurze paniczny strach. Miał na imię Mick. Dygotały mu ręce, drapał się po zsiniałej skórze, a jego rozbiegane, upiornie jasne oczy bez przerwy skakały z miejsca na miejsce. Ciągle coś do siebie szeptał.

Wczoraj Arthur przez cały dzień starał się unikać tego człowieka, a wieczorem leżał, nie mogąc zasnąć, i pomiędzy kolejnymi napadami depresji modlił się w duchu, żeby Micka zabrano dziś na proces, żeby na zawsze zniknął z jego życia.

Niestety, Mick wrócił rano i trzymał się blisko niego. Wciąż od czasu do czasu zerkał na Arthura. Raz mruknął: „Ty i ja", a słysząc to, Arthur poczuł lodowaty dreszcz przebiegający mu po plecach aż po kość ogonową.

Nawet Latynosi nie mieli ochoty zaczepiać Micka. Może w areszcie należało przestrzegać jakiegoś protokołu. Niepisanych reguł dobra i zła. Chudy, wytatuowany ćpun być może lekceważył zasady i każdy o tym wiedział.

Wszyscy tu wszystko wiedzą. Tylko nie ty. Ty gówno wiesz...

Raz Mick zaśmiał się, spojrzał na Arthura, jak gdyby go rozpoznał, i zaczął wstawać, lecz po chwili zapomniał, co zamierzał zrobić, więc usiadł, nerwowo skubiąc kciuk.

– Ej, gościu z Jersey – powiedział mu do ucha czyjś głos. Arthur wzdrygnął się zaskoczony.

Za nim stał tamten potężny czarnoskóry więzień. Usiadł obok Arthura. Ławka zatrzeszczała.

– Antwon. Antwon Johnson.

Powinien stuknąć pięścią w jego pięść? Nie bądź idiotą, powiedział sobie i tylko skinął głową.

– Arthur...

– Wiem. – Johnson zerknął na Micka i rzekł: – Spidziarz ma przejebane. Pieprzone gówno ta amfa. Przejebie ci życie. – Po chwili spytał: – Ty gościu jesteś mózgowiec, nie?

– Tak jakby.

– Co to, kurwa, znaczy „tak jakby"?

Nie baw się z nim w kotka i myszkę.

– Skończyłem fizykę. I chemię. Byłem na MIT.

– Mit?

– To uczelnia.

– Dobra?

– Niezła.

– Znasz się na nauce? Na chemii, fizyce, całym tym gównie?

Pytania w ogóle nie przypominały rozmowy z Latynosami, którzy próbowali wyłudzić od niego pieniądze. Arthur miał wrażenie, że Johnson jest naprawdę zaciekawiony.

– Tak, trochę.

– To wiesz, jak zrobić bombę? – ciągnął czarnoskóry. – Taką dużą, żeby rozpiździć ten mur.

– No... – Serce znów zaczęło mu walić, jeszcze mocniej niż poprzednio. – Właściwie...

Antwon Johnson wybuchnął śmiechem.

– Jaja se robię.

– Ach, tak. – Arthur też się roześmiał, zastanawiając się, czy serce eksploduje mu zaraz, czy dopiero później. Nie miał wszystkich genów ojca, ale czy w odziedziczonym przez niego pakiecie znalazły się błędne sygnały wysyłane przez układ sercowo-naczyniowy?

Mick znów wymamrotał coś do siebie i żywo zainteresował się swoim prawym łokciem, drapiąc go do krwi.

Johnson i Arthur przyglądali mu się przez chwilę.

Spidziarz...

– Słuchaj, gościu z Jersey, o coś cię spytam.

– Jasne.

– Mam pobożną matkę, kapujesz? I raz matka mi mówi, że w Biblii jest sama święta prawda. Że wszystko było dokładnie tak, jak tam napisano. Dobra, ale powiedz mi, gdzie w Biblii stoi o dinozaurach? Bóg stworzył mężczyznę, kobietę, ziemię, rzeki, osły, węże i całą resztę. Dlaczego nic nie ma o tym, że Bóg stworzył dinozaury? Na własne oczy widziałem szkielety. Znaczy, że były naprawdę. Kurwa, to gdzie ta prawda?

Arthur Rhyme spojrzał na Micka. Potem na gwóźdź wbity w ścianę. Pociły mu się dłonie. W areszcie mogło mu się przytrafić tyle nieszczęść, a teraz miał zginąć tylko dlatego, że postanowił poddać kreacjonizm krytyce naukowej.

Zresztą wszystko jedno.

– Założenie, że Ziemia ma zaledwie sześć tysięcy lat, byłoby sprzeczne ze wszystkimi znanymi prawami nauki – prawami, które uznaje każda wysoko rozwinięta cywilizacja. To tak jakby wierzyć, że wyrosną ci skrzydła i wyfruniesz przez to okno.

Mężczyzna zmarszczył czoło.

Już po mnie.

Johnson wbił w niego nieruchomy wzrok. I pokiwał głową.

– Kurwa, wiedziałem. Sześć tysięcy lat, bez sensu, kurwa.

– Mogę ci podać tytuł książki, w której coś o tym przeczytasz. Jej autor, Richard Dawkins, twierdzi...

– Nie chcę czytać żadnej pieprzonej książki. Wierzę ci na słowo, gościu z Jersey.

Arthur naprawdę miał ochotę stuknąć się z nim pięścią. Ale się powstrzymał.

– Co na to powie twoja matka? – spytał.

Okrągła czarna twarz skrzywiła się w wyrazie zdumienia.

– Przecież jej nie powiem. Miałbym przejebane. Matki nigdy nie przegadasz.

Ani ojca, pomyślał Arthur.

Nagle Johnson spoważniał.

– Gadają, że nie zrobiłeś tego, za co cię zapuszkowali.

– Oczywiście, że nie.

– Ale i tak dobrali ci się do dupy?

– Aha.

– Jak to się, kurwa, stało?

– Sam chciałbym wiedzieć. Zastanawiam się nad tym, odkąd mnie aresztowali. O niczym innym nie myślę. Jak on mógł to zrobić.

– Znaczy kto?

– Prawdziwy morderca.

– A, jak w „Ściganym". Albo u O.J. Simpsona.

– Policja znalazła mnóstwo dowodów przeciwko mnie. Prawdziwy morderca wiedział o mnie wszystko. Jaki mam samochód, gdzie mieszkam, jaki mam rozkład dnia. Wiedział nawet, co kupiłem – i podrzucił te rzeczy, żeby mnie wrobić. Jestem pewien, że właśnie tak się stało.

Antwon Johnson rozmyślał nad tym przez chwilę, po czym wybuchnął śmiechem.

– Facet, sam się wrobiłeś.

– Jak to?

– Poszedłeś i wszystko kupiłeś. Trzeba było podpieprzyć. Wtedy gówno by o tobie wiedzieli.

Rozdział 23

Znowu hol.

Ale zupełnie inny niż w SSD.

Amelia Sachs nigdy w życiu nie widziała takiego bałaganu. Może w czasach, gdy była w służbie patrolowej i wezwano ją do awantury w melinie narkomanów w Hell's Kitchen. Ale nawet wówczas wielu z tych ludzi starało się zachować godność. Natomiast widok tego miejsca budził obrzydzenie. Siedziba organizacji non profit o nazwie Privacy Now, mieszcząca się w starej fabryce fortepianów w dzielnicy Chelsea, byłaby pewną kandydatką do pierwszej nagrody w konkursie na najbardziej niechlujne wnętrze.

Piętrzyły się tu sterty komputerowych wydruków, książek – kodeksów prawa i pożółkłych zbiorów przepisów – gazet i czasopism. Obok nich stały kartonowe pudła, również wypchane papierami. Książkami telefonicznymi. I numerami Federal Register.

A wszystko przykrywał kurz. Tony kurzu.

Recepcjonistka, w dżinsach i wytartym swetrze, tłukła w starą klawiaturę komputerową, rozmawiając półgłosem przez telefoniczny zestaw słuchawkowy. Z korytarza co chwila wpadali do sekretariatu zabiegani ludzie w dżinsach i T-shirtach albo sztruksach i wygniecionych flanelowych koszulach, wymieniali dokumenty na inne lub odbierali pozostawione dla nich wiadomości, po czym znikali.

Ściany przykrywały drukowane wywieszki i plakaty.

KSIĘGARNIE: SPALCIE PARAGONY KLIENTÓW, ZANIM RZĄD SPALI IM KSIĄŻKI!!!

Na wymiętym prostokącie kredowego papieru wypisano słynne zdanie z „Roku 1984", powieści George'a Orwella o społeczeństwie totalitarnym:

WIELKI BRAT PATRZY

A na odrapanej ścianie w widocznym miejscu naprzeciw Sachs:

PARTYZANCKI PORADNIK BOJOWNIKA O PRYWATNOŚĆ

- Nigdy nie podawaj swojego numeru ubezpieczenia.
- Nigdy nie podawaj swojego numeru telefonu.
- Przed wyjściem na zakupy wymień się z kimś kartami lojalnościowymi.
- Nigdy nie odpowiadaj na żadne ankiety.
- „Wypisuj się", jeśli masz wybór.
- Nie wypełniaj kart rejestracyjnych kupionych produktów.
- Nie wypełniaj kart „gwarancyjnych". Nie są ci potrzebne do uzyskania gwarancji. Karty służą do zbierania informacji!
- Pamiętaj – najbardziej niebezpieczną bronią nazistów była informacja.
- Staraj się pozostawać poza siecią.

Sachs rozmyślała nad tym, gdy otworzyły się porysowane drzwi i podszedł do niej niewysoki mężczyzna o poważnej i bladej twarzy, podał jej rękę i zaprowadził ją do swojego biura, gdzie panował jeszcze większy bałagan niż w holu.

Calvin Geddes, były pracownik SSD, był obecnie zatrudniony w tej organizacji ochrony praw do prywatności.

– Przeszedłem na ciemną stronę mocy – oznajmił z uśmiechem. Porzuciwszy klasyczny strój obowiązujący w SSD, miał na sobie żółtą koszulę bez krawata, dżinsy i sportowe buty.

Życzliwy uśmiech szybko jednak zgasł, gdy opowiedziała mu o morderstwach.

– Tak – szepnął, patrząc na nią nieruchomym, ciężkim wzrokiem. – Wiedziałem, że coś takiego się stanie. Po prostu wiedziałem.

Geddes wyjaśnił, że ma wykształcenie techniczne i pracował w pierwszej firmie Sterlinga, poprzedniczce SSD, w Dolinie Krzemowej, pisząc dla niej programy. Przeprowadził się do Nowego Jorku i żył jak u Pana Boga za piecem, a SSD zaczął odnosić zawrotne sukcesy.

Potem jednak nadeszły gorsze doświadczenia.

– Mieliśmy kłopoty. Nie szyfrowaliśmy jeszcze danych i byliśmy odpowiedzialni za poważne przypadki kradzieży tożsamości. Kilka osób popełniło samobójstwo. Parę razy zgłosili się do nas rzekomi klienci. Okazało się, że to prześladowcy, którzy chcieli tylko zdobyć informacje z innerCircle. Dwie z nękanych przez nich kobiet zostały zaatakowane, jedna omal nie zginęła. Później rodzice walczący o opiekę nad dziećmi wykorzystali nasze dane, żeby wytropić byłych małżonków i porwać dzieci. To były trudne chwile. Czułem się jak ktoś, kto pomógł wynaleźć bombę atomową i zaczął gorzko tego żałować. Próbowałem zwiększyć liczbę systemów kontrolnych w firmie. A to zdaniem mojego szefa oznaczało, że nie wierzę w tak zwaną „wizję SSD".

– Sterlinga?

– Ostatecznie tak. Ale nie zwolnił mnie osobiście. Andrew nigdy nie brudzi sobie rąk. Przykre obowiązki zleca innym. W ten sposób może grać najcudowniejszego, najlepszego szefa na świecie... Z praktycznego punktu widzenia, kiedy ktoś inny urządza za niego jatki, jest mniej dowodów przeciw niemu... Po odejściu z firmy zacząłem pracować w Privacy Now.

Wyjaśnił, że organizacja ma podobne cele jak EPIC, Electronic Privacy Information Center, ośrodek zajmujący się ochroną danych osobowych. Privacy Now walczyła z próbami ingerowania w prywatność ludzi przez rząd, firmy, instytucje finansowe, dostawców usług informatycznych i telekomunikacyjnych oraz pośredników w handlu i eksploracji danych. Organizacja prowadziła lobbing w Waszyngtonie, pozywała rząd na podstawie postanowień Ustawy o Swobodzie Dostępu do Informacji, aby ujawnił programy inwigilacji, pozywała także korporacje, które nie przestrzegały przepisów o prywatności i jawności.

Nie mówiąc mu nic o pułapce przygotowanej przez Rodneya Szarnka, Sachs ogólnie opowiedziała, że szukają klientów i pracowników SSD, którzy potrafiliby złożyć dossier.

– Mają dobry system zabezpieczeń. Tak w każdym razie mówił Sterling i jego ludzie. Chciałam poznać opinię kogoś z zewnątrz.

– Chętnie pomogę.

– Mark Whitcomb powiedział nam o betonowych ścianach i rozdziale danych.

– Kto to jest Whitcomb?

– Pracuje w dziale kontroli wewnętrznej.

– Nigdy o nim nie słyszałem. To nowa komórka.

– Jest czymś w rodzaju rzecznika konsumenta w firmie – wyjaśniła Sachs. – Pilnuje, żeby przestrzegano wszystkich przepisów rządowych.

Geddes wyglądał na zadowolonego, choć dodał:

– Ten dział nie powstał z dobroci serca Andrew Sterlinga. Prawdopodobnie o jeden raz za dużo pozwano ich do sądu i chcieli dobrze wypaść w oczach opinii publicznej i Kongresu. Sterling nie ustąpi ani na krok, jeżeli nie musi... A co do klatek danych, to prawda. Sterling traktuje dane jak świętego Graala. Haker? Raczej wykluczone. Niemożliwe też, żeby komukolwiek udało się włamać tam fizycznie i skraść dane.

– Powiedział mi, że niewielu pracowników może się zalogować do innerCircle i pobrać dossier. Czy według pańskiej wiedzy to prawda?

– Och, tak. Kilka osób musi mieć prawo dostępu, ale nikt więcej. Ja nigdy nie miałem. A pracowałem tam od początku.

– Ma pan jakieś przypuszczenia? Może w grę wchodzą pracownicy z burzliwą przeszłością? Agresywni?

– Minęło parę lat. Nie pamiętam nikogo, kto by był szczególnie niebezpieczny. Muszę jednak powiedzieć, że mimo tej fasady szczęśliwej rodziny, którą Sterling uwielbia demonstrować publicznie, tak naprawdę nikogo tam bliżej nie poznałem.

– Co może pan powiedzieć o tych ludziach? – Sachs pokazała mu listę podejrzanych.

Geddes przejrzał nazwiska.

– Pracowałem z Gillespiem. Znałem Cassela. Żadnego z nich nie lubiłem. Pochłonęła ich eksploracja danych, tak jak w latach dziewięćdziesiątych wciągała ludzi Dolina Krzemowa. Wybrańcy losu. Reszty nie znam. Przykro mi. – Spojrzał na nią badawczo. – A więc była tam pani? – spytał z powściągliwym uśmiechem. – Co pani sądzi o Andrew?

Próbując streścić swoje wrażenia, nagle uświadomiła sobie, że ma pustkę w głowie. W końcu podsumowała:

– Zdecydowany, uprzejmy, dociekliwy, inteligentny, ale... – Urwała.

– Ale tak naprawdę nic pani o nim nie wie.

– Zgadza się.

– Dlatego że każdemu pokazuje kamienną twarz. W ciągu lat, jakie u niego przepracowałem, w ogóle go nie poznałem. Bo nikt go nie zna. Jest nieprzenikniony. Uwielbiam to słowo. To cały Andrew. Zawsze szukałem jakiegoś tropu... Nie zauważyła pani czegoś dziwnego na jego regale z książkami?

– Nie było widać grzbietów książek.

– Otóż to. Raz udało mi się tam ukradkiem zerknąć. Nie uwierzy pani. Nie było ani jednej książki o komputerach, prywatności, danych ani biznesie. Prawie sama literatura historyczna, filozoficzna i polityczna: Cesarstwo Rzymskie, cesarze Chin, Franklin Roosevelt, John Kennedy, Stalin, Idi Amin, Chruszczow. Sporo czytał o nazistach. Nikt tak jak oni nie potrafił wykorzystać informacji i Andrew nie wahał się tego głośno mówić. Pierwsi na dużą skalę wykorzystali komputery do zbierania informacji o grupach etnicznych. Tak właśnie umacniali władzę. Sterling robi to samo w świecie biznesu. Proszę zwrócić uwagę na nazwę firmy, SSD. Krążą plotki, że celowo wybrał ten skrót. SS – elitarne oddziały hitlerowskie. SD – wywiad i służba bezpieczeństwa. Wie pani, co zdaniem konkurencji oznacza ten skrót? „Spółka Sprzedaży Dusz". – Geddes zaśmiał się ponuro. – Proszę mnie źle nie zrozumieć. Andrew nie czuje niechęci do Żydów. Ani żadnej innej grupy. Polityka, narodowość, religia czy rasa nic dla niego nie znaczą. Słyszałem, jak kiedyś powiedział: „Dane nie znają granic". W dwudziestym pierwszym wieku władzę daje informacja, nie ropa ani położenie geograficzne. A Andrew Sterling pragnie być najpotężniejszym władcą na świecie... Na pewno wygłosił przemowę „Dane to Bóg".

– O zapobieganiu cukrzycy, fundowaniu prezentów na Boże Narodzenie i domów i wyjaśnianiu zagadek kryminalnych?

– Właśnie. Owszem, to wszystko prawda. Ale proszę się zastanowić, czy dla tych korzyści warto pozwolić, żeby ktoś poznał każdy szczegół naszego życia. Może nic to pani nie obchodzi, pod warunkiem, że zaoszczędzi pani kilka dolców. Ale czy naprawdę pani chce, żeby w kinie lasery ConsumerChoice prześwietlały pani oczy i rejestrowały pani reakcje na reklamy pokazywane przed seansem? Chce pani, żeby policja mogła odczytać z tagu RFID umieszczonego w kluczyku do samochodu, że w zeszłym tygodniu jechała pani sto pięćdziesiąt na godzinę, chociaż na całej trasie było ograniczenie do osiemdziesięciu? Chce pani, żeby obcy ludzie wiedzieli, jaką bieliznę nosi pani córka? Albo kiedy dokładnie uprawia pani seks?

– Co?

– Na przykład, innerCircle wie, że dziś po południu kupiła pani prezerwatywy i żel KY, a pani mąż wracał do domu metrem linii E o osiemnastej piętnaście. Wie, że ma pani wolny wieczór, bo pani syn jest na meczu Metsów, a córka poszła kupić sobie parę rzeczy w „The Gap" w Village. Wie, że o dziewiętnastej osiemnaście włączyła pani kanał porno w telewizji kablowej. A o dwudziestej pierwszej czterdzieści pięć zamówiła pani smaczny postkoitalny posiłek w chińskiej restauracji. Są tam wszystkie te informacje.

Och, SSD wie, czy pani dzieci są nieprzystosowane i czy radzą sobie w szkole, wie, kiedy przysłać pani reklamy korepetycji i poradni psychologicznych. Wie, czy mąż ma kłopoty w łóżku, wie, kiedy przysłać mu dyskretne ulotki o środkach na zaburzenia erekcji. Kiedy historia pani rodziny, zwyczaje zakupowe i absencja w pracy wskazują na skłonności samobójcze…

– Ale to dobrze. Pomoc psychologa może się wtedy przydać.

Geddes zaśmiał się szyderczo.

– Myli się pani. Bo terapia w wypadku potencjalnego samobójcy nie jest opłacalna. SSD wysyła nazwisko miejscowym domom pogrzebowym oraz psychologom pomagającym osobom, które straciły bliskich – a dla nich klientami mogą się stać wszyscy członkowie rodziny, nie tylko jeden człowiek w depresji, który zresztą i tak strzela sobie w łeb. Nawiasem mówiąc, samobójstwo to bardzo lukratywne przedsięwzięcie.

Sachs była wstrząśnięta.

– Słyszała pani o „sprzężeniu"?

– Nie.

– SSD wyznacza sieć, której centrum stanowi pani. Nazwijmy ją „Światem detektyw Sachs". Jest pani osią koła, a na końcach jego szprych są pani partnerzy, małżonkowie, rodzice, sąsiedzi, współpracownicy, wszyscy, o których SSD chciałoby wiedzieć, żeby wykorzystać tę wiedzę. Każdy, kto ma jakikolwiek związek z panią, jest z panią „sprzężony". A każda z tych osób stanowi oś własnej sieci i ma dziesiątki ludzi sprzężonych ze sobą.

Przyszła mu do głowy nowa myśl i oczy mu rozbłysły.

– Wie pani coś o metadanych?

– Co to jest?

– Dane o danych. Każdy dokument stworzony przez komputer albo przechowywany w komputerze – list, raport, akta sprawy, wniosek apelacyjny, arkusz kalkulacyjny, strona internetowa, e-mail, lista zakupów – jest pełen ukrytych danych. O tym, kto sporządził dokument, dokąd został wysłany, o wprowadzonych do niego zmianach, kto i kiedy je wprowadził – wszystko jest tam zapisane, sekunda po sekundzie. Pisze pani notatkę do szefa i dla kawału zaczyna pani „Szanowny głupi fiucie", potem kasuje to pani i pisze właściwy początek. Ale „głupi fiut" wciąż tam jest.

– Serio?

– Oczywiście. Typowy raport napisany w edytorze tekstów ma na dysku znacznie większy rozmiar niż sam tekst. A reszta? To metadane. Watchtower, program zarządzania bazami danych – ma specjalne boty, czyli software'owe roboty, których jedynym zadaniem jest znajdowanie i gromadzenie metadanych z każdego przechowywanego dokumentu. Nazywaliśmy go działem cieni, bo metadane przypominają cień głównych danych – i zwykle ujawniają znacznie więcej.

Cienie, szesnastki, klatki, schowki... Dla Amelii Sachs był to zupełnie nieznany świat.

Przemawianie do tak uważnej słuchaczki wyraźnie sprawiało Geddesowi przyjemność. Pochylił się.

– Wie pani, że SSD ma dział edukacyjny?

Przypomniała sobie firmowy prospekt ściągnięty z internetu przez Mela Coopera.

– Tak, EduServe.

– Ale Sterling nic pani o nim nie mówił, zgadza się?

– Tak.

– Bo nie lubi zdradzać, że jego główna funkcja to zbieranie wszystkich dostępnych informacji o dzieciach. Poczynając od przedszkola. Co kupują, co oglądają w telewizji, jakie witryny w sieci odwiedzają, jakie mają stopnie, jak wygląda ich szkolna kartoteka medyczna... To bardzo, bardzo cenne informacje dla przedsiębiorstw handlowych. Ale moim zdaniem najbardziej przerażające w EduServe jest to, że rady szkolne mogą się zgłosić do SSD, przeprowadzić analizę predykcyjną swoich uczniów, a potem dostosować do nich programy nauczania – z punktu widzenia tego, co jest najlepsze dla społeczności – albo społeczeństwa, jeśli woli się pani trzymać terminologii Orwella. Na podstawie danych dochodzimy do wniosku, że Billy powinien zostać robotnikiem wykwalifikowanym. Suzy powinna być lekarzem, ale tylko w placówkach publicznej opieki medycznej... Kontrolując dzieci, można mieć kontrolę nad przyszłością. Nawiasem mówiąc, jeszcze jeden element filozofii Adolfa Hitlera. – Zaśmiał się. – No dobrze, dość tego wykładu... Ale rozumie pani, dlaczego nie mogłem tego dłużej znosić?

Po chwili Geddes zmarszczył brwi.

– Wracając do waszej sytuacji... kiedyś w SSD doszło do pewnego incydentu. Wiele lat temu. Zanim firma przeniosła się do Nowego Jorku. Zginął człowiek. To prawdopodobnie tylko zbieg okoliczności, ale...

– Proszę mi opowiedzieć.

– Na samym początku na ogół zlecaliśmy zbieranie danych kombinatorom.

– Komu?

– Firmom albo osobom, które organizowały dla nas dane. Dziwny typ. Ci ludzie przypominają poszukiwaczy ropy z dawnych czasów. Widzi pani, dane mają niesamowity urok. Od ich poszukiwania można się uzależnić. Nigdy nie ma się tego dość. Bez względu na to, ile kombinatorzy zbiorą, chcą jeszcze więcej. I ciągle próbują wymyślać nowe sposoby, jak je zbierać. Są ambitni i bezwzględni. Tak właśnie w branży zaczynał działać Sean Cassel. Był kombinatorem.

W każdym razie jeden z nich był niezwykły. Pracował w małej firmie w Kolorado. Nazywała się chyba Rocky Mountain Data...

Jak on się nazywał? – Geddes zmrużył oczy. – Gordon jakiś tam. A może to było nazwisko. Tak czy owak, dowiedzieliśmy się, że nie był zachwycony, gdy SSD chciało przejąć jego firmę. Podobno skombinował wszystkie informacje o firmie i Sterlingu, do jakich udało mu się dotrzeć – i role się odwróciły. Myśleliśmy, że próbuje wywlec jakieś brudy na temat Sterlinga i szantażem powstrzymać przejęcie swojej firmy. Wie pani, że Andy Sterling – Andrew junior – pracuje w SSD?

Skinęła głową.

– Słyszeliśmy plotki, że Sterling porzucił go przed laty, a chłopak go odnalazł. Według innych plotek chodziło o zupełnie innego syna. Może pierwszej żony albo jakiejś dziewczyny. I chciał to utrzymać w tajemnicy. Przypuszczaliśmy, że Gordon szuka tego rodzaju brudów.

W każdym razie, kiedy Sterling i kilka innych osób negocjowało warunki zakupu Rocky Mountain, ten Gordon zginął – chyba w jakimś wypadku. Wiem tylko tyle. Nie było mnie tam wtedy. Siedziałem w Dolinie i pisałem programy.

– I doszło do przejęcia?

– Tak. Gdy Andrew czegoś chce, Andrew będzie to miał... Podsunę pani jeszcze jedną myśl na temat mordercy. To sam Andrew Sterling.

– Ma alibi.

– Doprawdy? Proszę nie zapominać, że jest królem informacji. Kiedy ktoś ma kontrolę nad danymi, może je zmieniać. Dokładnie sprawdziliście to alibi?

– Właśnie sprawdzamy.

– Nawet gdyby się potwierdziło, niech pani pamięta, że Sterling ma ludzi, którzy pracują dla niego i zrobią wszystko, czego sobie zażyczy. Dosłownie wszystko. Brudną robotę odwalają za niego inni.

– Przecież jest multimilionerem. Jaki miałby interes w kradzieży monet albo obrazu, a potem mordowaniu ofiar?

– Jaki interes? – Geddes podniósł głos, jak gdyby był profesorem usiłującym tłumaczyć lekcję mało pojętnemu uczniowi. – Ma swój interes – zostać najpotężniejszym człowiekiem na świecie. Chce włączyć do swojej kolekcji wszystkich na ziemi. Szczególnie zależy mu na organach ścigania i instytucjach publicznych. Im więcej przestępstw zostanie wyjaśnionych dzięki informacjom z innerCircle, tym więcej zgłosi się do niego jednostek policji, z kraju i zagranicy. Kiedy Hitler doszedł do władzy, jego pierwszym zadaniem było skonsolidowanie wszystkich służb policyjnych w Niemczech. Na czym polegał nasz problem w Iraku? Rozwiązaliśmy armię i policję – a powinniśmy je wykorzystać. Andrew nie popełnia takich błędów.

Geddes zaśmiał się.

– Uważa mnie pani za oszołoma, prawda? Ale mam do czynienia z tymi sprawami przez cały dzień. Proszę pamiętać, to nie paranoja, jeżeli naprawdę ktoś obserwuje wszystko, co pani robi w każdej minucie dnia. Właśnie na tym w skrócie polega praca SSD.

Rozdział 24

Czekając na powrót Sachs, Lincoln Rhyme z roztargnieniem słuchał Lona Sellitta, który informował go, że nie można zlokalizować żadnego z pozostałych dowodów w poprzednich sprawach – gwałtu i kradzieży monet.

– Cholernie dziwna rzecz.

Rhyme musiał się zgodzić z cierpką oceną detektywa, choć jego uwagę odwracało dossier jego kuzyna z SSD, leżące w ramce obok niego. Próbował je ignorować.

Ale dokument przyciągał go jak magnes. Patrząc na surowy, czarny druk na białych arkuszach, powiedział sobie, że być może Sachs miała rację i znajdzie tu jakieś przydatne informacje. Musiał się jednak przyznać, że jest po prostu ciekawy.

STRATEGIC SYSTEMS DATACORP, INC.
DOSSIER INNERCIRCLE®

Arthur Robert Rhyme
Numer SSD 3480-9021-4966-2083

Styl życia
Dossier 1A. Preferencje konsumenckie – produkty
Dossier 1B. Preferencje konsumenckie – usługi
Dossier 1C. Podróże
Dossier 1D. Usługi medyczne
Dossier 1E. Preferencje dotyczące wypoczynku

Finanse/Wykształcenie/Praca zawodowa
Dossier 2A. Wykształcenie
Dossier 2B. Przebieg zatrudnienia/dochodów
Dossier 2C. Historia kredytowa/bieżący raport
i zdolność kredytowa
Dossier 2D. Preferencje dotyczące produktów i usług biznesowych

Informacje publiczne/prawne
Dossier 3A. Akta stanu cywilnego
Dossier 3B. Rejestracja wyborców
Dossier 3C. Historia prawna
Dossier 3D. Karalność
Dossier 3E. Kontrola wewnętrzna
Dossier 3F. Imigracja i naturalizacja

Urządzenie zgodnie z jego poleceniem przewracało kartki, a Rhyme przeglądał gęsto zapisany, trzydziestostronicowy dokument. Niektóre kategorie były obszerne, inne skąpe. Dane o rejestrze wyborców zostały ocenzurowane, a sekcja dotycząca kontroli oraz część historii kredytowej odsyłały czytelnika do oddzielnych akt, prawdopodobnie z powodu przepisów ograniczających dostęp do takich informacji.

Zatrzymał się na długiej liście produktów kupionych przez Arthura i członków jego rodziny (występujących pod okropną nazwą „osoby sprzężone"). Nie było wątpliwości, że dossier zawierało wystarczająco dużo informacji o jego upodobaniach i miejscach, gdzie robił zakupy, by na ich podstawie wplątać go w morderstwo Alice Sanderson.

Rhyme dowiedział się, że Arthur należał do country clubu, lecz przed kilkoma laty zrezygnował z członkostwa, zapewne z powodu utraty pracy. Zwrócił uwagę, dokąd jeździł na wczasy; zdziwił się, że Arthur zaczął jeździć na nartach. Kuzyn lub któreś z jego dzieci miało problem z nadwagą; ktoś korzystał z usług dietetyka. Cała rodzina należała także do fitness klubu. Rhyme zauważył zamówienie na jakąś biżuterię, złożone w sieciowym sklepie jubilerskim w centrum handlowym w New Jersey; towar miał zostać odebrany przed Bożym Narodzeniem. Domyślał się, że to pewnie niewielkie kamienie w dużej oprawie – prezent, którym można się zadowolić, dopóki nie nadejdą lepsze czasy. Zaśmiał się na widok jednego wpisu. Arthur, tak jak on, gustował w jednosłodowej whisky – od niedawna ulubionej marce Rhyme'a, Glenmorangie.

Kuzyn miał toyotę prius i jeepa cherokee.

Gdy czytał informację o samochodach, uśmiech zniknął z jego twarzy. Przypomniał sobie inny samochód, czerwonego chevroleta corvette, który Arthur dostał od rodziców na siedemnaste urodziny – samochód, którym pojechał do Bostonu, żeby wstąpić na MIT.

Rhyme wrócił myślą do ich wyjazdu do college'u – osobno. Był to niezwykle ważny moment dla Arthura, a także jego ojca; Henry Rhyme był zachwycony wiadomością, że jego syn został przyjęty przez tak renomowaną uczelnię. Lecz plany kuzynów – wspólnego mieszkania, konkurowania o względy dziewczyn, przyćmiewania kujonów wiedzą – spełzły na niczym. Lincoln nie dostał się do MIT, ale trafił na Uniwersytet Illinois w Urbana-Champagne, który przyznał mu pełne stypendium (i w tamtych czasach cieszył się pewną estymą, ponieważ miał siedzibę w mieście, w którym narodził się HAL, narcystyczny komputer z filmu Stanleya Kubricka „2001: Odyseja kosmiczna").

Teddy i Anne byli zadowoleni, że ich syn idzie na uczelnię w rodzinnym stanie, wuj także; Henry mówił bratankowi, że ma nadzieję często widywać go w Chicago i nadal korzystać z jego pomocy przy badaniach naukowych, a może nawet od czasu do czasu w wykładach.

– Przykro mi, że nie będziesz mieszkać z Arthurem – powiedział Henry. – Ale możecie spędzać razem lato i święta. Jestem pewien, że twój ojciec i ja nieraz wybierzemy się z wizytą do Bostonu.

– Tak, jakoś się ułoży – zgodził się Lincoln.

Choć załamała go wieść, że nie został przyjęty na MIT, ten fakt miał także swoją dobrą stronę, o której Lincoln nie pisnął słówkiem – nie chciał już więcej widzieć swojego przeklętego kuzyna.

Wszystko przez czerwonego corvette.

Do incydentu doszło niedługo po kolacji wigilijnej, na której Lincoln wygrał historyczny kawałek betonu, w przejmująco zimny dzień lutego, który przy słonecznej i pochmurnej pogodzie jest w Chicago najbardziej srogim z miesięcy. Lincoln brał udział w konkursie naukowym na Uniwersytecie Northwestern w Evanston. Spytał Adriannę, czy chciałaby mu towarzyszyć, myśląc, że potem mógłby spróbować się oświadczyć.

Ale nie mogła; wybierała się z matką na zakupy do domu towarowego Marshall Field's w centrum, gdzie szykowała się duża wyprzedaż. Lincoln był rozczarowany, lecz nie przejmując się tym zbytnio, całą uwagę poświęcił konkursowi. Zajął pierwsze miejsce w kategorii uczniów ostatniej klasy szkoły średniej, a potem razem z kolegami spakowali swoje projekty i wytaszczyli wszystko na zewnątrz. W gęstych obłokach pary swoich oddechów, sinymi od mrozu rękami załadowali sprzęt do bagażnika autobusu i popędzili do drzwi.

W tym momencie ktoś zawołał:

– Ej, popatrzcie! Fantastyczna bryka.

Przez kampus mknął czerwony corvette.

Za kierownicą siedział jego kuzyn Arthur. Nie było w tym nic dziwnego; rodzina mieszkała niedaleko. Lincoln zdziwił się jednak na widok dziewczyny obok Arthura. Wydawało mu się, że to była Adrianna.

Tak czy nie?

Nie był pewien.

Strój pasował: brązowa skórzana kurtka i futrzana czapka, która wyglądała dokładnie tak samo jak ta, którą Lincoln podarował jej na Boże Narodzenie.

– Jezu, Linc, wsiadaj wreszcie. Musimy zamknąć drzwi.

Mimo to Lincoln stał jak głaz, wpatrując się w samochód, który z lekkim poślizgiem zniknął za rokiem szaro-białej ulicy.

Czyżby go okłamała? Dziewczyna, którą pragnął poślubić? Nie mógł w to uwierzyć. I miałaby go zdradzać z Arthurem?

Postanowił przeanalizować fakty chłodnym okiem naukowca.

Fakt numer jeden. Arthur i Adrianna się znali. Kuzyn poznał ją kilka miesięcy temu w poradni zawodowej w szkole Lincolna, gdzie pracowała po lekcjach. Całkiem możliwe, że wymienili numery telefonów.

Fakt numer dwa. Lincoln uświadomił sobie właśnie, że Arthur przestał o nią pytać. Dziwne. Chłopcy często rozmawiali o dziewczynach, ale ostatnio Art ani razu o niej nie wspomniał.

Podejrzane.

Fakt numer trzy. Po namyśle uznał, że wymawiając się od przyjścia na uniwersytet, Addie kluczyła, jak gdyby próbowała coś ukryć. (Nie wspomniał jej, że konkurs odbywa się w Evanston, co oznaczało, że bez skrupułów mogła krążyć z Arthurem po uliczkach kampusu). Lincoln poczuł bolesne ukłucie zazdrości. Na litość boską, przecież chciałem jej dać kawałek Stagg Field! Relikwię współczesnej nauki!

Przypomniał sobie inne sytuacje, gdy wykręcała się od spotkania, w okolicznościach, które z perspektywy wydawały się co najmniej dziwne. Doliczył się trzech czy czterech takich przypadków.

Mimo to nie chciał w to uwierzyć. Maszerując po skrzypiącym śniegu, podszedł do automatu, zadzwonił do jej domu i poprosił ją do telefonu.

– Przykro mi, Lincoln, wyszła ze znajomymi – powiedziała matka Adrianny.

Ze znajomymi...

– Aha. W takim razie spróbuję później... Proszę mi powiedzieć, czy pojechała z nią dzisiaj pani do centrum na wyprzedaż w Marshall Field's?

– Nie, wyprzedaż jest w przyszłym tygodniu... Muszę przygotować kolację, Lincoln. Trzymaj się ciepło. Straszny mróz dzisiaj.

– Rzeczywiście. – Kto jak kto, ale Lincoln świetnie o tym wiedział. Stał przy budce, dzwonił zębami z zimna i nie miał nawet ochoty schylić się po sześćdziesiąt centów, które wypadły mu na śnieg z drżącej dłoni, którą próbował wpychać kolejne monety do aparatu.

– Jezu Chryste, Lincoln, wsiadaj!

Wieczorem zadzwonił do niej i przez jakiś czas starał się rozmawiać jak gdyby nigdy nic, a potem zapytał, jak jej minął dzień. Odparła, że podobało się jej na zakupach z mamą, ale było strasznie tłoczno. Radosna, rozszczebiotana, co chwilę zmieniała temat. Jej wina nie budziła wątpliwości.

Mimo to nie potrafił dać temu wiary.

Dlatego nadal zachowywał pozory. Podczas następnych odwiedzin Arta zostawił kuzyna w pokoju na dole, wymknął się na dwór, uzbrojony w wałek do zbierania psiej sierści – dokładnie taki sam, jakiego używają dziś technicy przy oględzinach miejsc zdarzenia – i zebrał ślady z przedniego siedzenia w corvette.

Wsunął taśmę z wałka do plastikowej torebki, a przy następnym spotkaniu z Adrianną, wziął próbki futra z jej kurtki i czapki. Czuł się podle, rumienił się ze wstydu, lecz to nie powstrzymało go od porównania pasemek pod jednym ze szkolnych mikroskopów. Były identyczne – w przypadku futra z czapki i syntetycznych włókien z kurtki.

Dziewczyna, której zamierzał się oświadczyć, zdradzała go. Sądząc po ilości włókien w samochodzie Arthura, musiała tam być więcej niż raz.

W końcu, tydzień później, zobaczył ich razem w samochodzie i pozbył się złudzeń.

Lincoln nie wycofał się z klasą ani ze złością. Po prostu się wycofał. Nie mając serca wdawać się z nią w kłótnię, pozwolił, by związek z Adrianną sam się wypalił. Ostatnie spotkania były sztywne, przetykane długimi chwilami niezręcznego milczenia. Ku jego konsternacji, sprawiała wrażenie, jak gdyby naprawdę martwiła ją coraz większa oschłość Lincolna. Niech to szlag. Wyobrażała sobie, że może mieć jednego i drugiego? To ona była na niego wściekła... chociaż go zdradzała.

Oddalił się także od kuzyna. Usprawiedliwiał się egzaminami, udziałem w mityngach lekkoatletycznych oraz nieszczęściem, które okazało się błogosławione w skutkach – nieprzyjęciem do MIT.

Chłopcy widywali się od czasu do czasu – obowiązki rodzinne, rozdanie świadectw na zakończenie szkoły średniej – ale wszystko się między nimi zmieniło, zmieniło się całkowicie. Żaden z nich nie wspomniał ani słowem o Adriannie. W każdym razie jeszcze przez wiele następnych lat.

Zmieniło się całe moje życie. Gdyby nie ty, wszystko wyglądałoby inaczej...

Jeszcze teraz Rhyme poczuł, jak krew tętni mu w skroniach. Nie czuł na dłoniach lepkiego chłodu, ale przypuszczał, że się pocą. Ponure rozmyślania przerwała mu jednak Amelia Sachs, która wkroczyła do salonu.

– Coś nowego? – spytała.

Zły znak. Gdyby rozmowa z Geddesem przyniosła jakiś przełom w śledztwie, powiedziałaby o tym od razu.

– Nie – przyznał. – Ciągle czekamy na wiadomość od Rona o alibi. I nikt nie chwycił przynęty, którą zarzucił Rodney.

Sachs wzięła podaną przez Thoma kawę, a z tacy połówkę kanapki z indykiem.

– Lepsza jest sałatka z tuńczykiem – poradził Lon Sellitto. – Sam ją zrobił.

– Wystarczy. – Usiadła obok Rhyme'a, podsuwając mu kanapkę. Nie miał apetytu i pokręcił głową. – Co u twojego kuzyna? – zapytała, zerkając na otwarte dossier.

– Kuzyna?

– Jak sobie radzi w areszcie? Musi mu być ciężko.

– Nie miałem okazji z nim porozmawiać.

– Prawdopodobnie jest zbyt skrępowany, żeby się z tobą skontaktować. Sam powinieneś zadzwonić.

– Zadzwonię. Czego się dowiedziałaś od Geddesa?

Przyznała, że spotkanie nie przyniosło żadnych rewelacji.

– Usłyszałam przede wszystkim wykład na temat erozji prywatności. – Streściła mu najbardziej alarmujące punkty: codzienne zbieranie danych, wtrącanie się w prywatne życie, niebezpieczeństwo EduServe, nieśmiertelność danych, metadane zaszyte w plikach komputerowych.

– Czy coś z tego jest dla nas istotne? – zapytał cierpkim tonem.

– Dwie rzeczy. Po pierwsze, Geddes nie wierzy w niewinność Sterlinga.

– Mówiłaś, że Sterling ma alibi – zauważył Sellitto, biorąc następną kanapkę.

– Może nie działał osobiście. Mógł wykorzystać kogoś innego.

– Po co? Jest prezesem wielkiej firmy? Co by z tego miał?

– Im więcej zbrodni, tym bardziej społeczeństwo potrzebuje ochrony SSD. Geddes twierdzi, że Sterling chce władzy. Z jego opisu wynika, że to Napoleon danych.

– A więc wynajął bandziora, który miał wytłuc okna, żeby Sterling mógł wkroczyć do akcji i je naprawić. – Rhyme pokiwał głową, jak gdyby pomysł znalazł pewne uznanie w jego oczach. – Tyle że plan spalił na panewce. Nie przyszło mu do głowy, że odkryjemy, że za przestępstwami kryje się baza danych SSD. Dodaj go do listy podejrzanych. NN pracujący dla Sterlinga.

– Geddes powiedział mi też, że kilka lat temu SSD przejęło pewną firmę z Kolorado. Ich główny kombinator – człowiek zbierający dane – zginął.

– Coś łączy Sterlinga z tą śmiercią?

– Nie mam pojęcia. Ale warto sprawdzić. Zadzwonię do paru osób.

Rozległ się dzwonek i Thom poszedł otworzyć. Wszedł Ron Pulaski. Miał posępną minę i był spocony. Rhyme miał czasem ochotę mu powiedzieć, żeby się tak bardzo nie przemęczał, ale skoro sam nie szczędził sił, doszedł do wniosku, że taka rada byłaby oznaką hipokryzji.

Nowy zameldował, że potwierdziła się większość alibi na niedzielę.

– Sprawdziłem w firmie obsługującej czytniki E-ZPass i zgadza się, Sterling przejechał tunel Queens Midtown o tej godzinie. Dla pewności próbowałem się skontaktować z jego synem i zapytać, czy ojciec dzwonił do niego z Long Island, ale go nie zastałem.

– Mam coś jeszcze – ciągnął Pulaski. – Chodzi o dyrektora działu personalnego. Jego alibi może poświadczyć tylko żona. Potwierdziła wszystko, co powiedział, ale zachowywała się jak spłoszona myszka. I terkotała jak mąż: „SSD to najwspanialsze miejsce na świecie" i tak dalej.

Rhyme, zawsze nieufny wobec świadków, nie przywiązywał do tego szczególnej wagi; od Kathryn Dance, specjalistki od mowy ciała i kinezyki z Biura Śledczego Kalifornii, nauczył się, że nawet gdy ludzie mówią policji szczerą prawdę, często wyglądają na winnych.

Sachs podeszła do listy podejrzanych, aby ją uaktualnić.

Andrew Sterling, prezes, dyrektor naczelny
Alibi – był na Long Island, zweryfikowano. Oczekiwanie na potwierdzenie od syna
  Sean Cassel, dyrektor działu sprzedaży i marketingu
  Brak alibi
  Wayne Gillespie, dyrektor działu technicznego
  Brak alibi
  Samuel Brockton, dyrektor działu kontroli wewnętrznej
  Alibi – hotel potwierdza obecność w Waszyngtonie
  Peter Arlonzo-Kemper, dyrektor działu personalnego
  Alibi – był z żoną, która to potwierdza (za jego namową?)

Steven Shraeder, kierownik obsługi technicznej, dzienna zmiana
Zostanie przesłuchany
Faruk Mameda, kierownik obsługi technicznej, nocna zmiana
Zostanie przesłuchany
Klient SSD (?)
Oczekiwanie na listę od Sterlinga
NN zwerbowany przez Andrew Sterlinga (?)

Sachs spojrzała na zegarek.

– Ron, Mameda powinien już być w firmie. Możesz wrócić i porozmawiać z nim i Shraederem? Dowiedz się, gdzie byli wczoraj w czasie morderstwa Weinburg. Asystent Sterlinga powinien już mieć gotową listę klientów. Jeżeli nie, siedź przy jego biurku, dopóki jej nie dostaniesz. Rób ważną minę. Albo jeszcze lepiej, zniecierpliwioną.

– Mam wrócić do SSD?

– Zgadza się.

Rhyme widział, że z jakiegoś powodu nie ma na to ochoty.

– Jasne. Ale najpierw zadzwonię do Jenny i sprawdzę, co słychać w domu. – Wyciągnął komórkę i wcisnął przycisk szybkiego wybierania.

Z fragmentów rozmowy Rhyme wywnioskował, że Pulaski rozmawia ze swoim synem, a potem, gdy zaczął przemawiać w jeszcze bardziej dziecinny sposób, ze swoją maleńką córeczką. Postanowił się wyłączyć.

W tym momencie zadzwonił jego telefon; w okienku wyświetlił się numer 44.

Ach, doskonale.

– Polecenie, odbierz telefon.

– Detektyw Rhyme?

– Witam, pani inspektor.

– Wiem, że pracuje pan nad swoją sprawą, ale pomyślałam, że chciałby pan poznać najnowsze wiadomości.

– Oczywiście. Słucham. Jak się miewa wielebny Goodlight?

– Świetnie, chociaż trochę się boi. Upiera się, żeby do domu nie wchodzili żadni nowi ochroniarze ani funkcjonariusze. Ufa tylko tym, którzy są z nim od paru tygodni.

– Nie można mu mieć tego za złe.

– Jeden z moich ludzi prześwietla każdego, kto się zbliży. Były członek SAS. Są w tym najlepsi... Przeszukaliśmy tę kryjówkę w Oldham, od piwnicy po dach. Chciałam panu powiedzieć, co znaleźliśmy. Ślady miedzi i ołowiu, wskazujące na pociski, które zostały ścięte albo opiłowane. Kilka ziaren prochu. I kilka bardzo małych śladów rtęci. Mój ekspert od balistyki twierdzi, że być może robił pocisk dum-dum.

– Owszem, zgadza się. Do rdzenia wlewa się płynną rtęć. Powoduje potworne rany.

– Znaleziono też smar do zamków karabinowych. W umywalce była odrobina rozjaśniacza do włosów. I kilka ciemnoszarych włókien – bawełnianych, dość grubych, ze śladami krochmalu. Z naszych baz danych wynika, że pochodzą z tkaniny mundurowej.

– Sądzi pani, że dowody zostały podrzucone?

– Nasi kryminalistycy twierdzą, że nie. To mikroskopijne ślady.

Blondyn, snajper, mundur...

– Doszło też do incydentu, który postawił nas w stan pogotowia: próba włamania do siedziby organizacji pozarządowej niedaleko Piccadilly. Do biura Organizacji Pomocy Afryce Wschodniej, instytucji wielebnego Goodlighta. Sprawcę spłoszyła ochrona. Wrzucił wytrych do kratki ściekowej. Mieliśmy jednak szczęście. Jakiś przechodzień to widział. W każdym razie chodzi o to, że nasi ludzie odzyskali wytrych i znaleźli na nim ślady gleby. Zawierała rodzaj chmielu uprawianego wyłącznie w Warwickshire. Przetworzonego do formy, w jakiej używa się go do produkcji ale.

– Ale? Piwa?

– Owszem, bitter ale. Tak się składa, że w Stołecznej mamy bazę danych napojów alkoholowych. I składników do ich produkcji.

Taką samą jak moja, pomyślał.

– Naprawdę?

– Sama ją stworzyłam.

– Doskonale. I co?

– Jedyny browar, który używa tego rodzaju chmielu, znajduje się niedaleko Birmingham. Kamera w biurze organizacji zrobiła zdjęcie intruza, a gdy znaleźliśmy ten chmiel, pomyślałam, że sprawdzę taśmy z kamer w Birmingham. Rzeczywiście, ten sam człowiek kilka godzin później wysiadł z dużym plecakiem na stacji New Street. Niestety, zginął nam w tłumie.

Rhyme zamyślił się. Najważniejsze pytanie brzmiało: czy chmiel został podrzucony, by naprowadzić ich na fałszywy trop? Zwykle mógł to ocenić tylko wtedy, gdy sam przeprowadzał oględziny miejsca lub miał dowody w ręku. Teraz jednak był zdany wyłącznie na „czuja", jak mówiła Sachs.

Podrzucone czy nie?

Podjął decyzję.

– Pani inspektor, nie wierzę w to. Wydaje mi się, że Logan blefuje. Już wcześniej stosował takie sztuczki. Chce, żebyśmy skupili całą wagę na Birmingham, a sam przeprowadzi akcję w Londynie.

– Cieszę się, że pan to powiedział, detektywie. Też skłaniałam się do tej hipotezy.

– Powinniśmy podjąć grę. Gdzie są członkowie zespołu?

– Danny Krueger jest w Londynie ze swoimi ludźmi. Wasz człowiek z FBI także. Agent francuski i wysłannik Interpolu sprawdzali tropy w Oksfordzie i Surrey. Do niczego jednak nie doszli.

– Wysłałbym ich do Birmingham. Natychmiast. W subtelny sposób, ale przy podniesionej kurtynie.

Inspektor Longhurst zaśmiała się.

– Żeby Logan doszedł do wniosku, że połknęliśmy haczyk.

– Otóż to. Niech myśli, że w to uwierzyliśmy i chcemy go tam złapać. Proszę też wysłać antyterrorystów. Najlepiej narobić przy tym wrzawy, jak gdybyście wycofywali wszystkie oddziały taktyczne z obiektu w Londynie.

– Ale faktycznie wzmocnili tam obserwację.

– Zgadza się. I proszę ostrzec, że będzie próbował strzelać z daleka. Blondyn, ubrany w szary mundur.

– Znakomicie, detektywie. Zaraz się tym zajmę.

– Czekam na wiadomości.

– Dzięki.

Gdy Rhyme polecił telefonowi zakończyć rozmowę, rozległ się głos dobiegający z głębi pokoju:

– He, sprawy stoją tak, że wasi przyjaciele z SSD znają się na rzeczy. Próbuję ich zhakować, ale nie mogę nawet zacząć.

To był Rodney Szarnek. Rhyme zdążył już o nim zapomnieć.

Szarnek wstał i podszedł do pozostałych.

– innerCircle jest szczelniejszy niż Fort Knox. Tak jak ich system zarządzania bazami, Watchtower. Naprawdę wątpię, żeby ktokolwiek mógł się tam włamać bez sieci superkomputerów, których nie da rady kupić w Best Buy ani w RadioShack.

– Ale? – Rhyme zauważył niepokój w jego oczach.

– SSD ma zabezpieczenia, jakich w życiu nie widziałem. Naprawdę solidne. Co tu dużo mówić, można się ich przestraszyć. Wszedłem anonimowo, zacierałem za sobą ślady, a tu nagle co się dzieje? Ich bot włamuje się do mojego systemu i próbuje mnie zidentyfikować po tym, co znalazł w wolnej przestrzeni.

– Rodney, co to właściwie znaczy? – Rhyme starał się nie tracić cierpliwości. – Wolna przestrzeń?

Wyjaśnił, że w niezapisanych miejscach twardych dysków można znaleźć fragmenty danych, nawet tych, które zostały usunięte. Niektóre programy potrafią je złożyć w czytelną dla nich całość. System zabezpieczeń w SSD wiedział, że Szarnek zaciera ślady, więc zakradł się do jego komputera, aby odczytać dane z wolnego miejsca i ustalić, kim jest.

– Aż ciarki chodzą po plecach. Dobrze, że zauważyłem. Bo inaczej... – Wzruszył ramionami i pokrzepił się łykiem kawy.

Rhyme'owi zaświtała w głowie pewna myśl. Im dłużej ją analizował, tym bardziej pomysł mu się podobał. Spojrzał na chudego Szarnka.

– Słuchaj, Rodney, miałbyś ochotę dla odmiany pobawić się w prawdziwego glinę?

Beztroskiemu komputerowcowi mina zrzedła.

– Chyba nie bardzo się do tego nadaję.

Sellitto przełknął ostatni kęs kanapki.

– Jeżeli kula nigdy nie przeleciała ci koło ucha z prędkością dźwięku, to nie znasz życia.

– Zaraz, moment... dotąd strzelałem tylko w grach RPG i...

– Och, tobie nic nie będzie groziło – zapewnił go Rhyme, a jego rozbawione spojrzenie spoczęło na Ronie Pulaskim, który zamykał właśnie telefon.

– Co? – spytał nowy, marszcząc brwi.

Rozdział 25

Potrzebuje pan czegoś jeszcze?

Siedząc w sali konferencyjnej w SSD, Ron Pulaski spojrzał w beznamiętną twarz drugiego asystenta Sterlinga, Jeremy'ego Millsa. Pamiętał, że to asystent „zewnętrzny".

– Nie, dziękuję. Chociaż... mógłby pan zapytać pana Sterlinga o listę, którą miał dla nas sporządzić? Chodzi o wykaz klientów. Wydaje mi się, że zlecił to Martinowi.

– Z przyjemnością wspomnę o tym Andrew, kiedy zakończy spotkanie. – Barczysty mężczyzna obszedł salę, pokazując mu, gdzie są włączniki klimatyzatora i światła – jak boy, który prowadził Jenny i Pulaskiego do luksusowego pokoju w hotelu, gdzie spędzali miodowy miesiąc.

Pulaski znów sobie przypomniał, jak uderzająco podobna do Jenny była Myra, kobieta, którą wczoraj zgwałcono i zamordowano. Jej rozrzucone włosy, lekko ironiczny uśmiech, który uwielbiał, jej...

– Słyszy mnie pan?

Pulaski uniósł wzrok, zdając sobie sprawę, że się zamyślił.

Asystent przyglądał mu się, wskazując małą lodówkę.

– Tu ma pan wodę i napoje.

– Dziękuję. Jestem gotowy.

Skoncentruj się, powiedział sobie. Zapomnij o Jenny. Zapomnij o dzieciach. Stawką jest ludzkie życie. Amelia wierzy, że poradzisz sobie z tymi przesłuchaniami. No więc sobie radź.

Możesz się skupić, nowy? Jesteś nam potrzebny.

– Gdyby chciał pan zadzwonić, może pan skorzystać z tego telefonu. Najpierw trzeba wybrać dziewiątkę. Wystarczy też wcisnąć ten guzik i powiedzieć numer. Uruchamia się na dźwięk głosu. – Wskazał komórkę Pulaskiego. – Ten pewnie nie będzie działał. Sala jest ekranowana, ze względów bezpieczeństwa.

– Naprawdę? Dobrze. – Pulaski zastanowił się, czy nie widział tu wcześniej kogoś korzystającego z komórki albo terminala BlackBerry. Nie potrafił sobie przypomnieć.

– Zaraz przyślę tu tych pracowników. Jeżeli jest pan gotów.

– Świetnie, czekam.

Młody człowiek wyszedł na korytarz. Pulaski wyciągnął z teczki notes i zerknął na nazwiska ludzi, których miał właśnie przesłuchać.

Steven Shraeder, kierownik obsługi technicznej, dzienna zmiana.
Faruk Mameda, kierownik obsługi technicznej, nocna zmiana.

Wstał i wyjrzał na korytarz. Niedaleko wejścia do sali sprzątacz opróżniał kosze na śmieci. Pulaski przypomniał sobie, że widział go wczoraj, przy tej samej czynności; jak gdyby Sterling się obawiał, że widok przepełnionych pojemników zepsuje firmie reputację. Krzepki mężczyzna obojętnie rzucił okiem na mundur Pulaskiego i wrócił do pracy, którą wykonywał niezwykle metodycznie. Spoglądając dalej, młody policjant dostrzegł wyprężonego na baczność strażnika. Nawet idąc do toalety, musiałby go minąć. Wrócił na miejsce, by czekać na dwóch ludzi z listy podejrzanych.

Pierwszy pojawił się Faruk Mameda, pochodzący prawdopodobnie z Bliskiego Wschodu. Był bardzo przystojny, poważny i pewny siebie. Spokojnie patrzył Pulaskiemu w oczy. Wyjaśnił, że pracował w małej firmie, którą przed pięcioma czy sześcioma laty przejęło SSD. Jego obowiązki polegały na nadzorowaniu pracy ekipy obsługi technicznej. Był kawalerem, nie miał rodziny, więc wolał pracować w nocy.

Pulaski ze zdziwieniem zauważył, że kierownik obsługi technicznej mówi bez śladu obcego akcentu. Spytał go, czy słyszał coś o śledztwie. Mameda twierdził, że nie zna szczegółów – co mogło być prawdą, ponieważ dopiero zaczął swoją zmianę. Wiedział tylko tyle, że Andrew Sterling zadzwonił z poleceniem, by porozmawiał z policją na temat jakiegoś przestępstwa.

Skrzywił się, gdy policjant wyjaśnił:

– Niedawno popełniono kilka morderstw. Przypuszczamy, że do ich zaplanowania wykorzystano informacje pochodzące z SSD.

– Informacje?

– O miejscu pobytu ofiar i kupionych przez nie przedmiotach.

Następne pytanie Mamedy było zaskakujące.

– Rozmawia pan ze wszystkimi pracownikami?

Ile mu powiedzieć, a ile zataić? Tego Pulaski nigdy nie wiedział. Amelia zawsze powtarzała, że trzeba oliwić koła, by przesłuchanie gładko toczyło się naprzód, ale nie wolno zdradzać za dużo. Pulaski sądził, że po urazie głowy pogorszyła mu się zdolność oceny sytuacji i denerwował się podczas rozmów ze świadkami i podejrzanymi.

– Nie, nie ze wszystkimi.

– Tylko tymi, którzy są podejrzani. Albo których już na wstępie uznaliście za podejrzanych. – Mameda mówił to z wyraźną niechęcią, zacisnąwszy szczęki. – Rozumiem. Jasne. To się ostatnio często zdarza.

– Osoba, która nas interesuje, to mężczyzna, który ma prawo nieograniczonego dostępu do innerCircle i Watchtower. Rozmawiamy z każdym, kto pasuje do tego opisu. – Pulaski domyślił się powodów jego zaniepokojenia. – To nie ma nic wspólnego z pańską narodowością.

Próba okazała się chybiona. Mameda warknął:

– Jeżeli chodzi o narodowość, to jestem Amerykaninem. Obywatelem Stanów Zjednoczonych. Tak jak pan. Bo zakładam, że pan jest obywatelem. Chociaż może nie. W końcu niewielu ludzi w tym kraju pochodzi stąd.

– Przepraszam.

Mameda wzruszył ramionami.

– Do niektórych rzeczy w życiu trzeba przywyknąć. Pech. Ojczyzna ludzi wolnych jest równocześnie ojczyzną uprzedzonych. Ale... – Urwał, zerkając ponad ramieniem Pulaskiego, jak gdyby ktoś za nim stał. Policjant odwrócił się nieznacznie. Nikogo nie było. – Andrew mówił, że oczekuje od nas pełnej współpracy – podjął Mameda. – No więc będę współpracować. Proszę pytać, o co pan chce. Czeka mnie dzisiaj dużo pracy.

– Dossier – nazywacie je schowkami, zgadza się?

– Tak. Schowkami.

– Ściąga je pan?

– Po co miałbym ściągać dossier? Andrew tego nie toleruje.

Ciekawe: gniew Andrew Sterlinga miał największe działanie odstraszające. Nie policja ani sąd.

– Czyli nie?

– Nigdy. Jeżeli zdarza się jakiś błąd albo dane są uszkodzone czy jest problem z interfejsem, zdarza mi się zobaczyć fragment jakiegoś zapisu albo nagłówków, ale to wszystko. Tylko tyle, żeby sprawdzić, na czym polega problem i zrobić łatkę albo zdebugować program.

– Czy ktoś mógłby zdobyć pańskie hasła i dostać się do innerCircle? I w ten sposób ściągnąć dossier?

Zawahał się.

– Ode mnie na pewno nie. Nie mam nigdzie zapisanych haseł.

– Często chodzi pan do wszystkich klatek? I do Centrum Pobierania?

– Tak, oczywiście. To moja praca. Naprawiam komputery. Dbam, żeby nic nie zakłócało przepływu danych.

– Może mi pan powiedzieć, gdzie pan był w niedzielę po południu między dwunastą a czwartą?

– Ach. – Skinął głową. – Więc o to naprawdę chodzi. Czy byłem na miejscu zbrodni?

Pulaski z trudem patrzył w jego ciemne, błyszczące gniewem oczy.

Mameda położył dłonie płasko na stole, jak gdyby za moment miał się zerwać z miejsca i wściekły wybiec z sali. Ale odchylił się i powiedział:

– Zjadłem śniadanie ze znajomymi... to muzułmanie – zapewne to pana interesuje – dodał.

– Ależ...

– Resztę dnia spędziłem sam. Poszedłem do kina.

– Sam?

– Mniej rzeczy mnie rozprasza. Zwykle chodzę sam. To był film Jafara Panahiego – irańskiego reżysera. Widział pan... – Zacisnął usta. – Nieważne.

– Ma pan odcinek biletu?

– Nie... Potem poszedłem do centrum handlowego. Do domu wróciłem chyba koło szóstej. Sprawdziłem, czy nie jestem potrzebny w firmie, ale skrzynki chodziły bez zarzutu, więc zjadłem kolację z przyjaciółką.

– W trakcie tych popołudniowych zakupów płacił pan za coś kartą kredytową?

Obruszył się.

– Oglądałem tylko wystawy. Wypiłem kawę, zjadłem kanapkę. Zapłaciłem gotówką... – Pochylił się i ostrym szeptem dodał: – Naprawdę nie sądzę, żeby wszystkim zadawał pan takie pytania. Wiem, co o nas myślicie. Myślicie, że traktujemy kobiety jak zwierzęta. Nie mogę uwierzyć, że naprawdę chcecie mnie oskarżyć o gwałt. To barbarzyństwo. A pan mnie obraża!

Pulaski, wytrzymując wzrok Mamedy całym wysiłkiem woli, powiedział:

– Pytamy wszystkich, którzy mają dostęp do innerCircle, co wczoraj robili. Nie wyłączając pana Sterlinga. To po prostu należy do naszych obowiązków.

Nieco się uspokoił, lecz nadal kipiał ze złości, gdy Pulaski pytał go, co robił i gdzie był podczas poprzednich zabójstw.

– Nie mam pojęcia. – Odmówił dalszych wyjaśnień, posępnie skinął głową, wstał i wyszedł z sali.

Pulaski próbował zrozumieć, co się stało. Czy Mameda zachowywał się jak winny czy niewinny? Nie potrafił ocenić. Czuł się raczej wyprowadzony w pole.

Lepiej pomyśl, powiedział sobie.

Drugi z przesłuchiwanych, Shraeder, stanowił przeciwieństwo Mamedy: klasyczny cybermaniak. Niezdarny, ubrany w niedopasowane i wygniecione rzeczy, z plamami tuszu na rękach. Na nosie miał ogromne okulary o brudnych szkłach. Był zdecydowanie z innej gliny niż typowy pracownik SSD. O ile Mameda odnosił się do Pulaskiego z niechęcią, o tyle Shraeder wydawał się bardzo roztargniony. Przeprosił za spóźnienie – choć wcale się nie spóźnił – tłumacząc, że właśnie debugował łatkę. Następnie przystąpił do objaśniania szczegółów, używając takiego żargonu, jak gdyby policjant skończył informatykę, więc Pulaski musiał naprowadzić rozmowę na właściwe tory.

Przebierając palcami, jak gdyby pisał na wyimaginowanej klawiaturze, Shraeder słuchał ze zdziwieniem – albo udawanym zdziwieniem – gdy Pulaski mówił o morderstwach. Wyraził współczucie, a odpowiadając na pytania młodego policjanta, odparł, że często bywa w klatkach i może ściągnąć dossier, lecz nigdy tego nie zrobił. Podobnie jak Mameda był przekonany, że nikt nie miał dostępu do jego haseł.

Na niedzielę miał alibi – około pierwszej po południu przyszedł do biura popracować nad poważnym problemem z piątku, a gdy znów próbował wytłumaczyć, na czym polegał kłopot, Pulaski przerwał mu w pół słowa. Młody człowiek podszedł do komputera w rogu sali konferencyjnej, wstukał coś, po czym odwrócił monitor w stronę Pulaskiego. Była to jego karta czasu pracy. Pulaski przejrzał wpisy z niedzieli. Rzeczywiście przyszedł o 12.58, a opuścił firmę dopiero po piątej.

Ponieważ Shraeder był tu w czasie, gdy zamordowano Myrę, Pulaski nawet nie pytał o pozostałe zbrodnie.

– Myślę, że to już wszystko. Dziękuję.

Mężczyzna wyszedł, a Pulaski odchylił się na krześle, patrząc przez wąskie okno. Miał spocone dłonie, czuł tępy ucisk w żołądku. Wyciągnął telefon. Jeremy, ponury asystent prezesa, miał rację. Nie było zasięgu.

– Witam.

Pulaski drgnął zaskoczony. Unosząc wzrok, zobaczył w drzwiach Marka Whitcomba, który ściskał pod pachą kilka żółtych notatników, trzymając w rękach dwa kubki kawy. Uniósł brew. Obok niego stał nieco starszy mężczyzna, o włosach przyprószonych przedwczesną siwizną. Pulaski domyślił się, że to pracownik SSD – ponieważ miał na sobie przepisowy ciemny garnitur i białą koszulę.

O co chodziło? Starając się przywołać na twarz swobodny uśmiech, zaprosił ich skinieniem głowy.

– Ron, chciałem, żebyś poznał mojego szefa, Sama Brocktona.

Podali sobie ręce. Brockton obrzucił Pulaskiego badawczym spojrzeniem i z nieco drwiącym uśmiechem rzekł:

– A więc to pan kazał pokojówkom sprawdzać mnie w hotelu Watergate w Waszyngtonie?

– Niestety tak.

– Przynajmniej nie trafiłem na listę podejrzanych – odparł Brockton. – Jeżeli możemy coś dla pana zrobić w dziale kontroli wewnętrznej, proszę dać znać Markowi. Wtajemniczył mnie już w szczegóły sprawy.

– Jestem wdzięczny.

– Powodzenia. – Brockton zniknął, zostawiając Whitcomba, który podał Pulaskiemu kawę.

– Dla mnie? Dzięki.

– Jak idzie? – zapytał Whitcomb.

– Jakoś idzie.

Zastępca dyrektora roześmiał się, odrzucając z czoła kosmyk jasnych włosów.

– Potraficie być tak samo mało konkretni jak my.

– Chyba tak. Ale mogę powiedzieć, że wszyscy chętnie współpracowali.

– To dobrze. Skończyłeś?

– Czekam jeszcze na coś od pana Sterlinga.

Wsypał cukier do kawy, zamaszyście, nerwowo zamieszał, ale po chwili się opanował.

Whitcomb stuknął kubkiem w kubek Pulaskiego, jak gdyby chciał wznieść toast. Spojrzał przez okno na niebieskie niebo i głęboką zieleń i brąz miasta.

– Nigdy nie podobały mi się te okienka. Środek Nowego Jorku i żadnych widoków.

– Zastanawiałem się nad tym. Dlaczego są takie małe?

– Andrew troszczy się o bezpieczeństwo. Obawia się, że ktoś może zrobić zdjęcia z zewnątrz.

– Naprawdę?

– To wcale nie jest paranoiczny lęk – ciągnął Whitcomb. – W branży danych w grę wchodzą grube pieniądze. Olbrzymie.

– Domyślam się. – Pulaski był ciekaw, jakie tajemnice ktoś mógłby wypatrzyć z odległości kilku ulic, gdzie znajdował się najbliższy biurowiec podobnej wysokości.

– Mieszkasz w mieście? – spytał Pulaskiego Whitcomb.

– Aha. W Queens.

– Ja teraz na Staten Island, ale wychowałem się w Astorii. Niedaleko Ditmars Boulevard. Przy stacji.

– Co ty, mieszkam trzy ulice dalej.

– Naprawdę? Chodziłeś do świętego Tymoteusza?

– Do świętej Agnieszki. Kilka razy byłem u Tima, ale Jenny nie podobały się kazania. Człowiek miał za duże poczucie winy.

Whitcomb parsknął śmiechem.

– Ojciec Albright.

– Och, tak, to był on.

– Mój brat – jest gliną w Filadelfii – uznał, że kiedy chcesz, żeby morderca się przyznał, wystarczy wsadzić go do pokoju z ojcem Albrightem. Po pięciu minutach facet przyzna się do wszystkiego.

– Twój brat jest gliną? – spytał ze śmiechem Pulaski.

– W wydziale antynarkotykowym.

– Detektyw?

– Tak.

– Mój brat jest w służbie patrolowej, na szóstym posterunku w Village – powiedział Pulaski.

– Zabawny zbieg okoliczności. Obaj nasi bracia... Razem wstąpiliście do policji?

– Tak, prawie wszystko robiliśmy razem. Jesteśmy bliźniakami.

– Ciekawe. Mój brat jest o trzy lata starszy. I znacznie lepiej zbudowany ode mnie. Być może potrafiłbym zdać testy fizyczne, ale nie chciałbym się szamotać z bandziorem.

– Rzadko do tego dochodzi. Nasza robota polega głównie na przekonywaniu bandziorów. Pewnie to samo robicie w dziale kontroli wewnętrznej.

Whitcomb zaśmiał się.

– Tak, mniej więcej.

– Wydaje mi się...

– Hej, kogóż my tu mamy? Sierżant Friday!

Pulaski poczuł ukłucie w brzuchu, gdy uniósł głowę i ujrzał przystojnego gogusia, Seana Cassela w obstawie noszącego się z przesadną elegancją szefa działu technicznego, Wayne'a Gillespiego, który podobnym tonem dodał:

– Znowu tylko fakty, droga pani? Tylko fakty. – Zasalutował.

Ponieważ przed chwilą rozmawiali z Whitcombem o kościele, ta chwila przypomniała Pulaskiemu katolicką szkołę średnią, gdzie razem z bratem prowadzili nieustanną wojnę z chłopakami z Forest Hill. Byli bogatsi, lepiej ubrani, inteligentniejsi. I nie przepuścili żadnej okazji, żeby wbijać im szpile. („Ej, patrzcie, bracia mutanty!"). Koszmar. Pulaski czasem zastanawiał się, czy nie zaczął pracować w policji tylko po to, aby mundur i broń zjednywały mu szacunek.

Whitcomb zacisnął usta.

– Cześć, Mark – powiedział Gillespie.

– Jak leci, sierżancie? – zwrócił się do policjanta Cassel.

Pulaski często napotykał na ulicy wściekłe spojrzenia, słyszał przekleństwa pod swoim adresem, uchylał się, gdy na niego pluto albo rzucano w niego cegłami, czasem nawet nie zdążył zrobić uniku. Nic jednak nie działało mu na nerwy tak jak podobne złośliwości. Rzucane żartobliwie, z uśmiechem. Ale żarty tego rodzaju przywodziły na myśl rekina drażniącego się z ofiarą, którą miał za moment pożreć. Pulaski sprawdził „sierżanta Fridaya" w Google'u na swoim terminalu BlacBerry i dowiedział się, że to postać ze starego serialu „Dragnet". Mimo że Friday był bohaterem pozytywnym, uważano go za nudziarza, którego dziś nazwano by wyjątkowo obciachowym gościem.

Czytając te informacje z maleńkiego ekranu, miał purpurowe uszy, ponieważ dopiero wtedy zdał sobie sprawę, że Cassel go obrażał.

– Proszę. – Cassel podał mu CD w plastikowym pudełku. – Mam nadzieję, że się przyda, sierżancie.

– Co to jest?

– Lista klientów, którzy ściągnęli informacje o waszych ofiarach. Przecież prosił pan o nią, nie pamięta pan?

– Och, myślałem, że dostanę ją od pana Sterlinga.

– Andrew to bardzo zapracowany człowiek. Polecił mi to przekazać.

– W takim razie dziękuję.

– Będziecie mieli pełne ręce roboty – włączył się Gillespie. – Ponad trzystu klientów. I każdy z nich dostał co najmniej dwieście list adresowych.

– Dokładnie tak, jak mówiłem – dodał Cassel. – Będziecie ślęczeć nad tym po nocach. No i co, dostaniemy odznaki małego agenta?

Ludzie, których przesłuchiwał sierżant Friday, często z niego kpili...

Pulaski szczerzył zęby w uśmiechu, choć wcale nie miał na to ochoty.

– Dajcie spokój, chłopaki.

– Wyluzuj, Whitcomb – powiedział Cassel. – Tylko sobie żartujemy. Jezu. Nie bądź taki sztywny.

– Co tu robisz, Mark? – spytał Gillespie. – Nie powinieneś czasem szukać kolejnych przepisów, które łamiemy?

Whitcomb przewrócił oczami, uśmiechając się cierpko, choć Pulaski widział, że on także czuje się zażenowany – i urażony.

– Mógłbym to przejrzeć na miejscu? – zapytał młody funkcjonariusz. – Na wypadek, gdybym miał jakieś pytania.

– Proszę bardzo. – Cassel zaprowadził go do komputera w rogu i zalogował się. Wsunął płytę do napędu i cofnął się, przepuszczając Pulaskiego, który usiadł przed monitorem. Ekran wyświetlił komunikat z pytaniem, co użytkownik chce zrobić. Zdezorientowany policjant zobaczył listę opcji; żadnej nie rozpoznał.

Cassel zajrzał mu przez ramię.

– Nie zamierza pan tego otworzyć?

– Oczywiście. Zastanawiam się tylko, który program będzie najlepszy.

– Nie ma wielkiego wyboru – rzekł Cassel ze śmiechem, jakby to było oczywiste. – Excel.

– Eksel? – powtórzył Pulaski. Zdawał sobie sprawę, że ma czerwone uszy. Nie cierpiał tego. Po prostu nie cierpiał.

– Arkusz kalkulacyjny – podpowiedział Whitcomb, lecz dla Pulaskiego nie była to żadna podpowiedź.

– Nie zna pan Excela? – Gillespie pochylił się i wstukał coś tak szybko, że jego palce migały nad klawiaturą.

Program został uruchomiony i na monitorze pojawiła się tabela z nazwiskami, adresami, datami i godzinami.

– Pewnie już pan kiedyś korzystał z arkusza kalkulacyjnego?

– Oczywiście.

– Ale nie z Excela? – Gillespie w zdumieniu unosił brwi.

– Nie. Z innych. – Pulaski nienawidził samego siebie za to, że sam ułatwia im sprawę. Zamknij się i bierz się do roboty.

– Innych? Naprawdę? – spytał Cassel. – Ciekawe.

– Lista jest pańska, sierżancie Friday. Powodzenia.

– To jest E-X-C-E-L – przeliterował Gillespie. – Może pan to przeczytać na ekranie. Łatwo się go nauczyć. Nawet dzieciaki ze szkoły średniej potrafią się nim posługiwać.

– Zajmę się tym.

Obaj opuścili salę konferencyjną.

– Jak już mówiłem, nikt tu za nimi nie przepada – powiedział Whitcomb.

– Ale bez nich firma nie mogłaby funkcjonować. To geniusze.

- I na pewno dają to każdemu odczuć.
- Tu masz rację. Dobrze, nie przeszkadzam. Nie trzeba ci pomóc?
- Jakoś sobie poradzę.
- Gdybyś jeszcze trafił do tego gniazda węży, wpadnij do mnie.
- Nie ma sprawy.
- Albo umówmy się w Astorii. Poszlibyśmy na kawę. Lubisz grecką kuchnię?
- Uwielbiam.

Pulaski pomyślał przelotnie o wspólnym wypadzie do miasta. Po urazie głowy zaniedbał kilka przyjaźni, niepewny, czy ludziom będzie odpowiadać jego towarzystwo. Z przyjemnością poszedłby ze znajomym na piwo, może na jakiś film akcji, na co Jenny zwykle nie miała ochoty.

Cóż, zastanowi się nad tym później – po zakończeniu śledztwa.

Kiedy Whitcomb wyszedł, Pulaski rozejrzał się. W pobliżu nie było nikogo, ale pamiętał, jak Mameda niepewnie spojrzał ponad jego ramieniem. Przypomniał sobie program, jaki niedawno widzieli z Jenny w telewizji – o kasynie w Las Vegas, nafaszerowanym ukrytymi kamerami. Pomyślał też o strażniku czuwającym na korytarzu i o dziennikarzu, którego życie zostało zrujnowane, dlatego że wtykał nos w sekrety SSD.

Ron Pulaski miał nadzieję, że nikt go tu nie obserwuje. Ponieważ jego dzisiejsza misja nie polegała tylko na odebraniu CD i przesłuchaniu podejrzanych; Lincoln Rhyme przysłał go tu, aby włamał się do prawdopodobnie najlepiej zabezpieczonej sieci komputerowej w Nowym Jorku.

Rozdział 26

Popijając mocną, słodką kawę w restauracji naprzeciwko budynku Gray Rock, trzydziestodziewięcioletni Miguel Abrera kartkował broszurę, którą niedawno dostał pocztą. Było to kolejne z niedawnej serii niezwykłych zdarzeń w jego życiu. Większość budziła w nim tylko zdziwienie lub irytację; to zasiało w nim niepokój. Przejrzał broszurę jeszcze raz. Następnie zamknął ją i spojrzał na zegarek. Do powrotu do pracy zostało mu jeszcze dziesięć minut.

Miguel był pracownikiem konserwacji, jak jego stanowisko nazywało SSD, ale mówił wszystkim, że jest sprzątaczem. Bez względu na nazwę funkcji, wykonywał obowiązki sprzątacza. Dobrze pracował i lubił swoją pracę. Dlaczego miał się wstydzić tego zajęcia?

Mógł spędzić przerwę w budynku, ale darmowa kawa w SSD była kiepska, poza tym nie dawali do niej prawdziwego mleka ani śmietanki. Zresztą Miguel nie lubił marnować czasu na pogaduszki i przy kawie wolał spokojnie poczytać gazetę. (Brakowało mu jednak papierosów. Kiedyś na szpitalnej izbie przyjęć przehandlował nałóg za zdrowie, a choć Bóg nie dotrzymał warunków umowy, Miguel nie wrócił już do palenia).

Zauważył wchodzącego do restauracji kolegę z pracy, Tony'ego Petrona, który sprzątał skrzydło biurowca zajmowane przez szefostwo. Powitali się skinieniem głowy, a Miguel zaniepokoił się, że Tony będzie się chciał do niego przysiąść. Ale Petron wybrał stolik w rogu, wyciągnął komórkę i zaczął czytać e-maile albo SMS-y. Miguel ponownie spojrzał na reklamówkę, która została zaadresowana osobiście do niego. Pociągając łyk słodkiej kawy, rozmyślał o innych niezwykłych rzeczach, jakie mu się ostatnio przydarzyły.

Na przykład jego karta czasu pracy. W SSD przechodziło się po prostu przez bramkę z kołowrotkiem, a elektroniczny identyfikator mówił komputerowi, o której godzinie pracownik wszedł i o której wyszedł. W ciągu ostatnich kilku miesięcy w rejestrze coś nie grało. Miguel zawsze pracował czterdzieści godzin w tygodniu i zawsze płacono mu za czterdzieści godzin. Ale gdy zdarzyło mu się zajrzeć do ewidencji, znalazł błędy. Z listy wynikało, że przychodził wcześniej niż w rzeczywistości i wychodził przed czasem. Albo że opuścił jeden dzień w tygodniu i pracował w sobotę. Nigdy tego nie robił. Rozmawiał o tym ze swoim kierownikiem, który lekceważąco wzruszył ramionami.

– Może jakiś błąd w programie. Dopóki ci nie zaczną ciąć pensji, nie ma sprawy.

Potem doszła zagadka wyciągu z konta. Miesiąc temu przeżył szok, kiedy odkrył, że saldo rachunku jest o dziesięć tysięcy dolarów wyższe, niż powinno. Zanim zdążył pójść do banku, żeby to wyjaśnić, saldo było już prawidłowe. Coś takiego zdarzyło się już trzy razy. W jednym wypadku stan konta wynosił siedemdziesiąt tysięcy dolarów.

To jeszcze nie wszystko. Niedawno zadzwoniła do niego jakaś firma w sprawie jego wniosku o kredyt hipoteczny. Tylko że Miguel nie składał żadnego wniosku. Wynajmował dom. Marzyli z żoną o kupnie jakiejś nieruchomości, lecz od wypadku samochodowego, w którym zginęła razem z jego synkiem, Miguel przestał pragnąć własnego domu.

Z niepokojem sprawdził swój raport kredytowy. Nie było w nim jednak żadnej wzmianki na temat wniosku o kredyt hipoteczny. Nie zauważył nic nadzwyczajnego, choć odkrył, że znacznie poprawiła się jego wiarygodność kredytowa. To także było dziwne. Ale na ten szczęśliwy traf nie zamierzał się oczywiście uskarżać.

Żadna z tych rzeczy nie wzbudziła w nim takich obaw jak ta broszura.

Szanowny panie Abrera,
Jak panu z pewnością wiadomo, w życiu zdarza się nam doświadczyć rozpaczy i bólu po stracie kogoś bliskiego. To zrozumiałe, że w takich chwilach ludziom trudno powrócić do normalnego życia.

Czasem wydaje im się nawet, że nie zdołają udźwignąć takiego cię-
żaru i pod wpływem impulsu podejmują pochopne i tragiczne w skut-
kach decyzje.

Nasze Towarzystwo Pomocy Osieroconym rozumie trudności,
jakim muszą sprostać osoby takie jak Pan, które poniosły poważną
stratę. Nasi przeszkoleni specjaliści mogą Panu ułatwić przejście
przez trudny etap życia, oferując pomoc medyczną oraz grupową
i indywidualną terapię, dzięki której odzyska Pan zadowolenie i prze-
konanie, że naprawdę warto żyć.

Miguel Abrera nigdy nie zastanawiał się nad samobójstwem,
nawet w najgorszych chwilach, tuż po wypadku, który wydarzył się
półtora roku temu; nigdy nie przyszło mu do głowy, że mógłby się
targnąć na własne życie.

Niepokój budził już sam fakt, że dostał tę przesyłkę. Ale dwa
aspekty tej sytuacji naprawdę wytrąciły go z równowagi. Po pierwsze,
że broszura trafiła bezpośrednio do niego – pod nowy adres – a nie
została odesłana z poprzedniego. Nikt spośród osób, które udzielały
mu wsparcia ani nikt z personelu szpitala, w którym zmarła jego
żona i dziecko, nie wiedział, że Miguel przeprowadził się przed mie-
siącem.

Po drugie, zdumiał go ostatni akapit:

Skoro więc zrobił Pan pierwszy ważny krok i postanowił skorzystać
z naszej oferty, chcielibyśmy ustalić datę bezpłatnej sesji sondażo-
wej w dogodnym dla Pana terminie. Proszę nie zwlekać. Naprawdę
możemy pomóc!

Nigdy nie próbował się kontaktować z tą firmą.

Skąd zdobyli jego nazwisko?

Prawdopodobnie był to tylko dziwny splot okoliczności. Cóż,
później będzie się tym martwił. Czas wracać do SSD. Nikt nie mógł
sobie wymarzyć bardziej życzliwego i kulturalnego szefa niż Andrew
Sterling. Ale Miguel nie miał wątpliwości, że plotki, jakie o nim
krążyły, są prawdziwe: osobiście przeglądał karty czasu pracy każdej
z zatrudnionych w firmie osób.

Patrząc w okienko wyświetlacza komórki, Pulaski nerwowo spacerował po sali konferencyjnej w SSD – zorientował się, że chodzi po siatce. Jak gdyby prowadził oględziny miejsca zdarzenia. Ale zgodnie z tym, co powiedział Jeremy, jego aparat nie odbierał tu żadnych sygnałów. Będzie musiał skorzystać z telefonu stacjonarnego. Był na podsłuchu?

Nagle uświadomił sobie, że choć zgodził się pomóc Lincolnowi Rhyme'owi, narażał się na poważne ryzyko utraty najważniejszej rzeczy w życiu, zaraz po rodzinie: pracy w nowojorskim departamencie policji. Andrew Sterling był potężnym człowiekiem. Skoro udało mu się zrujnować życie dziennikarzowi dużej gazety, młody funkcjonariusz nie miał żadnych szans w starciu z prezesem. Gdyby go przyłapali, zostałby aresztowany. Jego kariera byłaby zakończona. Co wtedy powiedziałby bratu, co powiedziałby rodzicom?

Był wściekły na Lincolna Rhyme'a. Dlaczego nie protestował przeciwko planowi kradzieży danych? Przecież wcale nie musiał tego robić. *Och, oczywiście, detektywie... cokolwiek pan powie.*

Czyste szaleństwo.

Zaraz jednak stanął mu przed oczyma obraz Myry Weinburg, ze wzrokiem utkwionym w suficie, z kosmykiem włosów opadającym na czoło, która tak bardzo przypominała Jenny. Po chwili stał już przy telefonie, przytrzymując słuchawkę ramieniem i przyciskając klawisz z dziewiątką.

– Tu Rhyme.

– Detektywie, to ja.

– Pulaski – warknął w odpowiedzi Rhyme. – Gdzieś ty się, u diabła, podziewał? I skąd dzwonisz? To zastrzeżony numer.

– Nareszcie jestem sam – odparł ostrym tonem. – Komórka tu nie działa.

– No to bierzmy się do dzieła.

– Siedzę przy komputerze.

– Dobra, daję Rodneya Szarnka.

Zamierzali skraść to, o czym wcześniej ich komputerowy guru wspomniał Lincolnowi Rhyme'owi: wolną przestrzeń na twardym dysku. Sterling twierdził, że komputery nie rejestrują wewnętrznych operacji pobierania dossier przez pracowników. Ale gdy Szarnek mówił o informacjach unoszących się w eterze komputerów SSD, Rhyme spytał go, czy mogą tam być dane o tym, kto ściągał pliki. Szarnek uznał, że to bardzo prawdopodobne. Jego zdaniem włamanie się do innerCircle było niemożliwe – próbował – lecz przypuszczał, że sprawami administracyjnymi, takimi jak rejestrowanie czasu pracy personelu i operacji pobierania danych, zajmował się znacznie mniejszy serwer. Postanowili, że gdyby Pulaskiemu udało się dostać do systemu, Szarnek poinstruuje go, jak wydobyć dane z wolnej przestrzeni, a następnie na ich podstawie sprawdzi, czy któryś z pracowników ściągał dossier ofiar i kozłów ofiarnych.

– Dobra – odezwał się w słuchawce głos Szarnka. – Jesteś w systemie?

– Odczytuję płytkę, którą mi dali.

– He. To znaczy, że masz tylko bierny dostęp. Trzeba to poprawić.

– Podał mu kilka niezrozumiałych poleceń, które miał wpisać.

– Mówi mi, że nie mam do tego uprawnień.

– Spróbujmy wejść jako administrator. – Szarnek podał mu serię jeszcze bardziej zagmatwanych poleceń. Pulaski pomylił się kilka razy, czując, jak rumieniec oblewa mu twarz. Był wściekły na siebie za to, że robi literówki i wpisuje lewy ukośnik zamiast prawego.

Uraz głowy...

– Nie mogę po prostu użyć myszy i poszukać tego, co mam znaleźć?

Szarnek wyjaśnił, że to system operacyjny Unix, który w przeciwieństwie do bardziej przyjaznego Windows czy Mac OS, wymaga długich poleceń, precyzyjnie wpisywanych na klawiaturze.

– Aha.

W końcu jednak maszyna odpowiedziała, udzielając mu dostępu. Pulaski poczuł rozpierającą go dumę.

– Teraz podłącz dysk – polecił Szarnek.

Policjant wyciągnął z kieszeni przenośny dysk twardy o pojemności osiemdziesięciu gigabajtów i włożył wtyczkę do portu USB. Następnie, zgodnie z instrukcjami Szarnka, uruchomił program, który miał podzielić wolną przestrzeń serwera na oddzielne pliki, skompresować je i zapisać na przenośnym dysku.

W zależności od rozmiaru niewykorzystanej przestrzeni, mogło to potrwać kilka minut lub godzin.

Wyświetliło się niewielkie okno z informacją, że program „pracuje".

Pulaski rozsiadł się wygodnie na krześle, przewijając listę z informacjami o klientach, którą wciąż miał na ekranie. Większość z nich była dla niego zupełnie nieczytelna. Wątpliwości nie budziły nazwiska klientów SSD, ich adresy i telefony oraz nazwiska osób mających prawo dostępu do systemu, lecz dużą część danych zapisano w plikach .rar lub .zip, które widocznie zawierały skompresowane listy adresowe. Przewinął dokument do końca – do strony 1120.

Rany... będą potrzebować mnóstwo czasu, żeby to przejrzeć i ustalić, czy któryś z klientów zebrał informacje o ofiarach i...

Rozmyślania przerwały mu głosy w korytarzu, które zbliżały się do sali konferencyjnej.

Och, tylko nie to, nie teraz. Ostrożnie wziął szumiący dysk przenośny i wsunął go do kieszeni spodni. Rozległ się stuk. Cichy, ale na pewno słyszalny na drugim końcu sali. Kabel USB był wyraźnie widoczny.

Głosy zbliżały się coraz bardziej.

Jeden z nich należał do Seana Cassela.

Coraz bliżej... Błagam. Idźcie sobie!

Komunikat w okienku na ekranie brzmiał: *Pracuję...*

Do diabła, pomyślał Pulaski i szybkim ruchem przysunął się z krzesłem do monitora. Każdy, kto wszedłby kilka kroków w głąb sali, od razu zauważyłby okienko i wtyczkę.

Nagle w drzwiach ukazała się głowa Cassela.

– Jak idzie, sierżancie Friday?

Pulaski skulił się z przerażenia. Dyrektor musiał zobaczyć dysk.

– Dziękuję, dobrze. – Przesunął nogę, aby zasłonić wtyczkę tkwiącą w porcie USB i przewód. Nie zrobił tego zbyt subtelnie.

– Jak się panu podoba Excel?

– Bardzo. Niezły program.

– Świetnie. Jest najlepszy. Pliki można też eksportować. Pracuje pan z PowerPointem?

– Nie, raczej rzadko.

– Może kiedyś będzie pan miał okazję, sierżancie – gdy zostanie pan komendantem policji. Excel doskonale się sprawdza w domowych finansach. Można mieć kontrolę nad wszystkimi inwestycjami. Aha, sprzedają go z paroma grami. Spodobałyby się panu.

Pulaski uśmiechnął się, słysząc łomot własnego serca, który musiał być równie donośny co terkot dysku.

Cassel puścił do niego oko i zniknął. Jeżeli do Excela dołączają gry, to kaktus mi wyrośnie na tym dysku, ty bezczelny sukinsynu.

Pulaski otarł dłonie o spodnie, które Jenny wyprasowała tego ranka, tak jak co dzień rano lub poprzedniego dnia wieczorem, gdy wychodził do pracy wcześnie albo przed świtem.

Błagam, Boże, nie pozwól mi stracić pracy, modlił się w duchu. Przypomniał sobie dzień, w którym razem z bratem zdali egzamin na funkcjonariuszy policji.

I dzień ukończenia akademii. Płacz matki i spojrzenie, jakie wymieniała z ojcem podczas ceremonii ślubowania. Były to najlepsze chwile jego życia.

Czy pójdą na marne? Niech to szlag. Zgoda, Rhyme jest genialny i nikomu innemu nie zależy bardziej na łapaniu bandytów. Ale łamać prawo w taki sposób? Cholera, Rhyme siedzi w domu na tym swoim wózku i wszyscy skaczą dookoła niego. Nic mu się nie stanie.

Dlaczego Pulaski ma się złożyć w ofierze?

Mimo wszystko koncentrował się na swojej tajnej misji. Szybciej, szybciej, ponaglał w myślach program, który powoli przetwarzał dane, zapewniając go jedynie, że nie próżnuje. Nie było żadnego paska przesuwającego się w prawo, żadnego licznika odmierzającego pozostały czas jak w filmach.

Pracuję...

– Co to było, Pulaski? – spytał Rhyme.

– Pracownicy. Już poszli.

– Jak idzie?

– Chyba dobrze.

– Chyba?

– No... – Na ekranie ukazał się nowy komunikat: *Gotowe. Chcesz zapisać wynik do pliku?*

– Program już skończył. Chce, żebym zapisał wynik do pliku.

Telefon przejął Szarnek.

– To krytyczny moment. Rób dokładnie to, co powiem. – Udzielił mu wskazówek, jak utworzyć pliki, skompresować i przenieść na przenośny dysk. Pulaski drżącymi rękami wypełnił instrukcje. Był zlany potem. Po kilku minutach zadanie zostało wykonane.

– Teraz musisz zatrzeć ślady, przywrócić wszystko do poprzedniego stanu. Żeby nikt nie zrobił tego co ty i żeby cię nie namierzył.

– Szarnek kazał mu otworzyć logi i wpisać kilka poleceń. Nareszcie było po wszystkim.

– Już.

– Dobra, nowy, zabieraj się stamtąd – polecił Rhyme.

Pulaski odłożył słuchawkę, odłączył dysk i wsunął do kieszeni, po czym się wylogował. Wstał i wyszedł z sali, zaskoczony widokiem strażnika, który stał bliżej drzwi niż przedtem. Pulaski poznał go – to był ten sam, który eskortował Amelię do klatek danych, idąc krok w krok za nią, jak gdyby odprowadzał przyłapaną w sklepie złodziejkę do gabinetu kierownika, gdzie czekała na nią policja.

Czyżby strażnik coś widział?

– Chodźmy do gabinetu Andrew. – Miał kamienną twarz, a z jego oczu nie można było niczego wyczytać. Poprowadził policjanta korytarzem. Pulaski czuł, jak przy każdym kroku dysk ociera mu się o nogę i miał wrażenie, że jest rozpalony do czerwoności. Zerknął na sufit. Był wyłożony dźwiękochłonnymi płytkami; nie zauważył żadnych kamer.

Jasno oświetlone korytarze wypełniała atmosfera czystej paranoi.

Gdy dotarli na miejsce, Sterling zaprosił go gestem do gabinetu, odkładając na bok kilka dokumentów, nad którymi pracował.

– Dostał pan to, co było panu potrzebne?

– Tak, dostałem. – Pulaski pokazał mu płytę z listą klientów, jak uczeń opisujący przyniesiony z domu przedmiot.

– Doskonale. – Zielone oczy prezesa przyjrzały mu się badawczo. – I jak idzie śledztwo?

– Dobrze. – Nic innego nie przyszło mu do głowy. Czuł się jak kretyn. Co powiedziałaby w tej sytuacji Amelia Sachs? Nie miał bladego pojęcia.

– Doprawdy? Znalazł pan coś na liście klientów?

– Przejrzałem ją tylko, żeby się upewnić, czy nie będzie kłopotów z odczytaniem. Sprawdzimy ją w laboratorium.

– W laboratorium. W Queens? Tam pracują technicy, prawda?

– Tam i w paru innych miejscach.

Sterling nie zareagował na tę wymijającą odpowiedź, tylko uprzejmie się uśmiechnął. Był niższy od niego o dobre dziesięć centymetrów, ale Pulaski miał wrażenie, jak gdyby to prezes patrzył na niego z góry. Sterling zaprowadził go do sekretariatu.

– Gdybyśmy jeszcze mogli jakoś pomóc, proszę dać nam znać. Popieramy was w stu procentach.

– Dziękuję.

– Martin, załatw to, o czym rozmawialiśmy wcześniej, a potem zaprowadź naszego gościa na dół.

– Och, sam trafię.

– Martin pana odprowadzi. Życzę miłego wieczoru. – Sterling wrócił do gabinetu i zamknął za sobą drzwi.

– Proszę poczekać parę minut – powiedział do Pulaskiego Martin, po czym podniósł słuchawkę i odwrócił się bokiem do niego.

Pulaski wolno podszedł do drzwi i rozejrzał się po korytarzu. Z jednego pokoju wyłoniła się jakaś postać. Mężczyzna przyciszonym głosem rozmawiał przez komórkę. Widocznie w tej części budynku był zasięg. Nieznajomy spojrzał na niego spod przymrużonych powiek, szybko pożegnał się ze swoim rozmówcą i zamknął telefon.

– Przepraszam, pan Pulaski?

Przytaknął.

– Jestem Andy Sterling.

No tak, syn pana Sterlinga.

Ciemne oczy młodego człowieka śmiało patrzyły w oczy policjanta, choć uścisk jego dłoni był niepewny.

– To chyba pan do mnie dzwonił. Ojciec zostawił mi wiadomość z prośbą, żebym z panem porozmawiał.

– Tak, zgadza się. Może mi pan poświęcić minutę?

– Co chce pan wiedzieć?

– Pytamy pewnych osób, co robiły w niedzielę po południu.

– Wsiadłem do samochodu i pojechałem powłóczyć się po Westchester. Byłem na miejscu około południa i wróciłem...

– Nie, nie chodzi o pana. Sprawdzam, gdzie był pański ojciec. Twierdzi, że dzwonił do pana koło drugiej z Long Island.

– Owszem, dzwonił. Ale nie odebrałem telefonu. Nie chciałem sobie przerywać wycieczki. – Ściszył głos. – Andrew czasem nie potrafi oddzielić biznesu od przyjemności, więc myślałem, że będzie chciał mnie wezwać do biura, a nie miałem ochoty psuć sobie wolnego dnia. Zadzwoniłem do niego około wpół do czwartej.

– Pozwoli pan, że rzucę okiem na pański telefon?

– Proszę bardzo. – Otworzył aparat i pokazał listę odebranych połączeń. W niedzielę rano rozmawiał z kilkoma osobami, ale po południu było tylko jedno połączenie: z numerem, który dała mu Sachs – z domu Sterlinga na Long Island.

– W porządku. To mi wystarczy. Dziękuję.

Na twarzy młodego człowieka malował się niepokój.

– Słyszałem, co się stało. To okropne. Zgwałcono i zamordowano kobietę?

– Zgadza się.

– Szybko go złapiecie?

– Mamy kilka tropów.

– To dobrze. Takich ludzi należy stawiać pod murem i rozstrzeliwać.

– Dziękuję za pomoc.

Gdy Sterling junior odszedł, na korytarzu pojawił się Martin i spojrzał na oddalające się plecy Andy'ego.

– Zechce pan pójść za mną. – Z uśmiechem, który równie dobrze mógł być grymasem niezadowolenia, ruszył w stronę windy.

Pulaskiego zżerały nerwy, myślał wyłącznie o dysku. Był pewien, że wszyscy widzą jego zarys w kieszeni. Zaczął pleść bez ładu i składu.

– Martin... długo pracujesz w firmie?

– Tak.

– Też jesteś specjalistą od komputerów?

Inny uśmiech, który oznaczał tyle samo co poprzedni.

– Niezupełnie.

Idąc czarno-białym, sterylnym korytarzem, Pulaski czuł, że nie cierpi tego miejsca. Dusił się tu, był bliski ataku klaustrofobii. Pragnął się znaleźć na ulicy, w Queens, na południowym Bronksie. Nawet gdyby miało mu grozić niebezpieczeństwo. Chciał stąd wyjść, po prostu pochylić głowę i zwiać.

Ogarnęła go fala paniki.

Dziennikarz nie tylko stracił pracę, ale postawiono mu zarzuty naruszenia praw własności. Odsiedział sześć miesięcy w więzieniu stanowym...

Pulaski stracił orientację. Wracali inną drogą niż ta, którą szedł do gabinetu Sterlinga. Martin skręcił i otworzył masywne drzwi.

Policjant zawahał się na widok trzech ponurych strażników pilnujących wyjścia, wyposażonego w wykrywacz metalu i aparat rentgenowski. Nie wychodzili z klatek danych, więc nie było systemu do usuwania danych jak w drugiej części budynku, lecz nie mógł tędy przemycić przenośnego dysku, który na pewno zostanie wykryty. Gdy był tu przedtem z Amelią Sachs, nie przechodzili przez żadne zabezpieczenia. Żadnych wtedy nie widział.

– Nie sądzę, żebyśmy wychodzili wcześniej przez coś takiego – powiedział do asystenta prezesa, starając się zachować swobodny ton.

– To zależy od tego, czy ktoś pozostawał w budynku bez nadzoru – wyjaśnił Martin. – Oceny dokonuje komputer i przekazuje nam informację. – Uśmiechnął się. – Proszę nie brać tego do siebie.

– Ha, oczywiście, że nie.

Serce waliło mu młotem, dłonie miał lepkie od potu. Nie, nie! Nie mógł stracić pracy. Po prostu nie mógł. Za bardzo mu na niej zależało.

Dlaczego, u diabła, zgodził się to zrobić? Powtarzał sobie, że trzeba złapać człowieka, który zabił kobietę podobną do Jenny. Strasznego człowieka, który bez skrupułów zabijał każdego, jeżeli tak mu pasowało.

Jednak to nie było w porządku.

Co powiedzieliby jego rodzice, gdyby im się przyznał, że aresztowano go za kradzież danych? Co powiedziałby brat?

– Ma pan przy sobie jakieś dane?

Pulaski pokazał CD strażnikowi, który obejrzał pudełko, a potem zadzwonił do kogoś, wciskając jeden przycisk w telefonie. Wyprostował się lekko i zaczął mówić półgłosem do słuchawki. Włożył płytę do komputera przy swoim stanowisku i spojrzał na ekran. CD znalazł się widocznie na liście przyjętych przedmiotów; mimo to strażnik sprawdził go rentgenem, uważnie oglądając obraz pudełka i spodniej strony płyty. Przenośnik taśmowy przesunął CD na drugą stronę wykrywacza metalu.

Pulaski zrobił krok naprzód, ale trzeci strażnik go zatrzymał.

– Przykro mi, ale zechce pan opróżnić kieszenie i położyć tu wszystkie metalowe przedmioty.

– Jestem funkcjonariuszem policji – powiedział, udając rozbawienie.

– Departament policji zgodził się przestrzegać naszych reguł zasad bezpieczeństwa, ponieważ świadczymy usługi instytucjom rządowym – odparł strażnik. – Przepisy dotyczą wszystkich. Jeżeli pan chce, może się pan skonsultować ze swoim przełożonym.

Pulaski znalazł się w potrzasku.

Martin nadal przyglądał mu się badawczo.

– Proszę położyć wszystko na taśmie.

No dalej, myśl, bezgłośnie krzyczał na siebie. Wykombinuj coś. Myśl!

Zablefuj, ratuj się.

Nie potrafię. Jestem za głupi.

Wcale nie jesteś głupi. Co by zrobiła Amelia Sachs? Lincoln Rhyme?

Odwrócił się, przyklęknął i nie spiesząc się, rozwiązał buty i powoli je zdjął. Następnie wstał, postawił wypolerowane buty na taśmie, a obok położył broń, amunicję, kajdanki, radio, telefon oraz długopisy i garść monet, które wrzucił do plastikowego pojemnika.

Pulaski zaczął przechodzić przez bramkę wykrywacza, który wydał przeraźliwy pisk, odnajdując przenośny dysk.

– Ma pan przy sobie coś jeszcze?

Przełknął ślinę, pokręcił głową i poklepał się po kieszeniach.

– Nie.

– Musimy sprawdzić ręcznym detektorem.

Pulaski podszedł do nich. Drugi strażnik przesunął aparat wzdłuż jego ciała, zatrzymując się przy piersi. Detektor wydał głośny sygnał.

Policjant roześmiał się.

– Och, przepraszam. – Rozpiął guzik koszuli i pokazał kamizelkę kuloodporną. – Metalowy pancerz. Zupełnie o nim zapomniałem. Nie przepuszcza niczego z wyjątkiem pełnopłaszczowych pocisków karabinowych.

– I pewnie kul z pistoletu Desert Eagle – zauważył strażnik.

– Moim zdaniem krótka broń na amunicję kalibru pięćdziesiąt to coś nienormalnego – zażartował Pulaski, nareszcie wywołując uśmiech strażników. Zaczął ściągać koszulę.

– Nie trzeba. Chyba nie każemy się panu rozbierać.

Pulaski drżącymi rękami pozapinał koszulę, tuż nad miejscem, gdzie spoczywał dysk – między kamizelką a podkoszulkiem; ukrył go tam, pochylając się nad sznurowadłami butów. Zebrał z taśmy swój ekwipunek.

Martin, który ominął bramkę wykrywacza, poprowadził go przez następne drzwi. Znaleźli się w głównym holu, przestronnym, surowym wnętrzu wykończonym szarym marmurem, w którym wyryto ogromne logo firmy – wieżę z oknem.

– Życzę miłego dnia, panie Pulaski – powiedział Martin i zawrócił.

Pulaski ruszył w kierunku masywnych drzwi wyjściowych, starając się zapanować nad drżeniem rąk. Po raz pierwszy zauważył rząd kamer monitorujących hol. Wyglądały jak stado przyczajonych na ścianie sępów, które spokojnie czekają, aż ranna ofiara wyda ostatnie tchnienie i runie w dół.

Rozdział 27

Nawet słysząc znajomy głos Judy, w którym mimo smutku odnajdował odrobinę pociechy, Arthur Rhyme nie mógł przestać myśleć o wytatuowanym człowieku, rozedrganym narkomanie Micku.

Facet wciąż do siebie mówił, co pięć minut wsadzał ręce w spodnie i równie często kierował wzrok na Arthura.

– Kochanie, jesteś tam?

– Przepraszam.

– Muszę ci coś powiedzieć – zaczęła Judy.

Pewnie chodziło o adwokata, o pieniądze, o dzieci. Cokolwiek to było, Arthur Rhyme był przekonany, że tego nie wytrzyma. Czuł się, jak gdyby za chwilę miał eksplodować.

– Mów – szepnął zrezygnowany.

– Widziałam się z Lincolnem.

– Co takiego?

– Musiałam… Wiem, że nie wierzysz adwokatowi, Art. To się samo nie załatwi.

– Ale… mówiłem ci, żebyś nawet do niego nie dzwoniła.

– Art, ta sprawa dotyczy rodziny. Nie liczy się tylko to, czego ty chcesz. Jestem jeszcze ja i dzieci. Już dawno powinniśmy to zrobić.

– Nie chcę, żeby się w to włączał. Nie, zadzwoń do niego i powiedz, że dziękujemy, poradzimy sobie sami.

– Sami? – krzyknęła Judy Rhyme. – Czyś ty oszalał?

Czasem miał wrażenie, że jest od niego silniejsza – i prawdopodobnie mądrzejsza. Kiedy trzasnął drzwiami w Princeton, gdy uniwersytet nie chciał z nim podpisać kontraktu profesorskiego, wpadła we wściekłość. Oznajmiła mu, że zachowuje się jak rozkapryszone dziecko. Żałował, że jej wtedy nie posłuchał.

– Myślisz, że w ostatniej chwili na salę sądową wejdzie John Grisham i cię ocali – ciągnęła podniesionym głosem Judy. – Ale nic z tego. Jezu, Art, powinieneś być mi wdzięczny, że w ogóle coś robię.

– Jestem ci wdzięczny – wtrącił pospiesznie, wyrzucając z siebie słowa z szybkością karabinu maszynowego. – Tylko że...

– Tylko że co? Ten człowiek o mały włos nie umarł, został sparaliżowany i teraz spędza życie na wózku. Rzucił wszystko, żeby udowodnić, że jesteś niewinny. Co ty sobie wyobrażasz? Chcesz, żeby twoje dzieci dorastały, wiedząc, że ich ojciec siedzi w więzieniu za morderstwo?

– Oczywiście, że nie. – Znów zaczął się zastanawiać, czy naprawdę mu wierzyła, gdy wypierał się znajomości z Alice Sanderson, ofiarą morderstwa. Oczywiście nie pomyślałaby, że ją zabił; podejrzewałaby, że byli kochankami.

– Wierzę w system, Judy. – Boże, ależ to słabo zabrzmiało.

– No więc Lincoln należy do systemu, Art. Powinieneś do niego zadzwonić i mu podziękować.

Po krótkim wahaniu Arthur spytał:

– Co mówił?

– Rozmawiałam z nim wczoraj. Dzwonił, żeby zapytać o twoje buty – były wśród dowodów. Ale później nie miałam już od niego żadnych wiadomości.

– Widziałaś go? Czy tylko dzwoniłaś?

– Poszłam do niego. Mieszka na Central Park West. Ma naprawdę ładny dom.

Opadła go lawina wspomnień o kuzynie.

– Jak wygląda? – zapytał Arthur.

– Trudno w to uwierzyć, ale prawie tak samo jak wtedy, gdy ostatnim razem widzieliśmy się w Bostonie. Chociaż właściwie nie, fizycznie jest chyba w lepszej formie.

– I nie może chodzić?

– W ogóle nie może się ruszać. Tylko głową i ramionami.

– A jego była? Widują się z Blaine?

– Nie, jest związany z kimś innym. To policjantka. Bardzo ładna. Wysoka, ruda. Muszę przyznać, że się zdziwiłam. Chyba nie powinnam. Ale się zdziwiłam.

Wysoka, ruda? Arthur natychmiast pomyślał o Adriannie. Próbował odsunąć od siebie to wspomnienie. Ale nie potrafił.

„Arthur, powiedz mi, dlaczego. Dlaczego to zrobiłeś".

Mick burknął coś pod nosem. Znów trzymał rękę w spodniach. Jego nienawistne spojrzenie przemknęło po Arthurze.

– Przepraszam, kochanie. Dziękuję, że do niego zadzwoniłaś. Do Lincolna.

W tym momencie poczuł na karku gorący oddech.

– Spadaj z telefonu.

Stał za nim jeden z Latynosów.

– Spadaj.

– Judy, muszę kończyć. Tu jest tylko jeden telefon. Wykorzystałem już swój limit.

– Kocham cię, Art…

– Też cię…

Latynos podszedł bliżej i Arthur odłożył słuchawkę, po czym chyłkiem wrócił na swoją ławkę w rogu wspólnej sali aresztu. Usiadł i wbił wzrok w podłogę, w rysę, która miała kształt nerki. Nie odrywał od niej oczu.

Ale zdarta podłoga w ogóle go nie interesowała. Myślał o przeszłości. Do wspomnień o Adriannie i kuzynie Lincolnie dołączyły inne… o rodzinnym domu Arthura na North Shore. O domu Lincolna na zachodnich przedmieściach. O surowym, apodyktycznym ojcu Arthura, Henrym. O bracie Robercie. I o nieśmiałej, wybitnie zdolnej Marie.

Myślał też o ojcu Lincolna, Teddym. (Z tym imieniem wiązała się ciekawa historia – wuj nie miał na imię Theodore; Arthur wiedział, skąd się wzięło przezwisko, ale nie sądził, by Lincoln znał jego genezę). Zawsze lubił wuja Teddy'ego. Uroczy człowiek, trochę nieśmiały i milczący – ale któż mógłby być duszą towarzystwa, mając takiego brata jak Henry Rhyme? Czasem, gdy Lincolna nie było w domu, Arthur przyjeżdżał do Teddy'ego i Anne. W niewielkim, wyłożonym boazerią salonie oglądał z wujem stare filmy albo rozmawiał o historii Ameryki.

Zadrapanie na podłodze Grobowca przybrało kształt Irlandii i zdawało się poruszać, gdy Arthur nie spuszczał z niego wzroku, gorąco pragnąc stąd uciec, wymknąć się przez magiczny otwór do świata Na Zewnątrz.

Arthur Rhyme poddał się już rozpaczy. Zrozumiał, jaki był naiwny. Nie było żadnego magicznego wyjścia, rzeczywistego zresztą też nie. Wiedział, że Lincoln jest genialny. Czytał wszystkie jego artykuły w prasie popularnej, jakie udało mu się znaleźć. Dotarł nawet do jego tekstów naukowych: „Działanie biologiczne pewnych materiałów nanocząsteczkowych...".

Arthur rozumiał jednak, że Lincoln nic dla niego nie może zrobić. Sprawa wyglądała beznadziejnie i resztę życia na pewno spędzi za kratkami.

Nie, Lincoln dostanie tu rolę najodpowiedniejszą dla siebie. Kuzyn – krewny, który był mu najbliższy w dzieciństwie i młodości, jego przybrany brat – powinien być świadkiem upadku Arthura.

Uśmiechając się ponuro, oderwał oczy od plamki na podłodze. I zdał sobie sprawę, że zaszła jakaś zmiana.

Dziwne. Całe skrzydło aresztu nagle opustoszało.

Dokąd wszyscy poszli?

Usłyszał czyjeś kroki.

Zaniepokojony uniósł głowę i zobaczył jakąś postać, która szybko zbliżała się do niego, szurając nogami. To był jego przyjaciel, Antwon Johnson. Patrzył na niego chłodnym wzrokiem.

Arthur zrozumiał. Ktoś atakował go od tyłu!

Mick, na pewno.

I Johnson szedł mu na ratunek.

Skoczył na równe nogi, odwrócił się... Ze strachu omal się nie rozpłakał. Szukał spidziarza, ale...

Nie. Nikogo nie było.

W tym momencie Antwon Johnson zarzucił mu na szyję pętlę – chyba własnej roboty, z koszuli podartej na pasy, z których skręcono sznur.

– Co... – Arthur poczuł brutalne szarpnięcie. Zwalisty mężczyzna ściągnął go z ławki. I powlókł w stronę ściany, z której ponad dwa metry nad podłogą sterczał gwóźdź, ten sam, na który wcześniej zwrócił uwagę. Arthur miotał się i jęczał.

– Cii. – Johnson rozejrzał się po pustej wnęce sali.

Arthur próbował się szamotać, ale równie dobrze mógł się szamotać z klocem drewna albo workiem cementu. Na próżno młócił pięściami jego kark i ramiona. Nagle poczuł, jak jego stopy odrywają się od podłogi. Czarnoskóry mężczyzna dźwignął go i zaczepił stryczek o gwóźdź. Potem go puścił i cofnął się, patrząc, jak Arthur wierzga nogami i szarpie pętlę, usiłując się uwolnić.

Dlaczego, dlaczego, dlaczego? Próbował o to zapytać, lecz z jego zaślinionych ust wydobywało się tylko nieartykułowane rzężenie. Johnson przypatrywał mu się ciekawie. Nie ze złością ani sadystycznym błyskiem w oku. Przyglądał się z umiarkowanym zainteresowaniem.

Gdy jego ciałem zaczęły wstrząsać konwulsje i pociemniało mu w oczach, Arthur uświadomił sobie, że to był podstęp – Johnson ocalił go z rąk Latynosów z jednego powodu: aby mieć Arthura tylko dla siebie.

– Nnnn...

Dlaczego?

Czarnoskóry mężczyzna nachylił się, trzymając opuszczone ręce. Szepnął:

– Robię ci przysługę, stary. Kurwa, i tak za miesiąc czy dwa skończyłbyś ze sobą. Pudło to nie miejsce dla ciebie. Przestań się szarpać. Będzie lepiej, jak dasz sobie spokój, kapujesz?

Pulaski wrócił ze swojej wyprawy do SSD i pokazał dysk w szarej, błyszczącej obudowie.

– Dobra robota, nowy – pochwalił Rhyme.

Sachs puściła do niego oko.

– Twoja pierwsza tajna misja.

Pulaski skrzywił się.

– Nie miałem wrażenia, że to misja. Raczej przestępstwo.

– Jestem pewien, że jak dobrze poszukamy, znajdziemy uzasadniony powód – zapewnił go Sellitto.

– Bierz się do roboty – powiedział Rhyme do Rodneya Szarnka.

Komputerowiec podłączył dysk do portu USB swojego sfatygowanego laptopa i zaczął energicznie stukać w klawiaturę, patrząc w ekran.

– Nieźle, nieźle...

– Masz nazwisko? – rzucił niecierpliwie Rhyme. – Człowieka z SSD, który ściągnął dossier?

– Co? – parsknął śmiechem Szarnek. – To nie takie proste. Trochę to potrwa. Muszę załadować wszystko na mainframe'a w swoim wydziale, a potem...

– Jak długo to potrwa? – przerwał Rhyme.

Szarnek znów wlepił w niego zaskoczone spojrzenie, jak gdyby po raz pierwszy zauważył, że kryminalistyk jest niepełnosprawny.

– Zależy od stopnia sfragmentowania, wieku plików, alokacji, partycjonowania...

– Dobra, dobra. Zrób wszystko, co się da.

– Dowiedziałeś się czegoś jeszcze? – zapytał Sellitto.

Pulaski zrelacjonował przebieg przesłuchań pozostałych pracowników technicznych, którzy mieli dostęp do wszystkich klatek danych. Dodał, że rozmawiał też z Andym Sterlingiem i że z zapisów połączeń w jego komórce wynika, że w czasie morderstwa ojciec istotnie dzwonił do niego z Long Island. Alibi zostało więc potwierdzone. Thom uaktualnił listę podejrzanych.

Andrew Sterling, prezes, dyrektor naczelny
Alibi – był na Long Island, zweryfikowano. Syn potwierdza
Sean Cassel, dyrektor działu sprzedaży i marketingu
Brak alibi
Wayne Gillespie, dyrektor działu technicznego
Brak alibi
Samuel Brockton, dyrektor działu kontroli wewnętrznej
Alibi – hotel potwierdza obecność w Waszyngtonie
Peter Arlonzo-Kemper, dyrektor działu personalnego
Alibi – był z żoną, która to potwierdza (za jego namową?)
Steven Shraeder, kierownik obsługi technicznej, dzienna zmiana
Alibi – w biurze, zgodnie z listą czasu pracy
Faruk Mameda, kierownik obsługi technicznej, nocna zmiana
Brak alibi
Klient SSD (?)
Lista dostarczona przez Sterlinga
NN zwerbowany przez Andrew Sterlinga (?)

Czyli każda osoba w SSD mająca dostęp do innerCircle wiedziała już o śledztwie... mimo to bot pilnujący raportu „Morderstwo Myry Weinburg" na serwerze policji nie zgłosił ani jednej próby włamania. Może 522 zachowywał szczególną ostrożność, a może pomysł z pułapką był nietrafiony? Czyżby założenie, że morderca miał związki z SSD, od początku było błędne? Rhyme'owi przyszło do głowy, że potęga Sterlinga i jego firmy wywarła na nich tak ogromne wrażenie, że zlekceważyli innych potencjalnych podejrzanych.

Pulaski wyciągnął CD.

– Tu jest spis klientów. Przejrzałem go. Jest ich około trzystu pięćdziesięciu.

– Aj. – Rhyme się skrzywił.

Szarnek wsunął płytę do napędu i otworzył dokument w arkuszu kalkulacyjnym. Rhyme spojrzał na dane, które wyświetliły się na ekranie jego monitora – tysiąc gęsto zapisanych stron.

– Szum – powiedziała Sachs. Powtarzając słowa Sterlinga, wyjaśniła, że dane są bezużyteczne, jeśli są uszkodzone, zbyt skąpe lub zbyt obszerne. Technik przewijał szczegółowe informacje – o tym, jacy klienci kupili jakie dane teleadresowe... Prawdziwą powódź informacji. Nagle jednak Rhyme'owi zaświtała pewna myśl.

– Czy są tam daty i godziny ściągania danych?

Szarnek przyjrzał się ekranowi.

– Tak, są.

– Sprawdźmy, kto ściągał informacje tuż przed popełnieniem każdego z tych przestępstw.

– Niezły pomysł, Linc – rzekł Sellitto. – 522 na pewno chciał mieć jak najświeższe dane.

Szarnek zastanowił się nad tym.

– Chyba mógłbym wykombinować bota, który to załatwi. To może chwilę potrwać, ale tak, da się zrobić. Podajcie mi tylko dokładny czas wszystkich zdarzeń.

– Zaraz je będziesz miał. Mel?

– Nie ma sprawy. – Technik zaczął zbierać szczegóły na temat kradzieży monet, obrazu oraz dwóch gwałtów.

– Słuchaj, używasz Excela? – spytał Szarnka Pulaski.

– Zgadza się.

– Co to właściwie jest?

– Podstawowy arkusz kalkulacyjny. Służy przede wszystkim do ewidencjonowania obrotów w handlu albo sprawozdań finansowych. Ale dzisiaj ludzie używają go do wielu celów.

– Mógłbym się tego nauczyć?

– Jasne. Zapisz się na kurs. Na przykład w New School albo Learning Annex.

– Powinienem się wcześniej z tego obryć. Popytam w tych szkołach.

Rhyme zaczynał rozumieć, dlaczego Pulaski miał takie opory przed powtórną wizytą w SSD.

– Nie przywiązuj do tego zbyt dużej wagi, nowy – poradził.

– Do czego?

– Pamiętaj, ludzie mogą ci dokuczać w różny sposób. Nie zakładaj z góry, że to oni mają rację tylko dlatego, że wiedzą coś, czego ty nie wiesz. Pytanie, czy ta wiedza jest ci potrzebna, żebyś lepiej wykonywał swoją robotę. Jeżeli tak, naucz się tego. Jeżeli nie, szkoda sobie tym zawracać głowę.

Młody funkcjonariusz parsknął śmiechem.

– Dobra. Dzięki.

Rodney Szarnek wziął CD oraz przenośny dysk twardy i spakował laptopa, by pojechać do wydziału przestępczości komputerowej i skorzystać z policyjnego mainframe'a.

Po jego wyjściu Rhyme zerknął na Sachs, która rozmawiała przez telefon, zbierając informacje o kombinatorze, który przed kilkoma laty zginął w Kolorado. Nie słyszał słów, ale nie miał wątpliwości, że usłyszała coś ważnego. Siedziała pochylona, ze zwilżonymi wargami, bawiąc się kosmykiem włosów. W jej błyszczących oczach malowało się skupienie. Wyglądała w tej pozie niezwykle erotycznie.

Nie bądź śmieszny, powiedział sobie. Skup się na cholernej sprawie. Próbował odsunąć od siebie to wrażenie.

Co mu się nawet częściowo udało.

Sachs odłożyła telefon.

– Mam coś z policji stanowej w Kolorado. Ten zbieracz danych nazywał się P. J. Gordon. Peter James. Pewnego dnia wybrał się na rowerze w góry i już nie wrócił. Na dnie urwiska znaleźli jego rozwalony rower. Nad brzegiem głębokiej rzeki. Jakiś miesiąc później trzydzieści kilometrów dalej wypłynęło jego ciało. Test DNA był pozytywny.

– Śledztwo?

– Niewiele przyniosło. W tej okolicy dzieciaki ciągle się zabijają na rowerach, na nartach albo skuterach śnieżnych. Ustalono, że to był wypadek. Ale zostało kilka pytań bez odpowiedzi. Po pierwsze, zdaje się, że Gordon próbował się włamać do serwerów SSD w Kalifornii – nie do bazy danych, ale do dokumentów firmy i akt personalnych niektórych pracowników. Nie wiadomo, czy mu się to udało. Starałam się namierzyć ludzi z jego firmy, Rocky Mountain Data, żeby dowiedzieć się czegoś więcej. Ale nikogo już tam nie ma. Wygląda na to, że Sterling kupił firmę, przejął jej bazę danych, a załogę rozpuścił.

– Możemy do kogoś zadzwonić, żeby o niego zapytać?

– Policja stanowa nie potrafiła odnaleźć żadnej rodziny.

Rhyme wolno kiwał głową.

– Dobra, to ciekawe założenie, jeżeli wolno mi użyć twojego ulubionego w tym tygodniu przymiotnika, Mel. Gordon na własną rękę prowadzi eksplorację danych w zasobach SSD i znajduje coś na 522, który orientuje się, że ma kłopoty i niebawem zostanie zdemaskowany. Zabija więc Gordona i pozoruje wypadek. Sachs, czy policja w Kolorado ma jakieś akta sprawy?

Westchnęła.

– Są w archiwum. Poszukają ich.

– W takim razie chcę się dowiedzieć, kto z ludzi w SSD pracował w firmie, kiedy zginął Gordon.

Pulaski zadzwonił do Marka Whitcomba. Po pół godzinie Whitcomb oddzwonił. W dziale personalnym powiedziano mu, że w tym czasie w firmie pracowało kilkadziesiąt osób z obecnej załogi, w tym Sean Cassel, Wayne Gillespie, Mameda i Shraeder oraz Martin, jeden z asystentów Sterlinga.

Tak duża liczba oznaczała, że przypadek Petera Gordona nie jest zbyt obiecującym tropem. Rhyme miał jednak nadzieję, że gdy otrzymają pełny raport z policji stanowej Kolorado, może znajdzie w nim jakiś ślad, który wskaże jednego z podejrzanych.

Gdy patrzył na listę, zadzwonił telefon Sellitta. Detektyw odebrał. Kryminalistyk zauważył, że twarz mu stężała.

– Co? – burknął Sellitto, zerkając na Rhyme'a. – Serio? Jak to się stało?... Proszę zadzwonić, gdy tylko będzie wiadomo.

Rozłączył się. Miał zaciśnięte wargi, a jego czoło przecinała głęboka zmarszczka.

– Linc, przykro mi. Chodzi o twojego kuzyna. Ktoś go zaatakował w areszcie. Próbował go zabić.

Sachs podeszła do Rhyme'a i położyła mu dłoń na ramieniu. W tym geście wyczuł lęk.

– Co z nim?

– Dyrektor będzie dzwonić, Linc. Twój kuzyn jest teraz na urazówce w szpitalu więziennym. Jeszcze niczego nie wiedzą.

Rozdział 28

Cześć.

Thom wprowadził do domu uśmiechniętą Pam Willoughby. Dziewczyna przywitała się z całym zespołem i każdy odpowiedział jej uśmiechem, mimo strasznej wiadomości o Arthurze. Thom zapytał ją, jak było dziś w szkole.

– Świetnie. Naprawdę dobrze. – Ściszając głos, spytała: – Amelia, masz chwilę?

Sachs spojrzała na Rhyme'a, który skinął głową, co oznaczało: i tak nie możemy nic zrobić dla Arta, dopóki nie dowiemy się czegoś więcej; możesz z nią pogadać.

Wyszła z dziewczyną na korytarz. Zabawne, pomyślała, że z twarzy młodych ludzi można wszystko wyczytać. Przynajmniej nastrój, a często nawet jego przyczynę. Sachs żałowała czasem, że nie nauczyła się więcej od Kathryn Dance, by móc lepiej odczytywać uczucia i myśli Pam, z którą nie było tak łatwo. Dziś jednak dziewczyna wyraźnie emanowała radością.

– Wiem, że jesteś zajęta – powiedziała Pam.

– Nie ma sprawy.

Weszły do salonu po drugiej stronie korytarza.

– No i co? – Sachs uśmiechnęła się konspiracyjnie.

– W porządku. Zrobiłam to, co mówiłaś. Zapytałam Stuarta o tamtą dziewczynę.

– I?

– No i okazało się, że kiedyś ze sobą chodzili – zanim go poznałam. Jakiś czas temu nawet mi o niej mówił. Wpadł na nią przypadkiem na ulicy. Po prostu rozmawiali i tyle. Wiesz, ona nie chciała się od niego odczepić. Już wtedy była taka, kiedy ze sobą chodzili,

274

i to też był powód tego, że przestał się z nią spotykać. Kiedy Emily ich widziała, ta dziewczyna go trzymała – a Stuart próbował się wyrwać. No i tyle. Znaczy że wszystko w porządku.

– Gratulacje. Czyli wróg na pewno przestał ci już zagrażać?

– Och, tak. To musi być prawda – nie mógłby się z nią spotykać, bo straciłby pracę... – Nagle głos jej uwiązł w gardle.

Sachs nie musiała być specjalistką od przesłuchań, by się zorientować, że Pam właśnie się wygadała.

– Straciłby pracę? Jaką pracę?

– No, wiesz...

– Niezupełnie, Pam. Dlaczego miałby stracić pracę?

Rumieniąc się, wbiła wzrok w perski dywan.

– No bo w tym roku ma z nim lekcje.

– Stuart jest nauczycielem?!

– Tak jakby.

– W twojej szkole?

– W tym roku nie. Jest u Jeffersona. Uczył mnie w zeszłym roku. No więc spokojnie możemy...

– Chwileczkę, Pam. – Sachs sięgnęła pamięcią wstecz. – Mówiłaś mi, że jest z waszej szkoły.

– Mówiłam, że poznałam go w szkole.

– A kółko poetyckie?

– No...

– Był jego opiekunem – dopowiedziała Sachs z grymasem. – I nie gra w piłkę, tylko jest trenerem.

– Wcale cię nie okłamałam.

Po pierwsze, nie panikuj, powiedziała sobie Sachs. To w niczym nie pomoże.

– Pam, to jest... – Cholera, co to właściwie jest? Na usta cisnęło się jej mnóstwo pytań. Zadała pierwsze z brzegu. – Ile on ma lat?

– Nie wiem. Nie jest taki stary. – Dziewczyna uniosła głowę. Zmierzyła ją twardym spojrzeniem. Sachs widziała już u niej buńczuczność, kapryśność i determinację. Nigdy jednak nie widziała tak nieprzyjaznego wyrazu twarzy – Pam przypominała schwytane w pułapkę dzikie zwierzę.

– Pam?

– Może mieć ze czterdzieści jeden lat.

Zasada „nie panikuj" zaczynała się chwiać.

Do diabła, co powinna zrobić? Owszem, Amelia Sachs zawsze chciała mieć dzieci – mając w pamięci cudowne chwile spędzone z ojcem – ale rzadko myślała o trudnych obowiązkach rodzicielskich.

Należało się kierować naczelną wskazówką „bądź rozsądna". W tej chwili jednak było to równie skuteczne jak przykazanie „nie panikuj".

– Posłuchaj, Pam...

– Wiem, co chcesz powiedzieć. Ale wcale nie chodzi o to.

Sachs nie była taka pewna. Mężczyźni i kobiety... Do pewnego stopnia zawsze chodzi właśnie o to. Nie mogła się jednak zastanawiać nad seksualnym aspektem sprawy. Sama myśl spotęgowałaby tylko panikę, unicestwiając rozsądek.

– On jest inny. Nadajemy na tych samych falach... No bo chłopaki w szkole mają w głowie sport i gry wideo. Są tacy nudni.

– Pam, jest mnóstwo chłopców, którzy czytają poezję i chodzą do teatru. W kółku poetyckim nie było żadnych chłopaków?

– To nie to samo... Nikomu nie mówiłam, co przeżyłam z matką i tak dalej. Ale Stuartowi powiedziałam i zrozumiał. Też ma za sobą trudne przejścia. Kiedy był w moim wieku, zginął jego ojciec. Stuart musiał sam opłacić sobie szkołę, pracował w dwóch czy trzech miejscach.

– To po prostu nie jest dobry pomysł, kochanie. Możesz mieć kłopoty, jakich sobie teraz nawet nie wyobrażasz.

– Jest dla mnie dobry. Bardzo lubię z nim być. Czy to nie jest najważniejsze?

– Ważne, ale to nie wszystko.

Pam obronnym gestem skrzyżowała ramiona.

– Nawet jeżeli nie jest teraz twoim nauczycielem, też może wpaść w bardzo poważne tarapaty. – Powiedziawszy to, Sachs poczuła, że już znalazła się na przegranej pozycji.

– Powiedział, że dla mnie warto ryzykować.

Nie trzeba być Freudem, żeby się domyślić: dziewczyna, która w dzieciństwie straciła ojca, której matka i ojczym okazali się terrorystami... bez wątpienia miała predyspozycje, by zakochać się w starszym, opiekuńczym mężczyźnie.

– Daj spokój, Amelia, przecież nie wychodzę za niego za mąż. Tylko ze sobą chodzimy.

– No więc możecie zrobić sobie przerwę, prawda? Na przykład miesiąc. Spotkaj się z kimś innym. Przekonaj się, jak będzie. – Żałosne, powiedziała sobie Sachs. Jej argumenty trąciły przyznaniem się do porażki.

Pam teatralnie zmarszczyła brwi.

– Po co miałabym to robić? Przecież nie próbuję zdobyć chłopaka tylko po to, żeby kogoś mieć, tak jak wszystkie dziewczyny z mojej klasy.

– Kochanie, wiem, że coś do niego czujesz. Ale daj sobie trochę czasu. Nie chcę, żeby stała ci się jakaś krzywda. Naprawdę jest wielu fantastycznych chłopaków. Będą lepsi dla ciebie i na dłuższą metę będziesz szczęśliwsza.

– Nie zerwę z nim. Kocham go. On też mnie kocha. – Zebrała książki i rzuciła oschle: – Lepiej już pójdę. Mam zadanie.

Dziewczyna ruszyła w kierunku drzwi, lecz przystanęła i odwróciła się. Szepnęła:

– Jak się związałaś z panem Rhyme'em, ktoś ci mówił, że to głupi pomysł? Że możesz sobie znaleźć kogoś, kto nie siedzi na wózku? Że jest mnóstwo „fantastycznych chłopaków"? Akurat.

Pam przez chwilę patrzyła jej w oczy, po czym wyszła, zamykając za sobą drzwi.

Sachs pomyślała, tak, rzeczywiście ktoś jej to powiedział, używając prawie tych samych słów.

Od kogóż innego Amelia Sachs mogła to usłyszeć, jeśli nie od własnej matki?

Miguel Abrera 5465-9842-4591-0243, „pracownik konserwacji", zgodnie z określeniem korporacyjnie poprawnym, wyszedł z pracy jak zawsze około siedemnastej. Teraz wysiada z metra niedaleko swojego domu w Queens, a ja idę za nim krok w krok.

Próbuję zachować spokój. Ale to niełatwe.

Gliny – oni – są tak blisko mnie! Jak jeszcze nigdy dotąd. W ciągu lat mojego kolekcjonowania, gdy wielu szesnastkom odebrałem albo zrujnowałem życie, a wiele innych wtrąciłem do więzienia, nikomu jeszcze nie udało się podejść tak blisko. Odkąd dowiedziałem się o podejrzeniach policji, jestem pewien, że dobrze zachowuję pozory. Mimo to bezustannie gorączkowo analizuję sytuację, przesiewam dane, szukając bryłki złota, która mi powie, co oni wiedzą, a czego nie. Jaki jest prawdziwy stopień zagrożenia. Ale nie potrafię znaleźć odpowiedzi.

W danych jest tyle szumu!

Tyle zanieczyszczeń...

Przebiegam myślą swoje ostatnie zachowania. Byłem ostrożny. Dane z pewnością mogą się zwrócić przeciw tobie; na ich podstawie przyszpilą cię w sieci jak błękitnego motyla *Morpho menelaus*, o migdałowym zapachu cyjanku, w wyłożonej aksamitem gablotce. Ale my, wtajemniczeni, potrafimy wykorzystać dane do ochrony. Dane można kasować, można nimi manipulować, można je wypaczać. Potrafimy celowo dodać do nich szum. Umieszczamy zbiór A obok zbioru X, aby stworzyć wrażenie, że A i X są do siebie bardziej podobne niż w rzeczywistości. Albo że znacznie bardziej się różnią.

Możemy oszukiwać w najprostsze sposoby. Na przykład używając technologii RFID. Wsuwamy do czyjejś walizki transponder, który pokaże, że twój samochód w ciągu weekendu był w kilkunastu miejscach, podczas gdy naprawdę cały czas stał w garażu. Bardzo łatwo jest też włożyć twój identyfikator służbowy do koperty z poleceniem doręczenia przesyłki do biura, gdzie spędzi cztery godziny, dopóki nie poprosisz kogoś, by go odebrał i przywiózł ci do restauracji w centrum. Przepraszam, zapomniałem zabrać. Dziękuję. Właśnie podają mi lunch... Co natomiast pokazują dane? Że harowałeś w pracy, podczas gdy w rzeczywistości o tej porze wycierałeś z krwi brzytwę, stojąc nad czyimś stygnącym ciałem. Nieważne, że nikt cię nie widział przy biurku. Proszę, oto moja lista czasu pracy, detektywie... Ufamy danym, nie ufamy ludzkim oczom. Istnieje multum innych sztuczek, które wciąż doskonalę.

Teraz muszę się zdać na jeden z bardziej ekstremalnych środków.

Idący przede mną Miguel 5465 przystaje i zagląda do baru. Doskonale wiem, że rzadko pije i jeśli wstąpi na *cerveza*, trochę zakłóci synchronizację, ale nie zniweczy moich planów na dzisiejszy wieczór. Rezygnuje jednak z drinka i rusza w dalszą drogę, z lekko przechyloną na bok głową. Właściwie trochę mu współczuję, że nie uległ pokusie, ponieważ została mu zaledwie godzina życia.

Rozdział 29

Wreszcie do Lona Sellitta zadzwonił ktoś z aresztu. Detektyw słuchał, kiwając głową.

– Dzięki. – Rozłączył się. – Arthur z tego wyjdzie. Ma obrażenia, ale nie aż tak poważne.

– Dzięki Bogu – szepnęła Sachs.

– Nikt nie rozumie, jak to się stało. To był niejaki Antwon Johnson, odsiadujący federalny wyrok za porwanie i przekroczenie granic stanu. Przenieśli go do Grobowca przed rozprawą o przestępstwa stanowe, powiązane z głównym zarzutem. Zdaje się, że po prostu przestał nad sobą panować i powiesił Arthura, próbując upozorować samobójstwo. Z początku Johnson wszystkiego się wypierał, a potem zaczął twierdzić, że Arthur chciał umrzeć i prosił go o pomoc.

– Strażnicy zdążyli go uratować?

– Nie. Dziwna sprawa. Johnsona dopadł inny więzień, Mick Gallenta, przymknięty za spid i herę. Chociaż ważył połowę mniej od Johnsona, zaatakował go, zwalił go z nóg i zdjął Arthura ze ściany. O mało nie doszło do buntu.

Zadzwonił telefon i Rhyme zobaczył na wyświetlaczu numer kierunkowy 201.

Judy Rhyme.

Odebrał.

– Słyszałeś już, Lincoln? – Drżał jej głos.

– Tak. Słyszałem.

– Dlaczego ktoś mu to zrobił? Dlaczego?

– Więzienie to inny świat.

– Przecież to tylko areszt, Lincoln. Zrozumiałabym, gdyby siedział w więzieniu ze skazanymi za morderstwo. Ale większość tych ludzi czeka tam na proces, prawda?

– Zgadza się.

– Po co ktoś miałby ryzykować przed rozprawą i próbować zabić innego więźnia?

– Nie wiem, Judy. To rzeczywiście nie ma sensu. Rozmawiałaś z nim?

– Pozwolą mu zadzwonić. Nie bardzo może mówić. Ma uszkodzone gardło. Ale to nic poważnego. Zatrzymają go w szpitalu na dzień czy dwa.

– To dobrze – odrzekł Rhyme. – Posłuchaj, Judy, chciałem mieć więcej informacji przed rozmową z tobą, ale… jestem prawie pewien, że będziemy mogli udowodnić niewinność Arthura. Wygląda na to, że za wszystkim stoi ktoś inny. Wczoraj znowu zabił człowieka i chyba będzie go można oskarżyć o morderstwo Alice Sanderson.

– Nie! Naprawdę? Do diabła, kto to jest, Lincoln? – Już nie była ostrożna, jak gdyby poruszała się po niepewnym gruncie, już nie dobierała starannie słów, by go nie urazić. Miniona doba wyraźnie zahartowała Judy Rhyme.

– Właśnie próbujemy to ustalić. – Zerknął na Sachs, po czym odwrócił się z powrotem do mikrofonu. – Poza tym wszystko wskazuje na to, że prawdopodobnie nic go nie łączyło z ofiarą. Absolutnie nic.

– To znaczy… – Głos jej zamarł. – Jesteście tego pewni?

Sachs przedstawiła się i powiedziała:

– To prawda, Judy.

Usłyszeli głęboki wdech.

– Powinnam zadzwonić do adwokata?

– Nic tu nie może zrobić. Na razie Arthur wciąż jest aresztowany.

– Mogę zadzwonić do Arta i mu powiedzieć?

Rhyme zawahał się.

– Tak, oczywiście.

– Pytał o ciebie, Lincoln. W szpitalu.

– Tak?

Poczuł na sobie wzrok Amelii Sachs.

– Tak. Powiedział, że wszystko jedno, jak to się skończy, jest ci wdzięczny za pomoc.

Wszystko wyglądałoby inaczej...

– Powinienem już kończyć, Judy. Mamy dużo pracy. Damy ci znać, jeżeli się czegoś dowiemy.

– Dziękuję, Lincoln. Dziękuję wam wszystkim. Niech was Bóg błogosławi.

Chwila wahania.

– Do widzenia, Judy.

Rhyme nie skorzystał z systemu rozpoznawania mowy. Przerwał połączenie palcem wskazującym prawej ręki. Wprawdzie miał większą kontrolę nad serdecznym palcem lewej dłoni, ale prawy poruszał się szybko jak wąż.

Miguel 5465 przeżył tragedię i jest godnym zaufania pracownikiem. Regularnie odwiedza siostrę i jej męża na Long Island. Za pośrednictwem Western Union wysyła pieniądze matce i siostrze mieszkającym w Meksyku. Jest człowiekiem o nieposzlakowanej moralności. Raz, rok po śmierci żony i dziecka, podjął zawrotną kwotę czterystu dolarów z bankomatu w rejonie Brooklynu znanego z prostytutek. Sprzątacz wstrzymał się jednak w pół drogi. Nazajutrz pieniądze wróciły na konto. Musiał niestety uiścić prowizję od wypłaty gotówki w wysokości dwóch i pół dolara.

Wiem o Miguelu 5465 znacznie więcej, więcej niż o pozostałych szesnastkach z bazy danych – dlatego że jest moim kołem ratunkowym.

Które jest mi teraz rozpaczliwie potrzebne.

Przez cały zeszły rok przygotowywałem go do roli zastępcy. Po jego śmierci policja zacznie pilnie składać fragmenty układanki. Proszę, znaleźliśmy mordercę/gwałciciela/złodzieja obrazu i monet w jednej osobie! Przyznał się do wszystkiego w liście pożegnalnym – wyjawiając, że do samobójstwa skłonił go ból i przygnębienie po stracie bliskich. A w pudełku ukrytym w kieszeni miał obcięty paznokieć Myry Weinburg.

Oto, co jeszcze udało się ustalić: przez jego konto przepływały spore sumy pieniędzy, które znikały w niewytłumaczalny sposób. Miguel 5465 starał się o kredyt hipoteczny na kupno domu na Long Island, zapewniając wkład własny w wysokości pół miliona dolarów, choć zarabiał czterdzieści sześć tysięcy rocznie. Na stronach internetowych galerii sztuki szukał informacji na temat obrazów Prescotta. W piwnicy budynku, w którym mieszkał, znajduje się pięciopak piwa Miller, prezerwatywy Trojan, żel do golenia Edge oraz zdjęcie Myry Weinburg z portalu OurWorld. Ukryte są tam również książki o hakerstwie i pendrive'y z programami do łamania haseł dostępu. Miguel 5465 cierpiał na depresję, a w zeszłym tygodniu dzwonił nawet do firmy zajmującej się pomocą psychologiczną i poprosił o broszurę reklamową.

Poza tym z listy czasu pracy wynika, że w czasie, gdy popełniono zbrodnie, nie było go w biurze.

Proste jak drut.

Mam w kieszeni jego list pożegnalny, całkiem udane faksymile jego odręcznego pisma, uzyskanego z kopii anulowanych czeków i wniosków kredytowych, które ze względów praktycznych zostały zeskanowane i były nieprzyzwoicie łatwo dostępne w sieci. List napisano na papierze podobnym do tego, jaki w zeszłym tygodniu kupił w drogerii w swojej dzielnicy, a tusz pochodzi z takiego samego długopisu, jakich kilkanaście ma w domu.

Ponieważ ostatnią rzeczą, jakiej chciałaby policja, jest drobiazgowe dochodzenie, którego przedmiotem byłby jej główny dostawca danych, SSD, rzecz zostanie szybko zakończona. Miguel 5465 zginie. Sprawa zamknięta. A ja wrócę do swojego Schowka i przeanalizuję błędy, jakie popełniłem, aby w przyszłości być bardziej przezorny.

Czyż nie jest to dla nas wszystkich lekcja życia?

Jeśli chodzi o samobójstwo, zajrzałem do Google Earth i skorzystałem z podstawowego programu predykcyjnego, który zasugerował prawdopodobną trasę ze stacji metra do domu. Po wyjściu z SSD Miguel 5465 przypuszczalnie przejdzie przez niewielki park w Queens, tuż obok autostrady. Z powodu uciążliwego hałasu samochodów i ciężkiej chmury spalin park jest zwykle pusty. Szybko zajdę go od tyłu – nie chcę, żeby mnie rozpoznał i nabrał podejrzeń – a potem zadam mu kilka ciosów w głowę żelazną rurą wypełnioną śrutem. Następnie wsunę mu do kieszeni list pożegnalny i pudełko z paznokciem, zaciągnę go do barierki i z wysokości piętnastu metrów spadnie na autostradę.

Miguel 5465 idzie wolnym krokiem, oglądając sklepowe wystawy. Trzymam się dziesięć, dwanaście metrów za nim, nie rzucając się w oczy, z pochyloną głową słuchając muzyki jak dziesiątki innych osób wracających z pracy do domu, choć mój iPod jest wyłączony (muzyka to jedyna rzecz, jakiej nie kolekcjonuję).

Od parku dzieli nas tylko jedno skrzyżowanie. Widzę...

Zaraz, coś jest nie tak. Miguel 5465 nie skręca do parku. Zatrzymuje się przy koreańskich delikatesach, kupuje kwiaty i oddala się od pasażu handlowego, zmierzając w stronę wyludnionej dzielnicy.

Rozważam to, sprawdzając jego zachowanie w mojej bazie informacji. Prognoza się nie sprawdza.

Dziewczyna? Ktoś z rodziny?

Jak, u diabła, mogę nie znać jakiegoś szczegółu z jego życia? Szum w danych. Nienawidzę tego!

Nie, nie, nie jest dobrze. Kwiaty dla dziewczyny nie pasują do profilu samobójcy.

Miguel 5465 kroczy ulicą, przesyconą wiosennym zapachem świeżo skoszonej trawy, wonią bzu i psiego moczu.

Ach, już rozumiem. Uspokajam się.

Sprzątacz wchodzi w bramę cmentarza.

No jasne, nieboszczka żona i dziecko. Wszystko idzie świetnie. Prognoza była jednak prawidłowa. Będzie tylko małe opóźnienie. W drodze do domu musi przejść przez park. Ostatnie odwiedziny u żony – jeszcze lepiej. Wybacz mi, kochana, że pod twoją nieobecność gwałciłem i mordowałem.

Idę za nim, trzymając się w bezpiecznej odległości, poruszając się zupełnie bezszelestnie w swoich wygodnych butach na gumowej podeszwie.

Miguel 5465 zmierza prosto do podwójnego grobu. Żegna się i klęka, aby się pomodlić. Następnie kładzie kwiaty obok czterech starych bukietów, mniej i bardziej przywiędłych. Dlaczego w sieci nie było żadnych śladów wizyt na cmentarzu?

Oczywiście – płacił za kwiaty gotówką.

Miguel 5465 wstaje i zawraca do wyjścia.

Ruszam za nim, oddychając głęboko.

Nagle:

– Przepraszam pana.

Zastygam w bezruchu. Potem powoli odwracam się do dozorcy cmentarza, który mnie zaczepił. Zbliżył się do mnie bezgłośnie, stąpając po krótkiej, pokrytej rosą trawie. I przenosi wzrok na moją prawą rękę, którą wkładam do kieszeni. Nie wiem, czy widział moją beżową płócienną rękawiczkę.

– Dzień dobry – mówię.

– Widziałem pana w krzakach.

Co mam na to odpowiedzieć?

– W krzakach?

Jego spojrzenie mówi mi, że troskliwie strzeże swoich martwych podopiecznych.

– Mogę spytać, kogo pan odwiedza?

Do kombinezonu ma przypiętą plakietkę z imieniem, ale nie widzę jej zbyt wyraźnie. Stony? Co to za imię? Wzbiera we mnie złość. To wszystko ich wina… Ludzi, którzy mnie tropią! To przez nich staję się nieostrożny. Otumania mnie ten szum, te wszystkie zanieczyszczenia! Nienawidzę ich, nienawidzę ich, nienawidzę…

Zdobywam się na życzliwy uśmiech.

– Jestem przyjacielem Miguela.

– Ach, znał pan Carmelę i Juana?

– Tak, znałem.

Stony, a może Stanley, zastanawia się, dlaczego wciąż tu jestem, skoro Miguel 5465 wyszedł. Zmienia pozycję ciała. Tak, to Stony… Jego ręka wędruje w kierunku walkie-talkie zawieszonego na pasku. Nie przypominam sobie imion na nagrobku. Zastanawiam się, czy żona Miguela nie miała na imię Rosa, a syn Jose i czy nie wpadłem prosto w pułapkę.

Inteligencja innych potrafi być uciążliwa.

Stony zerka na swoje radio, a gdy unosi wzrok, nóż jest już do połowy pogrążony w jego piersi. Jedno, drugie, trzecie pchnięcie, uważam, żeby nie trafić w kość – jeśli się nie uważa, można sobie skręcić palec, o czym się kiedyś boleśnie przekonałem.

Zszokowany dozorca jest jednak bardziej wytrzymały, niż przypuszczałem. Rzuca się na mnie i chwyta mnie za kołnierz, nie zważając na ranę. Szamoczemy się, przepychamy i ciągniemy w makabrycznym tańcu wśród grobów, aż w końcu ręka opada mu bezwładnie i Stony osuwa się na wznak na chodnik, krętą asfaltową ścieżkę prowadzącą do biura. Jego dłoń odnajduje walkie-talkie, lecz w tym samym momencie ostrze odnajduje jego szyję.

Ciach, ciach, dwa bezdźwięczne cięcia otwierają mu tętnicę albo żyłę, albo jedno i drugie, a w niebo tryska zaskakująco obfita struga krwi.

Uchylam się przed nią.

– Nie, nie, za co? Za co? – Sięga do rany, uprzejmie odsuwając ręce i pozwalając mi zrobić to samo z drugą stroną jego szyi. Tnę, tnę, nie mogę się powstrzymać. To zupełnie niepotrzebne, ale jestem rozjuszony, wściekły na nich za to, że pokrzyżowali mi szyki. Zmusili mnie, żebym się ratował, wykorzystując Miguela 5465. A teraz wybili mnie z rytmu. Przestałem uważać.

Tnę jeszcze kilka razy... Potem cofam się i w ciągu trzydziestu sekund, po paru drgawkach, dozorca traci przytomność. Po sześćdziesięciu sekundach życie zmienia się w śmierć.

Stoję bez ruchu, pochylony, odrętwiały od tego koszmaru, dysząc z wysiłku. Czuję się jak nędzne zwierzę.

Oczywiście oni – gliny – będą wiedzieć, że to moje dzieło. Mają dane jak na dłoni. Śmierć nastąpiła na cmentarzu, gdzie spoczywa rodzina pracownika SSD, a po zapasach z dozorcą na pewno zostały dowody, które bystra policja skojarzy ze śladami znalezionymi w pozostałych miejscach. Nie mam czasu sprzątać.

Zrozumieją, że śledziłem Miguela 5465, żeby sfingować jego samobójstwo i przeszkodził mi dozorca.

Nagle słyszę trzask w walkie-talkie. Ktoś wzywa Stony'ego. Głos nie zdradza żadnych oznak niepokoju; to rutynowe połączenie. Ale gdy nie będzie odpowiedzi, niebawem zaczną go szukać.

Odwracam się i szybko opuszczam cmentarz jak człowiek pogrążony w żałobie, który obawia się tego, co przyniesie przyszłość.

Ale właśnie kimś takim jestem.

Rozdział 30

Znów zginął człowiek.

Nie było wątpliwości, że z rąk 522.

Rhyme i Sellitto znajdowali się na gorącej liście osób, które należało niezwłocznie poinformować o każdym zabójstwie w Nowym Jorku. Gdy zadzwoniono do nich z biura detektywów, wystarczyło kilka pytań, by ustalić, że ofiara, dozorca cmentarza, została zamordowana w pobliżu grobu żony i dziecka pracownika SSD, którego najprawdopodobniej śledził sprawca zbrodni.

Rzecz jasna, był to zbyt podejrzany zbieg okoliczności.

Pracownik SSD, sprzątacz, nie był podejrzany. Gdy rozległ się krzyk dozorcy, rozmawiał przed bramą cmentarza z inną osobą odwiedzającą groby.

– Dobra. – Rhyme kiwał głową. – Pulaski?

– Słucham?

– Zadzwoń do kogoś w SSD. Może uda ci się dowiedzieć, gdzie w ciągu ostatnich dwóch godzin był każdy z listy podejrzanych.

– Dobrze. – Znów stoicki uśmiech. Pulaski wyraźnie nie przepadał za siedzibą SSD.

– Sachs...

– Jadę przeszukać cmentarz. – Już biegła do drzwi.

Po wyjściu Sachs i Pulaskiego Rhyme zadzwonił do Rodneya Szarnka do wydziału przestępczości komputerowej policji nowojorskiej. Przekazał mu wiadomość o zabójstwie, dodając:

– Przypuszczam, że zżera go ciekawość, co już wiemy. Coś nam wpadło w pułapkę?

– Nie zaglądał nikt spoza departamentu. Była tylko jedna wizyta.

286

Na serwer wszedł ktoś z biura kapitana Malloya w Centrali. Przez dwadzieścia minut czytał akta, a potem się wylogował.

Malloy? Rhyme zaśmiał się w duchu. Choć zgodnie z poleceniem Sellitto na bieżąco informował kapitana o postępach w dochodzeniu, widocznie przełożony nie potrafił zrzucić skóry śledczego i postanowił zebrać jak najwięcej informacji – zamierzając być może wysunąć jakieś propozycje. Rhyme będzie musiał zadzwonić i powiedzieć mu o pułapce, uprzedzając go, że w założonych na przynętę plikach nie ma nic istotnego.

– Uznałem, że mogą je oglądać – rzekł technik – więc nie dzwoniłem.

– W porządku. – Rhyme rozłączył się. Przez dłuższą chwilę patrzył na tablicę z dowodami. – Lon, mam pomysł.

– Jaki? – zainteresował się Sellitto.

– Nasz przyjaciel ciągle o krok nas wyprzedza. Działamy tak, jakbyśmy mieli do czynienia ze zwykłym sprawcą. Ale on jest inny. *Człowiek, który wie wszystko…*

– Chcę spróbować czegoś nowego. I potrzebuję pomocy.

– Czyjej?

– Kogoś z centrum.

– Spora dzielnica. O kogo konkretnie ci chodzi?

– O Malloya. I kogoś z ratusza.

– Z ratusza? Na cholerę? Dlaczego myślisz, że w ogóle raczą odebrać od ciebie telefon?

– Bo muszą.

– To ma być powód?

– Musisz ich przekonać, Lon. Trzeba zdobyć nad nim przewagę. I ty możesz to zrobić.

– Ale co konkretnie?

– Chyba potrzebujemy eksperta.

– Jakiego?

– Komputerowego.

– Przecież mamy Rodneya.

– Nie jest ekspertem, jakiego mam na myśli.

Mężczyzna zginął od ciosów nożem.

Zadano mu kilka ran kłutych, owszem, bardzo wprawnie, ale i niepotrzebnie, bo poza tym brutalnie poderżnięto mu gardło – Sachs oceniła, że napastnik zrobił to ze złością. Było to coś nowego o 522. Widziała już takie obrażenia; mocne i źle wymierzone cięcia sugerowały, że morderca tracił panowanie nad sobą.

Była to pomyślna dla śledztwa wiadomość; przestępca ulegający emocjom to przestępca nieostrożny. Działa jawniej i pozostawia więcej dowodów niż sprawca zachowujący zimną krew. Z doświadczenia zdobytego podczas służby na ulicy Amelia Sachs wiedziała jednak, że tacy przestępcy są znacznie groźniejsi. Szaleńcy tak niebezpieczni jak 522 nie odróżniają ofiar od niewinnych świadków i policjantów.

Każde zagrożenie – każdą niedogodność – należy eliminować całkowicie i bezzwłocznie. I do diabła z logiką.

W ostrym blasku lamp halogenowych ustawionych przez ekipę kryminalistyczną, które zalewały cmentarz sztucznym światłem, Sachs obejrzała ofiarę leżącą na wznak, z rozłożonymi szeroko nogami, które zastygły w tej pozycji, kiedy ustąpiły przedśmiertne drgawki. Kałuża krwi wokół zwłok przybrała kształt przecinka, sięgającego asfaltowej ścieżki przecinającej cmentarz Forest Hills Memorial Gardens i trawy po drugiej stronie.

Policja nie znalazła żadnych świadków, a Miguel Abrera, sprzątacz z SSD, nie potrafił niczego dodać. Głęboko wstrząsnęła nim wiadomość, że był potencjalną ofiarą mordercy i że zginął jego znajomy; podczas częstych odwiedzin grobu żony i syna zaprzyjaźnił się z dozorcą. Tego wieczoru towarzyszyło mu niejasne wrażenie, że ktoś idzie za nim od stacji metra. Zatrzymał się i spojrzał w okno baru, szukając odbicia prześladowcy, ale nikogo nie zauważył, więc ruszył w dalszą drogę.

Sachs, ubrana w biały kombinezon, poleciła dwóm funkcjonariuszom z wydziału kryminalistycznego w Queens sfotografować miejsce zdarzenia i sporządzić dokładny zapis wideo. Przeprowadziwszy oględziny ciała, zaczęła chodzić po siatce. Robiła to wyjątkowo skrupulatnie. To było ważne miejsce. Morderstwo popełniono szybko i brutalnie – dozorca musiał zaskoczyć 522 – i doszło między nimi do szamotaniny, co oznaczało większe prawdopodobieństwo znalezienia śladów, które mogły ujawnić więcej informacji o mordercy i jego miejscu zamieszkania lub pracy.

Sachs przemierzała miejsce zbrodni metr po metrze, idąc po liniach prostych, po czym zmieniła kierunek na prostopadły i jeszcze raz przeszukała tę samą strefę.

W połowie drogi nagle przystanęła.

Usłyszała jakiś dźwięk.

Była pewna, że to szczęk metalu o metal. Odgłos ładowania broni? Otwierania noża?

Rozejrzała się wokół siebie, lecz zobaczyła tylko cmentarz spowity półmrokiem zmierzchu. Amelia Sachs nie wierzyła w duchy i w miejscach wiecznego spoczynku ludzi zwykle odnajdywała spokój, a nawet ulgę. Dziś jednak nerwowo zaciskała zęby i czuła, że pocą się jej dłonie w lateksowych rękawiczkach.

Odwróciła się do zwłok i stłumiła okrzyk, widząc niedaleko błysk światła.

Blask ulicznej latarni w gąszczu krzaków?

A może 522 z nożem w ręku?

Stracił zimną krew...

Mimowolnie pomyślała o incydencie z agentem federalnym pod domem DeLeona Williamsa, gdy 522 próbował ją zabić. Może postanowił dokończyć to, co wtedy zaczął.

Wróciła do pracy. Ale gdy już kończyła zbieranie śladów, zadygotała. Znów dostrzegła ruch – tym razem po drugiej stronie świateł, lecz wciąż na terenie cmentarza, który został zamknięty przez funkcjonariuszy patroli. Zmrużyła oczy, usiłując coś dostrzec w powodzi światła. Może to tylko wiatr zakołysał drzewem? Może to jakieś zwierzę?

Jej ojciec, glina przez całe życie i niewyczerpane źródło policyjnych mądrości, powiedział jej kiedyś: „Nie przejmuj się trupami, Amie, one nic ci nie zrobią. Uważaj na tych, przez których ci ludzie są trupami".

Rada przypominała przestrogę Rhyme'a: „szukaj dobrze, ale pilnuj tyłów".

Amelia Sachs nie wierzyła w szósty zmysł. Nie przypisywała mu nadprzyrodzonych cech jak większość ludzi. Jej zdaniem świat rzeczywisty był tak niezwykły, a w naszych zmysłach i zdolności rozumowania krył się tak ogromny potencjał, że do formułowania trafnych wniosków nie były potrzebne żadne nadludzkie umiejętności.

Nie miała wątpliwości, że ktoś tam był.

Wyszła za taśmę wyznaczającą granice miejsca zdarzenia i przypięła kaburę z glockiem. Kilka razy poklepała rękojeść, by zorientować rękę na wypadek, gdyby musiała szybko wyciągnąć broń. Wróciła, dokończyła obchód po siatce, zebrała dowody, po czym odwróciła się w stronę punktu, gdzie zauważyła ruch.

Oślepiało ją światło, ale z całą pewnością wiedziała, że w cieniu budynku krematorium stał jakiś człowiek, przyglądając się jej. Może to tylko pracownik, ale nie zamierzała ryzykować. Z dłonią na pistolecie przeszła kilka metrów. Jej biały kombinezon stanowił doskonały cel w gasnącym świetle dnia, lecz uznała, że nie ma czasu go zdejmować.

Sachs wyciągnęła glocka i przedarła się przez krzaki, ruszając biegiem w kierunku tajemniczej postaci. Nie zwracała uwagi na ból przeszywający jej artretyczne stawy. Nagle zatrzymała się, patrząc na rampę przy spopielarni, gdzie widziała intruza. Skrzywiła się, zła na siebie. Człowiek, którego sylwetka wyraźnie rysowała się w świetle latarni ulicznej za cmentarzem, był policjantem; zobaczyła czapkę i niedbałą pozę znudzonego gliniarza stojącego na warcie.

– Halo? – zawołała. – Widział pan tu kogoś?

– Nie, detektywie Sachs – odparł policjant. – Na pewno nie.

– Dzięki.

Spakowała dowody, ustępując miejsca lekarzowi z biura koronera.

Wróciła do samochodu, otworzyła bagażnik i zaczęła ściągać biały kombinezon, rozmawiając z technikami z Queens. Oni także zdjęli już ubranie ochronne. Jeden z nich zmarszczył brwi i zaczął się rozglądać, jak gdyby czegoś szukał.

– Zgubiłeś coś? – spytała.

– Tak. Tu leżała moja czapka.

Sachs znieruchomiała.

– Co?

– Zniknęła.

Cholera. Sachs wrzuciła kombinezon do bagażnika i pobiegła do sierżanta z miejscowego posterunku, który bezpośrednio kierował zabezpieczeniem miejsca zdarzenia.

– Kazał pan komuś pilnować rampy w krematorium? – spytała zadyszanym głosem.

– Tam? Nie. Nie było potrzeby. Ogrodziliśmy cały teren i…

Niech to szlag.

Odwróciła się i z glockiem w ręku ruszyła sprintem do rampy. Krzyknęła do stojących najbliżej policjantów:

– Był tam! Przy krematorium. Biegiem!

Sachs przystanęła przy starym ceglanym budynku, widząc otwartą bramę, która prowadziła na ulicę. Nigdzie nie było śladu 522. Wyszła na ulicę i szybko spojrzała w prawo i w lewo. Samochody, kilkunastu zaciekawionych gapiów, ale podejrzany zniknął.

Gdy Sachs wróciła na rampę, nie zdziwiła się, znajdując policyjną czapkę, która leżała obok tabliczki z napisem „Tu stawiać trumny". Zabrała czapkę, schowała ją do torebki na dowody rzeczowe i wróciła do pozostałych funkcjonariuszy. Razem z sierżantem wysłała kilku policjantów z zadaniem sprawdzenia, czy ktoś w okolicy nie zauważył podejrzanego. Następnie wróciła do samochodu. Oczywiście morderca na pewno był już daleko, ale nie potrafiła się pozbyć uczucia niepokoju – wywołanego przede wszystkim faktem, że nie próbował uciekać, kiedy podchodziła do krematorium, ale spokojnie został tam, gdzie był.

Najbardziej jednak zmroziło ją wspomnienie spokojnego tonu jego głosu – gdy zwrócił się do niej po nazwisku.

* * *

– Zrobią to? – burknął Rhyme, gdy Lon Sellitto wszedł do pokoju, wracając ze swojej misji w centrum, gdzie z kapitanem Malloyem i wiceburmistrzem Ronem Scottem omawiał plan o kryptonimie „Ekspert", jak nazwał go Rhyme.

– Nie są zadowoleni. W grę wchodzą duże koszty i…

– Niech nie… bzdura. Daj no któregoś do telefonu.

– Zaraz, zaraz. Zgodzili się. Już zaczęli to załatwiać. Mówię tylko, że kręcą nosem.

– Powinieneś od razu powiedzieć, że się zgodzili. Nic mnie nie obchodzi, czy kręcą nosem.

– Joe Malloy zadzwoni, żeby podać szczegóły.

Około wpół do dziesiątej otworzyły się drzwi i weszła Amelia Sachs, niosąc dowody zebrane z miejsca, gdzie zamordowano dozorcę cmentarza.

– Był tam – oznajmiła.

Rhyme nie zrozumiał.

– 522. Na cmentarzu. Obserwował nas.

– Co ty? – zdumiał się Sellitto.

– Zanim się zorientowałam, zniknął. – Pokazała policyjną czapkę, wyjaśniając, że morderca śledził ją w przebraniu.

– Po cholerę miałby to robić?

– Potrzebuje informacji – powiedział cicho Rhyme. – Im więcej wie, tym większą ma przewagę, a my stajemy się bardziej bezbronni...

– Przeczesałaś teren? – spytał Sellitto.

– Zrobili to ludzie z posterunku. Nikt niczego nie widział.

– Czyli wie wszystko. A my kompletnie nic.

Rozpakowała skrzynkę, a wzrok Rhyme'a zatrzymywał się po kolei na każdej torebce z dowodami.

– Szarpali się. Mogą być niezłe ślady z przeniesienia.

– Miejmy nadzieję.

– Rozmawiałam z Abrerą, tym sprzątaczem. Twierdzi, że przez miesiąc działo się dużo dziwnych rzeczy. Zauważył zmiany na liście czasu pracy, miał na koncie kwoty, których w ogóle nie wpłacał.

– Jak u Jorgensena – kradzież tożsamości? – podsunął Cooper.

– Nie, nie – odparł Rhyme. – Założę się, że 522 przygotowywał go do roli kozła ofiarnego. Może to miało być samobójstwo. Podrzuciłby list pożegnalny... Tam był grób jego żony i dziecka?

– Tak.

– No jasne. Jest przybity, chce ze sobą skończyć. W liście przyznaje się do wszystkich zbrodni. Zamykamy sprawę. Ale w ostatniej chwili przeszkadza mu dozorca. I teraz 522 jest w kropce. Nie może próbować tego samego jeszcze raz; będziemy się spodziewać sfingowanego samobójstwa. Spróbuje czegoś nowego. Ale czego?

Cooper zaczął oglądać dowody.

– Na czapce nie ma włosów ani żadnych innych śladów. Ale wiecie, co znalazłem? Odrobinę kleju. Tylko że nie mogę go zidentyfikować.

– Zanim porzucił czapkę, usunął ślady taśmą albo wałkiem – rzekł Rhyme, krzywiąc się. Nic w zachowaniu 522 nie mogło go już zaskoczyć.

Po chwili Cooper oznajmił:

– W dowodach zebranych przy grobie jest włókno. Podobne do sznura użytego w poprzedniej zbrodni.

– To dobrze. Co w nim jest?

Cooper przygotował próbkę i zbadał. Po chwili ogłosił:

– Dwie rzeczy. Częściej spotykaną substancją jest naftalen w postaci obojętnych kryształków.

– Kulki naftalinowe – zawyrokował Rhyme. Miał z nimi do czynienia przed laty, podczas śledztwa w sprawie otrucia. – Ale muszą być stare. – Wyjaśnił, że naftalinę coraz częściej zastępuje się bezpieczniejszymi materiałami. – Albo pochodzą z zagranicy – dodał. – W wielu krajach jest mniej przepisów chroniących konsumenta.

– Mam coś jeszcze. – Cooper wskazał ekran monitora. Substancja została zidentyfikowana jako Na ($C_6H_{11}NHSO_2O$). – W mieszaninie jest jeszcze lecytyna, wosk karnauba i kwas cytrynowy.

– Co to jest, do cholery? – rzucił ze złością Rhyme.

Skonsultowano się z kolejną bazą danych.

– Cyklamat sodu.

– Ach, sztuczny słodzik, zgadza się?

– Tak jest – odrzekł Cooper, czytając. – Trzydzieści lat temu zakazany przez FDA. Zakaz ciągle jest podważany, ale od lat siedemdziesiątych nie używa się go do produkcji żadnych artykułów spożywczych.

Myśli Rhyme'a wykonały kilka nagłych przeskoków, jak gdyby naśladując ruch jego oczu, które przesuwały się od punktu do punktu na tablicach dowodów.

– Stary karton. Pleśń. Wysuszony tytoń. Włosy lalki? Stary napój? I pudełka naftaliny? Co to wszystko w sumie oznacza? Mieszka obok sklepu z antykami? Nad sklepem?

Kontynuowali analizę: mikroskopijne ślady trójsiarczku czterofosforu, głównego składnika zapałek; znów pył z World Trade Center oraz liście difenbachii, popularnej rośliny doniczkowej.

Wśród innych dowodów znaleźli włókna papieru pochodzącego prawdopodobnie z dwóch bloków do pisania, na co wskazywało różne nasycenie barwnikiem. Nie były jednak na tyle charakterystyczne, by ustalić źródło. Odkryli również ślady ostrej substancji, znalezionej przedtem przez Rhyme'a na nożu, którym zamordowano kolekcjonera monet. Tym razem było jej więcej, mogli więc dokładnie zbadać ziarenka i ich kolor.

– Pieprz cayenne – oznajmił Cooper.

– Kiedyś wystarczyłoby to, żeby namierzyć gościa w latynoskiej dzielnicy – mruknął Sellitto. – A dzisiaj kupisz salsę i każdą ostrą przyprawę wszędzie. Od Whole Foods po 7-Eleven.

Ostatnim dowodem był odcisk buta w ziemi obok świeżo wykopanego grobu niedaleko miejsca zbrodni. Sachs doszła do wniosku, że należał do 522, ponieważ ślad pozostawiła osoba biegnąca w kierunku wyjścia z cmentarza.

Porównując elektrostatyczny obraz podeszwy z bazą danych zawierającą wzory protektorów obuwia, ustalili, że 522 nosi zdarte buty Skechers numer 11, praktyczny, choć niezbyt elegancki model, jaki często wybierali robotnicy i turyści.

Sachs odebrała właśnie telefon, więc Rhyme podyktował Thomowi nowe szczegóły. Gdy jego asystent zapisał je na tablicy, Rhyme przyjrzał się informacjom – których było już znacznie więcej niż na początku. Ale nie naprowadzały ich na żaden konkretny trop.

PROFIL NN 522

- Mężczyzna
- Prawdopodobnie pali albo mieszka/pracuje z palącą osobą lub w pobliżu źródła tytoniu
- Ma dzieci albo mieszka/pracuje w ich pobliżu lub blisko źródła zabawek
- Interesuje się sztuką, monetami?
- Prawdopodobnie biały lub przedstawiciel mniejszości etnicznej o jasnej karnacji
- Średniej budowy ciała
- Silny – potrafi udusić ofiarę
- Dostęp do urządzeń zmieniających głos
- Prawdopodobnie zna się na komputerach; zna OurWorld. Inne portale społecznościowe?
- Zbiera trofea po ofiarach. Sadysta?
- Część mieszkania/miejsca pracy ciemna i wilgotna
- Mieszka na środkowym Manhattanie/w pobliżu?
  - Jada pikantne chrupki
- Mieszka niedaleko sklepu z antykami?
- Nosi buty Skechers numer 11

NIEPODRZUCONE DOWODY

- Stary karton
- Włosy lalki, nylon BASF B35
- Tytoń z papierosów Tareyton
- Stary tytoń, nie Tareyton, marka nieznana
- Ślad pleśni *Strachybotrys chartarum*
- Pył z katastrofy World Trade Center, prawdopodobnie wskazujący na miejsce zamieszkania/pracy na środkowym Manhattanie
- Pikantne chrupki/pieprz cayenne
- Włókno ze sznura zawierające:
  - Napój z cyklamatem sodu (stary lub pochodzący z zagranicy)
  - Naftalinę (starą lub pochodzącą z zagranicy)
- Liście difenbachii (rośliny doniczkowej)
- Włókna papieru z dwóch żółtych bloków do pisania
- Odcisk buta Skechers numer 11

Rozdział 31

Dziękuję, że zgodziłeś się ze mną spotkać, Mark. Whitcomb, zastępca dyrektora działu kontroli wewnętrznej, uśmiechnął się życzliwie. Pulaski przypuszczał, że naprawdę kocha swoją pracę, skoro siedział w biurze tak późno – minęło już wpół do dziesiątej. Ale uświadomił sobie, że on też jest pracy.

– Kolejne zabójstwo? Dzieło tego samego człowieka?

– Jesteśmy prawie pewni.

Młody człowiek zasępił się.

– Przykro mi. Jezu. Kiedy to się stało?

– Jakieś trzy godziny temu.

Byli u Whitcomba, w znacznie bardziej przytulnym pokoju niż gabinet Sterlinga. I bardziej zabałaganionym, a przez to przyjemniejszym. Whitcomb odłożył żółty blok, w którym coś notował, i wskazał Pulaskiemu krzesło. Policjant usiadł, zauważając zdjęcia rodziny na biurku oraz kilka ładnych obrazów na ścianach, obok których wisiały dyplomy i certyfikaty zawodowe. Przed wejściem do gabinetu Pulaski rozejrzał się po cichych korytarzach, niezwykle zadowolony, że nie ma już pary łobuzów, Cassela i Gillespiego.

– To twoja żona?

– Siostra. – Whitcomb uśmiechnął się, ale Pulaski widział już u niego tę minę. Oznaczała: to trudny temat. Czyżby nie żyła? Nie, chodziło o tę drugą odpowiedź.

– Rozwiodłem się. Byłem za bardzo zajęty pracą. Ciężko mieć rodzinę. – Młody człowiek machnął ręką, zapewne na znak, że ma na myśli SSD. – Ale to ważna praca. Naprawdę ważna.

– Na pewno.

Po nieudanych próbach skontaktowania się z Andrew Sterlingiem Pulaski zadzwonił do Whitcomba, który zgodził się z nim porozmawiać i pokazać mu dzisiejszą listę obecności – aby policjant mógł sprawdzić, kto z podejrzanych wychodził z biura w czasie, gdy zamordowano dozorcę cmentarza.

– Mam kawę.

Pulaski zauważył stojącą na biurku srebrną tacę z dwiema filiżankami.

– Pamiętam, że ci smakowała.

– Dzięki.

Gospodarz nalał.

Pulaski spróbował kawy. Dobra. Czekał na dzień, gdy poprawią mu się finanse i będzie go stać na ekspres do cappuccino. Uwielbiał kawę.

– Codziennie pracujesz tak późno?

– Dość często. Przepisy rządowe są ostre niezależnie od branży, ale problem w biznesie informacyjnym polega na tym, że nikt nie jest do końca pewien, czego chce. Na przykład stany mogą nieźle zarabiać na sprzedaży informacji o prawach jazdy. W niektórych stanach obywatele wściekają się z tego powodu, więc się tego zabrania. W innych taka praktyka jest zupełnie normalna.

W niektórych stanach jest tak, że jeżeli ktoś włamie się do systemu twojej firmy, musisz zawiadomić klientów, których dane zostały skradzione, bez względu na rodzaj informacji. W innych musisz im powiedzieć tylko wtedy, gdy chodzi o informacje finansowe. Gdzie indziej w ogóle nie musisz ich o niczym zawiadamiać. Nieprawdopodobny bałagan. Ale trzeba sobie z tym jakoś radzić.

Myśląc o wyłomach w zabezpieczeniach, Pulaski poczuł wyrzuty sumienia z powodu kradzieży danych z wolnej przestrzeni dyskowej. Whitcomb towarzyszył mu podczas ściągania plików. Czy wieszef wydziału kontroli wewnętrznej będzie miał kłopoty, jeśli dowie się o tym Sterling?

– Proszę. – Whitcomb podał mu około dwudziestu stron z wydrukami list obecności z tego dnia.

Pulaski przejrzał je, porównując wpisy z nazwiskami podejrzanych. Po pierwsze zwrócił uwagę, o której godzinie wyszedł z firmy Miguel Abrera – tuż po piątej. Nagle serce zabiło mu mocniej, gdy zatrzymał wzrok na nazwisku Sterlinga. Z listy wynikało, że szef wyszedł zaledwie kilka sekund po Miguelu, jak gdyby go śledził... Pulaski zaraz się jednak zorientował, że popełnił błąd. Wpis dotyczył Andy'ego Sterlinga, syna. Prezes wyszedł wcześniej – około czwartej – i wrócił pół godziny temu, prawdopodobnie po służbowych spotkaniach i kolacji.

Znów był na siebie zły, że nie odczytał listy poprawnie. Gdy zobaczył, że wyszli prawie jeden po drugim, o mały włos nie zadzwonił do Lincolna Rhyme'a. Ależ by był wstyd. Lepiej najpierw dobrze się zastanów, zganił się w duchu.

Jeden spośród pozostałych podejrzanych, Faruk Mameda – opryskliwy człowiek z obsługi technicznej pracujący na nocną zmianę – w czasie zbrodni był w SSD. Według wpisów na wydrukach dyrektor działu technicznego, Wayne Gillespie, wyszedł pół godziny przed Abrerą, lecz o szóstej wrócił do biura, gdzie spędził jeszcze kilka godzin. Pulaski był nieco rozczarowany faktem, że chyba musi wykluczyć łobuza z listy. Reszta podejrzanych opuściła budynek z wystarczającym zapasem czasu, by śledzić Miguela do samego cmentarza albo dotrzeć tam wcześniej i zaczaić się na niego. Właściwie większości pracowników nie było już w biurze. Pulaski zauważył, że Sean Cassel był nieobecny przez większą część popołudnia, ale wrócił – pół godziny temu.

– Przydało się? – spytał Whitcomb.

– Trochę. Mogę to zatrzymać?

– Jasne, proszę bardzo.

– Dzięki. – Pulaski złożył dokument i schował do kieszeni.

– Aha, rozmawiałem z bratem. Przyjedzie w przyszłym miesiącu. Nie wiem, czy będziesz chciał, ale pomyślałem sobie, że może chciałbyś go poznać. Może razem ze swoim bratem. Moglibyście poopowiadać sobie historie z życia glin. – Whitcomb uśmiechnął się z zakłopotaniem, jak gdyby to była ostatnia rzecz, na jaką mieliby ochotę policjanci. Mylił się. Pulaski mógł go zapewnić, że gliniarze uwielbiają historie z życia glin. – Jeżeli do tego czasu sprawa zostanie wyjaśniona. Albo... jak wy to nazywacie?

– Zamknięta.

– No tak, jak w „Wydziale spraw zamkniętych". No więc jeżeli zostanie zamknięta. Pewnie nie możesz się umawiać na piwo z podejrzanym.

– Nie jesteś podejrzanym, Mark – odrzekł Pulaski ze śmiechem. – Ale masz rację, lepiej z tym zaczekać. Zobaczę, czy mój brat będzie wolny.

– Mark – odezwał się zza ich pleców czyjś cichy głos.

Pulaski odwrócił się i ujrzał Andrew Sterlinga w czarnych spodniach i białej koszuli z podwiniętymi rękawami. I uprzejmym uśmiechem na ustach.

– Pan Pulaski. Bywa pan u nas tak często, że powinienem pana zatrudnić.

Zażenowany wyszczerzył zęby.

– Dzwoniłem. Odezwała się pańska poczta głosowa.

– Naprawdę? – Prezes zmarszczył brwi. Po chwili w zielonych oczach błysnęło zrozumienie. – A, tak, Martin wyszedł dziś wcześniej. Możemy panu w czymś pomóc?

Pulaski już chciał wspomnieć o listach obecności pracowników, lecz ubiegł go Whitcomb.

– Ron mówił, że znowu popełniono morderstwo.

– Naprawdę? To ten sam sprawca?

Pulaski zdał sobie sprawę, że popełnił błąd. Pomijając Andrew Sterlinga, postąpił głupio. Przecież nie uważał, że Sterling jest winny i że będzie próbował coś ukryć; chciał po prostu szybko uzyskać informacje – i mówiąc szczerze, wolał też uniknąć spotkania z Casselem lub Gillespiem, do czego mogłoby dojść, gdyby poszedł po potrzebny dokument do skrzydła, gdzie urzędowała kadra kierownicza.

Uświadomił sobie jednak, że uzyskał informacje o SSD ze źródła innego niż Andrew Sterling – co mogło zostać poczytane za grzech, jeśli nie zwyczajne przestępstwo.

Zastanawiał się, czy biznesmen wyczuwa jego zakłopotanie.

– Tak przypuszczamy – powiedział. – Następną ofiarą miał być prawdopodobnie pracownik SSD, ale zginął przypadkowy człowiek.

– Który pracownik?

– Miguel Abrera.

Sterling natychmiast rozpoznał nazwisko.

– Z konserwacji, zgadza się. Nic mu się nie stało?

– Jest cały i zdrowy. Trochę zszokowany. Ale nic poza tym.

– Dlaczego miał być ofiarą? Uważacie, że coś wiedział?

– Nie mam pojęcia – odparł Pulaski.

– Kiedy to się stało?

– Dziś około szóstej, może wpół do siódmej.

Sterling zmrużył oczy, wokół których ukazały się drobne zmarszczki.

– Mam rozwiązanie. Powinien pan zajrzeć do listy czasu pracy podejrzanych. W ten sposób wykluczy pan osoby, które mają alibi.

– Właśnie...

– Zajmę się tym, Andrew – wtrącił szybko Whitcomb, siadając do komputera. – Ściągnę je z personalnego. – Zwracając się do Pulaskiego, dodał: – To nie potrwa długo.

– Dobrze – powiedział Sterling. – Daj mi znać, co znalazłeś.

– Tak, Andrew.

Prezes podszedł bliżej, zaglądając Pulaskiemu w oczy. Mocno uścisnął mu dłoń.

– Życzę panu dobrej nocy.

Kiedy wyszedł, Pulaski rzekł:

– Dzięki. Powinienem się najpierw zwrócić do niego.

– Zgadza się, powinieneś. Zakładałem, że to zrobiłeś. Andrew bardzo nie lubi być utrzymywany w nieświadomości. Jest zadowolony, kiedy ma informacje, nawet złe. Widziałeś racjonalną stronę Andrew Sterlinga. Nieracjonalna strona wygląda bardzo podobnie. Ale możesz mi wierzyć, jest inna.

– Nie będziesz miał przeze mnie kłopotów?

Śmiech.

– Nie, jeżeli się nie dowie, że ściągnąłem listy godzinę wcześniej, zanim to zaproponował.

Idąc z Whitcombem do windy, Pulaski obejrzał się za siebie. Na końcu korytarza stał Andrew Sterling, rozmawiając z Seanem Casselem. Byli pochyleni. Dyrektor działu sprzedaży kiwał głową. Serce Pulaskiego załomotało. Po chwili Sterling odszedł. Cassel odwrócił się i polerując okulary czarną ściereczką, spojrzał prosto na Pulaskiego. Przywitał go uśmiechem. Jego mina wskazywała, że w ogóle nie jest zdziwiony widokiem policjanta.

Brzęknął dzwonek windy i Whitcomb gestem zaprosił Pulaskiego do kabiny.

W laboratorium Rhyme'a zadzwonił telefon. Ron Pulaski przekazał im to, czego się dowiedział w SSD o miejscu pobytu podejrzanych w czasie zabójstwa. Sachs umieściła nowe informacje na tablicy. Podczas zbrodni w biurze byli tylko dwaj – Mameda i Gillespie.

– Czyli to mógłby być każdy z pozostałej piątki – mruknął Rhyme.

– Biuro było prawie puste – powiedział młody policjant. – Niewiele osób zostało po godzinach.

– Nie muszą – zauważyła Sachs. – Całą robotę odwalają komputery.

Rhyme powiedział Pulaskiemu, żeby wracał do domu i rodziny. Oparł głowę o zagłówek i spojrzał na tablicę.

Andrew Sterling, prezes, dyrektor naczelny
Alibi – był na Long Island, zweryfikowano. Syn potwierdza
Sean Cassel, dyrektor działu sprzedaży i marketingu
Brak alibi
Wayne Gillespie, dyrektor działu technicznego
Brak alibi
Alibi na czas zabójstwa dozorcy (według listy czasu pracy był
w biurze)
Samuel Brockton, dyrektor działu kontroli wewnętrznej
Alibi – hotel potwierdza obecność w Waszyngtonie
Peter Arlonzo-Kemper, dyrektor działu personalnego
Alibi – był z żoną, która to potwierdza (za jego namową?)
Steven Shraeder, kierownik obsługi technicznej, dzienna zmiana
Alibi – w biurze, zgodnie z listą czasu pracy
Faruk Mameda, kierownik obsługi technicznej, nocna zmiana
Brak alibi
Alibi na czas zabójstwa dozorcy (według listy czasu pracy był
w biurze)
Klient SSD (?)
Oczekiwanie na listę z wydz. przest. komputerowej NYPD
NN zwerbowany przez Andrew Sterlinga (?)

Ale czy 522 w ogóle był wśród nich? Rhyme znów się zamyślił. Przypomniał sobie, co Sachs mówiła o „szumie" w branży danych.

Czyżby te nazwiska były po prostu szumem? Podstępem, który miał odwrócić ich uwagę od prawdy?

Rhyme wykonał ostry zwrot wózkiem TDX i znów utkwił wzrok w tablicach. Coś mu nie dawało spokoju. Co?

– Lincoln...

– Cii.

Coś, co przeczytał albo o czym słyszał. Nie, to jakaś sprawa – sprzed wielu lat. Błąkająca się gdzieś w zakamarkach pamięci. Irytujące. Jak gdyby próbował się podrapać w swędzące ucho.

Czuł na sobie spojrzenie Coopera. To też go drażniło. Zamknął oczy.

Już prawie...

Tak!

– O co chodzi?

Widocznie wypowiedział to na głos.

– Chyba mam. Thom, znasz się na popkulturze, nie?

– Co to niby ma znaczyć?

– Czytasz czasopisma, gazety. Oglądasz reklamy. Produkują jeszcze papierosy Tareyton?

– Nie palę. Nigdy nie paliłem.

– Wolę się bić, niż zmienić na inne – oznajmił Lon Sellitto.

– Co?

– Taka była reklama w latach sześćdziesiątych. Pamiętasz tych ludzi z podbitymi oczami?

– Nie przypominam sobie.

– Mój ojciec je palił.

– Ciągle je produkują? O to pytałem.

– Nie wiem. Ale rzadko je widać.

– Otóż to. Drugi okruch tytoniu, jaki znaleźliśmy, też był stary. Tak więc bez względu na to, czy 522 pali czy nie, można przyjąć hipotezę, że kolekcjonuje papierosy.

– Papierosy? Co to za kolekcjoner?

– Nie, nie tylko papierosy. Stary napój ze sztucznym słodzikiem. Może zbiera puszki albo butelki. No i naftalina, zapałki, włosy lalki. I pleśń, *Strachybotrys chartarum*, pył z wież World Trade Center. Nie sądzę, żeby to świadczyło, że mieszka w centrum. Po prostu od lat nie sprzątał... – Zaśmiał się ponuro. – A z jaką kolekcją mamy ostatnio do czynienia? Z kolekcją danych. 522 ma obsesję na punkcie kolekcjonowania... Wydaje mi się, że to zbieracz.

– Kto?

– Chomikuje przedmioty. Nigdy niczego nie wyrzuca. Dlatego mamy tu tyle starych rzeczy.

– Tak, chyba coś o tym słyszałem – zgodził się Sellitto. – Dziwactwo. Paskudne.

Rhyme przeszukiwał kiedyś miejsce zdarzenia, gdzie zmarł człowiek uprawiający kompulsywne zbieractwo, przygnieciony stertą książek – został unieruchomiony i dwa dni umierał z powodu obrażeń wewnętrznych. Rhyme nazwał przyczynę śmierci „nieprzyjemną". Nie badał bliżej tego zaburzenia, ale dowiedział się wtedy, że w Nowym Jorku działa specjalna grupa, która kieruje zbieraczy na terapię i chroni ich oraz ich sąsiadów przed skutkami ich kompulsywnych zachowań.

– Zadzwońmy do naszego domowego psychologa.

– Do Terry'ego Dobynsa?

– Może zna kogoś z grupy pomocy zbieraczom. Niech sprawdzi. I sprowadź go tu osobiście.

– O tej godzinie? – zdumiał się Cooper. – Jest po dziesiątej.

Rhyme nie raczył nawet wygłosić puenty dnia: My nie śpimy; dlaczego inni mają spać? Wystarczyło wymowne spojrzenie.

Rozdział 32

Lincoln Rhyme złapał drugi oddech.

Thom znów przygotował coś na ząb i choć na ogół Rhyme'owi jedzenie nie sprawiało szczególnej przyjemności, bardzo mu smakowały kanapki z kurczakiem zrobione z chleba domowej roboty.

– To przepis Jamesa Bearda – oznajmił jego opiekun, lecz Rhyme puścił mimo uszu wzmiankę o szanowanym kucharzu i autorze książek kulinarnych. Sellitto pochłonął jedną kanapkę, a wychodząc do domu, wziął jeszcze jedną. („Jeszcze lepsze od sałatki z tuńczyka" – zawyrokował). Mel Cooper poprosił o przepis dla Gretty.

Sachs siedziała przy komputerze, pisząc e-maile. Rhyme zamierzał ją zapytać, co robi, gdy zadzwonił dzonek u drzwi.

Po chwili Thom wprowadził do laboratorium Terry'ego Dobynsa, policyjnego behawiorystę, którego Rhyme znał od lat. Był odrobinę bardziej łysy i zaokrąglony niż w dniu, gdy się poznali – kiedy Dobyns przesiadywał z Rhyme'em przez długie, okropne godziny po wypadku, w wyniku którego kryminalistyk został sparaliżowany. Lekarz wciąż miał życzliwy i przenikliwy wyraz oczu oraz spokojny, neutralny uśmiech. Rhyme dość sceptycznie podchodził do profili psychologicznych, polegając na metodach kryminalistycznych, musiał jednak przyznać, że od czasu do czasu Dobyns podsuwał mu wnikliwe i cenne wskazówki na temat osobowości ściganych przez niego przestępców.

Psycholog przywitał się ze wszystkimi, przyjął kawę z rąk Thoma i podziękował za kanapkę. Usiadł na taborecie obok wózka Rhyme'a.

– Teoria o zbieractwie wydaje się słuszna. Chyba masz rację. Po pierwsze, zasięgnąłem języka w grupie pomocy. Sprawdzili notowanych zbieraczy w mieście, jest ich niewielu i raczej mało prawdopodobne, żeby to był któryś z nich. Ponieważ mówiliście o gwałcie, więc wyeliminowałem kobiety. Z mężczyzn większość jest w podeszłym wieku albo jest nieaktywna. Dwaj pasujący do profilu mieszkają na Staten Island i na Bronksie, ale pracownicy opieki społecznej i rodzina potwierdzają ich alibi na niedzielę, gdy popełniono zabójstwo.

Rhyme wcale się nie zdziwił – 522 był zbyt sprytny, aby nie zatrzeć za sobą śladów. Miał jednak nadzieję odnaleźć przynajmniej cień jakiegoś tropu, więc nachmurzył się na wieść, że to ślepy zaułek.

Dobyns nie potrafił się powstrzymać od uśmiechu. To był problem, z którym próbowali się uporać przed laty. Rhyme'a krępowało okazywanie złości i frustracji o podłożu osobistym. Kiedy natomiast chodziło o sprawy zawodowe, był w tym prawdziwym mistrzem.

– Ale podzielę się spostrzeżeniami, które może co nieco rozjaśnią. Najpierw parę słów o zbieractwie. Jest to jedna z form zaburzeń obsesyjno-kompulsywnych. Pojawiają się, gdy ktoś nie potrafi sobie emocjonalnie poradzić z pewnym konfliktem czy napięciem. O wiele łatwiej jest skupić się na zachowaniu niż na rzeczywistym problemie. Symptomem ZOK może być obsesyjne mycie rąk albo liczenie. A także zbieractwo.

Rzadko się zdarza, aby sam zbieracz był groźny dla otoczenia. Owszem, czasem istnieje ryzyko dla zdrowia – plaga insektów czy zwierząt, pleśń, zagrożenia pożarowe – ale w gruncie rzeczy zbieracz po prostu chce być sam. Jeżeli tylko może, mieszka w otoczeniu swojej kolekcji i nigdy nie wychodzi.

Ale wasz przypadek to dziwny typ. Kombinacja narcystycznej, aspołecznej osobowości i obsesji zbieractwa. Jeżeli czegoś chce – na przykład kolekcjonerskich monet czy obrazu albo zaspokojenia seksualnego – musi to zdobyć. Musi i już. Zabójstwo nic dla niego nie znaczy, jeśli tylko pomoże mu uzyskać to, czego pragnie, i ochronić jego kolekcję. Śmiem wręcz przypuszczać, że zabijanie go uspokaja. Żywi ludzie wywołują u niego stres. Obawia się, że go rozczarują, opuszczą. Natomiast przedmioty – gazety, pudełka po cygarach, słodycze, nawet zwłoki – można schować w swojej kryjówce; rzeczy nigdy cię nie zdradzą... Sądzę, że nie bardzo interesuje was, jakie czynniki z dzieciństwa mają wpływ na jego zachowania?

– Niekoniecznie, Terry – powiedziała Sachs. Uśmiechnęła się do Rhyme'a, który przecząco kręcił głową.

– Po pierwsze, potrzebuje dużej przestrzeni. Naprawdę ogromnej. Biorąc pod uwagę nasze ceny nieruchomości, można przypuszczać, że jest bardzo pomysłowy albo bardzo bogaty. Zbieracze zwykle mieszkają w dużych, starych domach albo szeregowcach. Nigdy niczego nie wynajmują. Nie mogą znieść myśli, że właściciel może mieć prawo swobodnego wstępu do ich mieszkania. Okna domu są zwykle zamalowane na czarno albo zaklejone. Taki człowiek musi się odseparować od świata zewnętrznego.

– Jakiej wielkości dom wchodzi w grę?

– Z mnóstwem pokoi.

– Niektórzy pracownicy SSD mogą mieć dużo pieniędzy – zauważył Rhyme. – Ci na wyższych stanowiskach.

– Ponieważ wasz sprawca jest tak aktywny, należy przypuszczać, że prowadzi podwójne życie. Jedno nazwijmy „sekretnym", a drugie „fasadowym". Musi funkcjonować w rzeczywistym świecie – aby powiększać i utrzymać swoją kolekcję. Dlatego zachowuje pozory. Prawdopodobnie część jego domu albo drugi dom wygląda zupełnie normalnie. Oczywiście wolałby mieszkać w swojej kryjówce, gdyby jednak to zrobił, ludzie zaczęliby zwracać na niego uwagę. Dlatego ma jeszcze mieszkanie typowe dla osób z jego statusem społecznym i ekonomicznym. Obydwa miejsca zamieszkania mogą być połączone albo znajdują się blisko siebie. Parter wygląda normalnie, a kolekcja znajduje się na górze. Albo w piwnicy.

Jeżeli chodzi o jego osobowość, możemy założyć, że w fasadowym życiu gra rolę, która stanowi zupełne przeciwieństwo jego prawdziwego charakteru. Powiedzmy, że 522 w rzeczywistości jest złośliwy i małostkowy. Światu będzie się przedstawiał jako człowiek wyważony, spokojny, dojrzały i życzliwy.

– Może udawać biznesmena?

– Och, z łatwością. I będzie grał tę rolę bardzo, bardzo dobrze. Bo musi. Chociaż ta maskarada go drażni i złości. Dobrze jednak wie, że jeżeli tego nie zrobi, jego skarbiec znajdzie się w niebezpieczeństwie, a to dla niego jest po prostu nie do przyjęcia.

Dobyns spojrzał na tablice. Pokiwał głową.

– Widzę, że zastanawiacie się, czy ma dzieci. Nie sądzę. Prawdopodobnie kolekcjonuje zabawki. To też wiąże się z jego dzieciństwem. No i należy przypuszczać, że jest sam. Żonaty zbieracz to rzadkość. Obsesja kolekcjonowania jest zbyt silna. Nie miałby ochoty dzielić czasu i przestrzeni z drugą osobą – zresztą trudno znaleźć partnerkę tak współuzależnioną, żeby z nim wytrzymała.

No dobrze, teraz tytoń i zapałki. Zbiera papierosy i zapałki, ale bardzo wątpię, żeby palił. Większość zbieraczy trzyma ogromne sterty gazet i czasopism, to łatwopalne rzeczy. Ten sprawca nie jest głupi. Nie zaryzykuje pożaru, bo mógłby zniszczyć jego kolekcję. Lub co najmniej zdemaskować go, gdyby na miejscu zjawiła się straż. I prawdopodobnie nie bardzo interesują go monety ani sztuka. Ma obsesję na punkcie kolekcjonowania dla samego kolekcjonowania. To co zbiera ma drugorzędne znaczenie.

– Czyli przypuszczalnie nie mieszka w pobliżu sklepu z antykami?

Dobyns parsknął śmiechem.

– Tak właśnie wygląda jego dom. Tyle że oczywiście bez klientów... Nic więcej nie przychodzi mi do głowy. Muszę was tylko ostrzec, że jest niebezpieczny. Z tego, co mówiliście, wynika, że już kilka razy udało się wam go powstrzymać. To go na pewno rozwścieczyło. Jest gotów zabić każdego, kto będzie wtykał nos do jego skarbca. Zabije bez namysłu. Pamiętajcie o tym.

Podziękowali Dobynsowi, który wyszedł, życząc im powodzenia. Sachs uzupełniła profil NN informacjami uzyskanymi od psychologa.

PROFIL NN 522

- Mężczyzna
- Prawdopodobnie pali albo mieszka/pracuje z palącą osobą lub w pobliżu źródła tytoniu
- Ma dzieci albo mieszka/pracuje w ich pobliżu lub blisko źródła zabawek
- Interesuje się sztuką, monetami?
- Prawdopodobnie biały lub przedstawiciel mniejszości etnicznej o jasnej karnacji
- Średniej budowy ciała
- Silny – potrafi udusić ofiarę
- Dostęp do urządzeń zmieniających głos
- Prawdopodobnie zna się na komputerach; zna OurWorld. Inne portale społecznościowe?
- Zbiera trofea po ofiarach. Sadysta?
- Część mieszkania/miejsca pracy ciemna i wilgotna
- Mieszka na środkowym Manhattanie/w pobliżu?
- Jada pikantne chrupki
- Nosi buty Skechers numer 11
- Zbieracz, cierpi na zaburzenia obsesyjno-kompulsywne
- Prawdopodobnie prowadzi życie „sekretne" i „fasadowe"
- Osobowość pokazywana publicznie jest przeciwieństwem jego prawdziwego charakteru
- Miejsce zamieszkania: niczego nie wynajmuje, ma dwa oddzielne mieszkania, normalne i sekretne
- Okna domu zasłonięte lub zamalowane
- Będzie agresywny, gdy ktoś zagrozi jego skarbcowi albo kolekcji

– Przyda się? – spytał Cooper.

Rhyme mógł jednie wzruszyć ramionami.

– Jak myślisz, Sachs? Czy to może być jedna z osób, z którymi rozmawiałaś w SSD?

Też wzruszyła ramionami.

– Moim zdaniem najbliższy profilowi byłby Gillespie. Zrobił na mnie wrażenie po prostu dziwaka. Ale z kolei Cassel wyglądał mi na największego spryciarza – jeżeli wziąć pod uwagę umiejętność stwarzania pozorów. Arlonzo-Kemper jest żonaty, co zdaniem Terry'ego wyklucza go z listy. Techników nie widziałam. Ron z nimi rozmawiał.

Rozległ się elektroniczny brzęczyk, a na ekranie monitora pojawiło się okienko z numerem. Dzwonił Lon Sellitto, już z domu, gdzie nadal pracował nad planem „Ekspert", który ułożyli wcześniej z Rhyme'em.

– Polecenie, odbierz telefon…No i jak idzie, Lon?

– Wszystko przygotowane, Linc.

– Jak to będzie wyglądało?

– Oglądaj wiadomości o jedenastej. Dowiesz się. Idę spać.

Rhyme pożegnał go i włączył telewizor stojący w rogu laboratorium.

Mel Cooper zaczął pakować teczkę, życząc im dobrej nocy, gdy odezwał się jego komputer. Technik spojrzał na ekran.

– Amelia, jest e-mail do ciebie.

Podeszła do monitora i usiadła.

– Coś z policji w Kolorado na temat Gordona? – zainteresował się Rhyme.

Sachs milczała, ale zauważył, jak unosi brwi, czytając dość długi tekst. Jej palec zanurzył się w rudych włosach związanych w koński ogon i zaczął drapać skórę głowy.

– Co jest?

– Muszę iść – odrzekła, zrywając się z krzesła.

– Sachs, co się stało?

– Nie chodzi o sprawę. Zadzwoń, gdybyś mnie potrzebował.

I zniknęła za drzwiami, pozostawiając za sobą mgiełkę zagadki, subtelną jak woń lawendowego mydła, którego ostatnio używała.

Sprawa 522 szybko posuwała się naprzód.

Policjanci zawsze mieli jednak na głowie inne kłopoty życiowe. Właśnie dlatego Sachs stała teraz niepewnie przed zadbanym domem na Brooklynie, niedaleko własnego mieszkania. Był ładny wieczór. Czuła na skórze delikatny wietrzyk przesycony zapachem bzu i torfu. Przyjemniej byłoby usiąść na krawężniku albo na werandzie przed drzwiami, niż zrobić to, co zamierzała.

Co musiała zrobić.

Boże, jak ja tego nie chcę.

W drzwiach ukazała się Pam Willoughby. Była ubrana w dres i miała włosy związane w koński ogon. Rozmawiała z kilkunastoletnią dziewczyną, która tak jak ona przebywała pod opieką rodziny zastępczej. Miały konspiracyjne miny, które na twarzach nastolatek wyglądały jednak niewinnie, jak pierwszy makijaż. U ich stóp baraszkowały dwa psy: hawańczyk Jackson i znacznie większy, choć równie żywiołowy briard Cosmic Cowboy, należący do przybranych rodziców Pam.

Policjantka od czasu do czasu umawiała się tu z dziewczyną, a potem szły do kina, do Starbucksa czy na lody. Twarz Pam zazwyczaj rozpromieniała się na widok Sachs.

Ale nie dziś.

Sachs wysiadła z samochodu i oparła się o gorącą maskę. Pam wzięła Jacksona na ręce i podeszła do niej. Druga dziewczyna pomachała do Sachs, i weszła z briardem do domu.

– Przepraszam, że tak późno.

– Nie ma sprawy. – Dziewczyna patrzyła na nią nieufnie.

– Jak poszło zadanie?

– Zadanie jak zadanie. Raz fajne, raz do kitu.

Tak samo jak w czasach Sachs.

Sachs pogłaskała psa, którego Pam mocno przyciskała do siebie. Ten zaborczy gest był dla niej typowy. Dziewczyna nigdy nie pozwalała nikomu nosić swojej torby z książkami ani zakupami. Odebrano jej w życiu tyle rzeczy, że kiedy już coś miała, za nic nie chciała tego wypuścić z rąk.

– No, coś się stało?

Sachs nie miała pomysłu, jak delikatnie poruszyć ten temat.

– Rozmawiałam z twoim przyjacielem.

– Przyjacielem? – zdziwiła się Pam.

– Ze Stuartem.

– Co?! – Na jej zaniepokojoną twarz padło światło rozproszone liśćmi miłorzębu.

– Musiałam.

– Wcale nie musiałaś.

– Pam... martwiłam się o ciebie. Poprosiłam znajomego z departamentu, który zajmuje się sprawami bezpieczeństwa, żeby go sprawdził.

– Nie!

– Chciałam się upewnić, czy nie chowa żadnego trupa w szafie.

– Nie miałaś żadnego prawa tego robić!

– To prawda. Ale i tak to zrobiłam. I właśnie dostałam e-maila.

– Sachs poczuła skurcz mięśni żołądka. Stawała oko w oko z mordercami, jeździła z prędkością dwustu pięćdziesięciu kilometrów na godzinę... to jednak było nic w porównaniu z lękiem, jaki ją teraz ogarnął.

– No i co, jest jakimś pieprzonym zabójcą? – warknęła Pam. – Seryjnym mordercą? Terrorystą?

Sachs zawahała się. Chciała dotknąć ramienia dziewczyny. Powstrzymała się.

– Nie, kochanie. Ale... jest żonaty.

W świetle przetykanym plamami cienia zobaczyła bezbrzeżne zdumienie, jakie odbiło się na twarzy Pam.

– Żo... naty?

– Przykro mi. Jego żona też jest nauczycielką. W prywatnej szkole na Long Island. Mają dwoje dzieci.

– Nie! To nieprawda. – Sachs zobaczyła, jak Pam zaciska dłoń – tak mocno, że musiała dostać skurczu. W jej oczach błysnął gniew, ale nie było w nich wielkiego zdziwienia. Sachs przypuszczała, że Pam przypomniała sobie jakiś znaczący szczegół. Może Stuart powiedział, że nie ma telefonu stacjonarnego tylko komórkę. A może poprosił ją, aby korzystała z innego adresu e-mailowego niż jego oficjalne konto.

Mam w domu taki bałagan. Byłoby mi wstyd cię tam zaprosić. Wiesz, jestem nauczycielem, bywamy strasznie roztargnieni... Muszę zatrudnić jakąś gosposię...

– To pomyłka – wyrzuciła z siebie Pam. – Pomyliłaś go z kimś innym.

– Właśnie się z nim widziałam. Spytałam go i do wszystkiego się przyznał.

– Nie, niemożliwe! Zmyślasz! – Oczy jej płonęły, a na ustach pojawił się lodowaty uśmiech, którego widok zmroził Sachs do szpiku kości. – Robisz to samo co moja matka! Kiedy chciała mi czegoś zabronić, kłamała! Tak samo jak ty.

– Ależ, Pam, wcale...

– Wszyscy mi coś odbierają! Nie zrobisz mi tego. Kocham go, a on kocha mnie i nie odbierzesz mi go! – Obróciła się na pięcie i ruszyła w stronę domu, ściskając psiaka pod pachą.

– Pam! – wykrztusiła Sachs. – Nie, kochanie...

Dziewczyna szła sztywnym krokiem, z rozwianymi włosami. Stojąc już w progu, obejrzała się szybko, a Amelia Sachs dziękowała Bogu, że w świetle padającym zza jej pleców nie mogła dojrzeć twarzy Pam; nie potrafiłaby znieść widoku jej nienawistnego spojrzenia.

Wspomnienie farsy z cmentarza wciąż pali mnie żywym ogniem.

Miguel 5465 powinien zginąć. Powinien zostać przyszpilony w wyłożonej aksamitem gablotce i dokładnie obejrzany przez policję. Zamknęliby sprawę i wszystko skończyłoby się dobrze.

Ale nie zginął. Motylowi udało się uciec. Nie mogę próbować drugi raz sztuczki z samobójstwem. Już coś o mnie wiedzą. Już zebrali trochę informacji...

Nienawidzę ich nienawidzę ich nienawidzę ich nienawidzę...

Jeszcze chwila, a złapię brzytwę, wypadnę z domu i...

Spokój. Uspokój się. Ale to trudne, z biegiem lat coraz trudniejsze.

Odwołałem pewne transakcje zaplanowane na wieczór – zamierzałem uczcić samobójstwo – i teraz idę do Schowka. Pomaga mi bliskość moich skarbów. Przechadzam się po pachnących pokojach i dotykam różnych rzeczy. Trofea z różnych transakcji minionego roku. Dotyk na policzku kawałka wysuszonego ciała, paznokci i włosów przynosi wielką ulgę.

Jestem jednak wyczerpany. Siadam przed obrazem Harveya Prescotta, przyglądam mu się. Rodzina też na mnie patrzy. Ich oczy, jak na wszystkich portretach, cały czas cię śledzą, gdziekolwiek jesteś.

To pocieszające. I zarazem niesamowite.

Być może uwielbiam to płótno także dlatego, że ci ludzie zostali stworzeni od zera. Nie dźwigają brzemienia dręczących wspomnień, które by ich drażniły, nie pozwalały w nocy spać, kazały wychodzić na ulice i zbierać skarby i trofea.

Ach, wspomnienia:

Czerwiec, pięć lat. Ojciec każe mi usiąść, odkłada niezapalonego papierosa i tłumaczy mi, że nie jestem ich dzieckiem. „Przyjęliśmy cię do rodziny bo bardzo chcieliśmy cię mieć i kochamy cię, choć nie jesteś naszym prawdziwym synem, rozumiesz, prawda że rozumiesz..." Nie bardzo rozumiem. Patrzę na nich obojętnie. Matka ściska chusteczkę w wilgotnych dłoniach. Zapewnia mnie, że kocha mnie jak rodzonego syna. Nie, kocha mnie jeszcze bardziej, chociaż nie rozumiem dlaczego. To brzmi jak kłamstwo.

Ojciec wychodzi do swojej drugiej pracy. Matka idzie zająć się innymi dziećmi, zostawiając mnie sam na sam z tym, co usłyszałem. Czuję się, jakby mi coś odebrano, ale nie wiem co. Wyglądam przez okno. Pięknie tu. Góry, zieleń, chłodny wiatr. Ale wolę swój pokój i idę do niego.

Sierpień, siedem lat. Ojciec i matka kłócą się ze sobą. Najstarsza z nas, Lydia, płacze. Nie zostawiaj nas nie zostawiaj nas nie zostawiaj... Przygotowuję się na najgorsze i robię zapasy. Jedzenie i drobne – nikt nie zauważa braku drobnych. Nic mnie nie może powstrzymać przed zbieraniem centów – mam 134 dolary w błyszczących i matowych miedziakach. Wkładam je do pudełek w swoim schowku...

Listopad, siedem lat. Ojciec wraca po miesiącu, który spędził „uganiając się za nieuchwytnym dolarem", jak często powtarza. (Lydia i ja uśmiechamy się, kiedy tak mówi). Pyta, gdzie jest reszta dzieci. Matka wyjaśnia, że nie radziła sobie ze wszystkimi. „Policz sobie, do cholery. Co ty sobie wyobrażasz? Łap za telefon i dzwoń do miasta".

„Przecież cię nie było" – krzyczy.

Nie potrafimy tego pojąć z Lydią, ale wiemy, że to nic dobrego.

W schowku mam 252 dolary w drobnych, trzydzieści trzy puszki pomidorów, osiemnaście puszek innych warzyw, dwanaście puszek SpaghettiOs, których nawet nie lubię, ale trzymam. Tylko to się liczy. Październik, dziewięć lat. Znowu kilka nagłych przyjęć nowych dzieci. W tym momencie jest nas dziewięcioro. Pomagamy razem z Lydią. Lydia ma czternaście lat i umie się już zajmować młodszymi. Prosi ojca, żeby kupił dziewczynkom lalki – bo sama nigdy nie miała lalki, a to ważne. Ojciec mówi, jak można wydawać pieniądze od miasta na takie pierdoły?

Maj, dziesięć lat. Wracam ze szkoły. Przełamałem się, wziąłem część drobnych i kupiłem Lydii lalkę. Nie mogę się doczekać jej reakcji. Ale widzę, że popełniłem błąd i zostawiłem otwarty schowek. Jest tam ojciec i rozpruwa pudełka. Centy leżą porozrzucane jak zabici żołnierze na pobojowisku. Ojciec napełnia kieszenie i zabiera pudełka. „Jak kradniesz, to tracisz". Płaczę i przysięgam mu, że znalazłem drobne. „To dobrze" – mówi ojciec triumfalnie. – „Ja też je znalazłem, czyli teraz są moje... Prawda, młody człowieku? Możesz mnie przekonać, że nie mam racji? Nie możesz. Jezu, tu musi być z pięć stów". Wyciąga papierosa zza ucha.

Chcecie wiedzieć, jakie to uczucie, gdy ktoś zabierze wasze rzeczy, wasze żołnierzyki, wasze lalki, wasze uskładane drobne? Zamknijcie usta i zatkajcie nos. Właśnie tak się wtedy czuje człowiek i nie można tak wytrzymać zbyt długo, bo stanie się coś strasznego.

Październik, jedenaście lat. Lydia odeszła. Nie zostawiła żadnego listu. Nie zabrała lalki. Z izby dziecka trafia do nas czternastoletni Jason. Raz w nocy włazi do mojego pokoju. Chce mi zabrać łóżko (moje jest suche, jego nie). Śpię w jego mokrym łóżku. Codziennie przez miesiąc. Skarżę się ojcu. Każe mi się zamknąć. Potrzebują pieniędzy, a dostają premię za dzieciaki z NE takie jak Jason i... Nagle milknie. Czyżby miał na myśli mnie? Nie wiem, co to jest NE. Jeszcze nie.

Styczeń, dwanaście lat. Błyskają czerwone światła. Matka szlocha, szlocha reszta przybranych dzieci. Ojciec ma bolesne poparzenia ręki, ale na szczęście, jak mówi strażak, paliwo do zapalniczek rozlane na materacu nie zajęło się za szybko. Gdyby to była benzyna, już by nie żył. Kiedy zabierają Jasona, patrzy na wszystkich ciemnymi oczami spod ciemnych brwi i wrzeszczy, że nie wie, jak paliwo do zapalniczek i zapałki znalazły się w jego szkolnej torbie. Nie zrobił *tego, nie zrobił! I to wcale nie on przypiął na tablicy w szkole zdjęcia palonych żywcem ludzi.*

Ojciec wrzeszczy na matkę: „Popatrz, coś narobiła!".

„Chciałeś dostać premię!" – krzyczy matka.

Premię za dzieci z NE.

Dowiedziałem się, że to „niezrównoważenie emocjonalne".

Wspomnienia, wspomnienia... Gdybym mógł, chętnie pozbyłbym się niektórych kolekcji i wyrzucił je do kubła na śmieci.

Uśmiecham się do swojej niemej rodziny, do Prescottów. Po chwili wracam do obecnych kłopotów – myślę o nich.

Jestem już spokojniejszy, rozdrażnienie trochę słabnie. I jestem pewien, że tak jak ojciec, który ciągle mnie okłamywał, jak przerażony Jason Stringfellow odprowadzany przez policję, jak szesnastki krzyczące w szczytowym momencie transakcji, ci, którzy mnie ścigają – oni – też niebawem sczezną bez śladu. A ja szczęśliwie dożyję swoich dni ze swoją dwuwymiarową rodziną i swoimi skarbami w Schowku.

Moi żołnierze, dane, wkrótce ruszą do boju. Jestem jak Hitler w swoim berlińskim bunkrze, wysyłający oddziały Waffen-SS na spotkanie z najeźdźcami. Dane są niezwyciężone.

Widzę, że dochodzi jedenasta. Czas na wiadomości. Muszę sprawdzić, co już wiedzą o śmierci na cmentarzu, a czego nie. Włączam telewizor.

Stacja zapowiada „wejście na żywo" z ratusza. Po chwili wiceburmistrz Ron Scott, mężczyzna o dystyngowanym wyglądzie, informuje dziennikarzy, że policja powołała grupę specjalną do wyjaśnienia niedawnego morderstwa i gwałtu oraz dzisiejszego morderstwa na cmentarzu w Queens, które prawdopodobnie ma związek z poprzednią zbrodnią.

Scott przedstawia inspektora policji nowojorskiej, Josepha Malloya, który „dokładniej przedstawi sprawę".

Jednak glina nie podaje prawie żadnych szczegółów. Pokazuje portret pamięciowy sprawcy, który przypomina mnie w równym stopniu co dwieście tysięcy innych mężczyzn w mieście.

Biały lub o jasnej karnacji? Na litość boską...

Zaleca wszystkim ostrożność.

– Przypuszczamy, że sprawca posługuje się kradzieżą tożsamości, aby zbliżyć się do ofiar. I uśpić ich czujność.

Proszę uważać, mówi dalej, na każdą nieznajomą osobę, która ma informacje na temat państwa zakupów, rachunków bankowych, planów wakacyjnych i wykroczeń drogowych.

– Nawet jeżeli chodzi o drobiazgi, na które zwykle nie zwracamy uwagi.

Dodaje, że miasto sprowadziło właśnie eksperta do spraw bezpieczeństwa i zarządzania informacją z Uniwersytetu Carnegie Mellon. Przez kilka najbliższych dni doktor Carlton Soames będzie pomagał śledczym i służył im fachową radą na temat kradzieży tożsamości, która zdaniem policji stanowi klucz do odnalezienia sprawcy.

Soames wygląda jak typowy chłopak z małego miasteczka na Środkowym Zachodzie, który doszedł w życiu do czegoś więcej. Rozwichrzone włosy, nieco ekscentryczny garnitur, z asymetrycznego odblasku świateł w szkłach zgaduję, że ma odrobinę zabrudzone okulary. Zwracam uwagę na mocno sfatygowaną obrączkę na jego palcu. Prawdopodobnie wcześnie się ożenił.

Doktor milczy, spoglądając tylko jak zalęknione zwierzę na kamerę i reporterów. Kapitan Malloy ciągnie:

– W wieku, w którym coraz częściej dochodzi do kradzieży tożsamości, co pociąga za sobą coraz groźniejsze skutki, bardzo poważnie traktujemy nasz obowiązek ochrony obywateli miasta.

Dziennikarze zaczynają się przekrzykiwać, zasypując wiceburmistrza, kapitana i nerwowego naukowca gradem pytań, które mógłby stawiać trzecioklasista. Malloy na ogół unika odpowiedzi. Broni się zdaniem „Dochodzenie jest w toku".

Wiceburmistrz Ron Scott zapewnia mieszkańców, że miasto jest bezpieczne i zrobiono wszystko, by ich ochronić. Konferencja prasowa nagle się kończy.

Wracamy do zwykłych wiadomości, jeżeli można je tak nazwać. Skażone warzywa w Teksasie, w Missouri kobieta ratowała się przed powodzią, wspinając się na maskę pikapa. Prezydent się przeziębił.

Wyłączam telewizor i siedzę w ciemnym Schowku, zastanawiając się, jak najlepiej przeprowadzić tę nową transakcję.

Przychodzi mi do głowy pewien pomysł. Jest tak prosty, że z początku podchodzę do niego sceptycznie. Ale, o dziwo, wystarczają zaledwie trzy telefony – do hoteli w pobliżu komendy głównej policji – aby ustalić, gdzie zameldował się doktor Carlton Soames.

IV

AMELIA 7303

WTOREK, 24 MAJA

Nikt oczywiście nie wiedział, czy w danym momencie jest obserwowany. Snuto jedynie domysły, jak często i według jakich zasad Policja Myśli prowadzi inwigilację. Nie sposób też było wykluczyć, że przez cały czas nadzoruje wszystkich. Tak czy inaczej, mogła się włączyć w dowolny kanał, kiedy tylko chciała.*

GEORGE ORWELL, „ROK 1984"

* Przekład Tomasza Mirkowicza (przyp. tłum.).

Rozdział 33

Amelia Sachs przyszła dość wcześnie.

Ale Lincoln Rhyme obudził się jeszcze wcześniej, nie mogąc spokojnie spać z powodu planów realizowanych tu i w Anglii. Śnił mu się kuzyn Arthur i wuj Henry.

Sachs weszła do pokoju ćwiczeń, gdzie Thom sadzał Rhyme'a na wózku TDX po dziesięciu kilometrach na rowerze ergometrycznym Electrologic – ćwiczenie stanowiło część programu treningowego, który miał poprawić jego stan i wzmocnić mięśnie, przygotowując je na dzień, gdy będą mogły zastąpić układy mechaniczne, wyręczające dziś jego każdą życiową funkcję. Sachs zajęła się nim, a opiekun zszedł na dół przygotować śniadanie. Ich związek był na takim etapie, że Rhyme już dawno wyzbył się wszelkich zahamowań, pozwalając jej pomagać sobie w porannych zabiegach, co wiele osób uznałoby za nieprzyjemne doświadczenie.

Sachs spędziła noc w swoim domu na Brooklynie, więc przekazał jej najnowsze wieści na temat sprawy 522. Widział jednak, że jest rozkojarzona. Gdy spytał o powód, westchnęła ciężko i powiedziała:

– Chodzi o Pam.

I wyjaśniła, że chłopak Pam okazał się jej byłym nauczycielem, w dodatku żonatym.

– Nie... – skrzywił się Rhyme. – Przykro mi. Biedna mała. – W pierwszym odruchu chciał odstraszyć Stuarta groźbą. – Przecież masz odznakę, Sachs. Pokaż mu. Zwieje gdzie pieprz rośnie. Albo, jeżeli wolisz, sam do niego zadzwonię.

Sachs nie sądziła jednak, aby to był właściwy sposób załatwienia tej sprawy.

– Obawiam się, że jeżeli będę za bardzo naciskać albo złożę

na niego skargę, stracę Pam. Jeżeli nie zrobię nic, czeka ją mnóstwo zmartwień. Boże, a jeżeli będzie chciała urodzić mu dziecko? – Wbiła paznokieć w kciuk, ale zdołała się opanować. – Wszystko wyglądałoby inaczej, gdybym od początku była jej matką. Wiedziałabym, jak to załatwić.

– Naprawdę?

Zastanowiła się nad tym, po czym z uśmiechem przyznała:

– No dobrze, może i nie... Cholerne rodzicielstwo. Dzieci powinny się rodzić z instrukcją użytkowania.

Sachs nakarmiła Rhyme'a i sama zjadła śniadanie w sypialni. Podobnie jak salon i laboratorium na dole, pokój wyglądał znacznie przytulniej niż przed laty, gdy Sachs weszła tu po raz pierwszy. Wówczas surowe wnętrze sypialni zdobiły wyłącznie plakaty przypięte do ścian odwrotną stroną, służące za prowizoryczne tablice dowodów w pierwszej sprawie, którą razem prowadzili. Dziś plakaty wisiały jak trzeba, a obok nich pojawiły się nowe: reprodukcje ulubionych obrazów Rhyme'a – impresjonistyczne pejzaże i nastrojowe sceny miejskie pędzla takich malarzy jak George Innes i Edward Hopper. Gdy skończyli jeść, Sachs usiadła wygodnie obok wózka i ujęła jego prawą dłoń, w której niedawno odzyskał nieco czucia i trochę potrafił nią poruszać. Poczuł dotyk jej palców, choć był dziwny, dwa czy trzy razy słabszy od nacisku wyczuwanego na twarzy i szyi, gdzie nerwy funkcjonowały normalnie. Miał wrażenie, jak gdyby jej dłoń była strużką wody spływającą mu po skórze. Zmusił palce, by zamknęły się wokół jej ręki. Odpowiedział mu mocny uścisk. Milczeli. Z postawy jej ciała wyczytał jednak, że Sachs chce porozmawiać o Pam. Nie odzywał się, czekając, aż sama zacznie. Przyglądał się parze sokołów wędrownych siedzących czujnie na parapecie. Samica była większa. Ptaki wyglądały jak dwa kłębki mięśni, gotowe w każdej chwili zerwać się do lotu. Polowały za dnia i miały pisklęta do wykarmienia.

– Rhyme?

– Co?

– Jeszcze do niego nie dzwoniłeś, prawda?

– Do kogo?

– Do swojego kuzyna.

Ach, więc nie chodziło o Pam. Nie przyszło mu do głowy, że mogłaby myśleć o Arthurze.

– Nie, nie dzwoniłem.

– Wiesz co? W ogóle nie wiedziałam, że masz kuzyna.

– Nigdy ci o nim nie wspominałem?

– Nie. Mówiłeś o wuju Henrym i ciotce Pauli. Ale nie o Arthurze. Dlaczego?

– Ciężko pracowaliśmy. Nie było czasu na pogaduszki. – Uśmiechnął się. Sachs nie.

Rhyme wahał się, czy jej powiedzieć. Z początku nie chciał. Bał się wywołać wrażenie, że rozczula się nad sobą. Tego Lincoln Rhyme nie cierpiał. Mimo to Sachs należały się wyjaśnienia. Tak już jest w miłości. W osłoniętej przed oczyma innych sferze, gdzie spotykają się światy dwojga ludzi, nie można kryć zasadniczych spraw – nastrojów, uczuć, lęków, złości. Na tym polega umowa.

Tak więc opowiedział jej o wszystkim.

O Adriannie i Arthurze, o przenikliwie zimnym dniu, w którym odbywał się konkurs naukowy na uniwersytecie, o kłamstwach i żenującym zbieraniu dowodów z corvette, a nawet o niedoszłym prezencie zaręczynowym – kawałku betonu z początków ery atomowej. Sachs kiwała głową, a Rhyme zaśmiał się w duchu. Bo wiedział, co myśli: no i co takiego się stało? Szczenięce uczucie, odrobina fałszu, szczypta rozpaczy po zawodzie miłosnym. Niewielki kaliber w arsenale przewinień wobec drugiego człowieka. Jak to się stało, że tak pospolite zdarzenie zniszczyło głęboką przyjaźń?

Byliście jak bracia...

– Ależ Judy wspominała, że po latach odwiedzaliście ich z Blaine, prawda? Czyli w końcu się pogodziliście.

– Och, tak. Wszystko się ułożyło. To było tylko sztubackie zadurzenie. Adrianna była ładna... wysoka i ruda, nawiasem mówiąc.

Sachs zaśmiała się.

– Ale nie warto było dla niej niszczyć przyjaźni.

– A więc poszło o coś poważniejszego, tak?

Rhyme przez chwilę się nie odzywał.

– Krótko przed wypadkiem pojechałem do Bostonu. – Przez słomkę pociągnął łyk kawy. – Przemawiałem na międzynarodowej konferencji kryminalistycznej. Po skończonym wykładzie siedziałem w barze. Podeszła do mnie jakaś kobieta. Była emerytowaną profesorką z MIT. Zwróciła uwagę na moje nazwisko i powiedziała, że przed laty miała studenta ze Środkowego Zachodu. Nazywał się Arthur Rhyme. Czy to przypadkiem ktoś z rodziny? Odpowiedziałem, że kuzyn. Zaczęła opowiadać, jakiej ciekawej rzeczy dokonał Arthur. Zamiast pracy do podania o przyjęcie na studia dołączył artykuł naukowy. Podobno znakomity. Oryginalny, poparty rzetelnymi badaniami, wnikliwy – jeżeli chcesz powiedzieć naukowcowi komplement, Sachs, wystarczy powiedzieć, że przeprowadził bardzo wnikliwe badania. – Zamilkł na moment. – W każdym razie zachęciła go, żeby rozwinął temat i opublikował w fachowym czasopiśmie. Ale Arthur nigdy do tego nie wrócił. Potem straciła z nim kontakt i zastanawiała się, czy prowadził jeszcze jakieś badania w tej dziedzinie.

Zaciekawiła mnie. Zapytałem, na jaki temat był artykuł. Pamiętała tytuł. „Działanie biologiczne pewnych materiałów nanocząsteczkowych" … i to ja go napisałem, Sachs.

– Ty?

– Napisałem ten artykuł do projektu na konkurs. Zdobył drugie miejsce w stanie. Przyznaję, że to była naprawdę oryginalna praca.

– Arthur ją ukradł?

– Aha. – Nawet dziś, po tylu latach, poczuł wzbierający w nim gniew. – Ale to nie wszystko.

– Mów.

– Po konferencji nie mogłem zapomnieć o tym, co mi powiedziała. Skontaktowałem się z biurem rekrutacji w MIT. Przechowywali wszystkie podania na mikrofiszkach. Przysłali mi kopię moich papierów. Coś było nie tak. To było moje podanie, z moim podpisem. Ale wszystko, co wysłano ze szkoły, z poradni zawodowej, wyglądało zupełnie inaczej. Art zdobył mój wykaz ocen i go pozmieniał. Zamiast piątek miałem czwórki. Podrobił listy polecające, które przedstawiały mnie jako dość przeciętnego ucznia. Zrobił z nich szablonowe pisma. Pewnie to były listy, które sam dostał od nauczycieli. W papierach nie było też rekomendacji od wuja Henry'ego.

– Zabrał ją?

– I zamiast mojej pracy dołączył bzdety pełne ogólników na temat „dlaczego chcę studiować na MIT". Dorzucił nawet parę wrednych literówek.

– Och, tak mi przykro. – Ścisnęła mocniej jego dłoń. – Adrianna pracowała w poradni zawodowej, tak? Czyli to ona mu pomogła.

– Nie. Tak z początku myślałem, ale odnalazłem ją i zadzwoniłem. – Zaśmiał się z goryczą. – Rozmawialiśmy o życiu, o naszych małżeństwach, o jej dzieciach, o pracy. Potem o przeszłości. Nigdy nie mogła zrozumieć, dlaczego tak nagle to zakończyłem. Powiedziałem jej, że wydawało mi się, że postanowiła chodzić z Arthurem.

To ją zaskoczyło, więc mi wyjaśniła, że nie, że chciała tylko oddać przysługę Artowi – pomagała mu napisać podanie do college'u. Przychodził do niej kilka razy, żeby pogadać o szkołach, zajrzeć do próbek prac, listów polecających. Mówił, że człowiek w jego poradni jest okropny, a bardzo mu zależało na tym, żeby się dostać na dobrą uczelnię. Prosił ją, żeby nikomu o tym nie mówiła, zwłaszcza mnie; wstydził się, że potrzebuje pomocy, więc parę razy spotykali się ukradkiem. Ciągle miała wyrzuty sumienia, że Art zmusił ją do kłamstwa.

– I kiedy wyszła do toalety albo żeby coś skserować, dobrał się do twoich dokumentów.

– Zgadza się.

Przecież Arthur nigdy w życiu nie skrzywdził nawet muchy. Nie jest do tego zdolny...

Mylisz się, Judy.

– Jesteś zupełnie pewien? – spytała Sachs.

– Tak. Bo kiedy tylko odłożyłem słuchawkę, zadzwoniłem do Arthura.

Rhyme słyszał w głowie całą rozmowę niemal słowo w słowo.

– Dlaczego, Arthur? Powiedz mi dlaczego. – Zamiast powitania.

Cisza. Oddech Arthura.

Mimo że od popełnienia grzechu minęło wiele lat, kuzyn od razu się domyślił, o co mu chodzi. Nie zamierzał pytać, skąd Rhyme się o tym dowiedział. Nie zamierzał się wypierać, udawać niewiedzy ani niewinności.

W odpowiedzi przystąpił do ataku. Rzucił z wściekłością:

– W porządku, chcesz znać prawdę, Lincoln? Powiem ci. Przez nagrodę w Boże Narodzenie.

– Nagrodę? – powtórzył zdumiony Rhyme.

– Mój ojciec dał ci ją po konkursie na Wigilii, gdy byliśmy w ostatniej klasie.

– Ten kawałek betonu? Ze stadionu Staggs Field? – Rhyme zmarszczył brwi, niczego nie rozumiejąc. – O co ci chodzi? – Musiało się za tym kryć coś więcej niż zdobycie pamiątki, która miała wartość dla niewielu osób na świecie.

– Należała się mnie! – krzyknął kuzyn, jak gdyby to on był ofiarą. – Ojciec dał mi imię na cześć człowieka, który kierował pracami nad reakcją jądrową. Wiedziałem, że przechowuje tę pamiątkę. Wiedziałem, że chce mi ją dać, kiedy skończę szkołę średnią albo college. To miał być prezent dla mnie! Od lat chciałem go dostać!

Rhyme nie miał pojęcia, co powiedzieć. Byli dorośli, a rozmawiali jak dzieci o skradzionym komiksie albo cukierku.

– Oddał jedyną rzecz, która była dla mnie ważna. I na dodatek oddał ją tobie. – Głos zaczął mu się łamać. Czyżby płakał?

– Arthur, po prostu odpowiedziałem na kilka pytań. To była zabawa.

– Zabawa?… Jaka zabawa, do jasnej cholery? Była Wigilia! Powinniśmy śpiewać kolędy albo oglądać „To wspaniałe życie". Ale nie, ojciec musiał wszystko zmienić w pieprzoną lekcję. To żenujące! I nudne. Ale nikt nie miał odwagi postawić się wielkiemu profesorowi.

– Jezu, Art, to nie była moja wina! Po prostu wygrałem nagrodę. Niczego ci nie ukradłem.

Gorzki śmiech.

– Nie? A nigdy nie przyszło ci do głowy, Lincoln, że może ukradłeś?

– Co?

– Lepiej pomyśl! Może… ukradłeś mi ojca. – Zamilkł, oddychając ciężko.

– Do diabła, co ty wygadujesz?

– Ukradłeś mi go! Zastanawiałeś się kiedyś, dlaczego nigdy nie próbowałem się dostać do reprezentacji lekkoatletycznej? Bo ty tam rządziłeś! A zdolności naukowe? To ty byłeś jego drugim synem, nie ja. Ty brałeś udział w jego zajęciach na uniwersytecie. Ty pomagałeś mu w badaniach.

– To jakiś obłęd… Przecież ciebie też zapraszał na wykłady. Dobrze pamiętam.

– Raz mi wystarczył. Tak mnie zjechał, że chciało mi się płakać.

– Każdego tak maglował, Art. Właśnie dlatego był świetnym

nauczycielem. Zmuszał cię do myślenia, cisnął, dopóki sam nie znalazłeś właściwej odpowiedzi.

– Ale niektórzy z nas nigdy nie umieli znaleźć właściwej odpowiedzi. Byłem dobry. Ale nie wybitny. A syn Henry'ego Rhyme'a miał
być wybitny. To i tak nie było ważne, bo miał ciebie. Robert wyjechał
do Europy, Marie przeprowadziła się do Kalifornii. Nawet wtedy
mnie nie chciał. Wolał ciebie!

Drugi syn...

– Nie prosiłem o taką rolę. Nie próbowałem ci podstawiać nogi.

– Nie? Ach, niewiniątko. Niczego nie kombinowałeś. Zupełnie
przypadkiem przyjeżdżałeś w weekendy do naszego domu, chociaż
mnie nie było? Nie zapraszałeś go na mityngi? Oczywiście, że tak.
Powiedz mi, którego ojca naprawdę byś wybrał, swojego czy mojego?
Czy twój ojciec kiedykolwiek piał z zachwytu nad tobą? Gwizdał
na trybunach? Chwalił cię tą uniesioną brwią?

– Bzdury – warknął Rhyme. – Masz coś do swojego ojca i co robisz?
Mnie podstawiasz nogę. Mogłem się dostać na MIT. Ale przez ciebie
straciłem szansę. Zmieniło się całe moje życie. Gdyby nie ty, wszystko wyglądałoby inaczej.

– To samo mogę powiedzieć o tobie, Lincoln. To samo… – Zaśmiał
się cierpko. – W ogóle próbowałeś się kiedyś dogadać ze swoim
ojcem? Jak twoim zdaniem mógł się czuć, mając syna kilka razy
inteligentniejszego od siebie? Syna, który ciągle wychodził z domu,
bo wolał być z wujem. Dałeś Teddy'emu jakąś szansę?

Po tych słowach Rhyme rzucił słuchawką. To była ich ostatnia
rozmowa. Kilka miesięcy później został sparaliżowany podczas oględzin.

Wszystko wyglądałoby inaczej...

Kiedy skończył opowieść, Sachs rzekła:

– To dlatego nigdy cię potem nie odwiedził.

Skinął głową.

– Wtedy, zaraz po wypadku, leżałem i myślałem, że gdyby Art
niczego nie zmienił w papierach, dostałbym się na MIT, może zro-
biłbym dyplom na Uniwersytecie Bostońskim albo wstąpił do policji
w Bostonie albo przyjechał do Nowego Jorku wcześniej albo później.
W każdym razie prawdopodobnie nie znalazłbym się wtedy w metrze
i… – Zawiesił głos.

– Efekt motyla – orzekła. – Drobna rzecz z przeszłości nabiera wielkiego znaczenia w przyszłości.

Rhyme przytaknął. Wiedział, że Sachs przyjmie to ze współczuciem i zrozumieniem, nie oceniając konsekwencji tego zdarzenia – nie zamierzała pytać, co by wolał: chodzić i mieć normalne życie czy być kaleką, a dzięki temu znacznie lepszym kryminalistykiem i... oczywiście być z nią.

Taką kobietą była Amelia Sachs.

Uśmiechnął się blado.

– Zabawne, Sachs, ale...

– Miał trochę racji?

– Miałem wrażenie, jakby mój ojciec w ogóle mnie nie zauważał. Nigdy nie stawiał mi takich zadań jak wuj. Rzeczywiście czułem się synem Henry'ego. I bardzo mi się to podobało. – Zaczynał zdawać sobie sprawę, że być może podświadomie starał się o względy energicznego, ekspansywnego Henry'ego Rhyme'a. Miał żywo w pamięci co najmniej kilkanaście sytuacji, w których wstydził się nieśmiałości ojca.

– Ale to nie usprawiedliwia tego, co zrobił – zauważyła.

– To prawda.

– Mimo to... – zaczęła.

– Chcesz powiedzieć, że to wszystko zdarzyło się dawno temu, było, minęło, nie ma co do tego wracać?

– Coś w tym rodzaju – przytaknęła z uśmiechem. – Judy mówiła, że pytał o ciebie. Wyciąga do ciebie rękę na zgodę. Wybacz mu.

Byliście jak bracia...

Rhyme spojrzał na statyczną topografię swojego unieruchomionego ciała. Potem przeniósł wzrok na Sachs i powiedział cicho:

– Udowodnię, że jest niewinny. Wyciągnę go z aresztu. Zwrócę mu życie.

– To nie to samo, Rhyme.

– Może nie. Ale tylko tyle mogę zrobić.

Sachs zaczęła coś mówić, być może starając się go przekonać, lecz musieli odłożyć temat Arthura Rhyme'a i jego zdrady, ponieważ odezwał się telefon i na ekranie komputera wyświetlił się numer Lona Sellitta.

– Polecenie, odbierz telefon... Lon, jak nasza sprawa?

– Cześć, Linc. Chciałem ci tylko powiedzieć, że nasz ekspert komputerowy jest już w drodze.

Facet wyglądał znajomo, pomyślał portier. Wychodząc z hotelu Water Street, mężczyzna uprzejmie skinął mu głową. Portier odwzajemnił gest.

Rozmawiając przez komórkę, gość zatrzymał się przed wejściem, stojąc na drodze przechodniom, którzy musieli go omijać. Portier domyślił się, że telefonuje do żony. Chwilę później zmienił ton głosu. „Patty, kochanie...". Pewnie córka. Po krótkiej wymianie uwag na temat jakiegoś meczu piłki nożnej wrócił do rozmowy z żoną. Mówił dorosłej, choć równie czule.

Portier wiedział, do jakiej kategorii go zaliczyć. Żonaty od piętnastu lat. Wierny, stęskniony za domem, do którego wróci z torbą pełną tandetnych prezentów, kupionych ze szczerego serca. Facet nie przypominał innych gości: biznesmenów, którzy przyjeżdżali z obrączką na palcu i zostawiali ją w pokoju, wychodząc na kolację. Ani wstawionych biznesmenek, odprowadzanych do windy przez dobrze zbudowanych współpracowników (one nigdy nie zdejmowały obrączek; nie musiały).

To wszystko wie portier. Mógłbym napisać o tym książkę.

Ale jedno pytanie nie dawało mu spokoju: dlaczego facet wygląda tak znajomo?

Nagle powiedział ze śmiechem do żony:

– Widziałaś mnie? Mówili o tym? Mama też?

Widziała go. Czyżby ktoś znany z telewizji?

Zaraz, zaraz. Chyba coś sobie przypominam...

Ach, już mam. Wczoraj wieczorem w wiadomościach. No jasne – gość był jakimś profesorem czy doktorem. Nazywał się Sloane... nie, Soames. Ekspert komputerowy z jakiejś ważnej uczelni. Mówił o nim Ron Scott, zastępca burmistrza czy ktoś w tym rodzaju. Profesorek pomagał policji w śledztwie w sprawie gwałtu i morderstwa z niedzieli i jakiegoś innego przestępstwa.

Po chwili profesor spoważniał i powiedział:

– Oczywiście, skarbie, nie martw się. Nic mi się nie stanie. – Rozłączył się i rozejrzał po ulicy.

– Proszę pana? – odezwał się portier. – Widziałem pana w telewizji.

Profesor uśmiechnął się nieśmiało.

– Tak? – Wyglądał na skrępowanego taką popularnością. – Proszę mi powiedzieć, jak stąd dojdę do komendy policji.

– Prosto. Musi pan minąć pięć przecznic. Komenda jest naprzeciwko ratusza. Na pewno pan trafi.

– Dziękuję.

– Powodzenia. – Portier przyglądał się nadjeżdżającej limuzynie, zadowolony, że otarł się o kogoś w rodzaju telewizyjnej sławy. Będzie o czym opowiedzieć żonie.

Po chwili poczuł silne uderzenie w plecy. Z hotelu wypadł drugi mężczyzna, potrącając go w drzwiach. Nie obejrzał się za siebie, nie racząc go ani słowem przeprosić.

Cham, pomyślał portier, przyglądając się facetowi, który szybkim krokiem, ze spuszczoną głową, ruszył w ślad za profesorem. Ale portier nic nie powiedział. Trzeba znosić nawet gburów. To może być gość albo znajomy gościa, albo w przyszłym tygodniu będzie gościem hotelu. Niewykluczone, że to może być jakiś kontroler przysłany z centrali.

Gęba na kłódkę i uszy po sobie. Taka była zasada.

Portier zapomniał jednak o profesorze z telewizji i niegrzecznym gnojku, gdy przed wejściem zatrzymała się limuzyna i podszedł otworzyć drzwi. Jego oczom ukazał się głęboki dekolt wysiadającej damy; widok był lepszy od napiwku, którego i tak kobieta na pewno nie zamierzała mu dać. Portier wie od razu.

Mógłbym napisać o tym książkę.

Rozdział 34

Śmierć jest prosta.

Nigdy nie rozumiałem, dlaczego ludzie tak ją komplikują. Na przykład w filmach. Nie jestem fanem thrillerów, ale parę w życiu widziałem. Czasem z nudów zabieram szesnastkę na randkę, żeby zachować pozory albo dlatego, że potem zamierzam ją zabić. Siedzimy w kinie, gdzie jest o wiele łatwiej niż w restauracji; nie trzeba za dużo mówić. Oglądam film i myślę, skąd u licha na ekranie takie wydumane sposoby zabijania?

Po co używać prądu, elektroniki czy skomplikowanej broni, po co te piętrowe intrygi, skoro można po prostu podejść do kogoś i młotkiem zatłuc go na śmierć w ciągu trzydziestu sekund?

Proste. I skuteczne.

Nie liczcie na to, że policja okaże się mało rozgarnięta (o ironio, wielu gliniarzy korzysta z pomocy SSD i innerCircle). Im bardziej zawiły plan, tym większe prawdopodobieństwo, że zostawi się ślad, który pozwoli im cię odnaleźć, tym większe prawdopodobieństwo, że będą świadkowie.

Mój pomysł na tę szesnastkę, za którą idę ulicami dolnego Manhattanu, jest dziecinnie prosty.

Wczorajsza klęska na cmentarzu należy już do przeszłości i jestem w doskonałym nastroju. Wyruszyłem z misją, której celem będzie między innymi powiększenie jednej z moich kolekcji.

Śledząc cel, przemykam się między szesnastkami płynącymi z lewej i prawej. Wystarczy na nie spojrzeć... Puls mi przyspiesza. Czuję łomot w skroniach na myśl, że same szesnastki są kolekcjami – kolekcjami swojej przeszłości. Zawierają więcej informacji, niż potrafimy pojąć. Przecież DNA to nic innego jak baza danych naszego ciała i historii genetycznej, obejmującej całe tysiąclecia. Gdyby go podłączyć do twardych dysków, ile danych można by wydobyć? W porównaniu z tym innerCircle przypomina commodore'a 64. Oszałamiające...

Wracam jednak do bieżącego zadania. Omijam młodą szesnastkę, czując zapach perfum, którymi skropiła się dziś rano w mieszkaniu na Staten Island czy Brooklynie, w żałosnej próbie stworzenia wokół siebie aury profesjonalizmu, lecz uzyskując uwodzicielski efekt w dość kiepskim gatunku. Przysuwam się bliżej celu, wyczuwając przyjemny dotyk pistoletu. Być może wiedza to potęga, ale istnieją inne rodzaje broni, niemal równie skuteczne.

– Hej, profesorze, coś się zaczyna dziać.

– Mhm – odparł Roland Bell. Jego głos dobiegał z głośników w furgonetce, w której siedzieli Lon Sellitto, Ron Pulaski oraz kilku funkcjonariuszy z jednostki specjalnej.

Bell, detektyw nowojorskiego departamentu policji, który od czasu do czasu współpracował z Rhyme'em i Sellittem, był w drodze z hotelu Water Street na komendę główną policji. Swoje codzienne dżinsy, flanelową koszulę i kurtkę sportową zamienił na wymięty garnitur, ponieważ grał rolę fikcyjnego doktora Carltona Soamesa.

A raczej, jak sam to sformułował, przeciągając samogłoski w sposób charakterystyczny dla mieszkańców Karoliny Północnej – „robala na haczyku".

Bell szepnął do miniaturowego mikrofonu wpiętego w klapę, niewidocznego tak jak maleńka słuchawka w uchu:

– Blisko?

– Jest za tobą jakieś piętnaście metrów.

– Mhm.

Bell był kluczowym elementem planu o kryptonimie „Ekspert". Lincoln Rhyme przygotował tę akcję w oparciu o coraz większą wiedzę na temat 522.

– Nie dał się zwabić do naszej komputerowej pułapki, ale potrzebuje informacji jak powietrza. Jestem pewien. Musimy przygotować pułapkę innego rodzaju. Zorganizujemy konferencję prasową i wykurzymy lisa z nory. Trzeba ogłosić, że wynajęliśmy eksperta i podstawić tajniaka.

– Zakładasz, że ogląda telewizję.

– Och, na pewno przeszukuje media, żeby sprawdzić, jak sobie radzimy, zwłaszcza po incydencie na cmentarzu.

Sellitto i Rhyme skontaktowali się z osobą niezwiązaną ze śledztwem w sprawie 522 – Roland Bell, jeśli nie miał innych zadań, był zawsze gotów do działania. Następnie Rhyme zadzwonił do znajomego na Uniwersytecie Carnegie Mellon, który kilka razy odwiedził z wykładem. Opowiedział mu o zbrodniach 522, a władze uczelni, znanej z osiągnięć w dziedzinie bezpieczeństwa technologii informatycznej, zgodziły się pomóc. Webmaster umieścił na stronie internetowej uniwersytetu informacje o doktorze Carltonie Soamesie.

Rodney Szarnek podrobił życiorys Soamesa i rozesłał do kilkudziesięciu witryn naukowych, po czym sklecił dość wiarygodną własną stronę doktora. Sellitto zarezerwował dla niego pokój w hotelu Water Street, przygotował konferencję prasową i czekał, czy 522 tym razem połknie haczyk.

Widocznie połknął.

Bell opuścił hotel niedawno i przystanął przed wejściem, prowadząc wiarygodnie brzmiącą, lecz wyimaginowaną rozmowę telefoniczną. Stał na ulicy dość długo, by mieć pewność, że 522 go zauważył. Kamera pokazała, że tuż za Bellem z hotelu szybko wyszedł jakiś mężczyzna i ruszył za nim. Śledził go cały czas.

– Widziałeś go w SSD? To jeden z podejrzanych na naszej liście? – spytał Sellitto Pulaskiego, który siedział obok niego, wpatrując się w monitor. W pewnej odległości od Bella znajdowali się czterej funkcjonariusze w cywilu; dwaj z nich mieli ukryte kamery wideo.

Trudno jednak było zobaczyć wyraźnie twarz mordercy na zatłoczonej ulicy.

– To może być jeden z szefów obsługi technicznej. Chociaż... dziwne, jest bardzo podobny do samego Andrew Sterlinga. Chociaż... może tylko podobnie chodzi. Nie jestem pewien. Przykro mi.

Pocąc się obficie w dusznym wnętrzu furgonetki, Sellitto otarł twarz, po czym pochylił się i powiedział do mikrofonu:

– Dobra, profesorze, 522 podchodzi bliżej. Jest już dwanaście metrów za tobą. Ma ciemny garnitur i ciemny krawat. Niesie aktówkę. Jego chód wskazuje, że jest uzbrojony. – Większość policjantów, którzy spędzili parę lat na ulicach, potrafi dostrzec zmianę w postawie ciała i sposobie chodzenia, gdy podejrzany ma przy sobie broń.

– Widzę – odparł oszczędny w słowach funkcjonariusz, który sam nosił dwa pistolety i posługiwał się nimi z wprawą, używając do tego obu rąk.

– Kurczę – mruknął Sellitto. – Mam nadzieję, że się uda. Roland, skręcaj w prawo.

– Mhm.

Rhyme i Sellitto nie wierzyli, by 522 zdecydował się zastrzelić profesora na ulicy. Co mógłby w ten sposób osiągnąć? Rhyme przypuszczał, że morderca zamierza porwać Soamesa, wycisnąć z niego wszystko, co wie policja, a potem go zabić lub grożąc mu albo jego rodzinie, zmusić go do sabotowania śledztwa. Dlatego scenariusz przewidywał, że Roland Bell wybierze okrężną drogę, znikając z oczu przechodniów. Wtedy 522 powinien zaatakować i będą go mieli w garści. Sellitto znalazł plac budowy, który doskonale się do tego nadawał. Biegł tamtędy długi chodnik, zamknięty dla pieszych, który stanowił wygodny skrót prowadzący do komendy głównej policji. Ignorując tabliczkę WSTĘP WZBRONIONY, Bell wejdzie na chodnik i po dziesięciu metrach zniknie z pola widzenia. Na drugim końcu ukrywał się zespół taktyczny, który miał wkroczyć do akcji, kiedy zjawi się 522.

Detektyw skręcił, obchodząc taśmę ogradzającą budowę, i ruszył zakurzonym chodnikiem, a wnętrze furgonetki wypełnił huk kafarów i młotów pneumatycznych, przekazywany przez czuły mikrofon Bella.

– Mamy cię na ekranie, Roland – powiedział Sellitto, gdy jeden z funkcjonariuszy wcisnął przycisk i kolejna kamera przejęła obserwację. – Linc, widzisz?

– Nie, Lon. Właśnie leci „Taniec ze sławami". Zaraz wystąpią Jane Fonda i Mickey Rooney.

– Linc, to się nazywa „Taniec z gwiazdami".

W głośnikach zabrzęczał głos Rhyme'a:

– 522 skręci czy się rozmyśli?... No, szybciej, szybciej...

Sellitto poruszył myszką i dwa razy kliknął. Na podzielonym ekranie pojawił się nowy obraz z kamery zespołu rozpoznania. Przedstawiał inne ujęcie: ujrzeli plecy Bella oddalające się od obiektywu. Detektyw zerknął zaciekawiony na budowę, jak zrobiłby każdy przechodzień. Chwilę później pojawił się za nim 522. Trzymał się w pewnej odległości i także się rozglądał, choć naturalnie nie interesowali go robotnicy; szukał świadków i policjantów. Nagle się zawahał, jeszcze raz rozejrzał się dookoła. I zaczął powoli zmniejszać dystans dzielący go od Bella.

– Uwaga, wszyscy! – zawołał Sellitto. – Podchodzi do ciebie, Roland. Za jakieś pięć sekund stracimy cię z oczu, więc miej oczy otwarte. Zrozumiałeś?

– Tak – odparł beztrosko detektyw. Jak gdyby odpowiadał barmanowi, który zapytał go, czy podać mu szklankę do butelki budweisera.

Rozdział 35

Roland Bell bynajmniej nie był tak spokojny, jak mogłoby się wydawać.

Był wdowcem, ojcem dwojga dzieci, miał ładny dom na przedmieściu i ukochaną w Karolinie, której niebawem zamierzał się oświadczyć... Wszystkie te bliskie sercu rzeczy zaczynały ciążyć ołowiem, gdy człowiek miał być wystawiony na wabia w tajnej akcji.

Mimo to Bell nie mógł nie przyjąć zadania – zwłaszcza gdy w grę wchodził sprawca taki jak 522, gwałciciel i morderca, typ, który budził w nim szczególną odrazę. Poza tym, prawdę mówiąc, nie miał nic przeciwko porcji adrenaliny, jaką zapewniał udział w takiej operacji.

– Każdy znajduje swoją półkę – powtarzał często jego ojciec, a gdy chłopiec zorientował się, że tato nie ma na myśli odkładania narzędzi na niewłaściwe miejsce, uczynił z tej filozofii fundament swojego życia.

Miał rozpiętą marynarkę i lekko uniesioną rękę, gotów w każdej chwili wyciągnąć, wycelować i wypalić ze swojego ulubionego pistoletu, znakomitej broni produkcji włoskiej. Na szczęście Lon Sellitto przestał gadać. Bell musiał słyszeć zbliżające się kroki, a nie ułatwiało mu tego głośne *łup, łup, łup* kafara. Mimo to, skupiwszy się, usłyszał skrzypnięcie butów na chodniku za swoimi plecami.

Może niecałe dziesięć metrów.

Bell wiedział, że ma przed sobą zespół funkcjonariuszy, choć ich nie widział, tak jak oni jego, ponieważ chodnik zataczał ostry łuk. Zgodnie z planem mieli zdjąć 522, gdy tylko w tle nie będzie żadnych przypadkowych osób, które mogłyby ucierpieć podczas wymiany ognia. Ta część chodnika była wciąż częściowo widoczna z sąsiedniej ulicy oraz z placu budowy. Liczyli na to, że morderca zaatakuje dopiero wtedy, gdy Bell znajdzie się bliżej oddziału taktycznego. Ale 522 posuwał się szybciej, niż przypuszczali.

Bell miał jednak nadzieję, że wstrzyma się jeszcze kilka minut; strzelanina stanowiłaby zagrożenie dla licznych przechodniów i robotników na budowie.

Przestał myśleć o logistyce operacji, gdy do jego uszu dobiegły równocześnie dwa odgłosy: kroki 522, który nagle puścił się biegiem w jego stronę, oraz, co wzbudziło w nim znacznie większy niepokój, głosy rozmawiające po hiszpańsku. Z tyłu budynku tuż obok Bella wyłoniły się dwie kobiety; jedna z nich pchała wózek z dzieckiem. Policjanci zamknęli teren, ale widocznie nikomu nie przyszło do głowy, aby zawiadomić dozorców budynków, których tylne drzwi wychodziły na chodnik.

Bell obejrzał się i zobaczył, że kobiety wchodzą wprost między niego a 522, który nie odrywając wzroku od detektywa, pędził w jego kierunku. W ręku miał broń.

– Mamy kłopoty! Rozdzielili nas cywile. Podejrzany jest uzbrojony! Powtarzam, ma broń. Alarm!

Bell sięgnął po berettę, ale jedna z kobiet na widok 522 krzyknęła i uskoczyła do tyłu, wpadając na Bella i powalając go na kolana. Jego broń wylądowała na chodniku. Morderca zamarł w zdumieniu, zapewne dziwiąc się, dlaczego profesor college'u jest uzbrojony, ale szybko się otrząsnął i wycelował w Bella, który zaczął sięgać po drugi pistolet.

– Nie! – krzyknął morderca. – Nawet nie próbuj!

Policjantowi nie pozostało nic innego, jak tylko unieść ręce. Usłyszał głos Sellitta:

– Roland, pierwszy zespół będzie za trzydzieści sekund.

Morderca nie mówił nic, tylko warknął na kobiety, żeby stąd zmiatały. Kiedy posłusznie pierzchły, zrobił krok naprzód, mierząc prosto w pierś Bella.

Trzydzieści sekund, pomyślał detektyw, oddychając ciężko.

Równie dobrze mógłby czekać całe wieki.

Idąc z podziemnego parkingu do budynku komendy, kapitan Joseph Malloy irytował się, że nikt mu nie powiedział o udziale detektywa Rolanda Bella w operacji. Wiedział, że Sellitto i Rhyme chcą za wszelką cenę odnaleźć sprawcę, więc niechętnie zgodził się na lipną konferencję prasową, ale naprawdę grubo przesadzili. Zastanawiał się, jakie będą skutki, jeżeli plan się nie powiedzie.

Do diabła, skutki będą nawet wtedy, jeśli plan się powiedzie. Złamali jedną z głównych zasad władz miasta: nie wciskać kitu prasie. Zwłaszcza w Nowym Jorku.

Sięgał do kieszeni po komórkę, gdy nagle poczuł, jak coś dotknęło jego pleców. Mocno i zdecydowanie. Lufa pistoletu.

Nie, nie...

Serce podskoczyło mu do gardła.

Po chwili odezwał się spokojny głos:

– Nie odwracaj się, kapitanie. Jeżeli się odwrócisz, zobaczysz moją twarz, a to będzie oznaczało, że zginiesz. Rozumiesz? – Sprawiał wrażenie kulturalnej osoby, co z jakiegoś powodu zaskoczyło Malloya.

– Chwileczkę.

– Rozumiesz?

– Tak. Nie...

– Na następnym rogu skręcisz w prawo, w tamtą alejkę, i pójdziesz prosto.

– Ale...

– Nie mam tłumika. Ale lufa jest na tyle blisko twojego ciała, że nikt się nie domyśli, skąd dobiegł huk, a zanim padniesz na ziemię, mnie już nie będzie. Kula przejdzie przez ciebie na wylot i w tym tłumie na pewno trafi w kogoś jeszcze. Tego na pewno nie chcesz.

– Kim jesteś?

– Dobrze wiesz, kim jestem.

Joseph Malloy całe życie pracował w policji, a gdy jego żonę zabił nafaszerowany prochami włamywacz, zawód stał się da niego czymś więcej: obsesją. Chociaż należał już do szefostwa, nie stracił instynktu, który przed laty wyostrzył na ulicach, służąc na posterunku południowym na środkowym Manhattanie. Zrozumiał błyskawicznie.

– Pięć dwadzieścia dwa.

– Co?

Spokój. Zachować spokój. Dopóki jesteś spokojny, masz kontrolę.

– Jesteś człowiekiem, który w niedzielę zamordował tamtą kobietę, a wczoraj wieczorem dozorcę na cmentarzu.

– Co to ma znaczyć „pięć dwadzieścia dwa"?

– Tak brzmi twój kryptonim używany w departamencie. Nieznany sprawca, NN, numer 522. – Podaj mu kilka faktów. Staraj się go rozluźnić. Podtrzymuj rozmowę.

Morderca zaśmiał się krótko.

– Numer? Ciekawe. Skręcaj w prawo.

Gdyby chciał cię zabić, już byś nie żył. Potrzebuje tylko informacji albo zamierza cię porwać, żeby mieć w ręku dodatkowy atut. Uspokój się. Na pewno nie chce cię zabić – przecież nie chciał pokazać twarzy. No dobrze, Lon Sellitto mówił, że nazywają go człowiekiem, który wie wszystko? Spróbuj więc zdobyć informacje o nim, które sam możesz wykorzystać.

Może uda ci się uratować.

Może uda ci się uśpić jego czujność na tyle, żeby zabić go gołymi rękami.

Joe Malloy był do tego zdolny, fizycznie i psychicznie.

Kiedy weszli w głąb alejki, 522 kazał mu się zatrzymać. Nałożył Malloyowi wełnianą czapkę na głowę, zasłaniając mu oczy. Doskonale. Co za ulga. Dopóki go nie zobaczę, będę żył. Po chwili poczuł, jak krępuje mu ręce taśmą i rewiduje go. Położył mu twardą rękę na ramieniu, zaprowadził go do samochodu i kazał mu wejść do bagażnika.

Potem jazda w dusznej, niewygodnej przestrzeni, z podkulonymi nogami. Samochód kompaktowy. Odnotowano. Nie czuć spalonego oleju. I niezłe zawieszenie. Odnotowano. Nie czuć zapachu skóry. Odnotowano. Malloy starał się nie stracić poczucia kierunku, było to jednak niemożliwe. Zwracał uwagę na odgłosy: hałas samochodów, młot pneumatyczny. Nic charakterystycznego. Słyszał krzyk mew i syrenę statku. Jak na tej podstawie można określić położenie? Manhattan to wyspa. Znajdź coś istotnego!... Zaraz – w samochodzie głośno pracuje pasek wspomagania kierownicy. To już coś. Zapamiętaj.

Dwadzieścia minut później zatrzymali się. Usłyszał łoskot zamykanej bramy garażu, dużej, w której skrzypiały zawiasy albo kółka. Malloy wydał krótki okrzyk, gdy nagle otworzył się zamek bagażnika. Owionęło go stęchłe, lecz chłodne powietrze. Odetchnął głęboko, wciągając do płuc tlen przez wilgotną wełnę czapki.

– Wysiadamy.

– Chciałbym z tobą porozmawiać. Jestem kapitanem…

– Wiem, kim jesteś.

– Mam dużo do powiedzenia w departamencie. – Malloy cieszył się, że udało mu się zapanować nad głosem. Mówił rozsądnym tonem.

– Może dojdziemy do jakiegoś porozumienia.

– Chodź tu. – 522 pomógł mu przejść kilka kroków po gładkiej posadzce.

Został posadzony.

– Na pewno masz swoje powody do żalu. Ale mogę ci pomóc. Powiedz, dlaczego to robisz, dlaczego popełniasz te zbrodnie.

Cisza. Co się teraz stanie?, myślał Malloy. Będę miał szansę zaatakować go fizycznie? A może będę musiał dalej szukać drogi do jego psychiki? Na pewno już zauważono jego zaginięcie. Sellitto i Rhyme być może odgadli, co się stało.

Nagle usłyszał jakiś dźwięk.

Co to?

Kilka trzasków, a potem metaliczny, zniekształcony elektronicznie głos. Morderca chyba sprawdzał działanie dyktafonu.

Potem inny odgłos: brzęk metalu o metal, jak gdyby zbierał jakieś narzędzia.

I wreszcie przenikliwy pisk metalu na betonie, gdy morderca przysunął swoje krzesło do krzesła Malloya tak blisko, że zetknęły się ich kolana.

Rozdział 36

Łowca nagród.

Złapali przeklętego łowcę nagród.

A raczej, jak sam poprawił, „specjalistę w odzyskiwaniu poręczeń".

– Jak to się stało, do jasnej cholery? – brzmiało pytanie Lincolna Rhyme'a.

– Sprawdzamy – odparł spocony i przysypany kurzem Lon Sellitto, stojąc obok placu budowy, gdzie siedział skuty kajdankami mężczyzna, który śledził Rolanda Bella.

Właściwie nie był aresztowany. Ściśle rzecz biorąc, nie zrobił nic złego; miał pozwolenie na broń i próbował po prostu dokonać obywatelskiego aresztowania człowieka, który w jego przekonaniu był poszukiwanym przestępcą. Sellitto był jednak tak wkurzony, że kazał go skuć.

Roland Bell próbował ustalić przez telefon, czy 522 był widziany w okolicy. Ale żaden z zespołów nie zauważył dotąd nikogo, do kogo pasował skąpy rysopis mordercy.

– Równie dobrze może być w Timbuktu – powiedział do Sellitta Bell i zamknął komórkę.

– Proszę posłuchać... – zaczął łowca nagród, przycupnięty na krawężniku.

– Zamknij się – przerwał mu tęgi detektyw, już po raz trzeci czy czwarty. Wrócił do rozmowy z Rhyme'em. – Szedł za Rolandem, nagle ruszył na niego i wyglądało na to, że chce go rozwalić. Ale chciał tylko, zdaje się, wręczyć mu nakaz. Wziął Rolanda za niejakiego Williama Franklina. Są bardzo podobni, Franklin i Roland. Franklin mieszka na Brooklynie i nie stawił się na procesie w sprawie czynnej napaści i posiadania broni. Poręczyciel szuka go od pół roku.

– Wiesz, że to wszystko urządził 522. Znalazł w systemie tego Franklina i wysłał za nim poręczyciela, żeby odwrócić naszą uwagę.

– Wiem, Linc.

– Czy ktoś w ogóle cokolwiek widział? Kogoś, kto mógł nas obserwować?

– Nie. Roland właśnie rozmawiał ze wszystkimi zespołami.

Cisza. Wreszcie Rhyme spytał:

– Skąd wiedział, że to pułapka?

Nie był to jednak największy kłopot. Właściwie musieli znać odpowiedź tylko na jedno pytanie: co on naprawdę kombinuje?

Czy oni myślą, że jestem głupi?

Myślą, że niczego nie podejrzewałem?

Wiedzą już o dostawcach usług informacyjnych. O przewidywaniu ruchów szesnastek na podstawie ich poprzednich zachowań i zachowań innych. Ta koncepcja towarzyszy mi od bardzo, bardzo dawna. I powinna towarzyszyć każdemu. Jak zareaguje twój sąsiad, jeżeli zrobisz X? Jak zareaguje, gdy zrobisz Y? Jak zachowa się kobieta, gdy odprowadzając ją do samochodu, będziesz się śmiać? Albo będziesz milczeć i szperać po kieszeniach?

Badam ich transakcje od chwili, gdy oni się mną zainteresowali. Systematyzuję je, analizuję ich zachowania. Czasem zdarzało się im wykonać znakomite posunięcie – weźmy na przykład tę pułapkę: rozgłosili pracownikom SSD i klientom wiadomość o śledztwie i czekali, aż zajrzę do policyjnych akt sprawy Myry 9834. O mały włos tego nie zrobiłem, już miałem palec na klawiszu ENTER, ale tknęło mnie przeczucie, że coś jest nie tak. I teraz wiem, że miałem rację.

A konferencja prasowa? Ach, tę transakcję od początku było czuć fałszem. W ogóle nie pasowała do przyjętych wzorców zachowań. Policja i reprezentant władz miasta spotykają się z dziennikarzami o takiej godzinie? Grupa osób na podium też wyglądała podejrzanie.

Oczywiście, być może wszystko było czyste – nawet w logice rozmytej i algorytmach przewidywania zachowań czasem zdarza się błąd. Musiałem to dokładnie sprawdzić – we własnym interesie. Nie mogłem porozmawiać bezpośrednio z żadnym z nich, nawet przypadkowo.

Dlatego zrobiłem to, co potrafię najlepiej.

Zajrzałem do schowków, oglądając przez moje sekretne okno milczące dane. Dowiedziałem się czegoś więcej o osobach uczestniczących w konferencji prasowej: o wiceburmistrzu Ronie Scotcie i kapitanie Josephie Malloyu, który nadzorował śledztwo przeciwko mnie.

I o trzeciej osobie, doktorze Carltonie Soamesie.

Tylko że... to nie był on.

Był gliniarzem wystawionym na wabia.

Wyszukiwarka znalazła profesora Soamesa na witrynie Carnegie Mellon, a także na jego własnej stronie. Jego CV było dostępne na paru innych stronach.

Wystarczyło jednak kilka sekund, by otworzyć kod tych dokumentów i zbadać metadane. Wszystko na temat lipnego profesora napisano i umieszczono w sieci wczoraj.

Czy oni myślą, że jestem głupi?

Gdybym miał czas, dowiedziałbym się czegoś więcej o tym glinie. Zajrzałbym do internetowego archiwum stacji telewizyjnej, znalazł zapis konferencji prasowej, ze stopklatki wziąłbym jego twarz i zrobił skan biometryczny. Następnie porównałbym obraz z ewidencją lokalnego wydziału komunikacji i fotografiami z akt personalnych policji i FBI i w ten sposób ustalił jego prawdziwą tożsamość.

Ale to by oznaczało mnóstwo niepotrzebnej pacy. Nie obchodziło mnie, kto to jest. Musiałem jedynie zmylić policję i dać sobie czas, żeby znaleźć kapitana Malloya, który mógł być prawdziwą bazą danych o całej operacji.

Bez trudu znalazłem nakaz zatrzymania poszukiwanego człowieka, dosyć podobnego do gliniarza, który udawał Carltona Soamesa – białego, trzydziestokilkuletniego mężczyzny. Pozostało więc tylko zadzwonić do poręczyciela, podając się za znajomego zbiega, i zawiadomić, że widziałem go w hotelu Water Street. Opisałem, jak był ubrany, i szybko odłożyłem słuchawkę.

Tymczasem zaczaiłem się na podziemnym parkingu niedaleko komendy policji, gdzie codziennie rano między 7.48 a 9.02 kapitan

Malloy parkuje swojego lexusa w tańszej wersji (według danych z salonu już dawno należało wymienić w nim olej i zrobić przegląd układu kierowniczego).

Zaatakowałem nieprzyjaciela dokładnie o 8.35.

Potem porwanie, jazda do magazynu na West Side i ostrożne użycie narzędzi z kutego metalu do przeprowadzenia zrzutu pamięci z bazy danych, która okazała się nad podziw dzielna. Świadomość, że uzupełniłem kolekcję, sprawia mi niewytłumaczalną satysfakcję, intensywniejszą niż zaspokojenie seksualne: znam już tożsamość wszystkich szesnastek, które mnie ścigają, kilku sprzężonych z nimi osób i znam przebieg dochodzenia.

Niektóre informacje okazały się szczególnie cenne. (Na przykład rozumiem już, że nazwisko Rhyme to główny powód mojego obecnego położenia).

Moje oddziały wkrótce wyruszą w triumfalny marsz do Polski, do Nadrenii...

Tak jak się spodziewałem, spełniły się moje nadzieje i zdobyłem coś jeszcze do swojej ulubionej kolekcji. Powinienem z tym zaczekać do powrotu do Schowka, ale nie mogę się powstrzymać. Wyciągam dyktafon, przewijam i włączam odtwarzanie.

Szczęśliwym trafem znajduję moment, w którym wrzask kapitana Malloya osiąga crescendo. Na ten dźwięk nawet mnie przechodzą ciarki.

Ocknął się z niespokojnego snu, pełnego dręczących koszmarów. Od pętli bolało go gardło, na zewnątrz i w środku, choć najbardziej dokuczało mu pieczenie w wyschniętych ustach.

Arthur Rhyme rozejrzał się po brudnej, pozbawionej okien sali szpitalnej. Właściwie po celi w izbie chorych w Grobowcu. Prawie niczym nie różniła się od jego celi ani tej okropnej sali wspólnej, gdzie omal nie został zamordowany.

Do pokoju wszedł pielęgniarz czy sanitariusz, obejrzał puste łóżko i coś zanotował.

– Przepraszam – wychrypiał Arthur. – Mogę rozmawiać z lekarzem?

Mężczyzna spojrzał w jego stronę – potężnie zbudowany Afroamerykanin. Arthura ogarnęła fala paniki na myśl, że to Antwon Johnson, który skradł kitel i zakradł się tu, aby dokończyć dzieła...

Ale nie, to był ktoś inny. Mimo to poświęcił mu tyle uwagi, jakby Arthur Rhyme nie budził w nim więcej zainteresowania niż plama na podłodze. Bez słowa wyszedł.

Minęło pół godziny. Arthur balansował na granicy jawy i snu. Potem znów otworzyły się drzwi. Wzdrygnął się i uniósł wzrok, widząc, jak do sali wwożą nowego pacjenta. Domyślił się, że mężczyzna miał zapalenie wyrostka. Dochodził do siebie po operacji. Sanitariusz położył go do łóżka. Podał mu szklankę.

– Nie pij tego. Przepłucz i wypluj.

Mężczyzna wypił płyn.

– Nie, mówię ci...

Zwymiotował.

– Kurwa. – Sanitariusz rzucił mu garść papierowych ręczników i wyszedł.

Współtowarzysz Arthura zasnął, przyciskając do siebie ręczniki.

W tym momencie Arthur spojrzał w okienko w drzwiach. Na korytarzu stali dwaj mężczyźni, Latynos i czarny. Ten drugi patrzył spod zmrużonych powiek prosto na Arthura, potem szepnął coś koledze, który też przelotnie na niego spojrzał.

Coś w ich twarzach i sylwetkach mówiło Arthurowi, że nie przyciągnęła ich tu zwykła ciekawość – żeby przyjrzeć się gościowi, któremu życie uratował spidziarz Mick.

Nie, zdawało mu się, jak gdyby próbowali zapamiętać jego twarz. Po co?

Czyżby oni też chcieli go zabić?

Znowu fala paniki. Czy prędzej czy później dopną swego?

Zamknął oczy, lecz postanowił, że nie zaśnie. Nie odważyłby się. We śnie dopadliby go, gdyby tylko zamknął oczy, dopadliby go, gdyby choć na minutę przestał uważać na wszystko i wszystkich dookoła.

A teraz z minuty na minutę pogrążał się w cierpieniu. Judy powiedziała, że Lincoln być może znalazł coś, co udowodni jego niewinność. Nie wiedziała, co to jest, więc Arthur nie potrafił ocenić, czy kuzyn jest po prostu optymistą, czy odkrył konkretny dowód na to, że Arthura bezpodstawnie aresztowano. Mglistość tej nadziei doprowadzała go do wściekłości. Przed rozmową z Judy zdążył się pogodzić z życiem w piekle i nieuchronną śmiercią.

Robię ci przysługę, stary. Kurwa, i tak za miesiąc czy dwa skończyłbyś ze sobą... Przestań się szarpać...

Teraz jednak, gdy uświadomił sobie, że szanse odzyskania wolności nie zostały jeszcze pogrzebane, rezygnacja ustąpiła miejsca panice. Zobaczył cień nadziei, który ktoś mógł mu odebrać. Jego serce znów zaczęło łomotać jak oszalałe. Chwycił przycisk wzywający pomoc. Wcisnął. Potem jeszcze raz. Nie doczekał się żadnej reakcji. Chwilę później w okienku ukazała się kolejna para oczu. Ale to nie był lekarz. Czyżby jeden z więźniów, których przedtem widział? Nie rozpoznawał twarzy. Mężczyzna patrzył prosto na niego.

Z trudem opanowując strach, którego dreszcze przebiegały mu po plecach jak prąd, znów wcisnął i przytrzymał przycisk.

Nadal nikt nie reagował.

Oczy w okienku mrugnęły i zniknęły.

Rozdział 37

Metadane.

Rodney Szarnek z laboratorium komputerowego policji tłumaczył przez telefon Lincolnowi Rhyme'owi, w jaki sposób 522 mógł odkryć, że „ekspert" był w rzeczywistości gliną.

Sachs, która stała obok ze złożonymi rękami, skubiąc palcami rękaw, przypomniała mu, czego dowiedziała się od Calvina Geddesa z organizacji Privacy Now.

– To dane o danych. Zaszyte w dokumentach.

– Zgadza się – przytaknął Szarnek, słysząc jej uwagę. – Prawdopodobnie zobaczył, że napisaliśmy CV wczoraj wieczorem.

– Cholera – mruknął Rhyme. Nie da się myśleć o wszystkim. Ale trzeba, kiedy się staje do walki z człowiekiem, który wie wszystko. A teraz plan, dzięki któremu mieli ująć 522, poszedł na marne. To była już druga porażka.

Na domiar złego zdradzili, co mają w kartach. Tak jak oni dowiedzieli się o jego sztuczce z rzekomym samobójstwem, tak on poznał ich metody działania i miał szanse skuteczniej się bronić przed kolejnymi ruchami.

Wiedza to potęga...

– Poprosiłem kogoś z Carnegie Mellon, by namierzył adresy wszystkich, którzy dzisiaj rano zaglądali na ich stronę – dodał Szarnek. – Łączyło się parę adresów z miasta, ale wszystkie z publicznych terminali, nie ma żadnego śladu użytkowników. Dwa z serwerów proxy w Europie, ale dobrze je znam. Nie będą współpracować.

Naturalnie.

– Mamy już pewne informacje z plików z wolnej przestrzeni, które Ron ściągnął w SSD. To musi trochę trwać. Były... – Najwyraźniej

postanawiając unikać technicznej terminologii, powiedział:
– ...Nieźle zaszyfrowane. Ale udało się złożyć do kupy parę fragmentów. Wygląda na to, że ktoś naprawdę kompletował i ściągał dossier. Mamy jego nicka – to sieciowy pseudonim. „Goniec". To na razie wszystko.

– Nie ma żadnej wskazówki, kto to może być? Pracownik, klient, haker?

– Nic. Dzwoniłem do znajomego w FBI i sprawdziłem ich bazę danych nicków i adresów e-mailowych. Znaleźli około ośmiuset Gońców. Żaden nie mieszka jednak w granicach miasta. Później będziemy wiedzieć coś więcej.

Rhyme polecił Thomowi dopisać Gońca do listy podejrzanych.

– Spytamy w SSD. Zobaczymy, czy ktoś rozpozna ten pseudonim.

– A spis klientów z płyty?

– Kazałem je sprawdzać ręcznie. Program, który napisałem, ma swoje ograniczenia. Jest za dużo zmiennych – różne produkty, karty do metra, nadajniki E-ZPass. Większość firm ściągała tylko niektóre informacje o ofiarach, ale pod względem statystycznym nikt nie wygląda jeszcze szczególnie podejrzanie.

– No dobrze.

Rozłączyli się.

– Próbowaliśmy, Rhyme – powiedziała Sachs.

Próbowaliśmy... Uniósł brew, co nie oznaczało zupełnie nic.

Zadzwonił telefon, a ekran wyświetlił „Sellitto".

– Polecenie, odbierz... Lon, masz jakieś...

– Linc.

Coś było nie tak. Głos detektywa brzmiał głucho i drżał.

– Następna ofiara?

Sellitto odchrząknął.

– Dostał jednego z naszych.

Rhyme posłał zaniepokojone spojrzenie Sachs, która bezwiednie nachyliła się nad głośnikiem, opuszczając ręce.

– Kogo? Mów.

– Joego Malloya.

– Nie – szepnęła Sachs.

Rhyme zamknął oczy i położył głowę na zagłówku wózka.

– No tak, oczywiście. Więc po to był ten podstęp, Lon. Wszystko zaplanował. – Zniżył głos. – Bardzo źle to wyglądało?

– Co masz na myśli? – spytała Sachs.

Rhyme rzekł cicho:

– To nie było zwykłe zabójstwo, prawda?

Drżący głos Sellitta brzmiał rozdzierająco.

– Nie, Linc. Nie było.

– Mów! – krzyknęła Sachs. – O co wam chodzi?

Rhyme spojrzał w jej oczy, szeroko otwarte z przerażenia, które ogarnęło ich oboje.

– Przygotował ten podstęp, bo potrzebował informacji. Wycisnął je z Joego torturami.

– O Boże.

– Zgadza się, Lon?

Detektyw westchnął. Odkaszlnął.

– Tak, muszę przyznać, że wyglądało to koszmarnie. Użył jakichś narzędzi. Z ilości krwi można się domyślać, że Joe dość długo się trzymał. Na koniec gnojek go zastrzelił.

Twarz Sachs poczerwieniała z gniewu. Jej dłoń zaciskała się na rękojeści glocka.

– Joe miał dzieci? – spytała przez zaciśnięte zęby.

Rhyme przypomniał sobie, że żona kapitana kilka lat temu została zamordowana.

– Córkę w Kalifornii – odrzekł Sellitto. – Już do niej dzwoniłem.

– Dobrze to zniosłeś? – zapytała Sachs.

– Nie. – Znów głos mu się zaczął łamać. Rhyme nie pamiętał, by kiedykolwiek słyszał detektywa tak przybitego.

Usłyszał w pamięci głos Joego Malloya, kiedy odpowiadał na zapewnienia Rhyme'a, że „zapomniał" poinformować go o sprawie 522. Kapitan potrafił wznieść się ponad małostkowość i wesprzeć ich, mimo że kryminalistyk i Sellitto nie byli wobec niego szczerzy.

Natura gliniarza wzięła górę nad urażoną ambicją.

A 522 torturował go i zabił tylko dlatego, że potrzebował informacji. Przeklętych informacji...

Po chwili jednak Rhyme odnalazł w sobie spokój, zimny jak głaz. Obojętność, którą wiele osób uważało za dowód głębokich ran na duszy, lecz która jego zdaniem pomagała mu lepiej wykonywać pracę. Stanowczym tonem powiedział:

– Wiecie chyba, co to znaczy?

– Co? – spytała Sachs.

– Wypowiada nam wojnę.

– Wojnę? – Pytanie padło z ust Sellitta.

– Nie zamierza się przed nami chować. Nie zamierza uciekać. Mówi nam, że ma nas w dupie. Że będzie się bronił. I że ma nadzieję wygrać. Nie zawaha się zabijać dowództwa. Opracował całą strategię. I wie już o nas wszystko.

– Może Joe nic mu nie powiedział – zauważyła Sachs.

– Powiedział. Starał się wytrzymać, ale w końcu powiedział. – Rhyme nie chciał sobie nawet wyobrażać, co kapitan musiał przejść, próbując milczeć. – To nie jego wina... Ale teraz wszyscy jesteśmy zagrożeni.

– Muszę pogadać z górą – odezwał się Sellitto. – Chcą wiedzieć, co poszło źle. Przede wszystkim plan w ogóle im się nie podobał.

– W to nie wątpię. Gdzie to się stało?

– W magazynie. W Chelsea.

– Magazyn... świetne miejsce dla zbieracza. Coś go wiązało z tym magazynem? Może tam pracował? Pamiętacie jego wygodne buty? A może po prostu dowiedział się o nim z danych? Chcę znać odpowiedzi na te wszystkie pytania.

– Sprawdzę to – powiedział Cooper.

Sellitto podał mu szczegóły.

– I zrobimy oględziny miejsca. – Rhyme zerknął na Sachs, która skinęła głową.

Gdy detektyw się rozłączył, Rhyme spytał:

– Gdzie jest Pulaski?

– Wraca z akcji z Rolandem Bellem.

– Trzeba zadzwonić do SSD, dowiedzieć się, gdzie byli wszyscy nasi podejrzani w czasie zabójstwa Malloya. Niektórzy na pewno byli w biurze. Chcę wiedzieć, kto nie był. I chcę coś wiedzieć o tym Gońcu. Myślisz, że Sterling nam pomoże?

– Och, na pewno – odparła Sachs, przypominając mu, jak chętnie Sterling współpracował w trakcie całego śledztwa. Włączyła zestaw głośnomówiący i zadzwoniła.

Gdy telefon odebrał jeden z asystentów, Sachs przedstawiła się.

– Witam, detektywie. Tu Jeremy. Czym mogę służyć?

– Muszę porozmawiać z panem Sterlingiem.

– Niestety, nie można się z nim teraz skontaktować.

– To bardzo ważne. Zamordowano następną ofiarę. Funkcjonariusza policji.

– Tak, słyszałem w wiadomościach. Bardzo mi przykro. Proszę chwileczkę zaczekać. Właśnie wszedł Martin.

Usłyszeli przyciszoną rozmowę, po czym w głośniku odezwał się drugi głos.

– Detektywie, mówi Martin. Przykro mi z powodu tego zabójstwa. Ale pana Sterlinga nie ma w budynku.

– Naprawdę koniecznie musimy z nim porozmawiać.

Spokojny asystent odparł:

– Przekażę mu, że to pilne.

– A Mark Whitcomb albo Tom O'Day?

– Proszę zaczekać.

Po długiej chwili ciszy młody człowiek powiedział:

– Niestety, Marka też nie ma w biurze. Tom jest na spotkaniu. Zostawiłem im wiadomości. Mam drugi telefon. Muszę kończyć. Naprawdę bardzo mi przykro z powodu waszego kapitana.

– „I wy, którzy po latach z brzegu na brzeg będziecie się przeprawiać, ważycie dla mnie i dla mych rozmyślań więcej, niż moglibyście sądzić".

Siedząc na ławce nad East River, Pam Willoughby poczuła, jak serce jej łomoce i zaczynają się jej pocić dłonie.

Obejrzawszy się, zobaczyła Stuarta Everetta w jasnym blasku słońca znad New Jersey. Niebieska koszula, sportowa marynarka, skórzana torba przewieszona przez ramię. Chłopięca twarz, czupryna ciemnych włosów, wąskie usta rozciągające się w uśmiechu, który często w ogóle się na nich nie pojawiał.

– Cześć – powiedziała pogodnie. Była zła na siebie – chciała sprawiać wrażenie surowej.

– Hej. – Spojrzał na północ, w kierunku mostu Brooklyńskiego. – Fulton Street.

– Znam ten wiersz. „Przeprawiam się promem brooklyńskim".

Ze „Źdźbeł trawy", arcydzieła Walta Whitmana. Gdy Stuart Everett w czasie zajęć wspomniał, że to jego ulubiony tom wierszy, kupiła jego drogie wydanie. Myślała, że to ich bardziej połączy.

– Znałaś go? Przecież nie omawialiśmy tego na zajęciach.

Pam nie odpowiedziała.

– Mogę usiąść?

Skinęła głową.

Siedzieli w milczeniu. Poczuła zapach jego wody kolońskiej. Ciekawe, czy dostał ją od żony.

– Twoja przyjaciółka na pewno już z tobą rozmawiała.

– Tak.

– Spodobała mi się. Kiedy zadzwoniła, pomyślałem – chce mnie aresztować, trudno.

Ściągnięta twarz Pam rozjaśniła się w uśmiechu.

– Nie była zadowolona z tej sytuacji. Ale to dobrze. Troszczy się o ciebie.

– Amelia jest super.

– Nie mogłem uwierzyć, że jest policjantką.

Policjantką, która prześwietliła mojego chłopaka. Nie jest tak źle nic nie wiedzieć, pomyślała Pam; mieć za dużo informacji jest stanowczo do kitu.

Wziął ją za rękę. W pierwszym odruchu chciała ją wyrwać, ale impuls zniknął.

– Słuchaj, porozmawiajmy o wszystkim otwarcie.

Spoglądała w dal; nie miała ochoty patrzeć w jego brązowe oczy pod ciężkimi powiekami. Przyglądała się rzece i portowi w tle. Nadal pływały po niej promy, lecz były to w większości prywatne łodzie albo statki towarowe. Często siadała tu nad rzeką i obserwowała je. Po latach życia w przymusowym ukryciu, w głębi lasów Środkowego Zachodu, z obłąkaną matką i grupą prawicowych fanatyków, Pam zafascynowała się rzekami i oceanami. Ich otwarta, wolna przestrzeń była w ciągłym ruchu. Działała na nią uspokajająco.

– Wiem, że nie byłem z tobą szczery. Ale mój związek z żoną wygląda inaczej, niż ci się wydaje. Od dawna ze sobą nie sypiamy.

To pierwsza rzecz, o jakiej mężczyzna mówi w takiej chwili? Pam w ogóle nie myślała o seksie, chodziło jej o samo małżeństwo.

– Nie chciałem się w tobie zakochać – ciągnął. – Sądziłem, że będzie-

348

my po prostu przyjaciółmi. Okazało się jednak, że jesteś zupełnie inna niż wszyscy. Coś we mnie poruszyłaś. Oczywiście, jesteś piękna. Ale jesteś... trochę podobna do Whitmana. Niekonwencjonalna. Liryczna. Na swój sposób jesteś poetką.

– Masz dzieci. – Pam nie mogła się powstrzymać, by tego nie powiedzieć.

Chwila wahania.

– Mam. Ale polubiłabyś je. John ma osiem lat. Chiara chodzi do gimnazjum. Ma jedenaście lat. Są wspaniałe. Jestem z Mary tylko ze względu na nie.

A więc ma na imię Mary. Właśnie się zastanawiałam.

Uścisnął jej dłoń.

– Pam, nie mogę pozwolić ci odejść.

Nachylała się ku niemu, czując ciepło jego ręki obok swojej i przyjemny, wytrawny zapach. Nie obchodziło jej, kto mu kupił ten płyn po goleniu. Pewnie prędzej czy później i tak zamierzał mi powiedzieć, pomyślała.

– Chciałem ci powiedzieć za jakiś tydzień. Przysięgam. Zbierałem się na odwagę. – Czuła drżenie jego ręki. – Widzę twarze dzieci. Chyba nie potrafiłbym rozbić rodziny. I wtedy zjawiłaś się ty. Najcudowniejsza osoba, jaką kiedykolwiek spotkałem... Bardzo długo byłem samotny.

– A święta? – spytała. – Chciałam coś z tobą zrobić w Święto Dziękczynienia albo Boże Narodzenie.

– Prawdopodobnie spędzę z tobą jedno z nich, przynajmniej część dnia. Trzeba tylko wcześniej wszystko zaplanować. – Opuścił głowę.

– O to właśnie chodzi. Ne mogę bez ciebie żyć. Jeżeli będziesz cierpliwa, uda się nam to jakoś ułożyć.

Przypomniała sobie jedną noc, którą spędzili razem. W tajemnicy przed wszystkimi. U Amelii Sachs, gdy nocowała u Lincolna Rhyme'a, a Pam i Stuart mieli dla siebie cały dom. Było fantastycznie. Pragnęła, żeby każda noc w jej życiu była taka.

Chwyciła jego dłoń jeszcze mocniej.

– Nie mogę cię stracić – szepnął.

Przysunął się bliżej. Każdy centymetr kwadratowy kontaktu sprawiał jej przyjemność. Napisała nawet o nim wiersz, w którym przyrównała ich wzajemne przyciąganie do grawitacji: jednej z podstawowych sił we wszechświecie.

Pam oparła głowę o jego ramię.

– Przyrzekam ci, że już nigdy nie będę przed tobą niczego ukrywać. Ale proszę... muszę cię dalej widywać.

Myślała o cudownych chwilach, jakie razem spędzili, chwilach, które innym wydałyby się nic nieznaczące, głupie.

Nic podobnego.

Jego obecność działała jak ciepła woda na ranę, zmywała cały ból.

Kiedy się ukrywały, Pam i jej matka mieszkały wśród małodusznych mężczyzn, którzy bili kobiety „dla ich własnego dobra" i nie odzywali się ani słowem do żon i dzieci, chyba że chcieli je pouczyć albo uciszyć.

Stuart należał do zupełnie innego wszechświata niż tamte potwory.

– Daj mi tylko trochę czasu – szepnął. – Znajdę rozwiązanie. Przyrzekam. Będziemy się spotykać tak jak dotąd... Słuchaj, mam pomysł. Wiem, że marzysz o podróżach. W przyszłym miesiącu w Montrealu jest konferencja na temat poezji. Mógłbym cię tam zabrać, zarezerwować ci pokój. Mogłabyś chodzić na spotkania. A wieczory mielibyśmy dla siebie.

– Och, kocham cię. – Zbliżyła twarz do jego twarzy. – I rozumiem, dlaczego mi nie powiedziałeś. Naprawdę.

Objął ją mocno i pocałował w szyję.

– Pam, tak mi...

W tym momencie odsunęła się od niego raptownie i chwyciła torbę, zasłaniając się nią jak tarczą.

– Ale nie, Stuart.

– Co?

Pam przypuszczała, że nigdy jeszcze serce nie biło jej tak szybko.

– Zadzwoń do mnie, kiedy się rozwiedziesz, wtedy zobaczymy. Ale zanim tego nie zrobisz, nie możemy się więcej spotykać.

Powiedziała to, co w takiej chwili powiedziałaby zapewne Amelia Sachs. Czy jednak mogła się zachować tak samo i powstrzymać łzy? Amelia na pewno by się nie rozpłakała. Nie ma mowy.

Przybrała na twarz maskę uśmiechu, starając się opanować ból, wywołany nagłą paniką i uczuciem osamotnienia. Ciepło błyskawicznie zmieniło się w twardą lodową skorupę.

– Ależ, Pam, jesteś dla mnie wszystkim.

– A ty kim jesteś dla mnie, Stuart? Nie możesz być wszystkim. Nie chcę mieć tylko kawałka. – Mów spokojnie, nakazała sobie w duchu. – Jeżeli się rozwiedziesz, będę z tobą… Rozwiedziesz się?

Uwodzicielskie spojrzenie przygasło. Spuścił oczy.

– Tak – wyszeptał.

– Teraz?

– Teraz nie mogę. To skomplikowane.

– Nie, Stuart. To naprawdę bardzo, bardzo proste. – Wstała. – Gdybyśmy się mieli więcej nie zobaczyć, życzę ci miłej reszty życia. – Szybkim krokiem ruszyła w stronę znajdującego się niedaleko stąd domu Amelii Sachs.

No dobrze, może Amelia by nie płakała, ale Pam nie potrafiła dłużej wstrzymywać łez. Szła chodnikiem z mokrymi policzkami i w obawie, że mogłaby się zawahać, nie oglądała się za siebie, nie mając odwagi zastanawiać się nad tym, co właśnie zrobiła.

Kołatała się jej jednak w głowie jedna myśl o tym spotkaniu, która pewnie kiedyś wyda się jej zabawna: co za beznadziejna gadka na pożegnanie. Szkoda, że nie wymyśliła czegoś lepszego.

Rozdział 38

Mel Cooper miał zatroskaną minę.

– Wiecie, co to za magazyn, gdzie Joe został zamordowany? Jakieś wydawnictwo wynajmuje go na składowanie makulatury, chociaż od miesięcy nikt z niego nie korzysta. Ale dziwna jest kwestia jego własności.

– To znaczy?

– Przejrzałem całą dokumentację biznesową. Magazyn dzierżawi sieć trzech firm, których właścicielem jest pewna korporacja z Delaware – która z kolei należy do dwóch nowojorskich korporacji. Ostateczny właściciel jest zdaje się w Malezji.

Ale ten fakt był widocznie znany 522, który wiedział, że spokojnie może tam torturować ofiarę. Skąd? Bo jest człowiekiem, który wie wszystko.

Zadzwonił telefon w laboratorium i Rhyme zerknął na wyświetlacz. Mamy tyle złych wiadomości w sprawie 522, niech to będzie jakaś dobra.

– Witam, pani inspektor.

– Detektywie Rhyme, chciałam tylko przekazać parę nowych informacji. Wydaje się, że wszystko zmierza w dobrą stronę. – Jej głos zdradzał rzadkie u niej podekscytowanie. Wyjaśniła, że d'Estourne, agent bezpieczeństwa delegowany z Francji, pojechał do Birmingham i nawiązał kontakt z Algierczykami z muzułmańskiej mniejszości w podmiejskim West Bromwich. Dowiedział się, że jakiś Amerykanin zamówił paszport i dokumenty przewozowe do Ameryki Północnej, gdzie zamierzał się zatrzymać w drodze do Singapuru. Zapłacił sporą zaliczkę i obiecano mu, że papiery będą gotowe jutro wieczorem. Gdy tylko je odbierze, ma pojechać do Londynu dokończyć zadanie.

– Świetnie – rzekł Rhyme, tłumiąc śmiech. – To znaczy, że Logan już tam jest, nie sądzi pani? W Londynie.

– Jestem prawie pewna – zgodziła się Longhurst. – Podejmie próbę jutro, kiedy nasz dubler spotka się z ludźmi z MI5 w miejscu planowanego zamachu.

– Otóż to.

Czyli Richard Logan zamówił dokumenty, słono za nie zapłacił i zwodząc zespół śledczy, aby wciąż miał na celu Birmingham, wybierał się z powrotem do Londynu, aby dokończyć zadanie, zabijając wielebnego Goodlighta.

– Co mówią ludzie Danny'ego Kruegera?

– Że na południowym brzegu będzie czekała łódź, żeby go uprowadzić do Francji.

Rhyme znów pomyślał o kryjówce w pobliżu Manchesteru. I tajemniczym włamaniu do siedziby organizacji Goodlighta w Londynie. Czy mógłby coś znaleźć w tych dwóch miejscach, gdyby przeprowadził ich oględziny za pośrednictwem łącza wideo? Jakąś maleńką wskazówkę, niezauważoną przez innych, która pomogłaby znaleźć odpowiedź na pytanie, gdzie i kiedy dokładnie morderca zamierza zaatakować? Jeśli nawet tak, dowodów już nie było. Mógł mieć jedynie nadzieję, że wyciągnięto z nich właściwe wnioski.

– Kogo ma pani na miejscu?

– Dziesięciu funkcjonariuszy wokół budynku. Wszyscy w cywilu albo w ukryciu. – Dodała, że Danny Krueger razem z Francuzem i drugim oddziałem taktycznym „subtelnie zaznaczają swoją obecność" w Birmingham. Longhurst postanowiła przydzielić dodatkową ochronę w miejscu, gdzie naprawdę ukrywano wielebnego Goodlighta; nie mieli dowodów, że morderca je zlokalizował, lecz nie zamierzała ryzykować.

– Wkrótce będziemy wiedzieć, detektywie.

Ledwie się rozłączyli, zadźwięczał komputer.

– *Pan Rhyme?*

Słowa ukazały się przed nim na ekranie. Otworzyło się niewielkie okno. Był to obraz z kamery internetowej przedstawiający widok salonu w domu Amelii Sachs. Rhyme zobaczył Pam siedzącą przy klawiaturze i piszącą do niego za pomocą komunikatora.

Powiedział do systemu rozpoznawania mowy:

– *Czesc Pamco u ciebie slychac?*

Cholerny komputer. Może rzeczywiście powinni poprosić swojego cyfrowego guru, Rodneya Szarnka, o zainstalowanie nowego systemu.

Ale dziewczyna nie miała kłopotów ze zrozumieniem wiadomości.

– *W porzadku* – napisała. – *A u pana?*

– *Dobrze.*

– *Jest tam Amelia?*

– *Nie. Wyjechala przeprowadzic w ogole dziny.*

– ☹ *Do kitu. Chce z nia pogadac. Dzwonilam ale nie odbiera.*

– *Moze mycia jakas po...*

Niech to szlag. Spróbował jeszcze raz.

– *Mozemy ci jakos pomoc?*

– *Nie dzieki.* – Przerwała i zobaczył, jak spogląda w kierunku swojego telefonu. Odwróciła się z powrotem do komputera. – *Rachel dzwoni. Zaraz wracam.*

Zostawiła włączoną kamerę, lecz odwróciła się od ekranu, rozmawiając przez komórkę. Położyła sobie na kolanach pękatą torbę szkolną, pogrzebała w niej, otworzyła jakiś tekst i znalazła w środku notatki. Wyglądało na to, że czyta je na głos.

Rhyme już miał się odwrócić do tablic z dowodami, gdy zerknął w okienko kamery.

W pokoju coś się zmieniło.

Zaniepokojony podjechał wózkiem bliżej.

W domu Sachs był ktoś jeszcze. Czy to możliwe? Nie był pewien, lecz zmrużywszy oczy, zobaczył, że tak, w ciemnym korytarzu, zaledwie pięć metrów od Pam, krył się jakiś mężczyzna.

Rhyme wpatrywał się w ekran, wyciągając głowę najdalej jak mógł. Twarz intruza przysłaniał kapelusz. W ręku coś trzymał. Pistolet? Nóż?

– Thom!

Opiekun był zbyt daleko, by go usłyszeć. No jasne, akurat teraz musiał iść wyrzucić śmieci.

– Polecenie, zadzwoń do Sachs, numer domowy.

Dzięki Bogu, układ sterowania otoczeniem ściśle spełnił polecenie.

354

Zobaczył, jak Pam zerka na telefon stojący obok komputera. Ale zignorowała dzwonek: nie była u siebie – wolała zaczekać, aż włączy się poczta głosowa. Dalej rozmawiała przez komórkę.

Mężczyzna wychylił się z korytarza, zwracając w jej stronę twarz ocienioną rondem kapelusza.

– Polecenie, komunikator!

Na ekranie wyskoczyło okienko.

– Polecenie, wpisz: „Pam wykrzyknik". Polecenie, wyślij.

Pamwy krzyk nikt.

Cholera jasna!

– Polecenie, wpisz: „Pam uwaga niebezpieczeństwo uciekaj". Polecenie, wyślij.

Tym razem wiadomość wyświetliła się w niezmienionej formie.

Pam, przeczytaj to, błagam!, modlił się w duchu Rhyme. Popatrz na ekran!

Ale dziewczyna była pochłonięta rozmową. Nie miała już beztroskiej miny. Rozmowa zeszła na poważniejsze tory.

Rhyme zadzwonił pod 911 i dyżurny zapewnił go, że radiowóz dotrze do domu Sachs w ciągu pięciu minut. Ale w ciągu kilku sekund intruz mógł dopaść Pam, zupełnie nieświadomej jego obecności.

Rhyme nie miał wątpliwości, że to 522. Torturami wycisnął z Malloya wszystkie informacje na ich temat. Amelia Sachs była pierwsza na liście do odstrzału. Tylko że ofiarą nie będzie Sachs, lecz niewinna dziewczyna.

Serce mu waliło, co poznał po bolesnym pulsowaniu w skroniach. Jeszcze raz spróbował zadzwonić. Cztery dzwonki.

– *Dzień dobry, tu Amelia. Po sygnale zostaw wiadomość.*

Spróbował jeszcze raz.

– Polecenie, wpisz: „Pam zadzwoń do mnie, kropka. Lincoln, kropka".

I co miał jej powiedzieć, gdy zadzwoni? Sachs miała w domu broń, nie wiedział jednak, gdzie ją trzyma. Pam była wysportowana, a intruz nie wyglądał na siłacza. Ale był uzbrojony. Z miejsca, w którym się chował, mógł podejść do niej od tyłu i zarzucić jej pętlę na szyję albo wbić nóż w plecy, zanim zdążyłaby go zauważyć.

A wszystko rozegra się na jego oczach.

Wreszcie zaczęła obracać głowę w kierunku komputera. Zaraz zobaczy wiadomość.

Dobrze, patrz na ekran.

Rhyme dostrzegł cień na podłodze po drugiej stronie pokoju. Morderca podchodził bliżej?

Nie przerywając rozmowy przez telefon, Pam przesunęła się bliżej komputera, lecz nie patrzyła na ekran tylko na klawiaturę.

Popatrz! – rozkazał jej niemo Rhyme.

Błagam! Przeczytaj tę przeklętą wiadomość!

Ale jak wszystkie dzieciaki Pam nie musiała patrzeć na ekran, aby mieć pewność, że pisze bez błędów. Przytrzymując komórkę ramieniem, zerknęła na klawiaturę, szybkimi ruchami wstukując tekst.

– musze konczyc panie Rhyme na razie ☺

Ekran zgasł.

Amelii Sachs było niewygodnie w kombinezonie z tyveku, chirurgicznym czepku i ochraniaczach na buty. Czuła klaustrofobiczny niepokój i miała mdłości od wypełniającego magazyn gorzkiego zapachu wilgotnego papieru, krwi i potu.

Nie znała zbyt dobrze kapitana Josepha Malloya. Był jednak, jak powiedział Lon Sellitto, „jednym z naszych". Była wstrząśnięta tym, co zrobił mu 522, chcąc wyciągnąć od kapitana potrzebne mu informacje. Kończyła oględziny, wynosząc na zewnątrz torebki z dowodami, ciesząc się ogromnie, że może w końcu wyjść na świeże powietrze, mimo że cuchnęło spalinami.

W głowie brzmiał jej głos ojca. Kiedyś, będąc małą dziewczynką, zajrzała do sypialni rodziców i zobaczyła ojca ubranego w galowy mundur i ocierającego łzy. To był dla niej szok; jeszcze nigdy nie widziała, żeby płakał. Przywołał ją gestem. Hermann Sachs nigdy niczego nie ukrywał przed córką, więc posadziwszy ją na krześle obok łóżka, wyjaśnił, że jego znajomy policjant został zastrzelony podczas próby zatrzymania złodzieja.

– Amie, w tej branży wszyscy należą do jednej rodziny. Z ludźmi z pracy człowiek spędza pewnie więcej czasu niż z żoną i dziećmi. Kiedy ginie ktoś w mundurze, ty też w jakiejś części umierasz. Nieważne, czy to ktoś z dowództwa czy z patrolu, wszyscy są rodziną i gdy kogoś się traci, ból jest taki sam.

Czuła ból, o którym wtedy mówił. Czuła go do głębi.

– Skończyłam – poinformowała ekipę z wydziału kryminalistycznego, stojącą obok furgonetki. Oględziny przeprowadziła sama, ale funkcjonariusze z Queens zrobili zdjęcia i zapis wideo, a także przeszukali pozostałe miejsca – przypuszczalną drogę, którą sprawca przyszedł do magazynu i go opuścił.

Skinęła głową lekarce i jej współpracownikom z biura koronera.

– Dobra, możecie go zabrać do kostnicy – powiedziała.

Do środka weszła ekipa w zielonych kombinezonach i rękawicach. Pakując dowody do skrzynek po mleku, by przetransportować je do domu Rhyme'a, Sachs znieruchomiała.

Ktoś ją obserwował.

Usłyszała brzęk metalu o metal albo beton czy szkło dobiegający z pustej alejki. Gdy szybko spojrzała w tę stronę, wydawało się jej, że dostrzegła sylwetkę człowieka ukrywającego się przy rampie starej fabryki, która już dawno się zawaliła.

Szukaj dobrze, ale pilnuj tyłów…

Przypomniała sobie cmentarz i mordercę w skradzionej czapce policyjnej, który ją obserwował. Ogarnął ją ten sam lęk co wtedy. Zostawiła dowody i ruszyła w kierunku alejki, kładąc dłoń na glocku. Nikogo nie zauważyła.

Paranoja.

– Detektywie? – zawołał jeden z techników.

Szła dalej. Czyżby za tym brudnym oknem kryła się jakaś twarz?

– Detektywie? – nie ustępował.

– Zaraz wracam – odrzekła nieco zirytowanym tonem.

– Przepraszam, telefon do pani – dodał technik. – Dzwoni detektyw Rhyme.

– Powiedz mu, że za chwilę oddzwonię.

– Mówi, że chodzi o jakąś Pam. Coś się zdarzyło w pani domu. Musi tam pani natychmiast jechać.

Rozdział 39

Amelia Sachs wpadła do środka, nie zważając na ból w kolanach. Przemknęła obok policjantów przy drzwiach, nie witając ich nawet skinieniem głowy.

– Gdzie?

Jeden z funkcjonariuszy wskazał jej salon.

Sachs wbiegła do pokoju...i ujrzała Pam siedzącą na kanapie. Dziewczyna uniosła ku niej pobladłą twarz.

Policjantka usiadła przy niej.

– Nic ci się nie stało?

– Wszystko w porządku. Tylko trochę spanikowałam.

– Nic cię nie boli? Mogę cię przytulić?

Pam roześmiała się, a Sachs otoczyła ją ramionami.

– Co się stało?

– Ktoś się włamał. Był tu razem ze mną. Pan Rhyme widział go przez kamerę. Dzwonił do mnie i kiedy chyba po piątym dzwonku odebrałam, kazał mi wrzeszczeć i uciekać.

– Posłuchałaś go?

– Niezupełnie. Pobiegłam do kuchni po nóż. Wkurzyłam się. Ale zwiał.

Sachs spojrzała na detektywa z miejscowego posterunku na Brooklynie, przysadzistego Afroamerykanina, który głębokim barytonem powiedział:

– Kiedy przyjechaliśmy, już go nie było. Sąsiedzi niczego nie widzieli.

Czyli pod magazynem, gdzie zamordowano Joego Malloya, to wyobraźnia płatała jej figle. A może zobaczyła dzieciaka albo pijaczka zaciekawionego akcją policji. Kiedy 522 zabił Malloya, pojechał do jej domu – poszukać dokumentów czy dowodów albo dokończyć to, co się wcześniej nie udało: zabić ją.

Sach obeszła cały dom w towarzystwie Pam i detektywa. Biurko zostało przetrząśnięte, lecz nic chyba nie zginęło.

– Pomyślałam, że to może Stuart. – Pam głęboko nabrała powietrza. – Właśnie z nim zerwałam.

– Naprawdę?

Skinęła głową.

– Bardzo dobrze... Ale to nie był on?

– Nie. Ten facet był inaczej ubrany i inaczej zbudowany niż Stuart. Poza tym fakt, że to gnojek, ale nikomu nie włamałby się do domu.

– Przyjrzałaś mu się?

– Nie. Zanim zdążyłam go wyraźnie zobaczyć, odwrócił się i uciekł. – Zwróciła uwagę tylko na jego strój.

Detektyw wyjaśnił, że według rysopisu podanego przez Pam włamywacz był biały, ewentualnie mógł być Latynosem lub czarnym o jasnej karnacji, średniej budowy ciała. Miał na sobie dżinsy i prostą granatową kurtkę sportową. Gdy policjant dowiedział się o włączonej kamerze, zadzwonił do Rhyme'a, lecz kryminalistyk widział jedynie niewyraźną sylwetkę w korytarzu.

Znaleźli okno, przez które włamał się intruz. Sachs miała system alarmowy, ale Pam wyłączyła go po wejściu do domu.

Rozejrzała się po pokojach. Gniew i zgroza, jakie wywołała w niej straszna śmierć Malloya, ustąpiły miejsca temu samemu niepokojowi i poczuciu bezbronności, które towarzyszyło jej na cmentarzu, w magazynie, gdzie zginął Malloy, w SSD... właściwie wszędzie, odkąd zaczął się pościg za 522. Jak w pobliżu domu DeLeona Williamsa. Czyżby teraz też ją obserwował?

Dostrzegła jakiś ruch za oknem, błysk światła... Liście kołyszących się na wietrze drzew i odblask słońca w oknach sąsiednich budynków?

A może 522?

– Amelia? – odezwała się cicho Pam, rozglądając się z podobnym lękiem. – Wszystko w porządku?

Sachs otrząsnęła się, wracając do rzeczywistości. Bierz się do roboty. I to szybko. Był tu morderca – całkiem niedawno. Cholera, znajdź jakiś przydatny ślad.

– Oczywiście, kochanie. Wszystko gra.

Umundurowany funkcjonariusz z miejscowego posterunku spytał:

– Detektywie, mam wezwać kogoś z kryminalistyki, żeby przeszukał dom?

– Nie trzeba – odparła z kwaśnym uśmiechem, zerkając na Pam.

– Sama się tym zajmę.

Sachs wzięła z bagażnika samochodu przenośny zestaw do zabezpieczania śladów i razem z Pam przystąpiła do oględzin.

Właściwie przeprowadzała je sama Sachs, a Pam, stojąc poza granicą miejsca zdarzenia, opisywała, gdzie dokładnie był morderca. Choć głos odrobinę jej drżał, dziewczyna zachowała spokój i rzeczowość.

Pobiegłam do kuchni po nóż.

Ponieważ Pam była w domu, Sachs poprosiła funkcjonariusza z patrolu, żeby pilnował ogrodu – tamtędy uciekł morderca. Nie rozwiało to jednak zupełnie jej obaw, miała bowiem do czynienia ze sprawcą o nadzwyczajnych zdolnościach, który śledził ofiarę, wiedział o niej wszystko i potrafił niepostrzeżenie się do niej zbliżyć. Chciała jak najszybciej przeszukać dom i zabrać stąd Pam.

Kierując się wskazówkami dziewczyny, Sachs zbadała miejsca, do których wchodził 522. Ale w domu nie znalazła żadnych dowodów. Morderca musiał albo nosić rękawiczki, albo uważał, by nie dotykać żadnych powierzchni, ponieważ rolki nie zebrały ani jednego obcego śladu.

– Którędy wyszedł? – spytała Sachs.

– Pokażę ci. – Pam zerknęła na jej twarz, prawdopodobnie wyczytując z niej, że Sachs boi się narażać ją na nowe niebezpieczeństwa.

– Lepiej będzie, jak sama zobaczysz.

Sachs skinęła głową i wyszły do ogrodu. Rozejrzała się uważnie.

– Zauważyłeś coś? – zapytała policjanta.

– Nie. Ale kiedy człowiek przypuszcza, że ktoś go obserwuje, to widzi, że ktoś go obserwuje.

– Racja.

Wskazał kciukiem rząd ciemnych okien po drugiej stronie alejki, a potem rząd gęstych azalii i bukszpanów.

– Sprawdziłem tam. Nic. Ale będę uważał.

– Dzięki.

Pam zaprowadziła ją na ścieżkę, którą uciekł 522, i Sachs zaczęła obchód po siatce.

– Amelia?

– Słucham?

– Wiesz, to było trochę wredne. To, co ci wczoraj powiedziałam. Czułam się beznadziejnie. Rozumiesz, spanikowałam... znaczy się, chciałam cię przeprosić.

– Byłaś uosobieniem spokoju i opanowania.

– Wcale nie czułam się spokojna.

– Miłość robi z nami dziwne rzeczy, kochanie.

Pam parsknęła śmiechem.

– Porozmawiamy o tym później. Może wieczorem, w zależności od tego, jak się potoczy sprawa. Przy kolacji.

– Dobra, może być.

Sachs kontynuowała oględziny, starając się zapanować nad niepokojem i zagłuszyć wrażenie, że 522 wciąż tu jest. Mimo wysiłków jej praca nie przyniosła znaczących efektów. Ziemia w dużej części była wysypana żwirem, nie znalazła więc żadnych śladów stóp, z wyjątkiem jednego przy furtce, przez którą uciekł do alejki. Był to tylko odcisk palców buta – morderca biegł – zupełnie nieprzydatny do analizy. Nie znalazła żadnych świeżych śladów opon.

Wracając do ogrodu, dostrzegła jednak jakąś białą plamkę na liściach barwinka i bluszczu – dokładnie w miejscu, gdzie 522 przeskoczył przez furtkę i przedmiot mógł mu wypaść z kieszeni.

– Znalazłaś coś?

– Być może. – Sachs podniosła pincetą skrawek papieru. Następnie weszła do domu i za pomocą przenośnego zestawu zbadała maleńki prostokącik. Spryskała go ninhydryną, po czym nałożyła okulary ochronne i oświetliła papier źródłem światła o zmiennej długości fali. Niestety, nie znalazła żadnych odcisków palców.

– Przyda się do czegoś? – spytała Pam.

– Możliwe. Wprawdzie nie zaprowadzi nas do drzwi jego domu, ale tak to już jest z dowodami. Gdyby to było takie proste – dodała z uśmiechem – tacy ludzie jak Lincoln i ja nie byliby do niczego potrzebni, nie? Sprawdzę to.

Sachs sięgnęła do skrzynki z narzędziami, wzięła wiertarkę i zabezpieczyła śrubami wyłamane okno. Następnie zamknęła dom i włączyła alarm.

Chwilę wcześniej dzwoniła do Rhyme'a, aby go uspokoić, że Pam nic się nie stało, ale chciała go jeszcze poinformować o nowym tropie. Wyciągnęła komórkę, lecz zanim zadzwoniła, przystanęła przy krawężniku i rozejrzała się.

– Amelia, co się stało?

Schowała telefon.

– Samochód. – Camaro zniknął. Sachs ogarnął niepokój. Omiatając wzrokiem ulicę, położyła rękę na glocku. To 522? Ukradł jej wóz?

Zapytała policjanta wychodzącego z ogrodu, czy kogoś widział.

– Pyta pani o ten stary samochód? To był pani wóz?

– Tak, chyba sprawca go rąbnął.

– Przykro mi. Zdaje się, że go odholowali. Powiedziałbym coś, gdybym wiedział, że to pani auto.

Odholowali? Może zapomniała położyć na tablicy rozdzielczej policyjny identyfikator.

Podeszły z Pam do jej zdezelowanej hondy civic i pojechały na miejscowy posterunek. Dyżurny sierżant, którego Sachs znała, słyszał o włamaniu.

– Cześć, Amelia. Chłopcy naprawdę dokładnie przeczesali dzielnicę. Nikt nie widział sprawcy.

– Słuchaj, Vinnie, zniknął mi wóz. Stał przy hydrancie naprzeciwko mojego domu.

– Służbowy?

– Nie.

– Nie mówisz chyba o tym starym chevrolecie?

– Tak.

– No nie. To parszywie.

– Podobno go odholowali. Nie wiem, czy położyłam plakietkę na desce.

– Ale i tak wcześniej powinni sprawdzić, na kogo jest zarejestrowany. Cholera, to do dupy. Przepraszam, panienko.

Pam uśmiechnęła się na znak, że jest odporna na takie słownictwo, którego sama od czasu do czasu używała.

Sachs podała numer rejestracyjny sierżantowi, który zaczął dzwonić, a potem zajrzał do komputera.

– Nie, to nie było złe parkowanie. Zaczekaj chwileczkę. – Znów podniósł słuchawkę.

Sukinsyn. Sachs nie mogła sobie pozwolić na brak wozu. Bardzo jej zależało na sprawdzeniu śladu, który znalazła w swoim domu.

Irytacja przerodziła się jednak w poważne obawy, gdy zobaczyła zmarszczone czoło Vinniego.

– Na pewno?... No dobra, więc gdzie go odstawiono?... Tak? Zadzwoń, jak tylko się dowiesz. – Odłożył słuchawkę.

– Co?

– Ten camaro był spłacany?

– Spłacany? Nie.

– Dziwne. Został odholowany na polecenie komornika.

– Ktoś go zajął?

– Twierdzą, że zalegasz z ratami za pół roku.

– Vinnie, to jest rocznik sześćdziesiąt dziewięć. Mój ojciec kupił to auto za gotówkę w latach siedemdziesiątych. Nigdy nie było zastawem. Kto niby udzielił kredytu?

– Mój informator nie wiedział. Sprawdzi to i oddzwoni. Dowie się też, gdzie odstawili wóz.

– Niech to szlag, tylko tego mi potrzeba. Macie jakiś wóz pod ręką?

– Niestety, nie.

Podziękowała mu i razem z Pam wyszły z posterunku.

– Jeżeli będzie na nim choć jedna rysa, marny wasz los – mruknęła. Czyżby stał za tym 522? Nie zdziwiłaby się, choć nie wyobrażała sobie, jak mógłby to zorganizować.

Znów poczuła ukłucie niepokoju, uświadamiając sobie, jak ją osaczył i ile o niej miał informacji.

Człowiek, który wie wszystko...

– Mogę pożyczyć twoją hondę? – spytała dziewczyny.

– Jasne. Ale podrzucisz mnie wcześniej do Rachel? Chcemy robić razem zadanie.

– Wiesz co, kochanie, może do miasta zabierze cię ktoś z posterunku, zgoda?

– Nie ma sprawy. Czemu?

– Ten człowiek już za dużo o mnie wie. Lepiej starać się trzymać go z daleka. – Wróciły na posterunek poprosić o podwiezienie Pam. Gdy Sachs znów znalazła się na zewnątrz, rozejrzała się po ulicy. Nic nie wskazywało na to, aby ktoś ją obserwował.

Zauważyła ruch w oknie po drugiej stronie. Pomyślała o logo SSD – oknie w wieży strażniczej. Zza szyby zerknęła na nią jakaś staruszka, mimo to po jej plecach przebiegł zimny dreszcz. Szybko wsiadła do samochodu Pam i uruchomiła silnik.

Rozdział 40

Rozległ się trzask wyłączanych systemów, które nagle zostały pozbawione życiodajnej energii, i dom pogrążył się w półmroku.

– Co jest, do cholery? – krzyknął Rhyme.

– Nie ma prądu – oznajmił Thom.

– Tego się domyśliłem – odburknął kryminalistyk. – Chciałbym poznać przyczynę.

– Nie miałem włączonego chromatografu – rzekł obronnym tonem Mel Cooper. Wyjrzał przez okno, jak gdyby sprawdzał, czy reszta dzielnicy też jest bez światła, ale dopiero zaczynało zmierzchać, nie sposób więc było stwierdzić, czy Con Edison odłączył energię wszystkim.

– Nie możemy sobie teraz pozwolić na odłączenie od sieci. Psiakrew, załatwcie to!

Rhyme, Sellitto, Pulaski i Cooper zostali w ciemnym salonie, a Thom wyszedł na korytarz zadzwonić z komórki. Po chwili rozmawiał z kimś z zakładu energetycznego.

– To niemożliwe. Płacę rachunki przez internet. Co miesiąc. Nigdy nie zapominam. Mam pokwitowania... Są w komputerze, więc nie mogę go włączyć, bo nie ma prądu, prawda? Zgadza się, anulowane czeki, ale jak mogę je wam przesłać faksem, skoro nie ma prądu? ... Nie, nie wiem, gdzie jest najbliższy punkt Kinko's.

– To on – powiedział do pozostałych Rhyme.

– 522? On kazał nam wyłączyć prąd?

– Aha. Dowiedział się, gdzie mieszkam. Malloy musiał mu powiedzieć, że tu jest centrum dowodzenia akcją.

Zapadła upiorna cisza. Rhyme od razu pomyślał, że jest zupełnie bezbronny. Urządzenia, od których był uzależniony, były teraz bezużyteczne. Nie potrafił się z nikim skontaktować, nie mógł otworzyć ani zamknąć drzwi ani skorzystać z układu sterowania otoczeniem. Gdyby przerwa w dostawie energii potrwała dłużej i Thom nie mógł naładować akumulatora w wózku, zostałby kompletnie unieruchomiony.

Nie pamiętał, kiedy ostatni raz był tak bezbronny. Nawet obecność innych nie mogła rozwiać jego obaw; 522 stanowił zagrożenie dla każdego, w każdym miejscu.

Zastanawiał się też: czy wyłączenie prądu to podstęp w celu odwrócenia uwagi, czy preludium do ataku?

– Miejcie oczy szeroko otwarte – zwrócił się do wszystkich. – Niewykluczone, że wziął nas na cel.

Pulaski wyjrzał przez okno. Cooper także.

Sellitto wyciągnął komórkę i zadzwonił do kogoś w centrum. Wyjaśnił sytuację. Zniecierpliwiony przewrócił oczami – detektyw nie należał do stoików o kamiennej twarzy – po czym zakończył rozmowę słowami:

– Nic mnie to nie obchodzi. Wszystko jedno, co trzeba będzie zrobić. Ten gnojek jest mordercą. Nie damy rady go złapać bez pieprzonego prądu... Wielkie dzięki.

– Thom, udało się?

– Nie – rzucił w odpowiedzi opiekun.

– Cholera. – Rhyme zastanowił się przez chwilę. – Lon, zadzwoń do Rolanda Bella. Chyba potrzebujemy ochrony. 522 próbował zaatakować Pam i Amelię. – Kryminalistyk ruchem głowy wskazał ciemny ekran monitora. – Już o nas wszystko wie. Trzeba wysłać ludzi do domu matki Amelii. Do domu zastępczej rodziny Pam. Do domu Pulaskiego. Do domu matki Mela. Do twojego też, Lon.

– Myślisz, że jest aż takie ryzyko? – spytał tęgi detektyw. Zaraz jednak pokręcił głową. – Co ja wygaduję? Pewnie, że jest. – Zebrał wszystkie potrzebne informacje – adresy i telefony – po czym zadzwonił do Bella i polecił mu wysłać na miejsce funkcjonariuszy. Odłożywszy słuchawkę, powiedział: – To może potrwać kilka godzin, ale obiecał wszystko załatwić.

Ciszę przerwało głośne pukanie do drzwi. Thom, wciąż ściskając w dłoni komórkę, ruszył otworzyć.

– Czekaj! – krzyknął Rhyme.

Opiekun zatrzymał się w pół kroku.

– Pulaski, idź z nim. – Rhyme wskazał głową pistolet na jego biodrze.

– Nie ma sprawy.

Wyszli na korytarz. Rhyme usłyszał przyciszoną rozmowę, a chwilę później do salonu wkroczyli dwaj mężczyźni w garniturach, krótko ostrzyżeni, o poważnych twarzach. Rozejrzeli się ciekawie – najpierw patrząc na nieruchome ciało Rhyme'a, potem na laboratorium, zaskoczeni ilością sprzętu albo brakiem światła, a najprawdopodobniej jednym i drugim.

– Szukamy porucznika Lona Sellitta. Powiedziano nam, że tu jest.

– To ja. Z kim mam przyjemność?

Nieznajomi pokazali odznaki, podali swoje nazwiska i stopnie – byli detektywami nowojorskiej policji w stopniu sierżanta. Pracowali w wydziale spraw wewnętrznych.

– Poruczniku – powiedział starszy – przyszliśmy odebrać pańską broń i odznakę. Muszę panu powiedzieć, że wyniki się potwierdziły.

– Przepraszam, o czym pan mówi?

– Został pan oficjalnie zawieszony. Na razie nie jest pan aresztowany. Radzimy jednak, żeby porozmawiał pan z adwokatem – własnym albo ze zrzeszenia.

– O co, u diabła, chodzi?

Młodszy funkcjonariusz zmarszczył brwi.

– O test narkotykowy.

– Co?!

– Nie musi się pan przed nami niczego wypierać. Wykonujemy tylko polecenie, odbieramy odznakę i broń i informujemy podejrzanego o zawieszeniu.

– Jaki cholerny test?

Starszy spojrzał na młodszego. Widocznie nigdy dotąd nie zdarzyło się im coś podobnego.

Oczywiście, że nie. Rhyme zrozumiał, że to wszystko uknuł 522.

– Detektywie, naprawdę nie musi pan udawać…

– Czy ja wyglądam na kogoś, kto udaje?

– Zgodnie z treścią rozkazu o zawieszeniu, w zeszłym tygodniu poddał się pan badaniu na obecność narkotyków. Właśnie nadeszły wyniki, które pokazują obecność w pańskim organizmie heroiny, kokainy i środków halucynogennych.

– Poddałem się badaniom jak wszyscy w departamencie. Wyniki nie mogą być pozytywne, bo nie biorę żadnych cholernych prochów. Nigdy nie brałem prochów. Poza tym... Niech to szlag. – Pokazał palcem prospekt reklamowy SSD. – Przecież mają firmy, które weryfikują dane osobowe i przeprowadzają testy narkotykowe. Dostał się do systemu i namieszał mi w papierach. Podrobił wyniki badania.

– Bardzo trudno byłoby tego dokonać.

– Ale jemu udało się tego dokonać.

– Pan lub pański adwokat możecie przedstawić ten argument podczas przesłuchania. Powtarzam, przyszliśmy tylko po pańską odznakę i broń. Tu są stosowne papiery. Mam nadzieję, że nie będzie pan robił nam żadnych trudności. Chyba nie chce pan dodawać sobie nowych kłopotów?

– Cholera. – Gruby detektyw podał mu broń – staroświecki rewolwer – oraz odznakę. – Dajcie mi te pieprzone papiery. – Sellitto wyrwał dokumenty z rąk młodszego, podczas gdy starszy wypisał mu pokwitowanie, a następnie rozładował broń i włożył do grubej koperty razem z amunicją.

– Dziękuję, detektywie. Miłego dnia.

Po ich wyjściu Sellitto chwycił komórkę i zadzwonił do szefa wydziału spraw wewnętrznych. Nie zastał go, więc zostawił wiadomość. Następnie zadzwonił do swojego biura. Jeden z asystentów w wydziale specjalnym najwyraźniej wiedział już o nowinie.

– Wiem, że to bzdura. Co zrobili?... No po prostu świetnie. Zadzwonię do ciebie, jak będę wiedział, co jest grane. – Zamknął telefon z takim hukiem, że Rhyme pomyślał, czy przypadkiem go nie zepsuł. Pytająco uniósł brew. – Właśnie skonfiskowali całą zawartość mojego biurka.

– Jak można walczyć z kimś takim? – spytał Pulaski.

W tym momencie do Sellitta zadzwonił Rodney Szarnek. Detektyw włączył głośnik.

– Co się dzieje z waszym numerem stacjonarnym?

– Gnojek wyłączył nam prąd. Pracujemy nad tym. Co jest?

– Chodzi o listę klientów SSD, tę z płytki. Coś znaleźliśmy. Jeden klient ściągnął strony z danymi wszystkich ofiar i kozłów ofiarnych na dzień przed każdym z zabójstw.

– Kto to jest?

– Nazywa się Robert Carpenter.

– Dobrze – powiedział Rhyme. – Szczegóły?

– Mam tylko to, co jest w dokumencie. Ma firmę na środkowym Manhattanie. Nazywa się „Associated Warehousing".

Warehousing? Rhyme pomyślał o magazynie, gdzie został zamordowany Joe Malloy*. Czyżby był jakiś związek?

– Masz namiary?

Technik podał im adres.

Kiedy się rozłączyli, Rhyme zauważył zmarszczone czoło Pulaskiego. Młody funkcjonariusz powiedział:

– Chyba widzieliśmy go w SSD.

– Kogo?

– Carpentera. Kiedy byliśmy tam wczoraj. Gruby łysy facet. Miał spotkanie ze Sterlingiem. Nie wyglądał na zadowolonego.

– Zadowolonego? Co to znaczy?

– Nie wiem. Takie miałem wrażenie.

– Do niczego się nam to nie przyda – orzekł Rhyme. – Mel, sprawdź tego Carpentera.

Cooper zadzwonił ze swojej komórki do centrum. Podszedł do okna, gdzie było więcej światła, a potem coś zanotował i rozłączył się po kilkuminutowej rozmowie.

– Chyba nie lubisz słowa „ciekawe", Lincoln, ale inaczej tego nie określę. Mam wyniki z NCIC i naszej bazy danych. Robert Carpenter. Mieszka na Upper East Side. Samotny. I wyobraź sobie, jest notowany. Jakieś oszustwo przy użyciu karty kredytowej i afery z czekami bez pokrycia. Odsiedział pół roku w Waterbury. I był aresztowany za udział w planach wyłudzenia. Zarzuty wycofano, ale gdy przyszli go zgarnąć, wpadł w szał, próbował uderzyć agenta. Wycofali zarzuty, kiedy się zgodził na terapię dla niezrównoważonych emocjonalnie.

– Niezrównoważony emocjonalnie? – Rhyme pokiwał głową. – I jego firma ma magazyny. Doskonała branża dla zbieracza... Dobra,

* *Warehousing* – magazynowanie, składowanie; *warehouse* – magazyn lub hurtownia (przyp. tłum.).

Pulaski, dowiedz się, gdzie był ten Carpenter podczas włamania do domu Amelii.

– Tak jest. – Pulaski sięgnął po telefon, lecz w tym momencie aparat zadzwonił. Zerknął na wyświetlacz i odebrał. – Cześć, kocha... Co? Zaraz, Jenny, uspokój się...

Och, nie... Lincoln Rhyme wiedział, że 522 przypuścił atak na kolejnym froncie.

– Co?! Gdzie jesteś? ... Spokojnie, to na pewno pomyłka. – Drżał mu głos. – Zajmę się tym... Podaj mi tylko adres.... Dobrze, zaraz tam będę.

Schował telefon i na chwilę zamknął oczy.

– Muszę iść.

– Co się stało? – spytał Rhyme.

– Jenny została aresztowana. Przez INS.

– Urząd imigracji?

– Znalazła się na liście obserwowanych osób Departamentu Bezpieczeństwa Krajowego. Twierdzą, że przebywa w kraju nielegalnie i stanowi zagrożenie dla bezpieczeństwa.

– Przecież Jenny...

– Już nasi pradziadkowie mieli obywatelstwo – rzucił ze złością Pulaski. – Jezu... – Nowy miał błędny wzrok. – Brad jest u mamy Jenny, ale mały jest teraz z nią. Przewożą ich do aresztu – i mogą też zatrzymać dziecko. Jeżeli to zrobią... Rany boskie. – Na jego twarzy malowała się zupełna rozpacz. – Muszę iść. – Jego oczy mówiły Rhyme'owi, że nikt nie może go powstrzymać.

– Dobrze, idź. Powodzenia.

Młody człowiek wybiegł z domu.

Rhyme na moment zamknął oczy.

– Bierze nas na cel po kolei jak snajper. – Skrzywił się. – Przynajmniej Sachs zaraz tu będzie. Sprawdzi nam Carpentera.

Znów rozległo się łomotanie do drzwi.

Zaskoczony otworzył oczy. Co znowu?

Tym razem jednak nie chodziło o kolejne dzieło 522.

Do domu weszli dwaj funkcjonariusze z wydziału kryminalistycznego w Queens, niosąc dużą skrzynkę, którą przekazała im Sachs, zanim pomknęła do swojego domu. Były to dowody zebrane w miejscu morderstwa Malloya.

– Dzień dobry, detektywie. Wie pan, że dzwonek u drzwi nie działa? – Jeden z policjantów rozejrzał się po salonie. – I nie ma światła.

– O tym akurat doskonale wiemy – odparł spokojnie Rhyme.

– W każdym razie to dla pana.

Po wyjściu funkcjonariuszy Mel Cooper postawił skrzynkę na stole do badań i wyciągnął dowody oraz cyfrowy aparat Sachs, którym sfotografowała miejsce zdarzenia.

– No, zaraz sobie obejrzymy – burknął sarkastycznie Rhyme, wskazując brodą martwy komputer i ciemny monitor. – Może obejrzymy pod światło kartę pamięci, co?

Rzucił okiem na dowody – odcisk buta, jakieś liście, kawałek taśmy izolacyjnej i koperty z mikrośladami. Musieli to wszystko jak najszybciej zbadać; dowody nie zostały podrzucone, więc mogli w nich odnaleźć ostateczną wskazówkę o miejscu pobytu 522. Ale bez sprzętu do analiz i bez dostępu do baz danych torebki mogły służyć co najwyżej jako przyciski do papieru.

– Thom! – krzyknął Rhyme. – Co z tym prądem?

– Ciągle każą mi czekać! – zawołał opiekun z ciemnego korytarza.

Wiedział, że to prawdopodobnie zły pomysł. Przestał jednak nad sobą panować.

A bardzo trudno było sprawić, by Ron Pulaski stracił nad sobą panowanie.

Ale był wściekły. Nigdy dotąd nie czuł niczego takiego. Wstępując do policji, spodziewał się, że od czasu do czasu ktoś go pobije albo będzie mu groził. Nie przypuszczał jednak, by z powodu jego pracy w niebezpieczeństwie znalazła się Jenny, a tym bardziej dzieci.

Tak więc choć był zasadniczy i ściśle trzymał się regulaminu – sierżant Friday – postanowił wziąć sprawę we własne ręce. Zrobić coś za plecami Lincolna Rhyme'a, detektywa Sellitta, a nawet swojej mentorki, Amelii Sachs. Nie byliby tym zachwyceni, lecz Ron Pulaski został doprowadzony do ostateczności.

W drodze do aresztu urzędu imigracyjnego w Queens zadzwonił do Marka Whitcomba.

– Cześć, Ron – przywitał go Whitcomb. – Co się dzieje?… Masz zdenerwowany głos. Jakbyś nie mógł złapać tchu.

– Mam problem, Mark. Błagam cię, potrzebuję pomocy. Moja

żona została oskarżona o nielegalny pobyt w kraju. Mówią, że ma sfałszowany paszport i jest zagrożeniem dla bezpieczeństwa. To jakiś obłęd.

– Przecież ma obywatelstwo?

– Jej rodzina mieszka w Stanach od pokoleń. Mark, przypuszczamy, że ten morderca dostał się do waszego systemu. Podrobił wyniki testu narkotykowego jednego detektywa... a teraz doprowadził do aresztowania Jenny. Mógł zrobić coś takiego?

– Pewnie podmienił jej akta na dane kogoś, kto jest na liście obserwowanych, a potem to zgłosił... Słuchaj, znam parę osób w INS. Mogę z nimi pogadać. Gdzie jesteś?

– W drodze do aresztu w Queens.

– Spotkamy się przed wejściem za dwadzieścia minut.

– Dobra, dzięki, stary. Sam nie wiem, co robić.

– Nie martw się, Ron. Coś się wymyśli.

Czekając na Whitcomba, Ron Pulaski spacerował nerwowo przed centrum zatrzymań, obok tymczasowej tablicy, która głosiła, że obiektem zarządza obecnie Departament Bezpieczeństwa Krajowego. Pulaski przypomniał sobie programy w telewizji o nielegalnych imigrantach, które oglądali z Jenny, pamiętał ich przerażone twarze.

Co się teraz dzieje z jego żoną? Utknie na wiele dni czy tygodni w jakiś biurokratycznym czyśćcu? Pulaski miał ochotę wrzeszczeć na całe gardło.

Uspokój się. Załatw to z głową. Tak mu zawsze radziła Amelia Sachs.

Załatw to z głową.

Wreszcie, dzięki Bogu, zobaczył Marka Whitcomba, który szedł w jego stronę z zaaferowaną miną. Nie był pewien, jak ten człowiek może mu pomóc, ale miał nadzieję, że dział kontroli wewnętrznej, mający powiązania z rządem, potrafi użyć swoich wpływów w departamencie bezpieczeństwa i wydostać stąd jego żonę i dziecko, przynajmniej do czasu, gdy sprawa oficjalnie się wyjaśni.

Zdyszany Whitcomb w końcu dotarł do niego.

– Dowiedziałeś się czegoś więcej?

– Dzwoniłem dziesięć minut temu. Są już w środku. Nic nie mówiłem. Wolałem zaczekać na ciebie.

– Dobrze się czujesz?

– Nie. Zaraz oszaleję, Mark. Dzięki za pomoc.

– Nie ma sprawy – odrzekł szczerze zastępca szefa działu kontroli wewnętrznej. – Wszystko będzie dobrze, Ron. Nie martw się. Chyba uda mi się coś poradzić. – Spojrzał Pulaskiemu w oczy; Whitcomb był tylko odrobinę wyższy od Andrew Sterlinga. – Powiedz... bardzo ci zależy na tym, żeby wydostać stąd Jenny, prawda?

– Pewnie, Mark. To po prostu koszmar.

– Dobra. Chodźmy tędy. – Zaprowadził Pulaskiego za róg budynku, a potem do alejki. – Mam do ciebie prośbę, Ron – szepnął Whitcomb.

– Zrobię wszystko, co się da.

– Naprawdę? – Miał dziwnie spokojny i cichy głos. I mierzył go bezdusznym spojrzeniem, jakiego Pulaski nigdy dotąd u niego nie widział. Jak gdyby zrzucił maskę i stał się sobą. – Wiesz, Ron, czasem musimy robić rzeczy, które wydają się nam niesłuszne. Ale w ostatecznym rozrachunku wychodzą nam na dobre.

– Co masz na myśli?

– Żeby pomóc wydostać się stąd żonie, być może będziesz musiał zrobić coś, co nie wyda ci się dobre.

Policjant milczał. Mąciło mu się w głowie. Co on mu zamierzał powiedzieć?

– Ron, postaraj się zakończyć sprawę.

– Jaką sprawę?

– Śledztwo w sprawie morderstw.

– Zakończyć? Nie rozumiem.

– Przerwij ją. – Whitcomb rozejrzał się i szepnął: – Utrudniaj śledztwo. Zniszcz dowody. Daj im jakiś fałszywy trop, który może prowadzić do kogokolwiek, tylko nie do SSD.

– Nie rozumiem, Mark. Żartujesz?

– Nie, Ron. Mówię serio. Ta sprawa musi się skończyć i ty to załatwisz.

– Nie mogę.

– Och, możesz. Jeżeli chcesz, żeby Jenny stąd wyszła. – Ruchem głowy wskazał budynek aresztu.

Nie, nie... a więc to był 522. Whitcomb to morderca! Użył haseł swojego szefa, Sama Brocktona, żeby uzyskać dostęp do innerCircle.

Pulaski instynktownie sięgnął po broń.

Ale Whitcomb był szybszy i w jego dłoni pojawił się czarny pistolet.
– Nie, Ron. W ten sposób się nie dogadamy. – Sięgnął do kabury, wyciągnął glocka Pulaskiego i wsunął sobie za pasek.
Jak mógł popełnić taki błąd? Z powodu urazu głowy? A może był po prostu głupi? Fakt, że Whitcomb tylko udawał przyjaciela, w równym stopniu go zaskoczył, co zabolał. Przynosił mu kawę, bronił go przed Casselem i Gillespiem, proponował wspólne wyjście do miasta, pomagał mu zajrzeć do list czasu pracy… to była wyłącznie taktyka, aby zbliżyć się do policjanta i go wykorzystać.
– To wszystko kłamstwa, tak? Nie wychowałeś się w Queens, prawda, Mark? I nie masz brata gliniarza.
– Masz rację w jednym i drugim. – Twarz Whitcomba pociemniała. – Próbowałem ci przemówić do rozsądku, Ron, ale nie chcesz mi pomóc. Niech to szlag! Mogłeś się zgodzić. Zobacz, do czego mnie zmuszasz.
Morderca popchnął Pulaskiego w głąb alejki.

Rozdział 41

Amelia Sachs jechała przez miasto, zirytowana niemrawością hałaśliwego silnika japońskiego samochodu.

Wydawał dźwięki jak kostkarka do lodu. I miał pewnie nie więcej koni mechanicznych.

Dwa razy dzwoniła do Rhyme'a, ale natychmiast włączała się poczta głosowa. Rzadko zdarzało się coś takiego; Lincoln Rhyme, z oczywistych względów, sporadycznie opuszczał dom. Poza tym coś dziwnego działo się w Centrali; telefon Lona Sellitta nie działał. Ani detektyw, ani Ron Pulaski nie odbierali komórki.

Czyżby za tym też stał 522?

Tym więcej było powodów, by jak najszybciej sprawdzić ślad, który odkryła w swoim domu. Przypuszczała, że to mocny trop. Być może stanowił klucz, ostatni brakujący element układanki, potrzebny do wyjaśnienia sprawy.

Widziała już budynek, do którego zmierzała. Pamiętając o tym, co się stało z camaro, i nie chcąc narażać na to samo auta Pam – jeśli to rzeczywiście 522 zaaranżował odholowanie jej chevroleta – Sachs przez chwilę krążyła po ulicach, dopóki nie znalazła najrzadszego na Manhattanie zjawiska: wolnego legalnego miejsca parkingowego.

Coś takiego.

Może to dobry znak.

– Dlaczego to robisz? – wyszeptał Ron Pulaski do Marka Whitcomba w pustej alejce w Queens.

Ale morderca nie odpowiedział.

– Posłuchaj.

– Wydawało mi się, że jesteśmy przyjaciółmi.

– Ludziom wydają się różne rzeczy, które potem okazują się nieprawdą. Takie jest życie. – Whitcomb odchrząknął. Wyglądał na rozdrażnionego. Pulaski przypomniał sobie, jak Sachs mówiła, że czując, jak depczą mu po piętach, morderca staje się nieostrożny. I bardziej niebezpieczny.

Pulaski oddychał ciężko.

Whitcomb znów się rozejrzał, po czym utkwił wzrok w młodym policjancie. Trzymał wymierzoną w niego broń i nie było wątpliwości, że wiedział, jak się nią posługiwać.

– Kurwa, słuchasz mnie?

– Niech cię szlag. Słucham.

– Chcę, żeby śledztwo nie posunęło się ani o krok dalej. Trzeba je przerwać.

– Przerwać? Jestem w służbie patrolowej. Jak mogę cokolwiek przerwać?

– Już ci mówiłem. Utrudniaj. Gub dowody. Myl tropy.

– Nie zrobię tego – mruknął buńczucznie młody policjant.

Whitcomb z niesmakiem pokręcił głową.

– Owszem, zrobisz. Tylko od ciebie zależy, czy wszystko pójdzie gładko czy nie, Ron.

– A moja żona? Możesz ją stąd wyciągnąć?

– Mogę zrobić wszystko, co zechcę.

Człowiek, który wie wszystko...

Policjant zamknął oczy i zgrzytnął zębami, jak w dzieciństwie. Potem spojrzał na budynek, w którym przetrzymywano Jenny.

Jenny, kobietę podobną do Myry Weinburg.

Ron Pulaski pogodził się z koniecznością popełnienia zdrady. To było straszne, straszne i głupie, ale nie miał wyboru. Został przyparty do muru.

Opuścił głowę i mruknął:

– Zgoda.

– Zrobisz to?

– Powiedziałem, że tak – odburknął.

– To rozsądne, Ron. Bardzo rozsądne.

– Ale przyrzeknij mi... – Pulaski zawahał się przez ułamek sekundy, zerkając ponad ramieniem Whitcomba – ... że Jenny i mały wyjdą jeszcze dziś.

Whitcomb zauważył jego spojrzenie i szybko obejrzał się za siebie. Kiedy to robił, lufa pistoletu lekko przesunęła się na bok.

Pulaski uznał, że sztuczka się udała, i szybko zaatakował. Lewą ręką odepchnął wycelowaną w siebie broń, uniósł nogę i wyszarpnął mały rewolwer z kabury na kostce. Amelia Sachs nauczyła go, żeby zawsze mieć przy sobie zapas.

Morderca zaklął i próbował się cofnąć, ale Pulaski, trzymając jego dłoń w kurczowym uścisku, uderzył go rewolwerem w twarz, miażdżąc mu chrząstkę nosa.

Whitcomb wydał stłumiony wrzask. Trysnęła krew i morderca osunął się na ziemię, a Pulaski wyrwał mu pistolet z dłoni, lecz nie potrafił go sam utrzymać. Broń Whitcomba koziołkując poleciała na chodnik, a mężczyźni zwarli się w niezdarnej walce zapaśniczej. Pistolet z brzękiem wylądował na asfalcie, ale nie wypalił, a Whitcomb, z paniką i wściekłością w oczach, pchnął Pulaskiego na mur i sięgnął do jego ręki.

– Nie, nie!

Whitcomb odchylił głowę, zamierzając uderzyć go bykiem, lecz Pulaski, przypominając sobie straszny cios pałką w czoło sprzed kilku lat, odsunął się odruchowo. Whitcomb wykorzystał unik, by wytrącić mu rewolwer, który pofrunął w niebo, a drugą ręką wyciągnął glocka i wymierzył go w głowę policjanta.

Pulaski zdążył zmówić początek modlitwy i skupić się na myśli o żonie i dzieciach, których portret pragnął zabrać ze sobą do nieba.

Nareszcie włączył się prąd, więc Cooper i Rhyme szybko zabrali się do pracy nad dowodami z zabójstwa Joego Malloya. Byli w laboratorium sami: Lon Sellitto pojechał do centrum podjąć próbę wycofania rozkazu o zawieszeniu.

Zdjęcia z miejsca zdarzenia niewiele pokazały, a dowody fizyczne nie przyniosły szczególnie istotnych informacji. Odcisk buta wyraźnie pozostawił 522 – ślad był taki sam jak znaleziony wcześniej. Fragmenty liści pochodziły z roślin doniczkowych, fikusa i aglaonemy. W mikrośladach odkryli glebę niewiadomego pochodzenia, kolejną porcję pyłu z katastrofy World Trade Center i biały proszek, który zidentyfikowali jako zabielacz do kawy coffee-mate. Nie potrafili ustalić źródła pochodzenia taśmy izolacyjnej.

Rhyme'a zaskoczyła ilość krwi na dowodach. Przypomniał sobie, jak Sellitto opisywał kapitana.

To zaprzysięgły bojownik...

Mimo postanowienia o chłodnym podejściu do sprawy, Rhyme był bardzo poruszony morderstwem Malloya – i jego bestialstwem. Ogarnął go jeszcze gwałtowniejszy gniew. I coraz większy niepokój. Kilka razy spojrzał przez okno, jak gdyby pod domem skradał się właśnie 522, mimo że kazał Thomowi zamknąć wszystkie drzwi i okna, a także włączyć kamery.

MIEJSCE ZDARZENIA – ZABÓJSTWO JOEGO MALLOYA

- But roboczy Skechers numer 11
- Liście roślin doniczkowych: fikus i aglaonema
- Ziemia, niewiadomego pochodzenia

- Pył z katastrofy World Trade Center
- Zabielacz coffee-mate
- Taśma izolacyjna, niewiadomego pochodzenia

– Dopisz rośliny i coffee-mate do listy niepodrzuconych dowodów, Mel.

Technik podszedł do tablicy i umieścił na niej dodatkowe informacje.

– Niewiele. Psiakrew, bardzo niewiele.

Nagle Rhyme się wzdrygnął. Znów ktoś załomotał do drzwi. Thom poszedł otworzyć. Mel Cooper odsunął się od tablicy, a jego dłoń spoczęła na niewielkim pistolecie, który nosił na biodrze.

Gościem nie był jednak 522. Odwiedził ich inspektor nowojorskiego departamentu policji, Herbert Glenn. Mężczyzna w średnim wieku, imponującej postury, jak ocenił Rhyme. Miał na sobie tani garnitur, lecz jego wypolerowane buty lśniły jak dwa lusterka. Za jego plecami w korytarzu odezwało się kilka innych głosów.

Gdy dokonano prezentacji, Glenn rzekł:

– Przykro mi, ale chodzi o funkcjonariusza, z którym pan współpracuje.

– Sellitto? Sachs? Co się stało?

Glenn ciągnął spokojnie:

– Nazywa się Ron Pulaski. Pracuje pan z nim, prawda?

Och, nie.

Nowy...

Pulaski nie żyje, a jego żona siedzi z dzieckiem w areszcie aparatu biurokratycznego. Co ona teraz pocznie?

– Niech pan mówi, co się stało!

Glenn zerknął za siebie i dał znak dwóm ludziom, którzy weszli do salonu: był to siwowłosy mężczyzna w ciemnym garniturze i młodszy, niższy, podobnie ubrany, ale z dużym opatrunkiem na nosie. Inspektor przedstawił Samuela Brocktona i Marka Whitcomba, pracowników SSD. Rhyme pamiętał, że Brockton figurował na liście podejrzanych, choć podobno miał alibi na dzień, w którym popełniono gwałt i morderstwo. Whitcomb był jego zastępcą w dziale kontroli wewnętrznej.

– Proszę mi powiedzieć, co z Pulaskim!

Inspektor podjął:

– Obawiam się... – W tym momencie zadzwonił jego telefon i Glenn odebrał. Rozmawiając przyciszonym głosem, zerknął na Brocktona i Whitcomba. Po chwili się rozłączył.

– Proszę mi powiedzieć, co się stało z Ronem Pulaskim. Natychmiast!

Rozległ się dzwonek u drzwi i Thom wraz z Cooperem wprowadzili do laboratorium Rhyme'a dwie osoby. Jedną z nich był krzepki mężczyzna z zawieszoną na szyi legitymacją FBI. Drugą Ron Pulaski, skuty kajdankami.

Brockton wskazał krzesło i agent FBI posadził na nim młodego policjanta. Pulaski, wyraźnie wstrząśnięty, był zakurzony i wymięty, ze śladami krwi na twarzy, lecz wszystko wskazywało na to, że jest cały i zdrów. Whitcomb także usiadł, ostrożnie dotykając nosa. Nie patrzył na nikogo.

Samuel Brockton pokazał legitymację.

– Jestem agentem wydziału kontroli wewnętrznej Departamentu Bezpieczeństwa Krajowego. Mark jest moim zastępcą. Pański funkcjonariusz zaatakował agenta federalnego.

– Który groził mi bronią, nie przedstawiając się przedtem. A wcześniej...

Wydział kontroli wewnętrznej? Rhyme nigdy o nim nie słyszał. Lecz w labiryncie centralnych organów bezpieczeństwa komórki organizacyjne pojawiały się i znikały jak nieudane samochody z Detroit.

– Myślałem, że pracujecie w SSD.

– Mamy tam biura, ale jesteśmy pracownikami rządu federalnego.

Do diabła, co ten Pulaski zmalował? Uczucie ulgi opadło, ustępując miejsca irytacji.

Nowy chciał wszystko wytłumaczyć, ale Brockton go uciszył. Rhyme powiedział jednak surowym tonem do mężczyzny w szarym garniturze:

– Nie, niech mówi.

Brockton wahał się przez moment. Jego oczy wyrażały niezachwiane przekonanie, że cokolwiek Pulaski lub ktoś inny powie, w najmniejszym stopniu nie wpłynie na jego poglądy. Przyzwalająco skinął głową.

Nowy opowiedział Rhyme'owi o spotkaniu z Whitcombem, który miał pomóc w zwolnieniu Jenny z aresztu INS. Whitcomb polecił mu utrudniać śledztwo w sprawie 522, a gdy Pulaski odmówił, wyciągnął broń i zaczął mu grozić. Nowy uderzył Whitcomba w twarz zapasową bronią i rozpętała się bójka.

Rhyme warknął do Brocktona i Glenna:

– Dlaczego przeszkadzacie nam w śledztwie?

Brockton chyba dopiero teraz zauważył, że Rhyme jest niepełnosprawny, lecz natychmiast zignorował ten fakt. Spokojnym barytonem oznajmił:

– Próbowaliśmy załatwić to delikatnie. Gdyby posterunkowy Pulaski się zgodził, nie musielibyśmy sięgać po bat... Ta sprawa przyprawia o ból głowy wiele osób. Miałem zaplanowane na ten tydzień spotkania w Kongresie i Departamencie Sprawiedliwości. Musiałem wszystkie odwołać i pędem wracać tutaj, żeby zobaczyć, co się dzieje... Dobrze, to, co teraz powiem, zostaje między nami. Wszyscy słyszeli?

Rhyme przytaknął pod nosem, Cooper i Pulaski zawtórowali.

– Wydział kontroli wewnętrznej prowadzi analizę zagrożeń i zapewnia ochronę prywatnym firmom, które mogą stanowić cel ataków terrorystycznych. Chodzi o ważne podmioty w infrastrukturze kraju. Firmy naftowe, linie lotnicze, banki. Dostawców danych takich jak SSD. Wysyłamy tam swoich agentów.

Sachs mówiła, że Brockton spędza dużo czasu w Waszyngtonie. Teraz znali powód.

– No to po co te kłamstwa, że pracujecie w SSD? – wyrzucił z siebie Pulaski. Rhyme nigdy nie widział u niego oznak wzburzenia. Nowy kipiał ze złości.

– Staramy się nie rzucać w oczy – wyjaśnił Brockton. – Jasne, że świetnym celem dla terrorystów są rurociągi, firmy farmaceutyczne i spożywcze. Pomyślcie jednak, co ktoś mógłby zrobić z informacjami, które ma SSD. Gdyby padły ich komputery, zostałaby sparaliżowana cała gospodarka. Co mogłoby się stać, gdyby zamachowcy zdobyli adresy menedżerów i polityków i inne informacje osobowe z innerCircle?

– Czy to wy zmieniliście wyniki badań Lona Sellitta?

– Nie, to musiał zrobić wasz podejrzany – 522 – odrzekł inspektor Glenn. – I to on doprowadził do aresztowania żony posterunkowego Pulaskiego.

– Dlaczego chcecie przerwać śledztwo? – spytał ostro Pulaski.

– Nie rozumiecie, jaki to groźny człowiek? – Mówił do Marka Whitcomba, który nadal jednak patrzył w podłogę i milczał.

– Z naszego profilu wynika, że jest elementem odrębnym – powiedział Glenn.

– Kim?

– Anomalią. Zdarzeniem jednorazowym – wyjaśnił Brockton. – SSD przeprowadziło analizę sytuacji. Z opracowanego profilu i modelu predykcyjnego wynika, że socjopata tego typu niedługo osiągnie stan nasycenia. Skończy działać. Po prostu zniknie.

– Ale jeszcze nie skończył, prawda?

– Jeszcze nie – przytaknął Brockton. – Ale to wkrótce nastąpi. Programy nigdy się nie mylą.

– Pomylą się, jeżeli zginie jeszcze jeden człowiek.

– Bądźmy realistami. Chodzi o równowagę. Nie możemy ujawnić, jak cennym celem dla terrorystów może być SSD. Nie możemy też nikomu ujawnić istnienia wydziału kontroli wewnętrznej w departamencie bezpieczeństwa. Należy zrobić wszystko, żeby wydział i SSD pozostały w cieniu. Śledztwo w sprawie morderstw stawia je w świetle jupiterów.

– Jeżeli chcesz badać konwencjonalne tropy, Lincoln, proszę bardzo – dodał Glenn. – Analiza kryminalistyczna, świadkowie, czemu nie? Ale nie wciągaj do tego SSD. Ta konferencja prasowa to był poważny błąd.

381

– Rozmawialiśmy z Ronem Scottem z biura burmistrza, rozmawialiśmy z Joe Malloyem. Obaj się zgodzili.

– Nie skonsultowali się z odpowiednimi ludźmi. Ten ruch naraził na szwank nasze stosunki z SSD. Andrew Sterling wcale nie musi świadczyć nam usług informatycznych.

Mówił podobnym tonem jak prezes firmy obuwniczej, przerażony perspektywą utraty łask Sterlinga i SSD.

– No dobrze, oficjalna wersja brzmi tak, że wasz morderca nie zdobył informacji z SSD – powiedział Brockton. – Innej wersji nie ma.

– Zdajecie sobie sprawę, że Joseph Malloy nie żyje z winy SSD i innerCricle?

Twarz Glenna stężała. Westchnął.

– Przykro mi z tego powodu. Bardzo przykro. Ale Joe zginął podczas pełnienia obowiązków służbowych. To tragedia. Ale z natury rzeczy wpisana w zawód policjanta.

Oficjalna wersja... innej wersji nie ma...

– No więc? – odezwał się Brockton. – SSD nie jest już obiektem śledztwa. Zrozumiano?

Chłodne skinienie głową.

Glenn dał znak agentowi FBI.

– Możesz go rozkuć.

Mężczyzna zdjął kajdanki Pulaskiemu, który wstał, rozcierając przeguby.

– Przywróćcie do służby Lona Sellitta – rzekł Rhyme. – I zwolnijcie z aresztu żonę Pulaskiego.

Glenn spojrzał na Brocktona, który potrząsnął głową.

– W tym momencie byłoby to równoznaczne z przyznaniem, że w zbrodnie może być zamieszane SSD i że informacje pochodziły z ich baz danych. Na razie trzeba się z tym wstrzymać.

– Bzdura. Dobrze wiecie, że Lon Sellitto nigdy w życiu nie brał żadnych prochów.

– I w wyniku dochodzenia zostanie oczyszczony z zarzutów – rzekł Glenn. – Pozwolimy sprawie toczyć się zwykłym trybem.

– Do diabła, nie! Według informacji, które morderca wprowadził do systemu, Lon jest już winny. Tak jak Jenny Pulaski. Mają to w papierach!

– Tak to na razie musimy zostawić – odparł spokojnie inspektor.

Agenci federalni i Glenn ruszyli do drzwi.

– Mark! – zawołał Pulaski. Whitcomb odwrócił się do niego. – Przepraszam.

Zaskoczony jego skruchą, funkcjonariusz federalny dotknął zabandażowanego nosa.

– Przepraszam, że złamałem ci tylko nos – ciągnął Pulaski. – Mam cię gdzieś, pieprzony judaszu.

Nowy miał jednak trochę charakteru.

Po ich wyjściu Pulaski chciał porozmawiać z żoną, ale nie mógł się dodzwonić. Ze złością zatrzasnął komórkę.

– Powiem ci, Lincoln, że nic mnie nie obchodzi, co mówią. Nie zamierzam zwijać interesu.

– Nie martw się. Pracujemy dalej. Mnie nie wyleją – jestem cywilem. Mogą wylać tylko ciebie i Mela.

– Ale… – zaniepokoił się Cooper.

– Spokojnie, Mel. Naprawdę mam poczucie humoru, wbrew temu, co wszyscy myślą. Nikt się nie dowie – pod warunkiem że nowy nie pobije więcej żadnego agenta federalnego. No dobra, chcę wiedzieć wszystko o tym Robercie Carpenterze, kliencie SSD. Do roboty.

Rozdział 42

Awięc jestem 522.
Ciekawe, dlaczego wybrali akurat ten numer. Myra 9834 nie była przecież moją pięćset dwudziestą drugą ofiarą (co za rozkoszna myśl!). W żadnym z adresów ofiar nie pojawił się ten numer... Zaraz. Data. Oczywiście. Zginęła w zeszłą niedzielę – dwudziestego drugiego maja – i wtedy zaczęli mnie szukać.

Czyli jestem dla nich numerem, tak jak oni dla mnie. Pochlebia mi to. Siedzę teraz w Schowku, prawie ukończyłem badania. Jest już po pracy i ludzie wracają do domów, wychodzą na kolację albo spotkania ze znajomymi. Ale w danych najwspanialsze jest to, że nigdy nie śpią i moi żołnierze mogą zbombardować ich życie w dowolnej chwili, w każdym miejscu.

W tym momencie spędzam kilka chwil z rodziną Prescotta przed rozpoczęciem ataku. Policja niebawem zacznie pilnować domów moich wrogów i ich rodzin... Nie rozumie jednak natury mojej broni. Biedny Joseph Malloy dał mi mnóstwo materiału do pracy.

Na przykład ten detektyw Lorenzo – to znaczy Lon – Sellitto (zadał sobie wiele trudu, żeby ukryć swoje prawdziwe imię) został zawieszony, ale czeka go jeszcze więcej. Weźmy ten niefortunny incydent sprzed kilku lat, w którym sprawca został zastrzelony podczas aresztowania... pojawią się nowe dowody na to, że podejrzany nie miał wtedy broni – a świadek kłamał. Dowie się o tym matka zastrzelonego chłopaka. Wyślę też parę rasistowskich listów w jego imieniu do prawicowych witryn internetowych. Zaangażuję w sprawę wielebnego Ala Sharptona – wtedy wybije jego ostatnia godzina. Biedny Lon może nawet trafić za kratki.

Sprawdziłem też osoby sprzężone z Sellittem. Wymyślę coś dla jego kilkunastoletniego syna z pierwszego małżeństwa. Może parę zarzutów o posiadanie narkotyków. Niedaleko pada jabłko od jabłoni. To będzie miało dodatkowy smaczek.

Ten gówniarz polskiego pochodzenia, Pulaski, w końcu zdoła przekonać departament bezpieczeństwa, że jego żona nie jest terrorystką ani nielegalną imigrantką. Ale czy oboje nie będą zaskoczeni, gdy znikną dokumenty urodzenia ich dziecka, a pewne małżeństwo, któremu przed rokiem zaginął noworodek, jeszcze w szpitalu, dowie się przypadkiem, że syn Pulaskiego może być ich zagubionym dzieckiem? Dopóki rzecz się nie wyjaśni, mały w najlepszym razie spędzi parę miesięcy pod opieką rodziny zastępczej. Będzie miał uraz na zawsze. (Wiem o tym aż nazbyt dobrze).

Przyjrzyjmy się teraz Amelii 7303 i temu Lincolnowi Rhyme'owi. Ponieważ jestem w złym humorze, Rose Sachs, która w przyszłym miesiącu miała zaplanowaną operację serca, straci prawo do ubezpieczenia z powodu… powiedzmy, dawnych oszustw. A Amelia 7303 jest prawdopodobnie wkurzona z powodu swojego samochodu, ale niebawem dostanie naprawdę złą wiadomość: o lekkomyślnie zaciągniętym długu. Może jakieś dwieście tysięcy dolarów. Na niemal lichwiarski procent.

To jednak tylko przystawki. Dowiedziałem się, że jej były chłopak został skazany za napady na ciężarówki, kradzieże i wymuszenia. Kilku nowych świadków napisze anonimowe e-maile z informacją, że ona także była w to zamieszana, a w garażu jej matki jest ukryty łup, który podrzucę, zanim zadzwonię do policyjnego wydziału spraw wewnętrznych.

Uwolni się od zarzutów – z powodu przedawnienia – ale rozgłos sprawy zepsuje jej reputację. Dzięki, wolna praso. Niech Bóg błogosławi Amerykę…

Śmierć to jeden z rodzajów transakcji opóźniających pościg, ale taktyka, która nie pociąga za sobą ofiar śmiertelnych, może być równie skuteczna, a moim zdaniem znacznie bardziej elegancka.

Jeżeli chodzi natomiast o Lincolna Rhyme'a… to ciekawa sytuacja. Oczywiście popełniłem kardynalny błąd, wybierając jego kuzyna. Gwoli sprawiedliwości muszę przyznać, że sprawdziłem wszystkie osoby sprzężone z Arthurem 3480 i nie znalazłem ani jednej wzmianki o kuzynie. Dziwna rzecz. Są krewnymi, mimo to od dziesięciu lat nie utrzymują żadnych kontaktów.

Popełniłem błąd i obudziłem bestię. To najlepszy przeciwnik, z jakim dane mi się było zmierzyć. Przeszkodził mi w drodze do domu DeLeona 6832; prawie mnie przyłapał, czego nikt wcześniej nie dokonał. Według relacji, którą urywanymi słowami złożył Malloy, Rhyme jest na moim tropie i zaczyna mi deptać po piętach.

Ale na to oczywiście też mam już plan. W tej chwili nie korzystam z innerCircle – muszę uważać – lecz wystarczy lektura artykułów z gazet i materiałów z innych źródeł danych. Kłopot polega oczywiście na tym, jak zniszczyć życie komuś takiemu jak Rhyme, którego życie fizyczne i tak jest w dużym stopniu zniszczone. Wreszcie znajduję rozwiązanie: skoro jest tak uzależniony od innych, zniszczę kogoś, z kim jest sprzężony. Moim następnym celem będzie opiekun Rhyme'a, Thom Reston. Jeśli ten młody człowiek zginie – w szczególnie nieprzyjemny sposób – wątpię, by Rhyme kiedykolwiek się z tego otrząsnął. Śledztwo wygaśnie; nikt inny nie będzie potrafił mnie ścigać tak jak on.

Wsadzę Thoma do bagażnika samochodu i pojedziemy do innego magazynu. Tam bez pośpiechu użyję brzytwy Krusius Brothers. Zarejestruję całą sesję kamerą i wyślę e-mailem do Rhyme'a. Jako sumienny kryminalistyk będzie musiał uważnie obejrzeć nagranie, szukając tropów. I będzie je musiał oglądać wielokrotnie.

Ręczę, że to mu odbierze chęć dalszego dochodzenia, jeśli go nie dobije.

Idę do pokoju numer trzy i wybieram jedną z kamer wideo. Baterie leżą obok. Z pokoju numer dwa biorę brzytwę spoczywającą w starym pudełku. Na ostrzu wciąż jest brązowa odrobina zaschniętej krwi. Nancy 3470. Dwa lata temu. (Sąd oddalił ostatnią apelację złożoną przez skazanego za jej zamordowanie Jasona 4971, który wnioskował o uchylenie wyroku z powodu sfabrykowania dowodów, co nawet jego adwokat prawdopodobnie uznał za żałosny argument).

Brzytwa jest tępa. Pamiętam, jak natrafiłem na opór żeber Nancy 3470; rzucała się gwałtowniej, niż się spodziewałem. Nieważne. Puszczam w ruch jedną z ośmiu tarcz szlifierskich, potem kilka pociągnięć po skórzanym pasku i po chwili jestem gotów.

Amelia Sachs czuła przypływ adrenaliny wywołany emocjami pościgu.

Dowód znaleziony w ogrodzie naprowadził ją na trop biegnący krętą drogą, lecz miała przeczucie – wybacz, Rhyme – że obecna misja okaże się owocna. Zaparkowała samochód Pam na ulicy i pobiegła pod adres następnej osoby na liście zawierającej sześć nazwisk, mając nadzieję, że uzyska od niej ostateczną wskazówkę co do tożsamości 522.

Dwa razy się nie powiodło. Czy trzecia osoba udzieli odpowiedzi? Miała wrażenie, że krążąc po mieście, przypominała padlinożercę, który wyruszył na makabryczne łowy.

Był już wieczór. Sachs sprawdziła adres w świetle latarni, znalazła dom i weszła po stopniach prowadzących do drzwi. Wyciągnęła rękę do dzwonka, gdy nagle coś ją zastanowiło.

Zastygła.

Czy to skutki paranoi dręczącej ją przez cały dzień? Poczucie, że ktoś ją śledzi?

Sachs rozejrzała się szybko – patrząc na garstkę osób na ulicy, na okna mieszkań i pobliskich sklepików... Ale nikt nie wyglądał szczególnie groźnie. I nikt nie zwracał na nią uwagi.

Znów sięgnęła do przycisku dzwonka, lecz opuściła rękę.

Coś było nie tak...

Co?

Wtedy zrozumiała. Nie chodziło o świadomość, że ktoś ją obserwuje; niepokoił ją zapach. Rozpoznała go z drżeniem serca: to była pleśń. Czuła jej zapach dochodzący z domu, przed którym stała.

Zbieg okoliczności?

Sachs bezszelestnie zeszła po schodkach i zbliżyła się do bocznej ściany domu, od strony brukowanej alejki. Budynek był bardzo duży – wąski od frontu, ale dość głęboki. Weszła dalej i ostrożnie podkradła się do okna. Zasłoniętego gazetą. Lustrując ścianę, przekonała się, że wszystkie okna są zasłonięte. Przypomniała sobie słowa Terry'ego Dobynsa: *Okna domu są zwykle zamalowane na czarno albo zaklejone. Taki człowiek musi się odseparować od świata zewnętrznego...*

Przyjechała tu tylko po informacje – niemożliwe, żeby mieszkał tu 522; ślady nie trzymały się kupy. Wiedziała już jednak, że się pomylili; nie miała wątpliwości, że stoi przed domem mordercy.

Sięgnęła po telefon, gdy nagle usłyszała odgłos szybkich kroków po bruku alejki. Zamiast telefonu postanowiła wyciągnąć broń i szybko się odwróciła. Zanim jednak jej dłoń spoczęła na rękojeści glocka, ktoś rzucił nią o mur. Oszołomiona, z trudem łapiąc oddech, osunęła się na kolana.

Unosząc wzrok, zobaczyła ciemne, nieruchome oczy mordercy, zobaczyła zaplamione ostrze brzytwy w jego ręku, które zaczęło sunąć w kierunku jej gardła.

Rozdział 43

Polecenie, zadzwoń do Sachs.

Ale odezwała się poczta głosowa.

– Cholera, gdzie ona jest? Znajdźcie ją... Pulaski? – Rhyme odwrócił wózek w stronę młodego człowieka, który właśnie rozmawiał przez telefon. – Co z tym Carpenterem?

Pulaski gestem poprosił go o cierpliwość. Po chwili odłożył słuchawkę.

– Dodzwoniłem się wreszcie do jego asystenta. Carpenter wcześniej wyszedł z pracy, miał jakieś sprawy do załatwienia. Powinien już być w domu.

– Niech ktoś tam pojedzie. Zaraz.

Mel Cooper próbował wysłać wiadomość na pager Sachs, a gdy nie było odpowiedzi, oznajmił:

– Nic z tego. – Zadzwonił jeszcze do kilku miejsc. – Nie udało się – poinformował.

– 522 wyłączył jej sieć, tak jak nam prąd?

– Nie, twierdzą, że konto jest aktywne. Nie działają urządzenia – albo są zepsute, albo wyjęto z nich baterie.

– Co? Na pewno? – Zaczynał go ogarniać dławiący lęk.

Rozległ się dzwonek i Thom poszedł otworzyć.

Do pokoju wkroczył Lon Sellitto w koszuli na wpół wyciągniętej ze spodni, z twarzą lśniącą od potu.

– W sprawie zawieszenia nic się nie da zrobić. Jest automatyczne. Nawet gdybym chciał iść na drugie badanie, nie mogą mnie odwiesić, dopóki wydział wewnętrzny nie zakończy dochodzenia. Pieprzone komputery. Kazałem zadzwonić do PublicSure. Podobno „badają sprawę", a wiadomo, co to znaczy. – Spojrzał na Pulaskiego. – Co się stało z twoją żoną?

– Ciągle jest w areszcie.

– Jezu.

– Robi się coraz gorzej. – Rhyme opowiedział detektywowi o Brocktonie, Whitcombie i Glennie oraz wydziale kontroli wewnętrznej w Departamencie Bezpieczeństwa Krajowego.

– Cholera. Nigdy o czymś takim nie słyszałem.

– Chcą, żebyśmy wstrzymali śledztwo, przynajmniej jeżeli chodzi o udział SSD. Ale mamy jeszcze jeden problem. Amelia zniknęła.

– Co? – warknął Sellitto.

– Na to wygląda. Nie wiem, dokąd pojechała ze swojego domu. Nie dzwoniła... Chryste, przecież nie było prądu, telefony nie działały. Sprawdźcie pocztę głosową. Może jednak dzwoniła.

Cooper wykręcił numer. I dowiedzieli się, że Sachs istotnie dzwoniła. Powiedziała tylko, że jedzie spadać pewien trop, nie podając żadnych szczegółów. Poprosiła, by Rhyme do niej zadzwonił i wtedy wszystko wyjaśni.

Rhyme zamknął oczy w poczuciu bezsilności.

Trop...

Jaki? Prowadzący do jednego z podejrzanych. Utkwił wzrok w tablicy.

Andrew Sterling, prezes, dyrektor naczelny
Alibi – był na Long Island, zweryfikowano. Syn potwierdza
Sean Cassel, dyrektor działu sprzedaży i marketingu
Brak alibi
Wayne Gillespie, dyrektor działu technicznego
Brak alibi
Alibi na czas zabójstwa dozorcy (według listy czasu pracy był w biurze)
Samuel Brockton, dyrektor działu kontroli wewnętrznej
Alibi – hotel potwierdza obecność w Waszyngtonie
Peter Arlonzo-Kemper, dyrektor działu personalnego
Alibi – był z żoną, która to potwierdza (za jego namową?)
Steven Shraeder, kierownik obsługi technicznej, dzienna zmiana
Alibi – w biurze, zgodnie z listą czasu pracy
Faruk Mameda, kierownik obsługi technicznej, nocna zmiana
Brak alibi

Alibi na czas zabójstwa dozorcy (według listy czasu pracy był w biurze)
Klient SSD (?)
Robert Carpenter (?)
NN zwerbowany przez Andrew Sterlinga (?)
Goniec?

Czy trop dotyczył któregoś z nich?

– Lon, jedź sprawdzić Carpentera.

– I co, mam mu powiedzieć: „Dzień dobry, byłem kiedyś gliną, może odpowie mi pan na kilka pytań, chociaż wcale pan nie musi, ale jestem taki miły"?

– Tak, Lon, coś w tym rodzaju.

Sellitto zwrócił się do Coopera:

– Mel, daj mi swoją blachę.

– Blachę? – powtórzył nerwowo technik.

– Nie zadrapię ci jej – mruknął gruby detektyw.

– Bardziej się martwię, żeby mnie też nie zawiesili.

– Witaj w klubie. – Sellitto wziął odznakę i zapytał Pulaskiego o adres Carpentera. – Dam wam znać, co się dzieje.

– Uważaj, Lon. 522 czuje się osaczony. Będzie się bronił jak wściekłe zwierzę. I pamiętaj, że jest…

– Sukinsynem, który wie wszystko. – Sellitto sztywnym krokiem wyszedł z laboratorium.

Rhyme zauważył, że Pulaski patrzy na tablice.

– Detektywie?

– Co?

– Coś mi przyszło do głowy. – Postukał w tablicę z listą podejrzanych. – Chodzi o alibi Andrew Sterlinga. Mówił, że kiedy był na Long Island, jego syn pojechał na wycieczkę do Westchester. Zadzwonił do Andy'ego spoza miasta i widzieliśmy w bilingu godzinę połączenia. Wszystko się zgadzało.

– No i?

– Pamiętam, jak Sterling powiedział, że syn pojechał do Westchester pociągiem. Ale gdy rozmawiałem z Andym, mówił, że wsiadł do samochodu i pojechał. – Pulaski przechylił głowę. – I jeszcze jedno. Kiedy zamordowano dozorcę cmentarza, sprawdzałem listę czasu pracy. Zobaczyłem imię i nazwisko Andy'ego. Wyszedł z biura zaraz po Miguelu Abrerze, tym sprzątaczu. Dosłownie kilka sekund. Nie myślałem o tym, bo Andy nie był podejrzany.

– Ale syn nie ma dostępu do innerCircle – zauważył Cooper, wskazując listę podejrzanych.

– Tak twierdzi ojciec. Ale... – Pulaski pokręcił głową. – Andrew Sterling był taki uczynny, że wszystko, co mówił, braliśmy za dobrą monetę. Powiedział, że nikt spoza ludzi z listy podejrzanych nie ma dostępu. Nie wiemy tego z innych źródeł. Nie sprawdziliśmy, kto mógł się logować do innerCircle.

– Może Andy znalazł hasło dostępu w palmtopie albo komputerze ojca – podsunął Cooper.

– Dobrze ci idzie, Pulaski. W porządku, Mel, teraz ty jesteś tu najwyższy stopniem. Wyślij oddział taktyczny do domu Andy'ego Sterlinga.

Nawet najlepsza analiza predykcyjna, wsparta wybitnym sztucznym umysłem takim jak Xpectation, nie musi się zawsze sprawdzać.

Któżby śmiałby przypuszczać, że Amelia 7303, która siedziała teraz pięć metrów ode mnie, oszołomiona i skuta kajdankami, sama zapuka do moich drzwi?

Muszę to nazwać szczęśliwym zrządzeniem losu. Właśnie wybierałem się przeprowadzić wiwisekcję Thoma, gdy zauważyłem ją przez okno. Tak właśnie wygląda moje życie: fortuna na przemian z rozdrażnieniem.

Spokojnie rozważam sytuację. W porządku, jej koledzy z policji mnie nie podejrzewają; przyszła tylko pokazać mi portret pamięciowy, który znalazłem w jej kieszeni, razem z listą sześciu osób. Dwie pierwsze pozycje zostały skreślone. Jestem pechowym numerem trzy. Ktoś na pewno o nią zapyta; wtedy powiem, tak, była tu, pokazała mi portret pamięciowy i wyszła. Na tym się skończy.

Rozmontowałem jej sprzęt elektroniczny i wkładam go do odpowiednich pudełek. Zastanawiałem się, czy nie użyć jej telefonu, by nagrać dźwięki towarzyszące ostatnim konwulsjom Thoma Restona. Byłaby to ładna, elegancka symetria. Ale oczywiście Amelia

7303 musi zniknąć bez śladu. Położę ją spać w swojej piwnicy, obok Caroline 8630 i Fiony 4892.

Zniknie bez śladu.

Nie będzie tak schludnie, jak by mogło być – policja uwielbia znajdować ciało – ale to dla mnie dobra wiadomość.

Tym razem zatrzymam sobie stosowne trofeum. Nie wystarczy mi paznokieć Amelii 7303...

Rozdział 44

No i co, do cholery? – warknął do Pulaskiego Rhyme. Nowy był pięć kilometrów od niego, na Manhattanie, przed domem Andrew Sterlinga juniora na Upper East Side.

– Wszedłeś? Jest tam Sachs?

– Nie sądzę, żeby to był Andy.

– Nie sądzisz? Czy wiesz, że to nie Andy?

– To nie Andy.

– Wyjaśnij.

Pulaski odrzekł, że owszem, Andy Sterling skłamał, mówiąc o tym, jak spędził niedzielę. Ale nie po to, by ukryć fakt, że jest gwałcicielem i mordercą. Powiedział ojcu, że wybrał się do Westchester pociągiem, ale naprawdę pojechał samochodem, jak się wygadał podczas rozmowy z Pulaskim.

Stojąc przed dwoma funkcjonariuszami ESU i Pulaskim, zdenerwowany młody człowiek wyjawił im powód, dla którego skłamał ojcu, że pojechał kolejką Metro North. Andy nie miał prawa jazdy.

Prawo jazdy miał natomiast jego chłopak. Być może Andrew Sterling był dostawcą informacji numer jeden na świecie, ale nie wiedział, że jego syn jest gejem, a młody człowiek nigdy nie zdobył się na odwagę, by mu o tym powiedzieć.

Rozmowa telefoniczna z chłopakiem Andy'ego potwierdziła, że podczas zabójstw nie było ich w mieście. Centrum obsługujące czytniki E-ZPass potwierdziło, że tak było.

– Niech to szlag, dobra, Pulaski, wracaj.

– Tak jest.

Idąc ulicą o zmierzchu, Lon Sellitto myślał, cholera, trzeba też było wziąć broń Coopera. Jasne, pożyczyć odznakę, kiedy cię zawiesili, to jedno, a pożyczyć broń drugie. Gdyby dowiedział się o tym wewnętrzny, jego parszywa sytuacja zmieniłaby się w cholernie parszywą.

I mieliby wtedy prawdziwe podstawy do zawieszenia, gdyby wyniki testu narkotykowego okazały się negatywne.

Narkotyki. Cholera jasna.

Odnalazł adres. Szeregowy dom Carpentera stał na Upper East Side, w cichej dzielnicy. Paliło się światło, lecz Sellitto nie widział nikogo w środku. Podszedł do drzwi i nacisnął przycisk dzwonka.

Zdawało mu się, że słyszy jakiś hałas. Kroki. Otwieranie drzwi.

Potem przez długą minutę panowała cisza.

Sellitto instynktownie sięgnął do pasa, gdzie kiedyś nosił broń.

Cholera.

Wreszcie zasłonka w bocznym oknie uchyliła się i opadła. Otworzyły się drzwi i Sellitto ujrzał mocno zbudowanego mężczyznę o zaczesanych na bok włosach. Gospodarz popatrzył na nielegalną odznakę. W jego oczach mignęła niepewność.

– Panie Carpenter…

Nie zdołał dokończyć, ponieważ niepewność zniknęła, a twarz mężczyzny wykrzywił grymas gniewu.

– Niech to wszyscy diabli!

Lon Sellitto, który od lat nie walczył wręcz z żadnym sprawcą, zdał sobie nagle sprawę, że ten człowiek bez trudu stłucze go na kwaśne jabłko, a potem poderżnie mu gardło. Dlaczego nie pożyczyłem od Coopera broni, co by się stało?

Okazało się jednak, że przyczyną wybuchu wściekłości nie był Sellitto.

O dziwo, był nią prezes SSD.

– To ten skurwiel Andrew Sterling, tak? On do was zadzwonił? Wplątał mnie w te morderstwa, o których tyle się mówi. Jezu, co ja teraz zrobię? Pewnie już jestem w systemie i Watchtower wsadzi mnie na wszystkie możliwe listy w całym kraju. Rany boskie. Byłem skończonym idiotą, kiedy się wdałem w interesy z SSD.

Sellitto odzyskał spokój. Schował odznakę i poprosił go, by wyszedł na zewnątrz.

– Czyli mam rację, to sprawka Andrew? – burknął Carpenter.

Sellitto nie odpowiedział, pytając go, gdzie dzisiaj był w czasie, gdy zamordowano Malloya.

Carpenter zastanowił się.

– Miałem spotkania. – Podał nazwiska kilku pracowników dużego banku, wraz z numerami ich telefonów.

– A w niedzielę po południu?

– Przyjmowaliśmy z przyjaciółką parę osób. Zaprosiliśmy je na lunch.

Alibi łatwo było zweryfikować.

Sellitto zadzwonił do Rhyme'a, by przekazać mu, czego się dowiedział. Telefon odebrał Cooper, który powiedział, że sprawdzi alibi. Detektyw rozłączył się i odwrócił z powrotem do wzburzonego Boba Carpentera.

– To najbardziej mściwy gnojek, z jakim robiłem interesy.

Sellitto potwierdził, że jego nazwisko rzeczywiście uzyskali od SSD. Słysząc tę wiadomość, Carpenter na moment zamknął oczy. Ochłonął z gniewu i na jego twarzy zaczął się malować strach.

– Co o mnie mówił?

– Wygląda na to, że ściągał pan informacje o ofiarach tuż przed zabójstwami. Chodzi o kilka morderstw z ostatnich kilku miesięcy.

– Tak właśnie jest, kiedy Andrew się zdenerwuje – rzekł Carpenter. – Chce wyrównać rachunki. Nie sądziłem, że to będzie tak... – Nagle zmarszczył brwi. – Z ostatnich kilku miesięcy, mówi pan? Kiedy ostatni raz miałem ściągać jakieś dane?

– W ostatnich dwóch tygodniach.

– To niemożliwe. Na początku marca zamknęli mi dostęp do systemu Watchtower.

– Zamknęli dostęp.

Carpenter skinął głową.

– Andrew mnie zablokował.

Zadźwięczał telefon Sellitta. Mel Cooper poinformował go, że co najmniej dwa źródła potwierdzają alibi Carpentera. Sellitto polecił technikowi zadzwonić do Rodneya Szarnka, aby jeszcze raz sprawdził dane na płycie, którą dostał Pulaski. Zamknął telefon i spytał Carpentera:

– Dlaczego pana zablokowali?

– Widzi pan, moja firma to hurtownia danych, więc...

– Hurtownia danych?

– Przechowujemy dane, które przetwarzają takie firmy jak SSD.

– Czyli nie magazynuje pan towarów?

– Nie, nie. Przechowuję wyłącznie dane w komputerach. Na serwerach w New Jersey i Pensylwanii. W każdym razie dałem się... można powiedzieć, że dałem się uwieść Andrew Sterlingowi. Byłem pod wrażeniem jego sukcesu, pieniędzy. Też chciałem zacząć eksplorować dane, nie tylko przechowywać. Zamierzałem zająć jakąś niszę na rynku, w tych branżach, gdzie SSD nie ma aż tak mocnej pozycji. Naprawdę nie chodziło o żadną konkurencję, o nic nielegalnego.

Kiedy tak się usprawiedliwiał, Sellitto słyszał w jego głosie nutę rozpaczy.

– To był tylko groszowy biznes. Ale Andrew dowiedział się o wszystkim i zamknął mi dostęp do innerCircle i Watchtower. Zagroził mi procesem. Próbowałem negocjować, ale dzisiaj mnie zwolnił. To znaczy zerwał nasz kontrakt. Naprawdę nie zrobiłem nic złego. – Głos mu się załamał. – To były tylko interesy...

– Sądzi pan, że Sterling zmienił dane, żeby z nich wynikało, że to pan jest mordercą?

– W każdym razie musiał to zrobić ktoś z SSD.

Czyli sedno sprowadza się do tego, że Carpenter nie jest podejrzany, pomyślał Sellitto, a to była kompletna strata czasu.

– Nie mam więcej pytań. Dobranoc.

Ale Carpenter nagle zmienił zdanie. Sellitto widział, że złość zupełnie z niego opadła, ustępując miejsca rozpaczy, a nawet lękowi.

– Zaraz, niech mnie pan źle nie zrozumie. Za szybko to powiedziałem. Nie sugeruję, że to Andrew. Byłem wściekły. Ale to tylko odruchowa reakcja. Nie powie mu pan?

Odchodząc od drzwi, detektyw obejrzał się za siebie. Biznesmen wyglądał, jak gdyby za chwilę miał wybuchnąć płaczem.

A więc kolejny podejrzany okazał się niewinny.

Najpierw Andy Sterling, teraz Robert Carpenter. Kiedy Sellitto wrócił, natychmiast zadzwonił do Rodneya Szarnka, który obiecał wykryć błąd. Oddzwonił dziesięć minut później. Jego pierwsze słowa brzmiały:

– He, wtopa.

Rhyme westchnął.

– Mów.

– No więc Carpenter faktycznie ściągał dość list, żeby zdobyć potrzebne informacje o ofiarach i kozłach ofiarnych. Ale robił to w ciągu dwóch lat. Wszystko w ramach legalnych kampanii marketingowych. Od początku marca nie ściągnął nic.

– Mówiłeś, że ściągał dane tuż przed zbrodniami.

– Tak mówi sam arkusz kalkulacyjny. Ale z metadanych wynika, że ktoś w SSD zmienił daty. Na przykład informacje o twoim kuzynie wziął dwa lata temu.

– Czyli ktoś w SSD zrobił to, żeby odwrócić od siebie podejrzenie i wystawić Carpentera.

– Zgadza się.

– A teraz najważniejsze pytanie. Kto, u diabła, pozmieniał daty? To nasz 522.

Lecz informatyk powiedział:

– W metadanych nie ma więcej informacji. Logi administratora i dostępu do roota...

– Nie. Tak brzmi skrócona wersja odpowiedzi?

– Tak jest.

– Jesteś pewien?

– Na sto procent.

– Dzięki – mruknął Rhyme i na tym zakończyli rozmowę.

Syn wyeliminowany, Carpenter wyeliminowany...

Sachs, gdzie jesteś?

Rhyme wzdrygnął się. Mało brakowało, a użyłby jej imienia. Mieli jednak niepisaną zasadę, według której zwracali się do siebie tylko po nazwisku. Inne formy przynosiły pecha. Jak gdyby w tej sytuacji mogli mieć jeszcze większego pecha.

– Linc – rzekł Sellitto, wskazując tablicę z listą podejrzanych. – Przychodzi mi do głowy tylko jedno – trzeba ich wszystkich sprawdzić. Jak najszybciej.

– Jak to zrobimy, Lon? Mamy na karku inspektora, który nie chce, żeby ta sprawa w ogóle istniała. Nie możemy przecież... – Zawiesił głos. Jego wzrok zatrzymał się na profilu 522, a potem na spisie dowodów.

I na dossier kuzyna, które wciąż leżało w ramce obok.

Dossier 1A. Preferencje konsumenckie – produkty
Dossier 1B. Preferencje konsumenckie – usługi
Dossier 1C. Podróże
Dossier 1D. Usługi medyczne
Dossier 1E. Preferencje dotyczące wypoczynku

Finanse/Wykształcenie/Praca zawodowa
Dossier 2A. Wykształcenie
Dossier 2B. Przebieg zatrudnienia/dochodów
Dossier 2C. Historia kredytowa/bieżący raport
i zdolność kredytowa
Dossier 2D. Preferencje dotyczące produktów
i usług biznesowych

Informacje publiczne/prawne
Dossier 3A. Akta stanu cywilnego
Dossier 3B. Rejestracja wyborców
Dossier 3C. Historia prawna
Dossier 3D. Karalność
Dossier 3E. Kontrola wewnętrzna
Dossier 3F Imigracja i naturalizacja

Rhyme kilkakrotnie szybko przeczytał dokument. Następnie spojrzał na pozostałe dokumenty zawieszone na tablicach. Coś tu się nie zgadzało.

Jeszcze raz zadzwonił do Szarnka.

– Słuchaj, Rodney, ile miejsca na twardym dysku zajmuje trzydziestostronicowy dokument? Taki jak dossier z SSD, które tu mam.

– He. Dossier? Przypuszczam, że chodzi tylko o tekst.

– Tak.

– Jest w bazie danych, więc jest skompresowane... Powiedzmy, że najwyżej dwadzieścia pięć kilobajtów.

– To niewiele, prawda?

– He. Jak pierdnięcie w huraganie zbioru danych.

Słysząc to porównanie, Rhyme przewrócił oczami.

– Mam do ciebie jeszcze jedno pytanie.

– He. Wal.

Głowa pękała jej z bólu, w ustach czuła smak krwi z wargi rozciętej przy zderzeniu z kamiennym murem.

Przykładając jej brzytwę do szyi, morderca odebrał jej broń, po czym zaciągnął ją do budynku przez piwnicę i po schodach do „fasadowej", frontowej części szeregowego domu, urządzonej w surowym, nowoczesnym stylu przypominającym czarno-biały wystrój SSD.

Następnie zaprowadził ją do drzwi znajdujących się na końcu salonu.

Okazało się, że to ni mniej, ni więcej, tylko schowek, w którym była garderoba. Morderca rozsunął zalatujące stęchlizną ubrania, otworzył ukryte za nimi kolejne drzwi, wciągnął ją do środka i zabrał jej pager, palmtop, komórkę, klucze i nóż sprężynowy, który nosiła w tylnej kieszeni spodni. Potem popchnął ją w kierunku kaloryfera, między wysokie piramidy gazet, i przykuł ją do zardzewiałej rury. Rozejrzała się po raju zbieracza, ciemnym, przesiąkniętym zapachem pleśni, zapachem starzyzny, wypełnionym po sufit masą śmieci i gratów, jakiej nigdy nie widziała w jednym miejscu. Morderca zaniósł jej rzeczy na duże, zaśmiecone biurko. Zaczął rozmontowywać urządzenia elektroniczne, używając jej noża. Pracował pedantycznie, przyglądając się z lubością każdemu wyciągniętemu elementowi, jak gdyby kroił zwłoki, z których chciał pobrać organy.

Potem przyglądała się, jak morderca pisze na komputerze. Siedział przy biurku otoczony ogromnymi stertami gazet, górami złożonych papierowych torebek, pudełkami zapałek, szkła, pudełkami z napisami „Papierosy", „Guziki", „Spinacze", starymi puszkami i opakowaniami po jedzeniu z lat sześćdziesiątych i siedemdziesiątych, butelkami po środkach czyszczących. I setkami innych pojemników.

Ale nie zwracała uwagi na zawartość gigantycznego składowiska. Była w szoku, myśląc, jak ich wszystkich oszukał. 522 nie figurował na liście podejrzanych. Mylili się co do menedżerów firmy, techników, klientów, hakerów, zwerbowanego przez Andrew Sterlinga bandyty, który miał załatwić firmie nowe interesy.

A jednak był pracownikiem SSD.

Dlaczego nie wpadła na tak oczywistą odpowiedź?

522 był strażnikiem, który w poniedziałek oprowadzał ją po klatkach danych. Przypomniała sobie jego plakietkę z nazwiskiem. Miał

na imię John. Nazywał się Rollins. Zapewne zobaczył, jak w poniedziałek zjawiła się z Pulaskim przy stanowisku ochrony w holu SSD i szybko zgłosił się na ochotnika, by zaprowadzić ich do gabinetu Sterlinga. Potem kręcił się w pobliżu, chcąc poznać cel ich wizyty. A może wcześniej już wiedział, że przyjdą, i załatwił sobie dyżur tego ranka.

Człowiek, który wie wszystko...

Oprowadzał ją po całym Gray Rock, powinna się więc domyślić, że strażnicy mają dostęp do wszystkich klatek i Centrum Pobierania. Przypomniała sobie, że jeśli ktoś miał prawo wstępu do klatek, nie potrzebował hasła, aby się zalogować do innerCircle. Wciąż nie była pewna, w jaki sposób przemycił dyski z danymi – przy wyjściu z klatek rewidowano nawet ochronę – lecz jakoś mu się udało.

Zmrużyła oczy, mając nadzieję, że tępy ból w czaszce wreszcie ustąpi. Nie mijał. Uniosła wzrok na ścianę przed biurkiem, na której wisiał obraz – hiperrealistyczny portret rodziny. No jasne: Harvey Prescott, dla którego zamordował Alice Sanderson, a winą za jej śmierć obarczył Arthura Rhyme'a.

Kiedy jej oczy w końcu przyzwyczaiły się do słabego światła, Sachs przyjrzała się przeciwnikowi. Kiedy ją eskortował korytarzami SSD, nie zwracała na niego szczególnej uwagi. Teraz jednak widziała go wyraźnie – szczupłego, bladego mężczyznę o nijakich, choć nawet przystojnych rysach twarzy. Miał długie palce i silne ręce, a jego zapadnięte oczy poruszały się nerwowo.

Morderca poczuł na sobie jej badawczy wzrok. Odwrócił się i obrzucił ją pożądliwym spojrzeniem. Po chwili znów pochylił się nad komputerem, zaciekle tłukąc w klawisze. Na podłodze piętrzyły się dziesiątki klawiatur, w większości zepsutych lub z wytartymi literami. Dla każdego innego byłyby bezużyteczne. Ale 522 oczywiście nie potrafił ich wyrzucić. Obok niego leżały tysiące żółtych bloków do pisania, wypełnionych drobnym, starannym pismem – to z nich pochodziły drobiny papieru znalezione na jednym z miejsc zdarzeń.

Dusił ją odrażający zapach pleśni, brudnej odzieży i bielizny. On zapewne tak przyzwyczaił się do tego smrodu, że nawet go nie zauważa. A może go lubi.

Sachs zamknęła oczy i oparła głowę o stertę gazet. Bez glocka i noża, bezradna... Co mogła zrobić? Była na siebie wściekła, że zostawiając wiadomość Rhyme'owi, nie podała mu szczegółów swoich planów.

Bezradna...

Nagle przypomniały się jej pewne słowa. Slogan całej sprawy 522: *Wiedza to potęga.*

No więc postaraj się zdobyć odrobinę wiedzy. Spróbuj go rozgryźć i dowiedzieć się o nim czegoś, co wykorzystasz jako broń przeciw niemu.

Myśl!

Strażnik w SSD John Rollins... Nazwisko nie mówiło jej absolutnie nic. Nie pojawiło się podczas śledztwa. Jaki miał związek z SSD, ze zbrodniami, z danymi?

Sachs zlustrowała ciemne pomieszczenie, przytłoczona ogromem śmieci.

Szum...

Skup się. Wszystko po kolei.

Wtedy jej wzrok padł na coś pod ścianą w głębi pokoju, co przyciągnęło jej uwagę. Była to jedna z jego kolekcji: potężny zbiór biletów na wyciągi z różnych ośrodków narciarskich.

Vail, Copper Mountain, Breckinridge, Beaver Creek.

Czy to możliwe?

Dobra, warto zaryzykować.

– Peter – powiedziała śmiało – musimy porozmawiać.

Na dźwięk imienia drgnął i spojrzał w jej stronę. Przez moment w jego oczach mignęła niepewność. Jak gdyby usłyszał obelgę.

Tak, miała rację. Nie nazywał się John Rollins; to była – jakżeby inaczej – fałszywa tożsamość. To był Peter Gordon, słynny kombinator danych, który przed kilkoma laty zginął... który udał, że zginął, gdy SSD przejęło jego firmę w Kolorado.

– Ciekawiła nas ta sfingowana śmierć. DNA? Jak ci się to udało?

Przestał pisać i spojrzał na obraz. Wreszcie rzekł:

– Czy to nie zabawne, jak bardzo wierzymy danym? – Odwrócił się do niej. – Jeżeli coś jest w komputerze, wiemy, że to musi być prawda. Jeżeli ma z tym związek bożek DNA, to nie mamy cienia zastrzeżeń. Żadnych pytań. Koniec i kropka.

– Czyli zaginął Peter Gordon – powiedziała Sachs. – Policja znajduje twój rower i zwłoki w stanie rozkładu, w twoim ubraniu.

Zwierzęta niewiele zostawiły, prawda? Policja bierze z twojego domu próbki włosów i śliny. Jest pozytywny wynik badania DNA. Nie ma żadnych wątpliwości. Nie żyjesz. Ale to nie była twoja ślina i twoje włosy, prawda? Wziąłeś parę włosów człowiekowi, którego zabiłeś, i podrzuciłeś je w łazience. Umyłeś mu też zęby, tak?

– Zostawiłem jeszcze odrobinę krwi na maszynce do golenia. Wy policjanci uwielbiacie krew, prawda?

– Kim był ten człowiek?

– Jakiś dzieciak z Kalifornii. Autostopowicz z autostrady I-70.

Podsycaj jego niepokój – twoja jedyna broń to informacje. Wykorzystaj je!

– Nie wiedzieliśmy jednak, po co to zrobiłeś, Peter. Chciałeś utrudnić przejęcie Rocky Mountain Data przez SSD? Może chodziło o coś więcej?

– Utrudnić? – wyszeptał w zdumieniu. – Nic nie rozumiesz. Kiedy Andrew Sterling i jego ludzie zjawili się w Rocky Mountain i chcieli ją kupić, zebrałem wszystkie dane o nim i jego firmie, jakie udało mi się znaleźć. To, co zobaczyłem, było fantastyczne! Andrew Sterling to Bóg. Jest przyszłością danych, czyli jest przyszłością społeczeństwa. Potrafi znaleźć dane, o których istnieniu nie miałem nawet pojęcia, i wykorzystać je jako broń albo jako lek czy wodę święconą. Musiałem mieć swój udział w tym, co robił.

– Ale nie mogłeś zbierać danych dla SSD. To by się kłóciło z twoimi planami, prawda? Z twoim... drugim kolekcjonowaniem. I twoim stylem życia. – Ruchem głowy wskazała wypełnione rupieciami pokoje.

Twarz mu pociemniała, a oczy błysnęły.

– Chciałem być w SSD. Myślisz, że nie? Och, mógłbym daleko zajść! Ale nie spotkało mnie to szczęście. – Zamilkł, po czym szerokim gestem pokazał swoje kolekcje. – Myślisz, że wybrałem sobie takie życie? Że je lubię? – Głos zaczął mu się łamać. Oddychając ciężko, lekko się uśmiechnął. – Nie, muszę żyć poza siecią. Tylko w ten sposób uda mi się przetrwać. Poza. Siecią.

– No więc sfingowałeś własną śmierć i ukradłeś tożsamość. Przybrałeś nowe nazwisko i wziąłeś numer ubezpieczenia po kimś, kto umarł.

Opanował emocje.

– Tak, dziecku. To był trzyletni Jonathan Rollins z Colorado Springs. Bardzo łatwo zdobyć nową tożsamość. Przezorni robią to codziennie. Można kupić książki na ten temat... – Uśmiechnął się blado. – I pamiętać, żeby płacić gotówką.

– I dostałeś pracę w ochronie. Ale nikt w SSD cię nie rozpoznał?

– Nigdy nie spotkałem osobiście nikogo z firmy. Na tym polega cudowność eksploracji danych. Można je zbierać i nigdy nie opuszczać zacisza swojego Schowka.

Urwał. Z widocznym zaniepokojeniem zastanawiał się nad tym, co mu powiedziała. Naprawdę byli bliscy odkrycia, że Rollins to Peter Gordon? Czy w domu zjawi się ktoś jeszcze, żeby dokładniej to sprawdzić? Uznał chyba, że nie może ryzykować. Gordon chwycił kluczyk do samochodu Pam. Pewnie będzie chciał go ukryć. Obejrzał breloczek.

– Tandeta. Nie ma tagu RFID. Ale dzisiaj wszyscy sprawdzają tablice rejestracyjne. Gdzie zaparkowałaś?

– Myślisz, że ci powiem?

Wzruszył ramionami i wyszedł.

Metoda zdobywania informacji i wykorzystania ich przeciw niemu okazała się skuteczna. Osiągnęła niewiele, lecz przynajmniej trochę zyskała na czasie.

Ale czy to wystarczy, by zrealizować plan i dosięgnąć kluczyka do kajdanek, który spoczywał głęboko w kieszeni spodni?

Rozdział 45

Proszę posłuchać. Zaginęła moja partnerka. Muszę zobaczyć pewne dane.

Rhyme rozmawiał z Andrew Sterlingiem za pośrednictwem łącza wideo wysokiej rozdzielczości.

Prezes SSD był w swoim skromnie urządzonym gabinecie w Gray Rock. Siedział wyprostowany jak struna na zwykłym drewnianym krześle, jak gdyby przedrzeźniał sztywną pozę Rhyme'a na wózku. Sterling odparł łagodnym tonem:

– Rozmawiał z panem Sam Brockton. Oraz inspektor Glenn. – W jego głosie nie zabrzmiała żadna nutka niepokoju. Właściwie nie zdradzał żadnych emocji, choć na jego twarzy cały czas gościł uprzejmy uśmiech.

– Chcę zobaczyć dossier mojej partnerki. Funkcjonariuszki, którą pan poznał, Amelii Sachs. Całe dossier.

– Co rozumie pan przez „całe", kapitanie?

Kryminalistyk zwrócił uwagę na to, że Sterling użył jego stopnia, który nie był powszechnie znany.

– Doskonale pan wie, co przez to rozumiem.

– Nie, nie wiem.

– Chcę zobaczyć jej dossier 3E, kontroli wewnętrznej.

Chwila wahania.

– Po co? Nie ma tam nic godnego uwagi. Same techniczne informacje urzędowe. Przepisy ustawy o ochronie prywatności.

Ale prezes kłamał. Agentka CBI Kathryn Dance wyjaśniła Rhyme'owi podstawy kinezyki – mowy ciała – oraz analizy komunikacji werbalnej. Wahanie przed udzieleniem odpowiedzi często sygnalizuje fałsz, ponieważ zapytana osoba próbuje sformułować wiarygodną, ale nieprawdziwą odpowiedź. Mówiąc prawdę, odpowiadamy od razu; nie trzeba niczego zmyślać.

– Dlaczego więc nie chce mi go pan pokazać?

– Nie ma powodu… Dossier do niczego się panu nie przyda.

Kłamstwo.

W zielonych oczach Sterlinga wciąż malował się spokój, choć na moment skierowały się w bok. Rhyme zorientował się, że spojrzał na Rona Pulaskiego na ekranie; młody policjant stał w głębi laboratorium, za plecami Rhyme'a.

– Wobec tego proszę mi odpowiedzieć na jedno pytanie.

– Słucham.

– Właśnie rozmawiałem z policyjnym informatykiem. Poprosiłem go o ocenę wielkości dossier mojego kuzyna.

– Tak?

– Powiedział, że trzydziestostronicowy tekst ma rozmiar około dwudziestu pięciu kilobajtów.

– Tak samo jak panu zależy mi na tym, aby pańskiej partnerce nic się nie stało, ale…

– Bardzo w to wątpię. Niech mnie pan posłucha. – Jedyną odpowiedzią Sterlinga było lekkie uniesienie brwi. – Typowe dossier SSD ma dwadzieścia kilobajtów danych. Ale według waszego prospektu macie ponad pięćset petabajtów informacji. Większość ludzi nie potrafiłaby objąć umysłem takiej masy danych.

Sterling nie odpowiadał.

– Skoro przeciętne dossier ma dwadzieścia pięć kilobajtów, to baza danych wszystkich ludzi na świecie zajmowałaby, lekko licząc, sto pięćdziesiąt miliardów kilobajtów. Ale innerCircle zawiera ponad pięćset bilionów kilobajtów. Co się kryje w pozostałej przestrzeni dysków, Sterling?

Znów wahanie.

– Wiele rzeczy… grafika i zdjęcia zajmują sporo miejsca. Na przykład dane administracyjne.

Kłamstwo.

– Niech mi pan powie, po co komuś dossier kontroli wewnętrznej? Kto ma co kontrolować?

– Sprawdzamy, czy każde dossier jest zgodne z wymogami prawa.

– Sterling, jeżeli za pięć minut to dossier nie znajdzie się w moim komputerze, dzwonię do „Timesa" i zawiadamiam, że pańska firma udzieliła pomocy przestępcy, który wykorzystał wasze informacje do popełnienia gwałtu i morderstwa. Koledzy z wydziału kontroli wewnętrznej w Waszyngtonie nie uratują pana przed prasą. Gwarantuję panu, że wiadomość o tym trafi na pierwsze strony.

Sterling po prostu się zaśmiał. Emanował pewnością siebie.

– Nie sądzę, by tak się stało. Żegnam pana, kapitanie.

– Sterling...

Ekran zgasł.

Rhyme sfrustrowany zamknął oczy. Po chwili podjechał wózkiem do tablic z wykazami dowodów i listą podejrzanych. Wpatrywał się w informacje zapisane ręką Thoma i Sachs, niektóre nagryzmolone pospiesznie, inne starannie wykaligrafowane.

Ale nie przychodziła mu do głowy żadna odpowiedź.

Sachs, gdzie jesteś?

Wiedział, że prowadzi niespokojne życie i że nigdy nie będzie jej radził, by unikała ryzykownych sytuacji, jakie zdawały się ją przyciągać. Ale był wściekły, że pojechała sprawdzić ten cholerny trop bez żadnego wsparcia.

– Lincoln? – odezwał się cicho Ron Pulaski. Rhyme uniósł wzrok i zobaczył dziwny chłód w jego oczach, utkwionych w zdjęciach zwłok Myry Weinburg.

– Co?

Policjant spojrzał na kryminalistyka.

– Mam pomysł.

Ekran wypełniała teraz twarz z zabandażowanym nosem.

– Jednak masz dostęp do innerCircle, prawda? – spytał oziębłe Marka Whitcomba Ron Pulaski. – Mówiłeś, że nie dostałeś zezwolenia, ale to nieprawda.

Zastępca szefa kontroli wewnętrznej westchnął.

– Masz rację – odrzekł wreszcie. Na chwilę spojrzał w obiektyw kamery, po czym odwrócił wzrok.

– Mark, mamy kłopot. Musisz nam pomóc.

Pulaski opowiedział o zniknięciu Sachs i podejrzeniu Rhyme'a, że dossier kontroli wewnętrznej może kryć wskazówkę co do miejsca jej pobytu.

– Co jest w tym dossier?

– W dossier kontroli wewnętrznej? – szepnął Mark Whitcomb. – Dostęp do niego jest surowo zakazany. Gdyby się dowiedzieli, trafiłbym do pudła. A reakcja Sterlinga... byłaby gorsza niż więzienie.

– Nie byłeś z nami szczery i zginęli ludzie – warknął Pulaski. Po chwili dodał łagodniej: – Mark, jesteśmy po dobrej stronie. Pomóż nam. Nie pozwól, żeby ucierpiał ktoś jeszcze. Proszę.

Umilkł, czekając w ciszy na odpowiedź.

Dobra robota, nowy, pomyślał Rhyme, który tym razem zadowolił się rolą drugiego pilota.

Whitcomb skrzywił się. Rozejrzał się po gabinecie i popatrzył na sufit. Boi się podsłuchu i kamer?, pomyślał Rhyme. Chyba tak, bo kiedy się odezwał, w jego głosie brzmiał naglący ton i równocześnie nuta rezygnacji.

– Zapiszcie to. Mamy mało czasu.

– Mel! Chodź tu. Wchodzimy do systemu SSD, innerCircle.

– Naprawdę? Mhm, to nie wróży nic dobrego. Najpierw Lon konfiskuje mi odznakę, a teraz to. – Technik szybko zajął miejsce przed komputerem obok Rhyme'a. Whitcomb podał adres strony internetowej, który Cooper natychmiast wpisał. Na ekranie wyświetlił się komunikat, że połączyli się z bezpiecznym serwerem SSD. Whitcomb podyktował Cooperowi tymczasową nazwę użytkownika i po krótkim wahaniu trzy długie hasła, złożone z przypadkowych znaków.

– Ściągnijcie program dekodujący z ramki na środku ekranu i naciśnijcie URUCHOM.

Cooper wykonał instrukcję i za chwilę pojawił się następny ekran.

Witaj, NGHF235, wprowadź (1) 16-cyfrowy kod SSD Obiektu; lub (2) kraj i numer paszportu Obiektu; lub (3) nazwisko Obiektu, obecny adres zamieszkania, numer ubezpieczenia społecznego i jeden numer telefonu.

– Wpiszcie informacje o osobie, która was interesuje.

Rhyme podyktował mu dane Sachs. Ekran wyświetlił: Potwierdzić dostęp do Dossier Kontroli Wewnętrznej 3E? TAK NIE.

Gdy Cooper kliknął pierwszy prostokąt, wyświetliło się następne okienko z prośbą o jeszcze jedno hasło.

Ponownie zerkając na sufit, Whitcomb spytał:

– Jesteście gotowi?

– Gotowi – zameldowali, jak gdyby zaraz miało się wydarzyć coś ważnego.

Whitcomb podał im następne hasło złożone z szesnastu znaków. Cooper wstukał je i wcisnął ENTER.

Gdy ekran monitora zaczął się wypełniać tekstem, kryminalistyk szepnął w zdumieniu:

– O Boże.

Niewiele rzeczy mogło zdumieć Lincolna Rhyme'a.

POUFNE
WGLĄD DO NINIEJSZEGO DOSSIER
PRZEZ OSOBĘ NIEPOSIADAJĄCĄ CERTYFIKATU
A-18 LUB WYŻSZEGO
STANOWI NARUSZENIE PRAWA FEDERALNEGO

Dossier 3E – Kontrola Wewnętrzna
Numer SSD Obiektu: 7303-4490-7831-3478
Nazwisko: Amelia H. Sachs
Liczba stron: 478

SPIS TREŚCI

• Kliknij temat, aby obejrzeć zawartość
• Uwaga: Dostęp do zarchiwizowanych materiałów może potrwać do pięciu minut.

PROFIL
• Nazwisko/fałszywe nazwiska/pseudonimy/kryptonimy/
• Numer ubezpieczenia społecznego
• Obecny adres zamieszkania
• Widok satelitarny obecnego miejsca zamieszkania
• Poprzednie adresy
• Obywatelstwo
• Rasa
• Historia rodowa

- Pochodzenie narodowe
- Rysopis/znaki szczególne
- Dane biometryczne
  Fotografie
  Wideo
  Odciski palców
  Odciski stóp
  Skan siatkówki
  Skan tęczówki
  Profil chodu
  Skan twarzy
  Indywidualna charakterystyka głosu
- Próbki tkanek
- Historia medyczna
- Przynależność do partii politycznych
- Organizacje zawodowe
- Organizacje studenckie
- Przynależność religijna
- Dane wojskowe
  Służba/zwolnienie ze służby
  Ewaluacja Departamentu Obrony
  Ewaluacja Gwardii Narodowej
  Udział w szkoleniach obronnych
- Donacje
  Cele polityczne
  Cele religijne
  Cele medyczne
  Cele dobroczynne
  Media publiczne: Public Broadcasting System/National Public Radio
  Inne
- Historia psychologiczna/psychiatryczna
- Profil osobowości wg teorii Myers-Briggs
- Profil preferencji seksualnych
- Hobby/zainteresowania
- Kluby/stowarzyszenia studenckie

OSOBY SPRZĘŻONE Z OBIEKTEM
- Małżonkowie
- Partnerzy

- Dzieci
- Rodzice
- Rodzeństwo
- Dziadkowie (ze strony ojca)
- Dziadkowie (ze strony matki)
- Inni krewni, żyjący
- Inni krewni, nieżyjący
- Osoby spowinowacone i powiązane
- Sąsiedzi
  Obecni
  Z ostatnich 5 lat (zarchiwizowane, dostęp może
  wymagać czasu)
- Współpracownicy, klienci, itd.
  Obecni
  Z ostatnich 5 lat (zarchiwizowane, dostęp może wymagać
  czasu)
- Znajomi
  Znani osobiście
  Znani z internetu
- Osoby w kręgu zainteresowania

FINANSE
- Zatrudnienie – obecne
  Kategoria
  Historia wynagrodzenia
  Liczba absencji/przyczyny absencji
  Zwolnienia/wnioski o zasiłek dla bezrobotnych
  Pochwały/nagany
  Przypadki dyskryminacji naruszające art. 7 Ustawy
  o Prawach Obywatelskich
  Przypadki naruszania przepisów BHP
  Inne zdarzenia
- Zatrudnienie – poprzednie (zarchiwizowane, dostęp
  może wymagać czasu)
  Kategoria
  Historia wynagrodzenia
  Liczba absencji/przyczyny absencji
  Zwolnienia/wnioski o zasiłek dla bezrobotnych
  Pochwały/nagany
  Przypadki dyskryminacji naruszające art. 7 Ustawy

o *Prawach Obywatelskich*
Przypadki naruszania przepisów BHP
Inne zdarzenia
- Dochody – obecne
  Zgłoszone w urzędzie skarbowym
  Niezgłoszone
  Pochodzące z zagranicy
- Dochody – poprzednie
  Zgłoszone w urzędzie skarbowym
  Niezgłoszone
  Pochodzące z zagranicy
- Obecny stan majątkowy
  Nieruchomości
  Pojazdy i łodzie
  Rachunki bankowe/papiery wartościowe
  Polisy ubezpieczeniowe
  Inne
- Stan majątkowy w ostatnich 12 miesiącach, nietypowe przypadki nabycia lub zbycia
  Nieruchomości
  Pojazdy i łodzie
  Rachunki bankowe/papiery wartościowe
  Polisy ubezpieczeniowe
  Inne
- Stan majątkowy w ostatnich 5 latach, nietypowe przypadki nabycia lub zbycia (zarchiwizowane, dostęp może wymagać czasu)
  Nieruchomości
  Pojazdy i łodzie
  Rachunki bankowe/papiery wartościowe
  Polisy ubezpieczeniowe
  Inne
- Raport kredytowy/ocena zdolności kredytowej
- Transakcje finansowe, instytucje z siedzibą w USA
  Dzisiejsze
  Z ostatnich 7 dni
  Z ostatnich 30 dni
  Z ostatniego roku
  Z ostatnich 5 lat (zarchiwizowane, dostęp może wymagać czasu)
- Transakcje finansowe, instytucje zagraniczne
  Dzisiejsze

Z ostatnich 7 dni
Z ostatnich 30 dni
Z ostatniego roku
Z ostatnich 5 lat (zarchiwizowane, dostęp może
wymagać czasu)
- Transakcje finansowe, system hawala i inne transakcje gotówkowe, w USA i za granicą
  Dzisiejsze
  Z ostatnich 7 dni
  Z ostatnich 30 dni
  Z ostatniego roku
  Z ostatnich 5 lat (zarchiwizowane, dostęp może
  wymagać czasu)

KOMUNIKACJA

- Obecne numery telefonów
  Komórkowe
  Stacjonarne
  Satelitarne
- Poprzednie numery telefonów, ostatnie 12 miesięcy
  Komórkowe
  Stacjonarne
  Satelitarne
- Poprzednie numery telefonów, ostatnie 5 lat (zarchiwizowane, dostęp może wymagać czasu)
  Komórkowe
  Stacjonarne
  Satelitarne
- Numery faksów
- Numery pagerów
- Połączenia przychodzące/wychodzące: telefon/pager
  – telefon komórkowy/urządzenie przenośne
  Ostatnie 30 dni
  Ostatni rok (zarchiwizowane, dostęp może wymagać czasu)
- Połączenia przychodzące/wychodzące: telefon/pager/faks
  – telefon stacjonarny
  Ostatnie 30 dni
  Ostatni rok (zarchiwizowane, dostęp może wymagać czasu)
- Połączenia przychodzące/wychodzące: telefon/pager/faks
  – telefon satelitarny

Ostatnie 30 dni
Ostatni rok (zarchiwizowane, dostęp może wymagać czasu)
- Urządzenia podsłuchowe/przechwycone informacje
  Ustawa o Inwigilacji Obcych Służb Wywiadowczych (FISA)
  Rejestry połączeń
  Artykuł III
  Inne, nakazy sądowe
  Inne, dodatkowe
- Internetowe połączenia telefoniczne
- Dostawca usług internetowych, obecny
- Dostawca usług internetowych, ostatnie 12 miesięcy
- Dostawca usług internetowych, ostatnie 5 lat (zarchiwizowane, dostęp może wymagać czasu)
- Ulubione strony internetowe/zakładki
- Adresy e-mailowe
  Obecne
  Poprzednie
- Korespondencja e-mailowa, ostatni rok
  Historia TCP/IP
  Wiadomości wysłane
  Wiadomości otrzymane
  Treść (wgląd może wymagać nakazu sądowego)
- Korespondencja e-mailowa, ostatnie 5 lat (zarchiwizowane, dostęp może wymagać czasu)
  Historia TCP/IP
  Wiadomości wysłane
  Wiadomości otrzymane
  Treść (wgląd może wymagać nakazu sądowego)
- Strony internetowe, obecne
  Prywatne
  Zawodowe
- Strony internetowe, ostatnie 5 lat (zarchiwizowane, dostęp może wymagać czasu)
  Prywatne
  Zawodowe
- Blogi, strony internetowe (treści w kręgu zainteresowania – patrz załączniki)
- Członkostwo serwisów społecznościowych (mySpace, Facebook, OurWorld, innych) (treści w kręgu zainteresowania – patrz załączniki)

- Awatary/inne tożsamości sieciowe
- Listy dyskusyjne
- „Znajomi" w książce adresowej
- Uczestnictwo w kanałach IRC
- Historia przeglądania sieci i kwerendy/wyniki wyszukiwania
- Profil posługiwania się klawiaturą
- Profil składni, ortografii i interpunkcji w kwerendach wyszukiwania
- Historia korzystania z usług kurierskich
- Skrytki pocztowe
- Przesyłki ekspresowe/polecone/inne potwierdzone
  usługi pocztowe

STYL ŻYCIA
- Zakupy dokonane dzisiaj
  Artykuły i towary o charakterze obronnym
  Odzież
  Pojazdy i akcesoria motoryzacyjne
  Żywność
  Alkohol
  Artykuły gospodarstwa domowego
  Urządzenia
  Inne
- Zakupy dokonane w ciągu ostatnich 7 dni
  Artykuły i towary o charakterze obronnym
  Odzież
  Pojazdy i akcesoria motoryzacyjne
  Żywność
  Alkohol
  Artykuły gospodarstwa domowego
  Urządzenia
  Inne
- Zakupy dokonane w ciągu ostatnich 30 dni
  Artykuły i towary o charakterze obronnym
  Odzież
  Pojazdy i akcesoria motoryzacyjne
  Żywność
  Alkohol
  Artykuły gospodarstwa domowego
  Urządzenia
  Inne

- Zakupy dokonane w ciągu ostatniego roku (zarchiwizowane, dostęp może wymagać czasu)
    Artykuły i towary o charakterze obronnym
    Odzież
    Pojazdy i akcesoria motoryzacyjne
    Żywność
    Alkohol
    Artykuły gospodarstwa domowego
    Urządzenia
    Inne
- Książki/czasopisma kupione za pośrednictwem internetu
    Podejrzane/o charakterze wywrotowym
    Inne pozostające w kręgu zainteresowań
- Książki/czasopisma kupione w sklepach detalicznych
    Podejrzane/o charakterze wywrotowym
    Inne pozostające w kręgu zainteresowań
- Książki/czasopisma wypożyczone z bibliotek
    Podejrzane/o charakterze wywrotowym
    Inne pozostające w kręgu zainteresowań
- Książki/czasopisma zauważone przez personel lotniskowy/linii lotniczych
    Podejrzane/o charakterze wywrotowym
    Inne pozostające w kręgu zainteresowań
- Inne formy korzystania z bibliotek
- Listy prezentów z okazji ślubu/rocznic/narodzin dziecka
- Filmy kinowe
- Programy telewizji kablowej/płatnej oglądane w ciągu ostatnich 30 dni
- Programy telewizji kablowej/płatnej oglądane w ciągu ostatniego roku (zarchiwizowane, dostęp może wymagać czasu)
- Subskrybowane stacje radiowe
- Podróż
    Samochód
    Własne pojazdy
    Wypożyczone pojazdy
    Transport publiczny
    Taksówki/limuzyny
    Autobusy
    Kolej
    Samoloty, linie lotnicze

Krajowe
Zagraniczne
Samoloty, prywatne
Krajowe
Zagraniczne
- Ocena zagrożenia Administracji Bezpieczeństwa Transportu
- Obecność w miejscach pozostających w kręgu zainteresowania
  Miejscowe
  Meczety
  Inne miejsca – USA
  Meczety
  Inne miejsca – zagranica
- Obecność lub przejazd przez kraje szczególnego zagrożenia: Kuba, Uganda, Libia, Jemen Południowy, Liberia, Ghana, Sudan, Demokratyczna Republika Konga, Indonezja, Autonomia Palestyńska, Syria, Irak, Iran, Egipt, Arabia Saudyjska, Jordania, Pakistan, Erytrea, Afganistan, Czeczenia, Somalia, Sudan, Nigeria, Filipiny, Korea Północna, Azerbejdżan, Chile.

LOKALIZACJA GEOGRAFICZNA OBIEKTU
- Urządzenia GPS (wszystkie dzisiejsze lokalizacje)
  Samochodowe
  Ręczne
  Telefony komórkowe
- Urządzenia GPS (wszystkie lokalizacje z ostatnich 7 dni)
  Samochodowe
  Ręczne
  Telefony komórkowe
- Urządzenia GPS (wszystkie lokalizacje z ostatniego roku) (zarchiwizowane, dostęp może wymagać czasu)
  Samochodowe
  Ręczne
  Telefony komórkowe
- Identyfikacja biometryczna
  Dzisiaj
  Ostatnie 7 dni
  Ostatnie 30 dni
  Ostatni rok (zarchiwizowane, dostęp może wymagać czasu)
- Odczyt RFID z wyjątkiem czytników opłat autostradowych
  Dzisiaj

Ostatnie 7 dni
Ostatnie 30 dni
Ostatni rok (zarchiwizowane, dostęp może wymagać czasu)
- Odczyt RFID, czytniki opłat autostradowych
  Dzisiaj
  Ostatnie 7 dni
  Ostatnie 30 dni
  Ostatni rok (zarchiwizowane, dostęp może wymagać czasu)
- Wykroczenia drogowe – zdjęcia/wideo
- Kamery telewizji przemysłowej – zdjęcia/wideo
- Obserwacja zatwierdzona nakazem sądowym – zdjęcia/wideo
- Obserwacja dodatkowa – zdjęcia/wideo
- Transakcje finansowe dokonane osobiście
  Dzisiaj
  Ostatnie 7 dni
  Ostatnie 30 dni
  Ostatni rok (zarchiwizowane, dostęp może wymagać czasu)
- Odnotowane sygnały komórkowe/urządzeń przenośnych/teleko-munikacyjne
  Dzisiaj
  Ostatnie 7 dni
  Ostatnie 30 dni
  Ostatni rok (zarchiwizowane, dostęp może wymagać czasu)
- Obecność w pobliżu obiektów ochrony
  Dzisiaj
  Ostatnie 7 dni
  Ostatnie 30 dni
  Ostatni rok (zarchiwizowane, dostęp może wymagać czasu)

INFORMACJE PRAWNE
- Karalność – USA
  Zatrzymania/przesłuchania
  Aresztowania
  Skazania
- Karalność – zagranica
  Zatrzymania/przesłuchania
  Aresztowania
  Skazania
- Obecność na listach obserwowanych osób
- Obserwacja

- Sprawy cywilne
- Zakazy sądowe
- Historia działalności informatorskiej

DODATKOWE DOSSIER
- Federalne Biuro Śledcze
- Centralna Agencja Wywiadowcza
- Agencja Bezpieczeństwa Narodowego
- Narodowe Biuro Rozpoznania
- NPIA
- Agencje Wywiadu Wojskowego USA
    Wojska lądowe
    Marynarka wojenna
    Siły powietrzne
    Korpus Piechoty Morskiej
- Wydziały wywiadu policji stanowej i lokalnej

OCENA ZAGROŻENIA
- Ocena jako zagrożenie dla bezpieczeństwa
    Sektor prywatny
    Sektor publiczny

To był tylko spis treści. Dossier Amelii Sachs obejmowało blisko pięćset stron.

Rhyme przewijał listę, wybierając różne tematy. Wszystkie pozycje były gęste od druku.

– SSD ma te wszystkie informacje? – szepnął. – O każdym człowieku w Ameryce?

– Nie – odparł Whitcomb. – O dzieciach poniżej piątego roku życia jest oczywiście bardzo mało. A w przypadku dorosłych często są luki. Ale SSD robi, co może. Ulepszają dossier codziennie.

Ulepszają? – zdziwił się Rhyme.

Pulaski wskazał prospekt reklamowy, który ściągnął Mel Cooper.

– Czterysta milionów ludzi?

– Zgadza się. I liczba ciągle rośnie.

– Aktualizuje się co godzinę? – spytał Rhyme.

– Często w czasie rzeczywistym.

– Czyli ta wasza agencja rządowa, Whitcomb, ten wydział kontroli wewnętrznej... wcale nie chroni danych; korzystacie z nich, tak? Żeby szukać terrorystów?

Whitcomb zamilkł. Skoro jednak wysłał dossier osobom, które nie miały certyfikatu A-18, cokolwiek to mogło oznaczać, zapewne doszedł do wniosku, że jeśli ujawni coś jeszcze, i tak nie poniesie poważniejszych konsekwencji, na jakie już się naraził.

– Zgadza się. Nie chodzi tylko o terrorystów, ale też o innych przestępców. SSD korzysta z programów predykcyjnych, żeby przewidzieć, kto popełni przestępstwo, kiedy i jak. Wiele sygnałów, które trafiają do policji, pochodzą rzekomo od anonimowych zaniepokojonych obywateli. Tak naprawdę to awatary. Fikcyjne postacie. Stworzone przez Watchtower i innerCircle. Czasem nawet odbierają nagrody, które wracają potem do źródła, żeby rząd mógł je wykorzystać jeszcze raz.

– Ale jeżeli jesteście agencją rządową – odezwał się Mel Cooper – dlaczego dajecie zarobić prywatnej firmie? Dlaczego sami tego nie robicie?

– Musimy korzystać z usług prywatnej firmy. Po jedenastym września Departament Obrony próbował robić coś takiego własnymi siłami: program kontroli Total Information Awareness. Kierował nim John Poindexter, były doradca do spraw bezpieczeństwa narodowego, i człowiek z kierownictwa FBI. Ale został zakończony – naruszenie przepisów ustawy o ochronie prywatności. Opinia publiczna uznała, że za bardzo przypominał Wielkiego Brata. SSD nie podlega jednak takim samym ograniczeniom prawnym jak rząd.

Whitcomb zaśmiał się cynicznie.

– Z całym szacunkiem dla mojego pracodawcy, Waszyngton nie wykazał się szczególnymi zdolnościami. W przeciwieństwie do SSD. Dwa najważniejsze słowa w słowniku Andrew Sterlinga to „wiedza" i „efektywność". Nikt nie potrafi ich łączyć lepiej niż on.

– To nie jest nielegalne? – zapytał Mel Cooper.

– Na ogół działamy w szarych strefach – przyznał Whitcomb.

– Ale czy to może nam pomóc? Tylko to chcę wiedzieć.

– Być może.

– Jak?

– Sprawdzimy dzisiejsze dane lokalizacji geograficznej detektyw Sachs

– wyjaśnił Whitcomb. – Sam się tym zajmę. – Zaczął stukać w klawiaturę.

– Zobaczycie wszystko na swoim monitorze, w okienku na dole.

– Jak długo to potrwa?

Śmiech, stłumiony z powodu złamanego nosa.

– Niedługo. To dość szybkie.

Zanim zdążył dokończyć, ekran wypełnił się tekstem.

LOKALIZACJA GEOGRAFICZNA
OBIEKT 7303-4490-7831-3478

Granice czasowe: ostatnie cztery godziny.

Godz. 16.31. Połączenie telefoniczne. Z telefonu komórkowego Obiektu do telefonu stacjonarnego Obiektu 5732-4887-3360-4759 (Lincoln Henry Rhyme) (osoba sprzężona). 52 sekundy. Obiekt był w swoim miejscu zamieszkania, Brooklyn, Nowy Jork.

Godz. 17.23. Identyfikacja biometryczna. Kamera przemysłowa, 84. Posterunek NYPD, Brooklyn, Nowy Jork, 95% prawdopodobieństwo identyfikacji.

Godz.17.23. Identyfikacja biometryczna. Obiekt 3865-6453-9902-7221 (Pamela D. Willoughby) (osoba sprzężona). Kamera przemysłowa, 84. Posterunek NYPD, Brooklyn, Nowy Jork, 92,4% prawdopodobieństwo identyfikacji.

Godz. 17.40. Połączenie telefoniczne. Z telefonu komórkowego Obiektu do telefonu stacjonarnego Obiektu 5732-4887-3360-4759 (Lincoln Henry Rhyme) (osoba sprzężona). 12 sekund.

Godz. 18.27. Skan RFID, karta kredytowa, Manhattan Style Boutique, Ósma Zachodnia Ulica 9. Brak transakcji.

Godz. 18.41. Identyfikacja biometryczna. Kamera przemysłowa, Presco Discount Gas and Oil, Czternasta Zachodnia Ulica 546, dystrybutor 7, honda civic rocznik 2001, nr rejestracyjny MDH459, zarejestrowany na 3865-6453-9902-7221 (Pamela D. Willoughby) (osoba sprzężona).

Godz. 18.46. Transakcja kartą kredytową. Presco Discount Gas and Oil, Czternasta Zachodnia Ulica 546, dystrybutor 7. Zakup 14,6 galonów zwykłej benzyny, 43,86 dol.

Godz. 19.01. Skan tablicy rejestracyjnej. Kamera przemysłowa, Aleja Ameryk i Dwudziesta Trzecia Ulica, honda civic MDH459, kierunek północny.

Godz. 19.03. Połączenie telefoniczne. Z telefonu komórkowego Obiektu do telefonu stacjonarnego Obiektu 5732-4887-3360-4759 (Lincoln Henry Rhyme) (osoba sprzężona). Obiekt był na Alei Ameryk i Dwudziestej Trzeciej Ulicy. 14 sekund.

Godz. 19.07. Skan RFID, karta kredytowa, Associated Credit Union, Aleja Ameryk i Trzydziesta Czwarta Ulica. 4 sekundy. Brak transakcji.

– Dobra, jedzie samochodem Pam. Ale dlaczego? Gdzie jej wóz?

– Numer rejestracyjny? – zapytał Whitcomb. – Nieważne, szybciej będzie użyć jej kodu. Zobaczmy...

W okienku zobaczyli komunikat, że jej camaro został skonfiskowany i odholowany sprzed jej domu. Nikt nie wiedział, na jaki parking go odwieziono.

– To dzieło 522 – szepnął Rhyme. – Na pewno. Tak samo jak z twoją żoną, Pulaski. I wyłączeniem prądu. Atakuje nas, jak się da.

Whitcomb znów postukał w klawiaturę i w miejsce informacji o samochodzie pojawiła się mapa z zaznaczonymi punktami lokalizacji. Pokazywała drogę, jaką pokonała Sachs z Brooklynu na środkowy Manhattan. Ale nagle ślad się urywał.

– Ostatni punkt? – spytał Rhyme. – Skan RFID. Co to było?

– Sklep odczytał znacznik w jej karcie kredytowej – powiedział Whitcomb. – Ale odczyt był bardzo krótki. Prawdopodobnie była w samochodzie, chyba że bardzo szybko szła.

– Kierowała się dalej na północ? – zastanawiał się głośno Rhyme.

– Mogła pojechać Trzydziestą Czwartą do autostrady West Side – rzekł Mel Cooper. – A potem na północ, opuszczając miasto.

– Jest tam płatny most – zauważył Whitcomb. – Jeżeli nim przejedzie, będziemy mieli odczyt tablicy rejestracyjnej. Dziewczyna, właścicielka samochodu, nie ma nadajnika E-ZPass. Gdyby miała, informacja o tym byłaby w innerCircle.

Na polecenie Rhyme'a Mel Cooper – najwyższy rangą funkcjonariusz policji spośród nich – wysłał komunikat o poszukiwaniu pojazdu, podając numer rejestracyjny i markę samochodu Pam.

Rhyme zadzwonił na posterunek na Brooklynie, gdzie dowiedział się tylko, że camaro Sachs rzeczywiście został odholowany. Sachs i Pam były tam przez chwilę, lecz szybko wyszły, nie mówiąc, dokąd jadą. Rhyme zadzwonił pod numer komórki dziewczyny. Była w mieście u koleżanki. Pam potwierdziła, że po włamaniu do jej domu Sachs odkryła jakiś trop, nie wspomniała jednak, co to jest ani dokąd się wybiera.

Rhyme zakończył rozmowę.

– Wpuścimy dane o lokalizacji i wszystko, co o niej mamy, do FORT-u, programu do ukrytych zależności, a potem do Xpectation

– powiedział Whitcomb. – To oprogramowanie predykcyjne. Jeżeli można się dowiedzieć, dokąd pojechała, to jest najlepszy sposób.

Whitcomb ponownie zerknął na sufit. Skrzywił się. Wstał i podszedł do drzwi. Rhyme zobaczył, jak zamyka je na klucz, a potem podpiera klamkę krzesłem. Siadając do komputera, lekko się uśmiechnął i zaczął pisać.

– Mark? – powiedział Pulaski.

– Tak?

– Dzięki. Tym razem poważnie.

Rozdział 46

Oczywiście, życie to walka.

Mojego idola – Andrew Sterlinga – i mnie łączy ta sama pasja, którą są dane. Obaj zdajemy sobie sprawę z tajemnic, jakie się w nich kryją, z ich czaru i ogromnej siły. Zanim jednak wkroczyłem w tę sferę, nie zdawałem sobie sprawy, jak potężną bronią mogą być dane, by za ich pomocą roztoczyć swoją wizję na cały świat, dotrzeć do najdalszych zakątków. Zredukować całe życie, całe istnienie, do numerów, a potem patrzeć, jak przeobrażają się w coś transcendentnego.

Nieśmiertelność duszy...

Uwielbiałem SQL, niezawodny standard zarządzania bazami danych, dopóki nie uwiódł mnie Andrew i Watchtower. Kto by mu nie uległ? Potęga i elegancja Watchtower jest fascynująca. Zacząłem w pełni doceniać świat danych dzięki niemu – choć nie bezpośrednio. Zaszczycał mnie tylko uprzejmym skinieniem głowy w korytarzu i pytaniem, jak minął weekend, choć znał moje imię, nawet nie patrząc na plakietkę na mojej piersi (cóż za błyskotliwy umysł). Myślę o tych wszystkich nocach spędzonych w jego gabinecie, gdy o drugiej nad ranem, w pustym biurze siedziałem na jego krześle i czując jego obecność, pochłaniałem zawartość jego biblioteki ustawionej grzbietami do góry. Nie było w niej ani jednego z tych naiwnych i pedantycznych poradników dla biznesmenów, ale grube tomy przedstawiające znacznie szerszą wizję: książki o skupianiu władzy i terytoriów, o trzynastu stanach z czasów doktryny „boskiego przeznaczenia" w XIX wieku, o Europie pod rządami Trzeciej Rzeszy, o *mare nostrum* pod rządami Rzymian, o całym świecie pod rządami Kościoła katolickiego i islamu. (Nawiasem mówiąc, wszyscy oni doceniali rażącą moc danych).

Ach, ileż się nauczyłem, podsłuchując Andrew, rozkoszując się tym, co pisał w swoich szkicach, notatkach, listach i książce, nad którą pracuje.

Błędy to szum. Szum to zanieczyszczenie. A zanieczyszczenia należy eliminować.

Tylko zwycięzcy mogą sobie pozwolić na wielkoduszność.

Tylko słabi godzą się na kompromisy.

Albo znajdujemy rozwiązanie problemu, albo przestajemy uważać go za problem.

Urodziliśmy się, by walczyć.

Wygrywa tylko ten, kto rozumie; rozumie tylko ten, kto wie.

Zastanawiam się, co Andrew pomyślałby o moich zamiarach i wierzę, że byłby zadowolony.

W bitwie przeciwko nim moje wojska posuwają się naprzód.

Na ulicy pod moim domem jeszcze raz wciskam guzik na breloczku i wreszcie słyszę stłumiony dźwięk klaksonu.

Zobaczmy, zobaczmy… Ach, jest. Co za kupa złomu, honda civic. Oczywiście pożyczona, ponieważ samochód Amelii 7303 stoi teraz na parkingu dla odholowanych aut – z tego wyczynu jestem dość dumny. Nigdy wcześniej nie przyszło mi to do głowy.

W moich myślach pojawia się rudowłosa piękność. Blefowała, mówiąc mi, co już wiedzą? O Peterze Gordonie? To właśnie jest dziwne w wiedzy: cienka linia oddzielająca prawdę od kłamstwa. Ale nie mogę ryzykować. Muszę ukryć samochód.

Znów mam ją przed oczami.

Te szalone oczy, rude włosy, ciało… nie jestem pewien, czy mogę dłużej czekać.

Trofea…

Szybko przeglądam wnętrze samochodu. Jakieś książki, czasopisma, chusteczki, puste butelki po witaminizowanej wodzie, serwetka ze Starbucksa, buty do biegania, z których łuszczy się guma, numer „Seventeen” na tylnym siedzeniu i podręcznik o poezji… Któż jest właścicielem tego wspaniałego wkładu Japończyków w światową technikę? Dowód rejestracyjny mówi, że Pamela Willoughby.

Więcej informacji o niej wezmę z innerCircle, a potem złożę jej wizytę. Ciekawe, jak wygląda? Sprawdzę w wydziale komunikacji, czy jest warta zachodu.

Silnik odpala od razu. Jadę ostrożnie, nie chcąc denerwować innych kierowców. Nie chcę robić awantury.

Kawałek dalej skręcam do alejki.

Czego słucha panna Pam? Rock, rock, alternatywa, hip-hop, talk show i radio publiczne. Ustawione stacje to wyjątkowo bogate źródło informacji.

Układam już strategię transakcji z tą dziewczyną: poznam ją. Spotkamy się na nabożeństwie żałobnym w intencji Amelii 7303 (nie będzie ciała, nie będzie pogrzebu). Złożę wyrazy współczucia. Poznałem ją w trakcie śledztwa, które prowadziła. Naprawdę ją polubiłem. Och, nie płacz, skarbie. Już dobrze. Wiesz co, może gdzieś się razem wybierzemy. Opowiem ci historie, które usłyszałem od Amelii. O jej ojcu. I ciekawą historię przyjazdu jej dziadka do kraju. (Kiedy się dowiedziałem, że za mną węszy, zajrzałem do jej dossier. Co za ciekawa historia). Byliśmy dobrymi przyjaciółmi. Naprawdę jestem zdruzgotany... Masz ochotę na kawę? Może do Starbucksa? Chodzę tam co wieczór, po bieganiu w Central Parku. Nie! Ty też?

Chyba rzeczywiście mamy ze sobą coś wspólnego.

Och, znów to uczucie, gdy myślę o Pam. Może jest brzydka jak noc?

Być może trochę zaczekam, zanim wsadzę ją do bagażnika... Najpierw muszę się zająć Thomem Restonem – i kilkoma innymi rzeczami. Ale przynajmniej na dziś mam Amelię 7303.

Wjeżdżam do garażu i zostawiam wóz – będzie czekał, dopóki nie zmienię tablic, a potem pójdzie na dno zbiornika Croton. Teraz nie mogę jednak o tym myśleć. Pochłaniają mnie plany transakcji z moją rudowłosą przyjaciółką, która czeka na mnie w Schowku jak żona na męża wracającego z biura po bardzo ciężkim dniu.

Niestety, w tej chwili nie można opracować prognozy. Proszę wprowadzić więcej danych i spróbować ponownie.

Mimo informacji z największej na świecie bazy danych i najnowocześniejszego oprogramowania, badającego każdy szczegół życia Amelii Sachs z prędkością światła, program odmówił posłuszeństwa.

– Przykro mi – powiedział Mark Whitcomb, delikatnie pocierając nos. Obraz wysokiej rozdzielczości dość plastycznie ukazywał obrażenia jego twarzy. Wyglądały okropnie; Ron Pulaski naprawdę mocno go uderzył.

Pociągając nosem, młody człowiek ciągnął:

– Mamy za mało szczegółów. Wynik zależy od tego, co się wprowadzi. Program najlepiej się sprawdza we wzorcach zachowań. Wiemy tylko tyle, że jedzie gdzieś, gdzie nigdy nie była, w każdym razie nie tą drogą.

Prosto do domu mordercy, pomyślał bezsilnie Rhyme.

Do diabła, gdzie ona jest?

– Chwileczkę. System się aktualizuje...

Ekran zamigotał.

– Mam ją! – krzyknął Whitcomb. – Są trafienia RFID sprzed dwudziestu minut.

– Gdzie? – spytał szeptem Rhyme.

Whitcomb włączył im obraz mapy. Odczyt pochodził z cichej ulicy na Upper East Side.

– Dwa trafienia w sklepach. Pierwszy skan RFID trwał dwie sekundy, drugi trochę dłużej, osiem sekund. Może zatrzymała się, żeby sprawdzić adres.

– Natychmiast dzwońcie do Bo Haumanna! – wrzasnął Rhyme.

Pulaski wcisnął przycisk szybkiego wybierania i po chwili w telefonie odezwał się szef jednostki specjalnej ESU.

– Bo, mam trop Amelii. Pojechała szukać 522 i zniknęła. Sytuację monitoruje komputer, próbujemy ustalić miejsce. Dwadzieścia minut temu była niedaleko Osiemdziesiątej Ósmej Wschodniej 642.

– Możemy być na miejscu za dziesięć minut, Linc. Są zakładnicy?

– Tak przypuszczam. Zadzwoń, gdy będziesz coś wiedział.

Rozłączyli się.

Rhyme pomyślał o wiadomości, którą zostawiła w poczcie głosowej. Wydawała się taka krucha – garstka cyfrowych danych.

W pamięci wyraźnie słyszał każde słowo: *Rhyme, mam trop, chyba niezły. Zadzwoń do mnie.*

Nie mógł się wyzbyć przeczucia, że to może być ich ostatni kontakt.

Zespół A jednostki ESU Bo Haumanna stał w pobliżu drzwi dużego domu szeregowego na Upper East Side: czterech funkcjonariuszy w kamizelkach kuloodpornych, uzbrojonych w niewielkie pistolety maszynowe MP-5. Starali się nie zbliżać do okien.

Haumann musiał przyznać, że w ciągu lat służby w wojsku i policji nigdy czegoś takiego nie widział. Lincoln Rhyme użył jakiegoś programu komputerowego, który namierzył Amelię Sachs w tym rejonie, ale nie dzięki komórce, podsłuchowi ani odbiornikowi GPS. Może tak wygląda przyszłość policji.

Urządzenie nie podało dokładnego adresu domu, przed którym oddział zajmował właśnie pozycje. Ale świadek widział kobietę, która zatrzymała się przy dwóch sklepach, gdzie znalazł ją komputer, a potem ruszyła w kierunku domu po drugiej stronie ulicy.

I tam prawdopodobnie przetrzymywał ją sprawca, którego nazywano 522.

Wreszcie zgłosił się zespół z tyłu budynku.

– Zespół B do jedynki. Jesteśmy na pozycjach. Nic nie widzę. Które piętro?

– Nie mam pojęcia. Po prostu wchodzimy i czyścimy. Tylko szybko. Jest tam już jakiś czas. Zadzwonię, a kiedy podejdzie do drzwi, wchodzimy.

– Zrozumiałem.

– Zespół C, za trzy, cztery minuty będziemy na dachu.

– Ruchy! – burknął Haumann.

– Tak jest.

Haumann od lat pracował z Amelią Sachs. Miała więcej odwagi od większości mężczyzn pod jego komendą. Nie był pewien, czy ją lubi – była uparta jak osioł, szorstka w obejściu i często uciekała się do podstępu, żeby stanąć na czele zespołu szturmowego, gdy powinna się powstrzymać – ale był gotów przysiąc na wszystko, że ją szanuje.

I nie zamierzał zostawić jej w łapach gwałciciela, takiego jak ten 522. Dał znak detektywowi, by wszedł na ganek – policjant był ubrany w garnitur, żeby przez wizjer nie wzbudził podejrzeń mordercy. Gdy otworzą się drzwi, funkcjonariusze przyczajeni przed frontem domu mieli wyskoczyć z ukrycia i rzucić się na niego. Detektyw zapiął marynarkę i skinął głową.

– Niech to szlag – niecierpliwił się Haumann, mówiąc przez radio do zespołu z tyłu. – Jesteście już na miejscu czy nie?

Rozdział 47

Otworzyły się drzwi i usłyszała kroki mordercy wchodzącego do cuchnącego, klaustrofobicznego pomieszczenia.

Amelia Sachs siedziała przykucnięta, z obolałymi kolanami, usiłując włożyć rękę do przedniej kieszeni spodni, gdzie był kluczyk do kajdanek. Sterty gazet nie pozwalały jej jednak obrócić się na tyle, by dosięgnąć kieszeni. Dotknęła kluczyka przez materiał, wyczuwając twardy, boleśnie bliski kształt, nie potrafiła jednak wsunąć palców do środka.

Szalała z poczucia bezsilności.

Znowu kroki.

Gdzie, gdzie?

Jeszcze jedna próba wyciągnięcia kluczyka... Już prawie, ale nie całkiem.

Kroki zbliżały się do niej. Dała za wygraną.

Dobra, czas walczyć. Była gotowa. Widziała jego oczy, widziała żądzę, głód. Wiedziała, że lada chwila po nią przyjdzie. Nie wiedziała, jak go unieszkodliwi, mając ręce skute za plecami i obolałe ramię i twarz po wcześniejszym starciu. Ale sukinsyn zapłaci za każe dotknięcie.

Tylko gdzie on jest?

Kroki ucichły.

Gdzie? Sachs nie miała widoku na pokój. Korytarz, którym musiał nadejść, był ścieżką szerokości pół metra, biegnącą między piramidami cuchnących stęchlizną gazet. Sachs widziała jego biurko, góry rupieci, sterty czasopism.

No, chodź, przyjdź po mnie.

Jestem przygotowana. Będę udawać przestraszoną, będę się bronić. Gwałcicielom chodzi tylko o kontrolę. Kiedy zobaczy, jak się kulę, poczuje się silniejszy – i przestanie uważać. A kiedy pochyli się nade mną, wpiję mu się zębami w gardło. Złapię i nie puszczę, cokolwiek miałoby się stać. Będę...

W tym momencie budynek się zawalił, wybuchła bomba.

Runęła na nią jakaś ogromna, druzgocąca bryła, przygważdżając ją do podłogi.

Stęknęła z bólu.

Dopiero po minucie Sachs zorientowała się, co zrobił – może przewidując, że będzie stawiała opór, po prostu popchnął na nią sterty gazet.

Z unieruchomionymi rękami i nogami, z głową, piersią i ramionami na wierzchu, leżała uwięziona pod setkami kilogramów śmierdzących gazet.

Ogarnęła ją nieopisana klaustrofobiczna panika. Wydała krzyk staccato, usiłując złapać oddech i opanować strach.

Na końcu tunelu ukazał się Peter Gordon. Zobaczyła w jego ręce błysk stalowego ostrza brzytwy. W drugiej miał dyktafon. Mierzył ją badawczym wzrokiem.

– Błagam – jęknęła w nie do końca udawanej panice.

– Śliczna jesteś – wyszeptał.

Zaczął coś mówić, ale słowa zagłuszył dźwięk dzwonka u drzwi, który rozległ się równocześnie tu i w głównej części domu.

Gordon znieruchomiał.

Dzwonek odezwał się jeszcze raz.

Podszedł do biurka, postukał w klawiaturę i popatrzył na monitor – prawdopodobnie na obraz z kamery przy drzwiach, pokazującej gościa. Zmarszczył brwi.

Morderca zastanawiał się, co począć. Spojrzał na nią i ostrożnie złożył brzytwę, po czym wsunął ją do tylnej kieszeni.

Skierował się do drzwi i wyszedł ze schowka. Sachs usłyszała szczęk zasuwki. Jej dłoń podjęła na nowo mozolną wędrówkę do kieszeni i ukrytego w niej maleńkiego kawałka metalu.

– Lincoln.

Głos Bo Haumanna brzmiał chłodno.

– Mów – szepnął Rhyme.

– To nie była ona.

– Co?

– Komputer się nie pomylił, ale nie namierzył Amelii. – Wyjaśnił, że Sachs dała kartę kredytową Pam Willoughby, swojej przyjaciółce, żeby zrobiła zakupy na kolację, którą zamierzały razem zjeść i porozmawiać o jakichś „sprawach osobistych". – To chyba właśnie odczytał system. Weszła do sklepu, rozejrzała się, a potem zatrzymała się tutaj – to dom jej koleżanki. Odrabiały lekcje.

Rhyme przymknął oczy.

– Dobra, dzięki, Bo. Możecie się zwijać. Teraz można tylko czekać.

– Przykro mi, Lincoln – powiedział Ron Pulaski.

Rhyme kiwnął głową.

Jego wzrok powędrował nad kominek, gdzie stało zdjęcie Sachs w czarnym kasku, za kierownicą forda NASCAR. Obok była ich wspólna fotografia – Rhyme siedział na wózku, a Sachs go obejmowała.

Nie mógł na to patrzeć. Skierował wzrok na tablice.

PROFIL NN 522

- Mężczyzna
- Prawdopodobnie pali albo mieszka/pracuje z palącą osobą lub w pobliżu źródła tytoniu
- Ma dzieci albo mieszka/pracuje w ich pobliżu lub blisko źródła zabawek
- Interesuje się sztuką, monetami?
- Prawdopodobnie biały lub przedstawiciel mniejszości etnicznej o jasnej karnacji
- Średniej budowy ciała
- Silny – potrafi udusić ofiarę
- Dostęp do urządzeń zmieniających głos
- Prawdopodobnie zna się na komputerach; zna OurWorld. Inne portale społecznościowe?
- Zbiera trofea po ofiarach.
- Jada pikantne chrupki
- Nosi buty Skechers numer 11
- Zbieracz, cierpi na zaburzenia obsesyjno--kompulsywne
- Prawdopodobnie prowadzi życie „sekretne" i „fasadowe"
- Osobowość pokazywana publicznie jest przeciwieństwem jego prawdziwego charakteru
- Miejsce zamieszkania: niczego nie wynajmuje, ma dwa oddzielne mieszkania, normalne i sekretne
- Okna domu zasłonięte lub zamalowane
- Będzie agresywny, gdy ktoś zagrozi jego skarbcowi albo kolekcji

NIEPODRZUCONE DOWODY

- Stary karton
- Włosy lalki, nylon BASF B35
- Tytoń z papierosów Tareyton
- Stary tytoń, nie Tareyton, marka nieznana
- Ślad pleśni Strachybotrys Chartarum
- Pył z katastrofy World Trade Center, prawdopodobnie wskazujący na miejsce zamieszkania/pracy na środkowym Manhattanie
- Pikantne chrupki/pieprz cayenne
- Włókno ze sznura zawierające:
  - Napój z cyklamatem sodu (stary lub pochodzący z zagranicy)
  - Naftalinę (starą lub pochodzącą z zagranicy)
- Liście difenbachii (rośliny doniczkowej)
- Włókna papieru z dwóch żółtych bloków do pisania
- Odcisk buta Skechers numer 11
- Liście roślin doniczkowych: fikus i aglaonema
- Zabielacz coffee-mate

Gdzie jesteś, Sachs? Gdzie jesteś?

Wpatrywał się w tablice jak zahipnotyzowany, pragnąć, żeby do niego przemówiły. Ale ze skąpych faktów Rhyme mógł zrozumieć nie więcej niż komputer SSD z danych innerCircle.

Niestety, w tej chwili nie można opracować prognozy...

Rozdział 48

Sąsiad.

Odwiedził mnie sąsiad, który mieszka na Dziewięćdziesiątej Pierwszej Zachodniej pod numerem 697. Właśnie wrócił z pracy. Podobno przywieźli mu paczkę, ale jej nie było. W sklepie usłyszał, że mogli ją dostarczyć pod numer 679, czyli do mnie. Pomyłka w numerze.

Marszczę czoło i tłumaczę, że nie dostałem żadnej przesyłki. Powinien jeszcze raz spytać w sklepie. Mam ochotę poderżnąć mu gardło za to, że przerwał mi schadzkę z Amelią 7303, ale oczywiście uśmiecham się ze współczuciem.

Przeprasza, że mi przeszkadza. Miłego dnia, pewnie też się pan cieszy, że już skończyli te roboty na ulicy...

Mogę znów myśleć o Amelii 7303. Ale zamykając drzwi wejściowe, drętwieję ze strachu. Nagle uświadamiam sobie, że odebrałem jej wszystko – telefon, broń, puszkę z gazem, nóż – z wyjątkiem kluczyka do kajdanek. Musi go mieć w kieszeni.

Sąsiad mnie zdekoncentrował. Wiem już, gdzie mieszka i zapłaci mi za to. Ale teraz biegiem wracam do Schowka, wyciągając po drodze brzytwę z kieszeni. Szybciej! Co ona tam robi? Dzwoni do nich, żeby Im powiedzieć, gdzie jej szukać?

Chce mi wszystko odebrać! Nienawidzę jej. Ależ jej nienawidzę...

Podczas nieobecności Gordona Amelii Sachs udało się tylko ochłonąć z przerażenia.

Rozpaczliwie próbowała dosięgnąć kluczyka, lecz nogi i ręce wciąż miała przygniecione ciężarem gazet i nie mogła ułożyć bioder w taki sposób, by wsunąć rękę do kieszeni.

Owszem, zapanowała nad klaustrofobią, ale w jej miejsce szybko pojawił się ból. Miała skurcze w zgiętych nogach, jakaś ostra krawędź papieru wrzynała się jej w plecy.

Zgasła nadzieja, że gość przynosi ocalenie. Jeszcze raz otworzyły się drzwi do kryjówki mordercy. Usłyszała kroki Gordona. Gdy chwilę później uniosła wzrok, zobaczyła, jak się w nią wpatruje. Obszedł górę papieru, stając z boku i zmrużył oczy, sprawdzając, czy kajdanki są na swoim miejscu.

Uśmiechnął się z ulgą.

– A więc jestem numerem pięć dwadzieścia dwa.

Skinęła głową, zastanawiając się, skąd zna swój kryptonim. Prawdopodobnie torturami wydusił tę informację z kapitana Malloya, co jeszcze bardziej ją wzburzyło.

– Wolę numer, który ma z czymś związek. Cyfry na ogół są przypadkowe. W życiu jest za dużo przypadku. To dzień, w którym wpadliście na mój ślad, tak? Dwudziesty drugi maja. Pięć dwadzieścia dwa. To ma znaczenie. Podoba mi się.

– Jeżeli się poddasz, będziemy się mogli dogadać.

– Dogadać? – Parsknął upiornym, wymownym śmiechem. – Kto miałby się ze mną dogadywać? To były morderstwa z premedytacją. Nigdy nie wyszedłbym z pudła. Daj spokój. – Gordon zniknął na chwilę i wrócił z plastikową płachtą, którą rozłożył na podłodze przed Sachs.

Patrzyła na folię pokrytą zbrązowiałymi plamami krwi, czując głuchy łomot serca. Przypominając sobie, co Terry Dobyns mówił o zbieraczach, zdała sobie sprawę, że się martwi, aby jej krew nie zabrudziła mu kolekcji.

Gordon wziął dyktafon i położył na jednej ze stert gazet, niedużej, wysokości mniej więcej metra. Na wierzchu leżał wczorajszy numer „New York Timesa". W lewym górnym rogu starannie zapisano liczbę 3529.

Bez względu na to, co będzie próbował zrobić, gorzko pożałuje. Sachs użyje zębów, kolan, nóg. Postara się, żeby go bardzo zabolało. Niech się tylko zbliży. Bądź bezbronna, bądź bezradna.

Niech tylko podejdzie.

– Proszę cię! Boli... Nie mogę poruszyć nogami. Pomóż mi je wyprostować.

– Nie, mówisz, że nie możesz poruszyć nogami, żebym do ciebie podszedł, a wtedy rozszarpiesz mi gardło.

Właśnie tak.

– Nie... Proszę!

– Amelio siedem trzy zero trzy... Myślisz, że nic o tobie nie wiem? Kiedy zjawiłaś się w SSD z Ronem cztery dwa osiem pięć, poszedłem do klatek i sprawdziłem cię. Z twoich danych można sporo wyczytać. Nawiasem mówiąc, lubią cię w departamencie. I chyba trochę się ciebie boją. Jesteś niezależna, nieprzewidywalna. Szybko jeździsz, dobrze strzelasz, jesteś specjalistką w zabezpieczaniu miejsc zbrodni i jakimś cudem w ciągu dwóch ubiegłych lat udało ci się brać udział w pięciu akcjach szturmowych... Tak więc nie byłoby to rozsądne z mojej strony, gdybym się do ciebie zbliżył bez żadnych środków ostrożności, prawda?

Nie zwracała uwagi na jego gadaninę. No, podejdź do mnie, myślała. No chodź!

Odszedł na bok i wrócił z paralizatorem Taser.

Och, nie...

No jasne. Jako ochroniarz miał pod ręką cały arsenał. Z tej odległości nie mógł chybić. Odbezpieczył broń i ruszył w jej stronę... lecz przystanął i przechylił głowę.

Sachs też usłyszała jakiś hałas. Strumień wody?

Nie. To brzęk tłuczonego szkła, jakby gdzieś w oddali ktoś rozbił okno.

Gordon zmarszczył brwi. Zrobił krok w kierunku drzwi prowadzących do przechodniego schowka – i nagle poleciał do tyłu, uderzony drzwiami, które otworzyły się z impetem.

Do pomieszczenia wpadł jakiś człowiek z krótkim łomem w ręce. Nieznajomy zmrużył oczy, starając się zorientować w ciemności.

Gordon runął na podłogę i powietrze uszło mu z płuc. Upuścił paralizator. Z grymasem bólu wygramolił się na kolana i sięgnął po broń, lecz intruz wziął szeroki zamach i rąbnął go łomem w przedramię. Trzasnęła łamana kość. Morderca wrzasnął.

– Nie, nie! – Nagle Gordon przymrużył załzawione oczy i przyjrzał się napastnikowi.

– Nie wyglądasz mi teraz za bardzo na Boga! – krzyknął mężczyzna. – Skurwielu!

To był doktor Robert Jorgensen, który padł ofiarą kradzieży tożsamości i ukrywał się w hotelu. Chwycił oburącz łom i zadał mordercy cios w szyję i w ramię. Głowa Gordona uderzyła o podłogę. Wywrócił oczy białkami na wierzch, padł i znieruchomiał.

Sachs w zdumieniu patrzyła na lekarza.

Kim on jest? Jest Bogiem, a ja jestem Hiobem.

– Nic się pani nie stało? – spytał, ruszając w jej stronę.

– Niech mi pan pomoże wydostać się spod tych gazet. Potem zdejmie mi pan kajdanki i skuje go. Szybko! Kluczyk mam w kieszeni.

Jorgensen ukląkł i zaczął odgarniać gazety.

– Jak pan się tu dostał? – zapytała.

Jorgensen miał szeroko otwarte oczy, tak samo jak w obskurnym hotelu na Upper East Side.

– Śledzę panią od tamtej wizyty. Mieszkam na ulicy. Wiedziałem, że mnie pani do niego doprowadzi. – Ruchem głowy wskazał Gordona, który wciąż leżał, oddychając płytko.

Jorgensen sapał z wysiłku, zbierając gazety garściami i odrzucając je na bok.

– A więc to pan mnie śledził – powiedziała Sachs. – Na cmentarzu i przy rampie na West Side.

– Tak, to ja. Dzisiaj śledziłem panią od magazynu do pani domu, potem w drodze na posterunek i do tego szarego biurowca w centrum. Teraz tu. Widziałem, jak weszła pani do alejki, a kiedy pani nie wyszła, zacząłem się zastanawiać, co się stało. Zadzwoniłem do drzwi i kiedy otworzył, powiedziałem mu, że jestem sąsiadem i szukam przesyłki, którą miałem dostać. Zajrzałem do środka. Nie widziałem pani. Udałem, że odchodzę, ale potem zobaczyłem, jak wchodzi przez drzwi w salonie z brzytwą w ręce.

– Nie poznał pana?

Jorgensen szarpnął brodę, śmiejąc się z goryczą.

– Pewnie znał mnie tylko ze zdjęcia w prawie jazdy. Zrobiłem je w czasach, kiedy jeszcze chciało mi się golić – i było mnie stać na fryzjera… Boże, ale to ciężkie.

– Niech się pan pospieszy.

– Liczyłem na to, że dzięki pani go znajdę – ciągnął Jorgensen. – Była pani moją jedyną nadzieją. Wiem, że musi go pani aresztować, ale najpierw chcę z nim załatwić swoje sprawy. Musi mi pani pozwolić! Zapłaci za wszystkie cierpienia, jakie mi zadał.

Zaczęła odzyskiwać czucie w nogach. Spojrzała na leżącego Gordona.

– Może pan już dosięgnąć kieszeni?

– Nie bardzo. Jeszcze trochę odgarnę.

Na podłogę poleciały kolejne gazety. Na jednej widniał nagłówek „MILIONOWE STRATY PO ZAMIESZKACH WYWOŁANYCH AWARIĄ PRĄDU". Na innej: „BRAK POSTĘPÓW W KRYZYSIE. ZAKŁADNICY NADAL PRZETRZYMYWANI W AMBASADZIE. TEHERAN: ŻADNYCH UKŁADÓW".

Wreszcie udało się jej wyczołgać spod sterty gazet. Niezdarnie wstała i wyprostowała się, na ile pozwalały skute ręce. Zachwiała się, oparła o inną piramidę gazet i spojrzała na Jorgensena.

– Kluczyk. Szybko.

Lekarz sięgnął do jej kieszeni, odnalazł kluczyk i zajął się kajdankami. Cicho szczęknął jeden zamek. Sachs mogła nareszcie swobodnie stać. Odwróciła się, by wziąć od niego kluczyk.

– Szybko – powiedziała. – Chodźmy…

Rozległ się ogłuszający huk i Sachs poczuła dwa równoczesne lekkie uderzenia na rękach i twarzy – w chwili, gdy pocisk wystrzelony z jej pistoletu przez Petera Gordona trafił Jorgensena w plecy, opryskując ją krwią i fragmentami ciała.

Lekarz krzyknął i osunął się na nią bezwładnie, przewracając ją do tyłu i ratując przed drugą kulą, która śmignęła obok i wbiła się w ścianę kilka centymetrów od jej ramienia.

Rozdział 49

Amelia Sachs nie miała wyboru. Musiała zaatakować. Natychmiast. Osłaniając się ciałem Jorgensena, rzuciła się w stronę krwawiącego, zgarbionego Gordona, chwyciła leżący na podłodze paralizator i strzeliła do niego.

Elektrody nie miały takiej prędkości jak pociski i Gordon zdążył uskoczyć; haczyki chybiły celu. Sachs złapała łom Jorgensena i natarła. Gordon podniósł się na jedno kolano. Ale gdy była zaledwie trzy metry od niego, Gordon zdołał unieść broń i strzelić do niej, dokładnie w chwili, gdy cisnęła w niego łomem. Pocisk uderzył w kamizelkę American Body Armor. Ból był potworny, lecz kula poszła niżej, nie trafiając w splot słoneczny, bo gdyby tak się stało, Sachs straciłaby dech i zostałaby sparaliżowana.

Wirując w powietrzu, łom z niemal bezgłośnym *pac* uderzył go w twarz i Gordon wrzasnął z bólu. Nie upadł jednak i nadal kurczowo trzymał glocka. Sachs miała tylko jedną drogę ucieczki, więc odwróciła się w lewo i popędziła w głąb kanionu rupieci, wypełniających ten obrzydliwy dom.

„Labirynt" – tylko tak można go było określić. Wąska ścieżka wiła się wśród kolekcji: grzebieni, zabawek (między innymi mnóstwa lalek – prawdopodobne z którejś z nich pochodziły włosy znalezione na jednym z pierwszych miejsc zdarzenia), pieczołowicie zrolowanych starych tubek po paście do zębów, kosmetyków, kubków, papierowych toreb, ubrań, butów, puszek po jedzeniu, długopisów, kluczy, narzędzi, czasopism, książek... Sachs nigdy w życiu nie widziała tylu śmieci naraz.

Większość lamp była wyłączona, lecz kilka wątłych żarówek rzucało żółtawy trupi blask, a przez zasłonę brudnych rolet i gazet, którymi były zaklejone szyby, sączyło się słabe światło latarni ulicznych. Wszystkie okna były okratowane. Sachs kilka razy się potknęła, w ostatnim momencie odzyskując równowagę i ratując się przed zderzeniem z górą porcelany czy masywnym pojemnikiem pełnym klamerek do bielizny.

Uważaj, uważaj...

Upadek mógł oznaczać najgorsze.

Od ciosu w brzuch zbierało się jej na wymioty. Skręciła między dwie wysokie sterty numerów „National Geographic" i stłumiła okrzyk zaskoczenia, uskakując w bok w chwili, gdy zza rogu w odległości dziesięciu metrów wyłonił się Gordon, zauważył ją i krzywiąc się z bólu, uniósł lewą rękę i dwa razy strzelił. Obydwie kule minęły cel. Gordon ruszył naprzód. Sachs naparła łokciem na piramidę błyszczących czasopism, które spadły kaskadą w przejście, barykadując je zupełnie. Wycofała się pospiesznie, słysząc dwa kolejne strzały.

Wystrzelił siedem – zawsze liczyła – ale to był glock, w którego magazynku tkwiło jeszcze osiem pocisków. Gorączkowo szukała jakiegokolwiek wyjścia, choćby pozbawionego krat okna, przez które mogłaby wyskoczyć, lecz po tej stronie domu nie było ani jednego. Wzdłuż ścian stały regały uginające się pod ciężarem porcelanowych posążków i bibelotów. Sachs słyszała, jak Gordon z wściekłością rozgarnia kopniakami czasopisma, mrucząc coś pod nosem.

Ponad stosem papieru ukazała się jego twarz. Próbował się wspiąć, ale błyszczące okładki magazynów były śliskie jak lód i dwa razy się na nich poślizgnął, krzycząc przeraźliwie, gdy podparł się pogruchotaną ręką, by nie stracić równowagi. Wreszcie wygramolił się na górę. Zanim jednak zdążył unieść broń, zamarł z przerażenia, wstrzymując oddech.

– Nie! – wrzasnął. – Błagam, nie!

Sachs położyła ręce na regale zapchanym antycznymi wazami i figurynkami z porcelany.

– Nie, nie dotykaj! Błagam!

Przypomniała sobie, co Terry Dobyns mówił o reakcji zbieracza na utratę czegokolwiek z kolekcji.

– Rzuć broń. Rzuć, Peter!

Nie wierzyła, że to zrobi, ale przejęty zgrozą, widząc, że za chwilę straci to, co stoi na półce, Gordon zaczął się wahać.

Wiedza to potęga...

– Nie, nie, błagam… – szeptał żałośnie.

Nagle jego oczy zupełnie się zmieniły. W ułamku sekundy przeobraziły się w nieruchome, ciemne punkciki. Sachs wiedziała, że postanowił strzelić.

Pchnęła regał na sąsiednie półki i sto kilogramów ceramiki roztrzaskało się na drobne kawałki w przeraźliwej kakofonii, którą zagłuszyło upiorne, pierwotne wycie Petera Gordona.

Do pobojowiska dołączyły kolejne dwie półki ohydnych figurek, filiżanek i spodków.

– Rzuć broń, bo rozbiję w drobny mak każdą rzecz z twoich cholernych kolekcji!

Ale Gordon zupełnie przestał nad sobą panować.

– Zabiję cię, zabiję cię, zabiję… – Strzelił jeszcze dwa razy, ale Sachs zdążyła się już ukryć. Wiedziała, że ją zaatakuje, gdy tylko pokona barierę z „National Geographic", więc oceniła ich pozycje. Sachs okrężną drogą dotarła w pobliże drzwi schowka, podczas gdy on wciąż tkwił w głębi domu.

Ale żeby dotrzeć do wyjścia, za którym czekała wolność, musiała przebiec obok drzwi pomieszczenia, w którym teraz był i – sądząc po odgłosach – brnął przez szczątki ceramiki i przewrócone półki. Czy zdawał sobie sprawę z jej rozpaczliwego położenia? Czekał z wycelowaną bronią, aż wejdzie mu pod lufę jak figurka na strzelnicy?

A może ominął blokadę i zakradł się za jej plecy drogą, której nie znała?

W ciemnym domu coś skrzypiało. To jego kroki? Odgłosy pracującego drewna?

Poczuła zimny dotyk paniki i obróciła się gwałtownie. Nie widziała go. Wiedziała, że musi działać szybko. Uciekaj! Wiej! Głęboko nabrała powietrza i pokonując siłą woli ból w kolanach, pochylona rzuciła się naprzód, tuż obok barykady z czasopism.

Nie padły strzały.

Nie było go tam. Przystanęła, przyciskając się plecami do ściany i starając się zapanować nad przyspieszonym oddechem.

Cicho, cicho…

Do diabła. Gdzie, gdzie? W przejściu między pudełkami po butach, między puszkami pomidorów, między starannie poskładanymi ubraniami?

Znów coś skrzypnęło. Nie potrafiła ocenić, skąd dobiegał ten odgłos.

Cichy szmer, jak wiatr albo oddech.

W końcu Sachs podjęła decyzję – trzeba się ratować. Wiać! Byle do wyjścia!

I mieć nadzieję, że nie stoi za tobą ani nie zakradł się od frontu jakimś sekretnym przejściem.

Biegiem!

Odepchnęła się od ściany, sprintem pokonała następne korytarze, kaniony książek, zastaw stołowych, obrazów, przewodów, urządzeń elektronicznych, puszek. Czy w ogóle zmierzała we właściwym kierunku?

Tak. Zobaczyła przed sobą biurko Gordona zastawione żółtymi notatnikami. Na podłodze leżało ciało Roberta Jorgensona. Szybciej. Szybciej! Zapomnij o telefonie na biurku, powiedziała sobie, bo przez moment przemknęło jej przez myśl, by zadzwonić pod 911.

Wyjdź stąd. Już.

Biegła w stronę drzwi schowka.

Im była bliżej, tym bardziej dygotała ze strachu. Czekała na strzał, który mógł paść w każdej chwili.

Już tylko pięć metrów...

Może Gordon uwierzył, że ukrywała się w głębi schowka. Może klęczał, opłakując stratę cennej porcelany.

Trzy metry...

Skręciła za róg, zatrzymując się, by złapać łom, śliski od jego krwi.

Nie, do drzwi.

Nagle stanęła, tłumiąc krzyk.

Tuż przed sobą zobaczyła jego sylwetkę na tle światła padającego zza drzwi schowka. A więc jednak przyszedł tu inną drogą, pomyślała w rozpaczy. Uniosła ciężki łom.

Przez moment jej nie widział, ale nadzieja, że pozostanie niezauważona, prysła, gdy zwrócił się w jej stronę i przypadł do podłogi, unosząc broń. Oczyma wyobraźni zobaczyła swojego ojca, a potem Lincolna Rhyme'a.

Nareszcie mam ją na muszce.

Amelię 7303, kobietę, która zniszczyła setki moich skarbów, która chciała mi wszystko odebrać, pozbawić mnie wszystkich przyszłych transakcji, pokazać mój Schowek całemu światu. Nie mam czasu się z nią bawić. Nie mam czasu na nagrywanie wrzasków. Musi umrzeć. Natychmiast.

Nienawidzę jej nienawidzę jej nienawidzę jej nienawidzę jej nienawidzę jej nienawidzę jej nienawidzę jej...

Nikt mi już niczego nie odbierze, nigdy.

Wystarczy wycelować i nacisnąć.

Pistolet wystrzelił i Amelia Sachs zatoczyła się do tyłu.

Zaraz padł drugi strzał. I dwa następne.

Padając na ziemię, zasłoniła rękami głowę, najpierw odrętwiała, a potem czując coraz większy ból.

Umieram... umieram...

Tylko... tylko że jedynym źródłem bólu były jej artretyczne kolana, na których z impetem wylądowała. W miejscu, gdzie powinny trafić kule, nie czuła nic. Uniosła rękę do twarzy, do szyi. Nie wymacała żadnych ran, ani krwi. Niemożliwe, żeby chybił z takiej odległości.

A jednak.

Nagle zaczął biec w jej stronę. Sachs utkwiła w nim zimny wzrok, naprężyła mięśnie i mocno chwyciła łom.

Ale minął ją, nawet na nią patrząc.

O co chodzi? Sachs powoli wstała, krzywiąc się. Kiedy wybiegł z plamy światła padającego z tyłu przez otwarte drzwi, sylwetka stała się wyraźniejsza. To w ogóle nie był Gordon, ale detektyw, którego znała, z 28. posterunku – John Harvison. Policjant nie opuszczał glocka, podchodząc ostrożnie do zwłok mężczyzny, którego właśnie zastrzelił.

Sachs zrozumiała, że Peter Gordon skradał się za nią i zamierzał strzelić jej w plecy. Z miejsca, w którym stał, nie widział Harvisona skulonego w drzwiach schowka.

– Amelia, nic się nie stało? – zawołał detektyw.

– Wszystko w porządku.

– Jest jeszcze ktoś uzbrojony?

– Nie sądzę.

Sachs podeszła do detektywa. Wszystkie pociski, które wystrzelił, najwyraźniej dosięgły celu; jeden z nich trafił Gordona prosto w czoło. Rana była rozległa. Krew i kawałki mózgu obryzgały „Amerykańską rodzinę" Prescotta zawieszoną nad biurkiem.

Harvison był zasadniczym, czterdziestokilkuletnim człowiekiem, którego kilka razy odznaczono za odwagę w akcji i za aresztowania wpływowych dilerów narkotykowych. Jako wytrawny zawodowiec zabezpieczył miejsce, nie zwracając uwagi na dziwaczną scenografię. Wyciągnął glocka z zakrwawionych rąk Gordona, rozładował go, po czym schował do kieszeni pistolet i magazynek. Odsunął także paralizator na bezpieczną odległość, choć wydawało się mało prawdopodobne, by miało nastąpić cudowne zmartwychwstanie.

– John – szepnęła Sachs, patrząc na zmasakrowane zwłoki mordercy – jak w ogóle mnie tu znalazłeś?

– Odebrałem komunikat „do wszystkich wolnych jednostek". Podali ten adres i informację o napadzie. Byłem po sąsiedzku, załatwiałem tam jedną sprawę z prochami, więc przyjechałem. – Zerknął na nią. – Zgłosił to ten gość, z którym pracujesz.

– Kto?

– Rhyme. Lincoln Rhyme.

– Ach. – Odpowiedź jej nie zaskoczyła, choć pozostawiła jeszcze więcej pytań.

Usłyszeli cichy jęk. Odwrócili się. Dźwięk wydał Jorgenson. Sachs pochyliła się nad nim.

– Sprowadź karetkę. On jeszcze żyje. – Ucisnęła ranę po kuli.

Harvison wyciągnął radio i wezwał ratowników.

Chwilę później do domu wpadli dwaj funkcjonariusze z ESU.

– Sprawca nie żyje – poinformowała ich Sachs. – Prawdopodobnie był sam. Ale na wszelki wypadek przeszukajcie dom.

– Jasne, detektywie.

Jeden z nich ruszył razem z Harvisonem w głąb zagraconych korytarzy. Drugi przystanął i powiedział do Sachs:

– To jakiś cholerny nawiedzony dom. Widziała pani kiedyś coś takiego?

Sachs nie miała ochoty na pogawędki.

– Znajdź mi jakieś bandaże albo ręczniki. Założę się, że w tym cholernym majdanie na pewno jest kilka apteczek. Muszę czymś zatamować krwotok. Rusz się!

V

CZŁOWIEK, KTÓRY WIE WSZYSTKO

ŚRODA, 25 MAJA

Prawo do prywatności i godność naszych obywateli depcze się małymi, czasem niedostrzegalnymi krokami. Każdy z tych kroków z osobna może mieć niewielkie znaczenie. Kiedy jednak zliczymy je wszystkie, zobaczymy wyłaniający się obraz społeczeństwa, jakiego nie znamy – społeczeństwa, w którym rząd może wtargnąć w najbardziej intymne sfery życia każdego człowieka.

SĘDZIA SĄDU NAJWYŻSZEGO WILLIAM O. DOUGLAS

Rozdział 50

No dobrze, komputer pomógł – przyznał Lincoln Rhyme.
Mówił o innerCircle, systemie zarządzania bazami danych Watchtower i innych programach SSD.

– Ale przede wszystkim dowody – dodał ostrym głosem. – Komputer wskazał mi ogólny kierunek. Nic więcej. Resztą zajęliśmy się sami.

Dawno minęła północ i Rhyme rozmawiał z Sachs i Pulaskim, którzy siedzieli z nim w laboratorium. Sachs wróciła z domu 522, gdzie ratownicy stwierdzili, że Robert Jorgenson przeżyje; pocisk szczęśliwie ominął ważne organy i naczynia krwionośne. Lekarz został odwieziony na OIOM w szpitalu w Columbia-Presbyterian.

Rhyme kontynuował wyjaśnienia, jak się domyślił, że Sachs jest w domu strażnika SSD. Powiedział o jej obszernym dossier kontroli wewnętrznej. Mel Cooper otworzył dokument w komputerze, aby sama mogła go obejrzeć. Przewijała tekst, śmiertelnie blada, porażona ogromem informacji na swój temat. Nawet w tym momencie ekran migotał, sygnalizując, że dossier wciąż się aktualizuje.

– Wiedzą wszystko – szepnęła. – Nie mam absolutnie żadnego sekretu.

Rhyme opowiadał dalej, jak system opracował jej trasę z posterunku na Brooklynie.

– Ale komputery potrafiły określić tylko ogólny kierunek. Nie dały rady podać miejsca docelowego. Patrząc na mapę, zorientowałem się, że jedziesz w kierunku siedziby SSD – a na to nie wpadł nawet ich własny komputer. Zadzwoniłem tam, a strażnik w holu powiedział, że właśnie spędziłaś tam pół godziny, pytając o pracowników. Ale nikt nie wiedział, dokąd potem pojechałaś.

447

Opowiedziała, jak trop zaprowadził ją do SSD: mężczyzna, który włamał się do jej domu, zgubił paragon z baru znajdującego się niedaleko Gray Rock.

– To mi powiedziało, że sprawca musi być pracownikiem albo kimś związanym z SSD. Pam widziała, jak był ubrany – w niebieską kurtkę, dżinsy i czapkę – więc doszłam do wniosku, że strażnicy mogą wiedzieć, który z pracowników tak dzisiaj wyglądał. Ci, którzy mieli dyżur, nie przypominali sobie nikogo takiego, więc spisałam nazwiska i adresy ochroniarzy, którzy nie byli na tej zmianie. Zaczęłam ich wypytywać. – Skrzywiła się. – Nie przyszło mi do głowy, że wśród nich będzie 522. A ty skąd wiedziałeś, że to strażnik, Rhyme?

– Wiedziałem, że szukasz pracownika. Ale czy to był jeden z listy podejrzanych czy ktoś inny? Cholerny komputer nie mógł mi pomóc, więc przyjrzałem się dowodom. Sprawca był pracownikiem, który nosił mało eleganckie buty i miał na ubraniu ślady zabielacza do kawy. Był silny. Czy to oznaczało, że jest pracownikiem fizycznym z niższego szczebla? Doręczycielem, sprzątaczem, pracownikiem kancelarii? Potem przypomniałem sobie pieprz cayenne.

– Gaz pieprzowy – powiedziała z westchnieniem Sachs. – No jasne. To nie było jedzenie.

– Otóż to. Podstawowa broń ochroniarza. A urządzenie do zmieniania głosu? Można je kupić w sklepach ze sprzętem ochroniarskim. Potem porozmawiałem z szefem ochrony w SSD, Tomem O'Dayem.

– Zgadza się. Poznaliśmy go. – Pulaski pokiwał głową.

– Powiedział mi, że wielu ochroniarzy pracuje na niepełnym etacie, co mogło oznaczać, że 522 ma dużo czasu, żeby uprawiać swoje hobby po pracy. Skonsultowałem z O'Dayem resztę dowodów. Fragmenty liści mogły pochodzić z kwiatów w bufecie strażników. Poza tym nie mają tam mleka do kawy tylko zabielacz coffee-mate. Powiedziałem mu o profilu Terry'ego Dobynsa i poprosiłem o listę strażników, którzy nie są żonaci i nie mają dzieci. Potem O'Day sprawdził ich nazwiska na listach czasu pracy i porównał to z datą i godziną przestępstw w ostatnich dwóch miesiącach.

– I znalazłeś tego, kto nie był wtedy w pracy – Johna Rollinsa alias Petera Gordona.

– Nie. Dowiedziałem się, że w czasie każdej z tych zbrodni Rollins był w pracy.

– Był w pracy?

– Oczywiście. Dostał się do systemu administracyjnego i zmienił wpisy na liście obecności, żeby mieć alibi. Poprosiłem Rodneya Szarnka, żeby sprawdził metadane. Okazało się, że tak, to musi być nasz przyjaciel. No więc zgłosiłem to.

– Rhyme, nie rozumiem tylko, jak 522 zdobył dossier. Miał prawo wstępu do klatek danych, ale rewidowano każdego, kto stamtąd wychodził, nawet ochronę. A nie mógł zdalne ściągnąć informacji z innerCircle.

– To rzeczywiście była zagwozdka. Ale rozgryzłem to dzięki Pam Willoughby.

– Pam? Jak to?

– Pamiętasz, jak nam powiedziała, że nie można ściągnąć żadnych zdjęć z tego portalu społecznościowego OurWorld, ale dzieciaki robią zdjęcia ekranu?

Niech się pan nie martwi, panie Rhyme. Ludzie często nie zauważają najprostszej odpowiedzi...

– Domyśliłem się, że 522 właśnie w ten sposób mógł zdobywać informacje. Nie musiał ściągać tysięcy stron dossier. Po prostu kopiował wszystko, czego potrzebował o ofiarach i kozłach ofiarnych, prawdopodobnie w nocy, kiedy był w klatkach sam. Pamiętasz fragmenty żółtych kartek, które znaleźliśmy? Rentgen i wykrywacz metalu nie reagowały na papier. Nikt o tym w ogóle nie pomyślał.

Sachs powiedziała o setkach bloków do pisania, które piętrzyły się wokół biurka w jego sekretnym pokoju.

Z centrum przyjechał Lon Sellitto.

– Skurwiel nie żyje – mruknął. – Ale ja ciągle figuruję w systemie jako ćpun. I jedyne, co mogę od nich usłyszeć to „pracujemy nad tym".

Detektyw miał też jednak dobre wiadomości. Prokurator okręgowy zgodził się wznowić śledztwo w sprawach, w których 522 prawdopodobnie sfabrykował dowody. Arthur Rhyme został zwolniony i oczyszczony z podejrzeń, a status pozostałych miał zostać poddany natychmiastowej rewizji i przypuszczalnie wszyscy wyjdą na wolność w ciągu najbliższego miesiąca.

– Sprawdziłem też dom, w którym mieszkał 522 – dodał Sellitto.

Szeregowiec na Upper West Side musiał być wart dziesiątki milionów. Zagadką pozostawało, jak Petera Gordona, pracującego jako ochroniarz, było stać na tak kosztowne lokum.

Ale detektyw znał już odpowiedź.

– Nie był właścicielem. Dom należy do Fiony McMillan, osiemdziesięciodziewięcioletniej wdowy, która nie ma żadnej bliskiej rodziny. Kobieta wciąż płaci podatki i wszystkie rachunki. Nie spóźnia się z żadną opłatą. Jest tylko jedna ciekawostka – nikt jej nie widział od pięciu lat.

– Czyli odkąd SSD przeniosło się do Nowego Jorku.

– Doszedłem do wniosku, że zdobył wszystkie potrzebne informacje, żeby przyjąć jej tożsamość, a potem ją zabił. Od jutra będą szukać ciała. Zaczną od garażu, a potem sprawdzą piwnicę. Organizuję uroczystości pogrzebowe Joego Malloya – dodał porucznik. – To będzie w sobotę. Jeżeli chcecie przyjść.

– Oczywiście – zapewnił go Rhyme.

Sachs dotknęła jego ręki i powiedziała:

– Nieważne, czy to ktoś z dowództwa czy z patrolu, wszyscy są rodziną i gdy kogoś się traci, ból jest taki sam.

– Cytat z twojego ojca? – zapytał Rhyme. – Tak mi się wydaje.

Usłyszeli głos z korytarza.

– He. Za późno. Przepraszam. Właśnie się dowiedziałem o zamknięciu sprawy.

Do laboratorium wkroczył Rodney Szarnek, wyprzedziwszy Thoma. Dźwigał gruby plik wydruków i znów zwracał się do komputera Rhyme'a i jego układu sterowania otoczeniem – do maszyn, nie do ludzi.

– Za późno? – zdziwił się Rhyme.

– Mainframe złożył wreszcie do kupy dane z pustej przestrzeni dysków, które ukradł Ron – to znaczy, które pożyczył. Jechałem tu, żeby je wam pokazać, i po drodze dowiedziałem się, że już zdjęliście sprawcę. Pewnie już wam nie będą potrzebne.

– Jesteśmy ciekawi. Co znalazłeś?

Podszedł bliżej i pokazał Rhyme'owi wydruki. Były zupełnie niezrozumiałe. Słowa, liczby i symbole, rozdzielone szerokimi spacjami.

– Nie potrafię czytać w tym języku – oświadczył Rhyme. – Co z tego wynika?

– Okazuje się, że Goniec – to ten nick, który wcześniej znalazłem – faktycznie w tajemnicy ściągał z innerCircle mnóstwo informacji, a potem zacierał za sobą ślady. Ale to nie były dossier ofiar ani nikogo związanego ze sprawą 522.

– Znasz nazwisko? – spytała Sachs. – Tego Gońca?

– Tak. To niejaki Sean Cassel.

Policjantka przymknęła oczy.

– Goniec... Mówił, że trenuje przed startem w triatlonie. W ogóle o tym nie pomyślałam.

Cassel był dyrektorem działu sprzedaży i figurował na liście podejrzanych. Rhyme zauważył reakcję Pulaskiego na tę wiadomość. Młody funkcjonariusz najpierw się zdumiał, a potem zerknął na Sachs, unosząc brew i posyłając jej ponury, porozumiewawczy uśmieszek. Przypomniał sobie, z jaką niechęcią nowy jechał do SSD i jak się wstydził, że nie zna Excela. Opory Pulaskiego mogła tłumaczyć jakaś scysja z Casselem.

– Co Cassel zamierzał zrobić? – zapytał nowy.

Szarnek przerzucił wydruki.

– Dokładnie nie potrafię powiedzieć. – Podał młodemu policjantowi arkusze i wzruszył ramionami. – Sam zobacz, jeżeli masz ochotę. Tu jest część dossier, które ściągnął.

Pulaski pokręcił głową.

– Nie znam żadnego z tych ludzi. – Odczytał na głos kilka nazwisk.

– Chwileczkę – przerwał mu Rhyme. – Powtórz to ostatnie.

– Dienko... O, tu się znowu pojawia. Władymir Dienko. Znacie go?

– Cholera – mruknął Sellitto.

Dienko – oskarżony w sprawie rosyjskiego gangu – został oczyszczony z powodu jakichś kłopotów z dowodami i zeznaniem świadka.

– A ten poprzedni? – spytał Rhyme.

– Aleks Karakow.

To był informator zeznający przeciwko Dience, który ukrywał się pod przybranym nazwiskiem. Dwa tygodnie przed procesem zniknął, prawdopodobnie już nie żył, choć nikt nie miał pojęcia, jakim cudem ludzie Dienki mogli go namierzyć. Sellitto wziął od Pulaskiego wydruki i zaczął je przeglądać.

– Jezu, Linc. Adresy, wypłaty z bankomatów, rejestracje samochodów, bilingi. Wszystko, czego potrzebuje cyngiel do wykonana zlecenia... O, a tu jeszcze jeden. Kevin McDonald.

– Czy to nie ten facet, oskarżony w sprawie zorganizowanej przestępczości, nad którą pracowałeś?

– Aha. Hell's Kitchen, handel bronią, zmowa. Parę zarzutów o narkotyki i wymuszenia. Też się wywinął.

– Mel? Sprawdź w naszym systemie te nazwiska.

Spośród ośmiu nazwisk znalezionych przez Rodneya Szarnka w zrekonstruowanych plikach, sześć osób zostało oskarżonych w sprawach karnych w ciągu ostatnich trzech miesięcy. Wszyscy zostali uniewinnieni albo w ostatniej chwili wycofano poważne zarzuty przeciwko nim z powodu niespodziewanych kłopotów ze świadkami i dowodami.

Rhyme parsknął śmiechem.

– Zdumiewająca koincydencja.

– Co? – zdziwił się Pulaski.

– Kup sobie słownik, nowy.

Młody funkcjonariusz westchnął i odparł cierpliwie:

– Wszystko jedno, co znaczy to słowo, Lincoln, ale pewnie nie będę go musiał nigdy używać.

Wszyscy wybuchnęli śmiechem, łącznie z Rhyme'em.

– Poddaję się. Chodzi o to, że zupełnie przypadkowo trafiliśmy na ślad czegoś bardzo ciekawego, jeżeli wolno mi użyć twojego ulubionego słowa, Mel. Policja korzysta z PublicSure i ma dane na serwerach SSD. Cassel ściągał informacje o śledztwach, sprzedawał je oskarżonym i zacierał za sobą ślady.

– Och, wyglądał mi na kogoś takiego – powiedziała Sachs. – Nie sądzisz, Ron?

– No jasne, jeszcze jak! Zaraz... Przecież to Cassel dał nam płytę z nazwiskami klientów – i to on wskazał nam Roberta Carpentera.

– Oczywiście – przytaknął Rhyme, kiwając głową. – Zmienił dane, żeby oskarżyć Carpentera. Musiał odwrócić uwagę od SSD. Nie z powodu sprawy 522, ale dlatego, żeby nikt nie zaglądał do komputerów i nie dowiedział się, że sprzedaje policyjne informacje. Kogo więc miał rzucić na pożarcie, jeżeli nie ich potencjalną konkurencję?

– Ktoś jeszcze z SSD był w to zamieszany? – spytał Szarnka Sellitto.

– Z tego, co udało mi się ustalić, nie. Tylko Cassel.

Rhyme spojrzał na Pulaskiego, który patrzył na tablice z dowodami. W jego oczach znów malowała się ta sama zaciętość, którą widział wcześniej.

– Nowy, chcesz to?

– Co?

– Sprawę przeciwko Casselowi?

Młody policjant zastanowił się przez chwilę. Zaraz jednak wzruszył ramionami i zaśmiał się.

– Nie, chyba nie.

– Poradzisz sobie.

– Wiem. Ale… jeżeli mam po raz pierwszy prowadzić samodzielnie sprawę, chcę mieć pewność, że robię to z właściwych powodów.

– Dobrze powiedziane, nowy – mruknął Sellitto, unosząc w toaście kubek z kawą. – Może jednak będą z ciebie ludzie… No dobra. Skoro jestem zawieszony, mogę przynajmniej skończyć robotę w domu, o którą Rachel ciągle suszy mi głowę. – Detektyw wziął czerstwe ciasteczko i ruszył do drzwi. – Dobranoc wszystkim.

Szarnek zebrał wydruki i płyty i położył je na stole. Thom złożył podpis na karcie ewidencyjnej jako pełnomocnik prawny kryminalistyka. Wychodząc, informatyk przypomniał Rhyme'owi:

– Kiedy już będzie pan gotowy wkroczyć w dwudziesty pierwszy wiek, detektywie, proszę dać mi znać. – Ruchem głowy wskazał komputery.

Zadzwonił telefon. Poinformowano Sachs, że jej samochód jest rozebrany i w najbliższym czasie nie będzie się nadawał do użytku. Z przebiegu rozmowy Rhyme domyślił się, że dzwoni ktoś z posterunku na Brooklynie i że zlokalizowano camaro na pobliskim parkingu.

Sachs umówiła się z Pam, że nazajutrz rano pojadą tam samochodem dziewczyny, który znaleziono w garażu za domem Petera Gordona. Sachs poszła na górę się położyć, a Cooper i Pulaski wyszli.

Rhyme pisał notatkę do wiceburmistrza Rona Scotta, opisując metodę działania 522 i proponując, by policja poszukała innych przypadków popełnienia przestępstw, którymi sprawca obciążył kogoś innego. W domu zbieracza z pewnością znajdzie się więcej dowodów, lecz nie mógł sobie wyobrazić ogromu pracy, jakiej będzie wymagać przeszukanie tak gigantycznego miejsca zdarzenia.

Skończył e-mail, wysłał go i zaczął się zastanawiać, jak Andrew Sterling zareaguje na wieść, że jeden z jego podwładnych sprzedawał dane na boku, gdy zadzwonił telefon. Na wyświetlaczu ukazał się nieznany numer.

– Polecenie, odbierz telefon.

Klik.

– Halo?

– Lincoln, tu Judy Rhyme.

– Witaj, Judy.

– Och, nie wiem, czy już słyszałeś. Wycofali zarzuty. Arthur wyszedł.

– Już? Wiedziałem, że nad tym pracują. Sądziłem, że to potrwa trochę dłużej.

– Nie wiem, co powiedzieć, Lincoln. Chyba tylko dziękuję.

– Nie ma za co.

– Zaczekaj chwileczkę – powiedziała.

Rhyme usłyszał przyciszony głos, gdy przysłoniła ręką słuchawkę. Przypuszczał, że mówi do któregoś dziecka. Jak one miały na imię?

Potem usłyszał:

– Lincoln?

Dziwne, jak znajomo zabrzmiał głos kuzyna, którego nie słyszał od lat.

– Cześć, Art.

– Jestem w centrum. Właśnie mnie wypuścili. Wszystkie zarzuty zostały wycofane.

– Świetnie.

Co za niezręczna sytuacja.

– Nie wiem, co powiedzieć. Dziękuję. Bardzo ci dziękuję.

– Nie ma sprawy.

– Minęło tyle lat… Powinien już wcześniej zadzwonić. Ale…

– W porządku. – Co to, u diabła, mogło znaczyć? Nieobecność Arta w jego życiu nie była w porządku ani nie w porządku. Odpowiadał kuzynowi tylko dlatego, żeby wypełnić czymś ciszę. Miał ochotę zakończyć tę rozmowę.

– Nie musiałeś przecież tego robić.

– Było dużo znaków zapytania. Sytuacja wyglądała na nietypową.

To też nie znaczyło absolutnie nic. Lincoln Rhyme nie miał pojęcia, dlaczego rozbija rozmowę. Pewnie odezwał się jakiś mechanizm obronny – ta myśl była równie męcząca jak pozostałe. Chciał już to skończyć.

– Dobrze się czujesz po tym, co się stało w areszcie?

– To nic poważnego. Przestraszyłem się, ale tamten facet zdążył na czas. Zdjął mnie z tej ściany.

– To dobrze.

Cisza.

– Jeszcze raz dziękuję, Lincoln. Niewielu ludzi zrobiłoby coś takiego dla mnie.

– Cieszę się, że się udało.

– Musimy się spotkać. Ty, Judy i ja. I twoja przyjaciółka. Jak ona ma na imię?

– Amelia.

– Spotkamy się. – Długa pauza. – Chyba będę kończyć. Musimy wracać do domu, do dzieci. Trzymaj się.

– Ty też. Polecenie, rozłącz.

Wzrok Rhyme'a spoczął na dossier jego kuzyna.

Drugi syn…

Wiedział, że nigdy się nie spotkają, tak jak obiecywał. A więc koniec, pomyślał. W pierwszej chwili się zmartwił – trzask odkładanej słuchawki oznaczał, że nie stanie się coś, co mogło się stać. Ale Lincoln Rhyme doszedł do wniosku, że było to jedyne logiczne zakończenie wydarzeń minionych trzech dni.

Przypominając sobie logo SSD, pomyślał, że choć po tylu latach ich ścieżki znów się przecięły, to kuzynów rozdzielało zamknięte okno. Zauważyli się nawzajem i mogli wymienić kilka słów, ale do tego ograniczał się ich kontakt. Pora wrócić do swoich różnych światów.

Rozdział 51

Ojedenastej Amelia Sachs stała na obskurnym placu na Brooklynie. Powstrzymywała łzy, patrząc na trupa.

Kobieta, do której nieraz strzelano, która podczas pełnienia służby zabiła niejednego człowieka, która stawała na czele oddziału odbijającego zakładników – była złamana i pogrążona w rozpaczy.

Kołysząc się lekko, wbijała paznokieć palca wskazującego w kciuk, dopóki nie pojawiła się maleńka kropelka krwi. Spojrzała na palce. Widok karmazynowej plamki nie mógł jednak powstrzymać odruchu. Nie potrafiła przestać.

Tak, znalazły jej ukochanego chevroleta camaro SS rocznik 1969.

Ale policja najwyraźniej nie wiedziała, że samochód nie został skonfiskowany z powodu zaległości w spłatach, tylko sprzedany na złom. Razem z Pam stały na złomowisku, które mogłoby stanowić scenografię filmu Scorsese'a albo odcinka „Rodziny Soprano", cuchnącym starym olejem i dymem palonych śmieci. W pobliżu jak białe sępy krążyły krzykliwe mewy. Sachs miała ochotę wyciągnąć broń i opróżnić magazynek, żeby spłoszyć natrętne ptaki.

Z jej samochodu, który towarzyszył jej od szczenięcych lat, pozostał prostokąt zgniecionego metalu. Camaro był jedną z trzech najważniejszych rzeczy, jakie przekazał jej w spadku ojciec – poza siłą charakteru i umiłowaniem policyjnej roboty.

– Mam tu papiery. Widzi pani, wszystko jest w porządku. – Szef złomowiska niepewnie pomachał plikiem wydruków, na podstawie których zmieniono jej samochód w kanciastą bryłę stali.

Camaro został „sprzedany do kosza": oznaczało to, że sprzedano go na części, a to, co pozostało, poszło na złom. Oczywiście był to idiotyzm: nie można nic zarobić, sprzedając pokątnie na południowym Bronksie części czterdziestoletniego sportowego wozu. Ale jak się przekonała podczas tego śledztwa, jeśli wszechwładny komputer wydaje jakieś polecenie, należy je bezwzględnie wykonać.

– Przykro mi, proszę pani.

– To jest funkcjonariuszka policji – zwróciła mu ostro uwagę Pam Willoughby. – Detektyw.

– Ach tak – powiedział, myśląc o dalszych konsekwencjach, które prawdopodobnie nie bardzo mu się podobały. – Przykro mi, detektywie.

Mimo to miał na swoją obronę papiery, w których wszystko grało. Nie było mu wcale tak przykro. Mężczyzna stał obok nich przez chwilę, przestępując z nogi na nogę, po czym odszedł.

Ból był znacznie bardziej dojmujący niż po wczorajszym uderzeniu dziewięciomilimetrowego pocisku, po którym został jej na brzuchu zielonkawy siniak.

– Dobrze się czujesz? – spytała Pam.

– Nie bardzo.

– Ciężko cię przecież zaszokować.

Rzeczywiście, pomyślała Sachs. Ale nie da się ukryć, że jestem w szoku.

Dziewczyna okręciła wokół palca kosmyk włosów przetykanych czerwonymi pasemkami – była to łagodniejsza wersja nerwowego odruchu Sachs. Jeszcze raz spojrzała na paskudny prostokąt metalu, metr na prawie półtora metra, który spoczywał między kilkunastoma podobnymi bryłami.

Odżyły wspomnienia. Kilkunastoletnia Amelia i jej ojciec spędzali sobotnie popołudnia w maleńkim garażu, pracując przy gaźniku czy sprzęgle. Uciekali tam z dwóch powodów – dlatego, że uwielbiali razem dłubać przy samochodzie, a także po to, by trzymać się z dala od trzeciego członka rodziny, często miewającego humory: matki Sachs.

– Odległości? – pytał żartobliwym tonem ojciec, robiąc jej egzamin.

– Elektrody świecy zero trzydzieści pięć – odpowiadała kilkunastoletnia Amelia. – Styki w przerywaczu trzydzieści do trzydzieści dwa.

– Dobrze, Amie.

Sachs przypomniała sobie inne zdarzenie – randkę na pierwszym roku college'u. Spotkała się w brooklyńskim barze z chłopakiem, którego nazywano C.T. Zaskoczyli się nawzajem swoimi pojazdami – Sachs miała camaro, wówczas żółte, ze smolistoczarnymi pasami, chłopak hondę 850.

Szybko uporali się z hamburgerami i napojami, a kilka kilometrów od baru znajdował się nieużywany pas startowy, wyścig był nieunikniony.

Chłopak wystartował szybciej, zważywszy na fakt, że Sachs siedziała w półtoratonowym samochodzie, ale już po pierwszym kilometrze jej kolos go dogonił i wyprzedził – chłopak, w przeciwieństwie do niej, jechał ostrożnie. Wchodząc w zakręty z kontrolowanym poślizgiem, nie oddała prowadzenia już do końca.

I jej najbardziej ulubiona przejażdżka ze wszystkich: po zakończeniu pierwszej wspólnej sprawy Lincoln Rhyme siedział obok niej przypięty pasami i pędzili z otwartymi oknami, za którymi wył wiatr. Zmieniając biegi, opierała dłoń na dźwigni, a Rhyme wrzeszczał, przekrzykując hałas powietrza:

– Chyba naprawdę to czuję! Chyba tak!

A teraz samochód przestał istnieć.

Przykro mi, proszę pani...

Pam ruszyła w dół skarpy.

– Dokąd idziesz?

– Lepiej tam nie schodzić, panienko. – Właściciel stał przed swoją budą i machał papierami jak semaforem.

– Pam!

Ale dziewczyna ani myślała się zatrzymywać. Podeszła do masy metalu i zaczęła w niej grzebać. Potem szarpnęła, wyciągnęła coś i wróciła do Sachs.

– Masz, Amelia. – Trzymała w ręku logo chevroleta z przycisku klaksonu.

Sachs poczuła, jak łzy cisną się jej do oczu, lecz nadal je powstrzymywała.

– Dzięki, kochanie. Chodźmy jak najdalej stąd.

Pojechały na Upper East Side i wstąpiły do baru, by pokrzepić się porcją lodów: Sachs załatwiła dziewczynie wolny dzień w szkole. Nie chciała, by Pam znalazła się w pobliżu Stuarta Everetta, a dziewczyna bardzo chętnie na to przystała.

Sachs zastanawiała się, czy nauczyciel przyjmie do wiadomości jej odmowę. Myśląc o szmirowatych filmach w rodzaju „Krzyku" czy „Piątku trzynastego", które czasem oglądały z Pam wieczorami przy paczce Doritos z masłem orzechowym, Sachs wiedziała, że były chłopak czasem potrafi zmartwychwstać jak morderca z horroru.

Miłość robi z nami dziwne rzeczy...

Pam skończyła lody i poklepała się po brzuchu.

– Tego mi było trzeba. – Westchnęła. – Jak mogłam być taka głupia?

W jej śmiechu – przedziwnie dorosłym – Amelia Sachs usłyszała ton, który mógł oznaczać, że na grobie mordercy z hokejową maską na twarzy położono ostatnią łopatę ziemi.

Wyszły z Baskin-Robbins i ruszyły w stronę odległego o kilka przecznic domu Rhyme'a, planując wspólny babski wieczór z przyjaciółką Sachs, policjantką, którą znała od lat.

– Kino czy teatr? – spytała dziewczyny.

– Och, teatr… Amelia, kiedy sztuka z off-Broadwayu staje się sztuką z off-off-Broadwayu?

– Dobre pytanie. Sprawdzimy w Google'u.

– I dlaczego nazywają je sztukami z Broadwayu, jeżeli na Broadwayu nie ma żadnych teatrów?

– Tak. Powinny być sztuki „z okolic Broadwayu". Albo z „tuż za rogiem od sztuk z Broadwayu".

Idąc ulicą prowadzącą ze wschodu na zachód, dotarły do Central Park West. Sachs nagle zwróciła uwagę na jednego z przechodniów. Razem z nimi przeszedł na drugą stronę ulicy i trzymał się niedaleko, jak gdyby je śledził.

Uznała, że nie ma się czego bać, kładąc ten niepokój na karb paranoi towarzyszącej sprawie 522.

Spokojnie. Sprawca nie żyje.

Nawet nie obejrzała się za siebie.

Ale Pam odwróciła głowę.

I krzyknęła piskliwie:

– To on!

– Kto?

– Facet, który się włamał do twojego domu. To on!

Sachs obróciła się gwałtownie. Mężczyzna w granatowej kurtce i czapce bejsbolowej. Szybko ruszył w ich stronę.

Sięgnęła do pasa po broń.

Której nie było.

Nie, nie, nie...

Ponieważ Peter Gordon strzelał z jej broni, glock stanowił dowód – podobnie jak jej nóż – i znajdował się w wydziale kryminalistycznym w Queens. Sachs nie miała jeszcze okazji pojechać do centrum i złożyć wniosku o zastępczą broń.

Zamarła, rozpoznając tego człowieka. To był Calvin Geddes, pracownik organizacji Privacy Now. Nic z tego nie rozumiała. Przemknęła jej myśl, że się pomylili. Czyżby Geddes i 522 razem popełniali te morderstwa?

Mężczyzna był już kilka metrów od nich. Sachs nie pozostało nic innego jak tylko zasłonić Pam przed Geddesem. Zacisnęła dłonie w pięści, a mężczyzna podchodził coraz bliżej, sięgając do kieszeni kurtki.

Rozdział 52

Rozległ się dzwonek u drzwi i Thom poszedł otworzyć. Rhyme usłyszał dobiegający z korytarza podniesiony głos. Jakiś mężczyzna krzyczał coś ze złością.

Zaniepokojony zerknął na Rona Pulaskiego, który wyciągnął broń i trzymał ją skierowaną lufą w górę, gotów do strzału. Amelia Sachs była dobrą nauczycielką.

– Thom? – zawołał Rhyme.

Opiekun nie odpowiedział.

Chwilę później w drzwiach stanął jakiś mężczyzna w czapce bejsbolowej, dżinsach i kurtce w paskudą kratę. Stanął jak wryty, gdy Pulaski wycelował w niego broń.

– Nie! Zaraz! – krzyknął nieznajomy, robiąc unik i wyciągając rękę.

Zaraz za nim do salonu weszli Thom, Sachs i Pam. Policjantka zobaczyła pistolet i szybko powiedziała:

– Nie, nie, Ron, wszystko w porządku.... To Calvin Geddes.

Rhyme dopiero po chwili przypomniał sobie, kto to jest. No tak, facet z Privacy Now, od którego dostali trop Petera Gordona.

– O co chodzi?

– To on włamał się do mojego domu – wyjaśniła Sachs. – Nie 522.

Pam potwierdziła to skinieniem głowy.

Geddes podszedł bliżej, sięgnął do kieszeni i wyciągnął jakieś dokumenty z niebieskim grzbietem.

– Zgodnie z kodeksem postępowania cywilnego stanu Nowy Jork, doręczam wezwanie w związku ze sprawą „Geddes i inni przeciwko

461

Strategic Systems Datacorp, Inc". – Wyciągnął dokumenty w stronę Rhyme'a.

– Ja też takie dostałam, Rhyme. – Sachs pokazała swój egzemplarz.

– I co ja mam z tym zrobić? – zapytał Rhyme Geddesa, który stał z wyciągniętą ręką.

Mężczyzna zmarszczył brwi i spojrzał na wózek, dopiero teraz zauważając stan Rhyme'a.

– Chciałem...

– Oto mój pełnomocnik. – Rhyme wskazał głową Thoma, który wziął od gościa papiery.

– Jestem... – zaczął Geddes.

– Pozwoli pan, że najpierw przeczytamy? – przerwał mu cierpkim tonem Rhyme i skinął głową opiekunowi.

Thom przeczytał na głos wezwanie. Nakazywano w nim wydanie wszystkich posiadanych przez Rhyme'a dokumentów i plików komputerowych, a także notatek i pozostałych informacji, które dotyczyły SSD i jego działu kontroli wewnętrznej oraz dowodów na związki SSD z agendami rządowymi.

– Powiedziała mi o tej komórce kontroli wewnętrznej. – Geddes wskazał Sachs. – To było wbrew wszelkiej logice. Coś mi śmierdziało. Andrew Sterling nigdy nie zgodziłby się z własnej woli na współpracę z rządem w sprawach ochrony prywatności, gdyby nie miał w tym własnego interesu. Walczyłby na śmierć i życie. Zacząłem coś podejrzewać. Kontrola wewnętrzna musi polegać na czymś innym. Nie wiem, na czym, ale zamierzamy się dowiedzieć.

Wyjaśnił, że pozew wniesiono na podstawie stanowych i federalnych przepisów o ochronie prywatności, z zarzutami pogwałcenia praw konstytucyjnych i zwyczajowych dotyczących ochrony prywatności obywateli.

Rhyme pomyślał, że Geddesa i jego prawników czeka bardzo przyjemna niespodzianka, gdy zobaczą dossier kontroli wewnętrznej. Jedno z nich akurat znajdowało się w komputerze stojącym parę metrów od Geddesa. Był gotów bardzo chętnie je oddać, zważywszy na odmowę Andrew Sterlinga, gdy poprosił go o pomoc w odnalezieniu Sachs, kiedy zniknęła.

Zastanawiał się, kto będzie miał większe kłopoty, gdy prasa dowie się o działaniach kontroli wewnętrznej – SSD czy Waszyngton.

Pewnie będzie remis.

– Oczywiście pan Geddes poza swoją sprawą będzie musiał sam stanąć przed sądem – powiedziała Sachs, rzucając mu ponure spojrzenie. Miała na myśli włamanie do jej domu na Brooklynie, którego celem było przypuszczalnie znalezienie informacji o SSD. Paradosk polegał na tym, że to nie 522, ale Geddes zgubił paragon, który zaprowadził ją do SSD. Działacz regularnie przesiadywał w barze na środkowym Manhattanie, skąd mógł ukradkiem obserwować Gray Rock, zwracając uwagę na wchodzących i wychodzących pracowników i klientów, w tym i Sterlinga.

– Zrobię co w mojej mocy, żeby powstrzymać SSD – oznajmił z zapałem Geddes. – Nie obchodzi mnie, co się stanie ze mną. Chętnie się poświęcę, jeżeli będę mógł przywrócić prawa obywatelom.

Rhyme szanował tę bezprzykładną odwagę moralną, lecz uznał, że chce usłyszeć więcej równie górnolotnych informacji.

Geddes wygłosił wykład – powtarzając większość rzeczy, które wcześniej usłyszała od niego Sachs – o pajęczej sieci SSD i innych firm eksplorujących dane, o śmierci prywatności w kraju i zagrożeniu demokracji.

– No dobrze, dostaliśmy papier – rzekł Rhyme, przerywając tę nużącą tyradę. – Pogadamy jeszcze ze swoimi prawnikami i jeżeli uznają, że wszystko jest w porządku, na pewno w terminie dostanie pan swoją paczkę.

Rozległ się dzwonek. Jeden, drugi, a potem energiczne pukanie.

– Cholera, jak na dworcu. Co tam znowu?

Thom poszedł do drzwi. Po chwili wrócił w towarzystwie niewysokiego mężczyzny w czarnym garniturze i białej koszuli, który zachowywał się z dużą pewnością siebie.

– Witam pana, kapitanie Rhyme.

Kryminalistyk obrócił wózek i zobaczył Andrew Sterlinga, którego zielone oczy nie zdradzały najmniejszego zdziwienia jego stanem fizycznym. Rhyme podejrzewał, że informacje o jego wypadku i późniejszym życiu są szczegółowo udokumentowane w jego własnym dossier kontroli wewnętrznej, a Sterling przed wizytą wykuł wszystkie na blachę.

– Dzień dobry państwu. – Skinął głową Sachs i Pulaskiemu, po czym ponownie zwrócił się do Rhyme'a.

Za nim stał Sam Brockton, szef kontroli wewnętrznej w SSD, oraz dwaj inni mężczyźni, w równie oficjalnych strojach. Starannie ostrzyżeni. Wyglądali na asystentów z Kongresu albo menedżerów średniego szczebla, lecz Rhyme nie zdziwił się, gdy usłyszał, że to prawnicy.

– Cześć, Cal – rzekł Brockton, posyłając znudzone spojrzenie Geddesowi. Działacz Privacy Now spiorunował go wzrokiem.

– Dowiedzieliśmy się, co zrobił Mark Whitcomb – powiedział cicho Sterling. Mimo niepozornej postury, przenikliwe oczy, nienagannie wyprostowana sylwetka i stanowczy głos sprawiały, że Sterling potrafił zrobić wrażenie. – Niestety, stracił pracę. Na początek.

– Dlatego, że zrobił to, co należało? – zaperzył się Pulaski.

Twarz Sterlinga pozostawała nieprzenikniona.

– Obawiam się, że to nie koniec sprawy. – Dał znak Brocktonowi.

– Proszę doręczyć – rzucił do prawników szef kontroli wewnętrznej. Jeden z nich podał swój plik dokumentów z niebieskim grzbietem.

– Znowu? – spytał Rhyme, wskazują ruchem głowy drugi zestaw dokumentów. – Tyle czytania. Kto by miał na to czas? – Był w dobrym humorze, ciesząc się, że powstrzymali 522 i Amelia Sachs jest już bezpieczna.

Okazało się, że jest to sądowy nakaz zabraniający wydania Geddesowi komputerów, nośników, dokumentów i wszelkiego rodzaju materiałów związanych z działaniem komórki kontroli wewnętrznej. Wraz z poleceniem, aby przekazać rządowi wszystkie takie materiały będące w ich posiadaniu.

Jeden z wynajętych prawników oświadczył:

– Niedotrzymanie warunków nakazu pociągnie za sobą odpowiedzialność karną i cywilną.

– Proszę mi wierzyć, że użyjemy wszystkich dostępnych środków – dodał Sam Brockton.

– Nie możecie tego zrobić – powiedział ze złością Geddes. Błyszczały mu oczy, a twarz pokrywały kropelki potu.

Sterling policzył komputery w laboratorium Rhyme'a. Było ich dwanaście.

– W którym jest dossier, które przysłał wam Mark, kapitanie?

– Nie pamiętam.

– Robił pan jakieś kopie?

Rhyme uśmiechnął się.

– Zawsze należy wykonywać kopie zapasowe. I przechowywać w bezpiecznych, oddzielnych miejscach. Poza terenem. Czyż nie tak brzmi przesłanie nowego tysiąclecia?

– W takim razie zdobędziemy nowy nakaz – rzekł Brockton – skonfiskujemy wszystko i przeszukamy wszystkie serwery, do których przesyłaliście dane.

– Ale to będzie wymagało czasu i pieniędzy. Kto wie, co się może wydarzyć w trakcie? Pewne e-maile i listy mogą na przykład trafić do prasy. Oczywiście zupełnie przypadkowo. Nie możemy jednak tego wykluczyć.

– To był niezwykle męczący czas dla nas wszystkich, panie Rhyme – powiedział Sterling. – Nikt nie ma ochoty na zabawy.

– Nie zamierzam się bawić – odparł spokojnie Rhyme. – Zamierzam negocjować.

Prezes po raz pierwszy szczerze się uśmiechnął. Był teraz na dobrze znanym terenie. Usiadł na krześle obok Rhyme'a.

– Czego pan chce?

– Dam wam wszystko. Bez sądowych utarczek, bez udziału prasy.

– Nie! – rzucił wściekle Geddes. – Jak może się pan tak łatwo ugiąć?

Rhyme ignorował działacza z równą swobodą jak Sterling.

– Pod warunkiem że zgodzi się pan oczyścić papiery moich współpracowników – ciągnął. Poinformował go o teście narkotykowym Sellitta i kłopotach żony Pulaskiego.

– Mogę to zrobić – odparł Sterling, jak gdyby chodziło o ściszenie zbyt głośnego telewizora.

– Musi pan też odbudować życie Roberta Jorgensena – dodała Sachs. Opowiedziała, jak 522 zniszczył lekarza.

– Proszę mi podać szczegóły, a na pewno postaram się, żeby to załatwiono. Będzie miał absolutnie czyste konto.

– To dobrze. Dostanie pan to, czego pan chce, kiedy spełni pan te warunki. I nikt nigdy nie zobaczy ani skrawka papieru, ani jednego pliku na temat waszej komórki kontroli wewnętrznej. Daję panu moje słowo.

– Nie, musi pan walczyć! – powiedział z goryczą Geddes. – Kiedy choć raz się im ustąpi, wszyscy przegrywają.

Sterling spojrzał na niego i powiedział głosem zaledwie kilka decybeli głośniejszym od szeptu:

– Coś ci powiem, Calvin. Jedenastego września w katastrofie World Trade Center straciłem trzech dobrych przyjaciół. Czterej inni zostali poważnie poparzeni. Ich życie już nigdy nie będzie takie jak kiedyś. Nasz kraj stracił tysiące niewinnych obywateli. Moja firma dysponowała odpowiednią techniką, żeby znaleźć niektórych porywaczy samolotów, a programy predykcyjne mogły nam pokazać, co planowali. Mogliśmy – mogłem – zapobiec tej tragedii. I nie ma dnia, żebym tego nie żałował.

Pokręcił głową.

– Och, Cal. Ty i twoja czarno-biała polityka... nie rozumiesz: to jest zadanie SSD. Nie chodzi o to, żeby policja myśli o północy dobijała się do twoich drzwi, bo nie podoba się jej, co robisz w łóżku ze swoją dziewczyną, ani aresztowała cię, bo kupiłeś Koran czy książkę o Stalinie albo skrytykowałeś prezydenta. SSD ma ci dać gwarancję, że będziesz mógł swobodnie i bezpiecznie cieszyć się prywatnością w swoim domu, żebyś mógł kupować i czytać, co tylko zapragniesz. Jeżeli wysadzi się w powietrze zamachowiec samobójca na Times Square, nie będziesz miał żadnej tożsamości do ochrony.

– Daruj sobie te wykłady, Andrew – odciął się Geddes.

– Cal, jeżeli się nie uspokoisz, możesz mieć poważne kłopoty – ostrzegł Brockton.

Geddes zaśmiał się szydercczo.

– Już mamy poważne kłopoty. Witajcie w nowym wspaniałym świecie... – Obrócił się na pięcie i wypadł z domu. Usłyszeli trzaśnięcie drzwi.

– Cieszę się, że się rozumiemy, Lincoln – powiedział Brockton. – Andrew Sterling robi dużo dobrego. Wszyscy jesteśmy dzięki temu bezpieczniejsi.

– Miło mi to słyszeć.

Brockton zupełnie nie dostrzegł ironii w jego słowach, w przeciwieństwie do Andrew Sterlinga. Prezes SSD był przecież człowiekiem, który wie wszystko. Ale w odpowiedzi uśmiechnął się dobrodusznie, z niezachwianą pewnością siebie – jak gdyby wiedział, że ludzie w końcu zrozumieją jego wykład, nawet jeśli jeszcze nie doceniają wagi jego przesłania.

– Do widzenia, detektywie Sachs, kapitanie. Och, żegnam też pana, Pulaski. – Zerknął z drwiącą miną na młodego policjanta. – Będzie mi brakowało pańskiej obecności w firmie. Ale jeżeli ma pan ochotę podszlifować umiejętności komputerowe, zawsze służę naszą salą konferencyjną.

– Ależ…

Andrew Sterling puścił do niego oko i wyszedł wraz ze swoją świtą.

– Myślicie, że wiedział? – spytał nowy. – O dysku?

Rhyme wzruszył ramionami.

– Do diabła, Rhyme – powiedziała Sachs. – Pewnie nakaz był w porządku, ale po tym, co przeszliśmy z SSD, naprawdę musiałeś tak łatwo ustępować? Rany, to dossier kontroli wewnętrznej… Trudno się cieszyć, że jest tam tyle informacji.

– Nakaz to nakaz, Sachs. Niewiele możemy poradzić.

Przyjrzawszy mu się uważniej, dostrzegła wyraźny błysk w jego oczach.

– No dobra, powiesz?

Rhyme zwrócił się do swojego opiekuna:

– Przeczytaj mi jeszcze raz ten nakaz swoim pięknym tenorem. Ten od naszych przyjaciół z SSD.

Thom spełnił polecenie.

Rhyme pokiwał głową.

– Dobrze… jest pewne łacińskie wyrażenie, które mi chodzi po głowie, Thom. Domyślasz się jakie?

– Och, na pewno powinienem, Lincoln, po tylu wolnych godzinach, jakimi mogę się tu cieszyć, które poświęcam na zgłębianie klasyków. Obawiam się jednak, że nie mogę sobie przypomnieć.

– Łacina… co za wspaniały język. Godna podziwu precyzja. Gdzie indziej znajdziemy pięć deklinacji rzeczownika i te cudowne koniugacje czasowników? … Otóż to wyrażenie brzmi *Inclusis unis, exclusis alterius*. Oznacza to, że włączając jedną kategorię, automatycznie wyklucza się inne związane z nią kategorie. Pogubiliście się?

– Nie bardzo. Żeby się pogubić, trzeba przede wszystkim uważać.

– Doskonała riposta, Thom. Ale dam ci przykład. Powiedzmy, że jesteś kongresmenem i piszesz ustawę, która mówi: „Zakazuje się importu surowego mięsa". Wybierając takie słowa, automatycznie udzielasz zezwolenia na import puszkowanego albo gotowanego mięsa. Rozumiesz już, na czym to polega?

– Mirabile dictu – rzekł Ron Pulaski.

– Mój Boże – zdziwił się szczerze Rhyme. – Znawca łaciny.

Policjant parsknął śmiechem.

– Uczyłem się kilka lat. W szkole średniej. W chórze też można co nieco podsłuchać.

– Do czego zmierzasz, Rhyme? – spytała Sachs.

– Nakaz Brocktona zabrania nam udzielania Privacy Now informacji o wydziale kontroli wewnętrznej. Ale Geddes chciał dostać wszystko, co mamy o SSD. Dlatego też – ergo – wszystkie pozostałe materiały o SSD możemy całkiem legalnie ujawnić. Dane, które Cassel sprzedał Dience, nie pochodzą z kontroli wewnętrznej, tylko z PublicSure.

Pulaski roześmiał się, lecz Sachs miała poważną minę.

– Przyjdą z nowym nakazem.

– Nie jestem pewien. Co powie policja i FBI, kiedy się dowiedzą, że ich własny dostawca danych sprzedaje informacje o głośnych sprawach? Mam przeczucie, że będziemy mieć wsparcie z góry. – Wpadła mu do głowy kolejna myśl. A wnioski były niepokojące. – Zaraz, zaraz… Ten facet, który zaatakował mojego kuzyna w areszcie… Antwon Johnson.

– Co ten facet? – zapytała Sachs.

– Nie mogłem zrozumieć, dlaczego próbował zabić Arthura. Nawet Judy o tym mówiła. Lon wspominał, że facet siedział za przestępstwa federalne i tylko tymczasowo trafił do aresztu stanowego. Zastanawiam się, czy ktoś z kontroli wewnętrznej nie zaproponował mu układu. Może był tam, żeby sprawdzić, czy Arthur nie podejrzewa kogoś o zbieranie informacji konsumenckich na jego temat, żeby je wykorzystać do zbrodni. Gdyby tak było, Johnson miał go rozwalić. Może w zamian za złagodzenie wyroku.

– Rząd? Rhyme, rząd miałby likwidować świadka? To trąci paranoją, nie sądzisz?

– Mówimy o dossier liczących pięćset stron, o elektronicznych tagach w książkach i kamerach na każdym skrzyżowaniu w mieście, Sachs... Ale dobrze, rozstrzygnijmy wątpliwości na ich korzyść: może to ktoś z SSD skontaktował się z Johnsonem. W każdym razie zadzwonimy do Calvina Geddesa i przekażemy mu tę informację. Niech pitbul weźmie to na warsztat, jeżeli będzie miał ochotę. Trzeba tylko zaczekać, aż Sterling wyczyści wszystkim papiery. Dajmy im tydzień.

Ron Pulaski pożegnał się i wyszedł zobaczyć się z żoną i córeczką.

Sachs podeszła i pocałowała Rhyme'a w usta. Skrzywiła się, dotykając ostrożnie brzucha.

– Nic ci nie jest?

– Pokażę ci wieczorem, Rhyme – szepnęła uwodzicielskim tonem.

– Dziewięciomilimetrowe kule zostawiają bardzo ciekawe sińce.

– Seksowne? – zainteresował się.

– Jeżeli uważasz, że testy Rorschacha mają walor erotyczny.

– Tak właśnie uważam.

Sachs posłała mu subtelny uśmiech, wyszła na korytarz i zawołała do Pam, która czytała w salonie:

– Chodź, idziemy na zakupy.

– Świetnie. Co będziemy kupować?

– Samochód. Nie mogę sobie pozwolić na życie bez wozu.

– Fajnie, jaki? Prius byłby super.

Rhyme i Sachs wybuchnęli gromkim śmiechem. Pam uśmiechnęła się niepewnie, a Sachs wyjaśniła, że choć pod wieloma względami stara się żyć ekologicznie, jej miłość do środowiska nie obejmuje zużycia paliwa.

– Kupimy rasowany wóz.

– Co to takiego?

– Dowiesz się. – Sachs pomachała listą samochodów ściągniętą z internetu.

– Chcesz kupić nowy? – spytała dziewczyna.

– Nigdy w życiu nie kupuj nowego samochodu – pouczyła ją Sachs.

– Dlaczego?

– Bo dzisiaj samochody to komputery na kółkach. Nie potrzebujemy elektroniki. Potrzebujemy mechaniki. Przy komputerach nie ubabrzesz sobie rąk smarem.

– Smarem?

– Pokochasz smar. Wyglądasz mi na dziewczynę, która nie boi się smaru.

– Tak myślisz? – Pam wyglądała na zadowoloną.

– Jasne. Chodźmy. Na razie, Rhyme.

Rozdział 53

Zadzwonił telefon.

Lincoln Rhyme zerknął na ekran monitora obok, gdzie w okienku identyfikatora numeru pojawiła się liczba 44.

Nareszcie koniec.

– Polecenie, odbierz telefon.

– Detektywie Rhyme – powiedział głos z nienagannym brytyjskim akcentem. Alt inspektor Longhurst nigdy niczego nie zdradzał.

– Proszę mówić.

Chwila ciszy. Wreszcie:

– Tak mi przykro.

Rhyme przymknął oczy. Nie, nie...

– Jeszcze nie ogłosiliśmy tego oficjalnie – ciągnęła Longhurst – ale chciałam panu powiedzieć, zanim dowie się pan z mediów.

A więc mordercy jednak się udało.

– Nie żyje? Wielebny Goodlight?

– Och, nie, nic mu się nie stało.

– Ale mówi pani...

– Richard Logan osiągnął zamierzony cel, detektywie.

– Zrobił... – Rhyme urwał i kawałki układanki zaczęły powoli tworzyć całość. Osiągnął zamierzony cel... – Och, nie. Kogo chciał naprawdę zabić?

– Danny'ego Kruegera, handlarza broni. Nie żyje Krueger i dwaj ludzie z jego ochrony.

– Ach, tak, rozumiem.

– Wydaje się, że gdy Danny sporządniał, pewne kartele z RPA, Somalii i Syrii uznały, że będzie stanowił zbyt duże ryzyko, jeżeli pozostanie przy życiu. Targany wyrzutami sumienia handlarz

471

broni bardzo ich denerwował. Wynajęli Logana, żeby go zabił. Ale w Londynie Danny miał zbyt szczelną sieć ochrony, Logan musiał go więc wywabić z ukrycia.

Pastor był tylko przykrywką. To sam morderca rozpuścił plotkę, że jest zlecenie na Goodlighta. Zmusił też Brytyjczyków i Amerykanów, żeby zwrócili się do Danny'ego o pomoc w ocaleniu pastora.

– To niestety nie wszystko – ciągnęła Longhurst. – Zdobył wszystkie dokumenty Danny'ego. Zna jego kontakty, każdego, kto z nim pracował – informatorów, lokalnych watażków, których można pozyskać, najemników, pilotów, źródła finansowe. Teraz wszyscy potencjalni świadkowie zapadną się pod ziemię. To znaczy ci, którzy od razu nie zostaną zamordowani. Trzeba będzie umorzyć kilkanaście spraw karnych.

– Jak on to zrobił?

Westchnęła.

– Udawał naszego francuskiego łącznika, d'Estourne'a.

A więc lis od początku siedział w kurniku.

– Podejrzewam, że zatrzymał prawdziwego d'Estourne'a w drodze z Francji do Eurotunelu, zabił go, a ciało zakopał albo wrzucił do kanału. Muszę przyznać, że to był genialny plan. Poznał wszystkie szczegóły z życia Francuza i na wylot znał jego organizację. Doskonale mówił po francusku – i po angielsku z francuskim akcentem. Nawet idiomów używał bezbłędnie.

Kilka godzin temu na dziedzińcu budynku w Londynie, gdzie miał się odbyć zamach, pojawił się jakiś człowiek. Logan wynajął go, żeby doręczył paczkę. Pracował w Tottenham Parcel Express; kurierzy noszą szare uniformy. Pamięta pan te odnalezione włókna? Morderca poprosił też o kierowcę, który, jak twierdził, jeździł z nim poprzednio – i tak się składa, że był blondynem.

– Rozjaśniacz włosów.

– Właśnie. Logan mówił, że to człowiek godny zaufania. Dlatego zależało mu, aby to on go woził. Wszyscy byli tak zaaferowani akcją, śledzeniem tego człowieka, szukaniem wspólników i podłożonych bomb, że ludzie w Birmingham stracili czujność. Morderca zapukał po prostu do pokoju Danny'ego w hotelu Du Vin, gdy większość jego ochroniarzy poszła do baru na piwo. Zaczął strzelać – tymi pociskami dum-dum. Dany miał okropne rany. Zginął na miejscu razem z dwoma swoimi ludźmi.

Rhyme przymknął oczy.

– Czyli nie było podrobionych dokumentów przewozowych.

– To był podstęp…Niestety, skończyło się całkowitą klapą. A Francuzi… nie odpowiadają nawet na moje telefony… nie chcę nawet o tym myśleć.

Lincoln Ryme zastanawiał się, co by się stało, gdyby nie zawiesił swojego udziału w sprawie, gdyby przeszukał miejsce pod Manchesterem za pomocą systemu wideo dużej rozdzielczości. Czy zauważyłby coś, co naprowadziłoby ich na ślad planu mordercy? Potrafiłby odkryć, że dowody w Birmingham też zostały podrzucone? A może znalazłby coś, z czego mógłby wysnuć wniosek, że gość, który wynajął pokój – człowiek, którego tak bardzo pragnął złapać – udaje francuskiego agenta?

Może zobaczyłby coś w londyńskiej siedzibie organizacji Goodlighta, do której się włamano?

– A nazwisko „Richard Logan"? – spytał Rhyme.

– Wszystko wskazuje na to, że było fałszywe. Skradł czyjąś tożsamość. Wydaje się, że to dziecinnie proste.

– Podobno – przytaknął z goryczą Rhyme.

– Jest jedna dziwna rzecz, detektywie – ciągnęła Longhurst. – W tej torbie przyniesionej przez tego człowieka z Tottenham była przesyłka…

– …adresowana do mnie.

– Rzeczywiście.

– Czy był to może zegar czy ręczny zegarek?

Longhurst zaśmiała się z niedowierzaniem.

– Bardzo stylowy zegar stojący. Wiktoriański. Skąd, u licha, pan wie?

– Przeczucie.

– Sprawdzili go nasi pirotechnicy. Nie ma śladów materiałów wybuchowych.

– Nie, to nie bomba… Pani inspektor, bardzo proszę zapakować go do plastikowej torby i jeszcze dzisiaj przysłać do mnie. Chciałbym też zobaczyć raport ze śledztwa, kiedy będzie gotowy.

– Oczywiście.

473

– A moja partnerka...

– Detektyw Sachs.

– Zgadza się. Będzie chciała przesłuchać za pośrednictwem łącza wideo wszystkie osoby zaangażowane w sprawę.

– Przygotuję listę osób dramatu.

Mimo gniewu i gorzkiego rozczarowania, słysząc to wyrażenie, Rhyme musiał się uśmiechnąć. Uwielbiał Brytyjczyków.

– To był dla mnie zaszczyt współpracować z panem, detektywie.

– Z panią również, pani inspektor. – Rozłączył się i westchnął. Wiktoriański zegar.

Rhyme zerknął na gzyms nad kominkiem, gdzie leżał zegarek kieszonkowy Breuget, stary i dość cenny – podarunek od tego samego mordercy. Przyniesiono go w pewien zimny grudniowy dzień nie tak dawno temu, gdy temu człowiekowi udało się uciec przed Rhyme'em.

– Thom. Poproszę o szkocką.

– Coś się stało?

– Nic się nie stało. Minęła już pora śniadania i chciałbym dostać odrobinę szkockiej. Ostatnie wyniki badań miałem książkowe, a poprzednim razem nie byłeś nawiedzonym baptystowskim orędownikiem abstynencji. Dlaczego, do cholery, pytasz, czy coś się stało?

– Bo powiedziałeś „proszę".

– Bardzo zabawne. Dowcip nam dzisiaj dopisuje, jak widzę.

– Staram się. – Przyjrzawszy się jednak uważniej jego minie, opiekun spytał cicho: – Może podwójną?

– Podwójna byłaby doskonała – odparł Rhyme z brytyjskim akcentem.

Thom nalał mu sporą szklaneczkę glenmorangie i przysunął słomkę do ust Rhyme'a.

– Masz ochotę się przyłączyć?

Opiekun utkwił w nim zdumione spojrzenie. Potem parsknął śmiechem.

– Może później.

Rhyme przypuszczał, że chyba pierwszy raz zaproponował mu drinka.

Popijał pachnący dymem trunek, patrząc za zegarek kieszonkowy. Myślał o liście, który morderca dołączył wtedy do prezentu. Rhyme dawno nauczył się go na pamięć.

Zegarek to breugeut. Mój ulubiony z wielu, na jakie się natknąłem. Został wyprodukowany na początku XIX wieku i ma rubinowy wychwyt cylindryczny, wieczny kalendarz oraz system przeciwwstrząsowy. Mam nadzieję, że doceni Pan okienko pokazujące fazy księżyca, zwłaszcza w świetle naszych niedawnych przygód. Na świecie jest tylko kilka egzemplarzy tego zegarka. Ofiarowuję go Panu w prezencie, w dowód szacunku. Nikomu nigdy się jeszcze nie udało powstrzymać mnie od ukończenia zadania; Pan okazał się najlepszy z tych, którzy próbowali tego dokonać. (Powiedziałbym, że jest Pan równie dobry jak ja, ale to niezupełnie prawda. Jednak mnie Pan nie złapał). Proszę regularnie nakręcać breugueta (lecz delikatnie); będzie odliczał czas do naszego następnego spotkania.

Dam Panu radę: na Pańskim miejscu postarałbym się wykorzystać każdą z tych sekund.

Jesteś dobry, zwrócił się w myślach do mordercy.

Ale mnie też nic nie brakuje. Dokończymy następnym razem.

Coś jednak przerwało mu tok myśli. Rhyme oderwał wzrok od zegarka i skierował go za okno. Jego uwagę przyciągnęła jakaś sylwetka.

Na chodniku po drugiej stronie ulicy kręcił się człowiek w sportowym ubraniu. Rhyme podjechał wózkiem do okna i wyjrzał, pociągając jeszcze jeden łyk whisky. Mężczyzna stał obok pomalowanej ciemną farbą ławki przed kamiennym murem otaczającym Central Park. Patrzył na dom, trzymając ręce w kieszeniach. Najwyraźniej nie zdawał sobie sprawy, że ktoś go obserwuje przez duże okno szeregowca.

To był jego kuzyn, Arthur Rhyme.

Ruszył naprzód, chcąc przejść na drugą stronę ulicy, ale przystanął. Po chwili wrócił do parku i usiadł na jednej z ławek zwróconych w stronę domu Rhyme'a, obok kobiety w dresie, która popijała wodę i podrygiwała stopą, słuchając muzyki z iPoda. Arthur wyciągnął z kieszeni kartkę, spojrzał na nią i schował z powrotem. Jego oczy znów skierowały się na dom.

Ciekawe. Wygląda zupełnie tak jak ja, pomyślał Rhyme. W ciągu lat przyjaźni i rozłąki nigdy tego nie zauważył.

Nagle, nie wiadomo dlaczego, w głowie rozbrzmiały mu słowa kuzyna sprzed dziesięciu lat.

W ogóle próbowałeś się kiedyś dogadać ze swoim ojcem? Jak twoim zdaniem mógł się czuć, mając syna kilka razy inteligentniejszego od siebie? Syna który ciągle wychodził z domu, bo wolał być z wujem. Dałeś Teddy'emu jakąś szansę?

– Thom! – krzyknął kryminalistyk.

Nie było odpowiedzi.

Krzyknął głośniej.

– Co? – zapytał opiekun. – Skończyłeś już whisky?

– Potrzebuję czegoś. Z piwnicy.

– Z piwnicy?

– Przecież mówię. Stoi tam parę starych pudeł. Jest na nich napis „Illinois".

– Ach, te. Prawdę mówiąc jest ich ze trzydzieści.

– Wszystko jedno.

– Trzydzieści to więcej niż parę.

– Chciałbym, żebyś czegoś w nich poszukał.

– Czego?

– Kawałka betonu w plastikowym pudełku. Jakieś osiem na osiem centymetrów.

– Betonu?

– To prezent dla pewnej osoby.

– Nie mogę się doczekać Bożego Narodzenia, żeby zobaczyć, co będzie w mojej skarpecie. Kiedy będziesz uprzejmy...

– Proszę, znajdź to.

Westchnienie. Thom zniknął.

Rhyme dalej obserwował swojego kuzyna, który patrzył na drzwi domu. Ale Arthur ani drgnął.

Duży łyk szkockiej.

Gdy Rhyme spojrzał ponownie, ławka była pusta.

Nagłe zniknięcie kuzyna wzbudziło w nim niepokój – i żal. Szybko podjechał wózkiem jak najbliżej okna.

I zobaczył Arthura, który przemykając między samochodami, zmierzał prosto do drzwi jego domu.

Upłynęła długa, długa chwila ciszy. Wreszcie rozległ się dzwonek.

– Polecenie – powiedział do usłużnego komputera Rhyme. – Otwórz drzwi wejściowe.

OD AUTORA

Komentarz Calvina Geddesa o „nowym wspaniałym świecie"
nawiązuje oczywiście do tytułu futurystycznej powieści Aldousa
Huxleya z 1932 roku o utracie indywidualnej tożsamości w rzekomo
utopijnym społeczeństwie. Książka, mimo upływu lat, wciąż jest
przerażająca, podobnie jak „Rok 1984" George'a Orwella.

Czytelników zainteresowanych ochroną prywatności zachęcam
do odwiedzenia stron internetowych następujących organizacji:
Electronic Privacy Information Center (EPIC.org); Global Internet
Liberty Campaign (www.gilc.org); In Defense of Freedom (www.
indefenseoffreedom.org); Internet Free Expression Alliance (http://
ifea.net); The Privacy Coalition (http://privacycoalition.org); Privacy
International (www.privacyinternational.org); Privacy.org (www.pri-
vacy.org) and the Electronic Frontier Foundation (www.eff.org).

Sądzę, że spodoba się wam także – i wytrąci z równowagi –
wspaniała książka, z której pożyczyłem kilka cytatów jako motto
niektórych części powieści, „No Place to Hide" Roberta O'Harowa
juniora.

Jeśli ciekawi was, jak doszło do pierwszego spotkania Amelii
Sachs i Pam Willoughby, proponuję lekturę „Kolekcjonera kości" i
dalszego ciągu ich znajomości w „Zegarmistrzu". „Zegarmistrz" opi-
suje także pierwsze spotkanie Lincolna Rhyme'a z mordercą, którego
w tej powieści próbują złapać wraz z inspektor Longhurst.

Uważajcie też na swoje dane osobowe. Bo zainteresuje się nimi
wiele innych osób.

PODZIĘKOWANIA

Wyrażam wdzięczność wspaniałej ekipie, w skład której wchodzą: Will i Tina Andersonowie, Louise Burke, Luisa Colicchio, Jane Davis, Julie Deaver, Jamie Hodder-Williams, Paolo Klun, Carolyn Mays, Deborah Schneider, Vivienne Schuster, Seba Pezzani, Betsy Robbins, David Rosenthal, Marysue Rucci... i oczywiście Madelyn Warcholik.

Spis treści